找尋真實的蔣介石

蔣介石日記解讀

楊天石　著

三聯書店（香港）有限公司

責任編輯　俞笛
書籍設計　彭若東

書　　名　找尋真實的蔣介石——蔣介石日記解讀
著　　者　楊天石
出　　版　三聯書店（香港）有限公司
香港鰂魚涌英皇道一〇六五號一三〇四室
JOINT PUBLISHING (H.K.) CO., LTD.
Rm. 1304, 1065 King's Road, Quarry Bay, Hong Kong
香港發行　香港聯合書刊物流有限公司
香港新界大埔汀麗路三十六號三字樓
印　　刷　深圳市恆特美印刷有限公司
深圳市寶安區龍華民治橫嶺村恆特美印刷工業園
版　　次　二〇〇八年三月香港第一版第一次印刷
二〇一〇年四月香港第一版第四次印刷
規　　格　十六開（168×230mm）五五二面
國際書號　ISBN 978 - 962 - 04 - 2736 - 7

蔣介石像

二十四歲入伍照相

在日本高田野砲兵联隊

蔣介石在日本高田野炮兵聯隊

左圖　蔣介石在日本振武學校讀書時

右圖　蔣介石（右）與張群

上左圖　蔣介石在桂林

上中圖　蔣介石（中站立者）和孫中山

上右圖　蔣介石在上海接見新聞記者（1927）

下圖　黃埔至北伐時期的蔣介石

上左圖　廬山談話

上右圖　在開羅會議上

下圖　蔣介石與毛澤東在重慶談判期間

左圖　蔣介石與母親王采玉

右圖　蔣介石與宋美齡婚後

蔣介石與毛福梅、宋美齡

蔣介石簽批公文

左圖　蔣介石與胡適

右圖　蔣介石與蔣經國

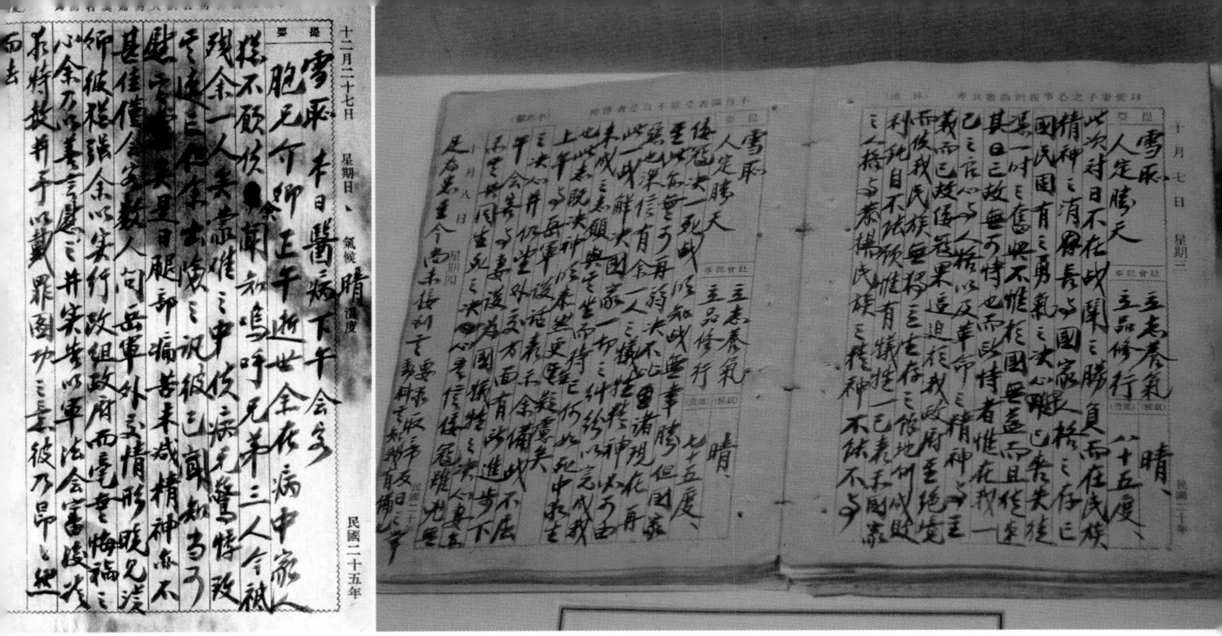

蔣介石日記手稿本（胡佛研究院藏）

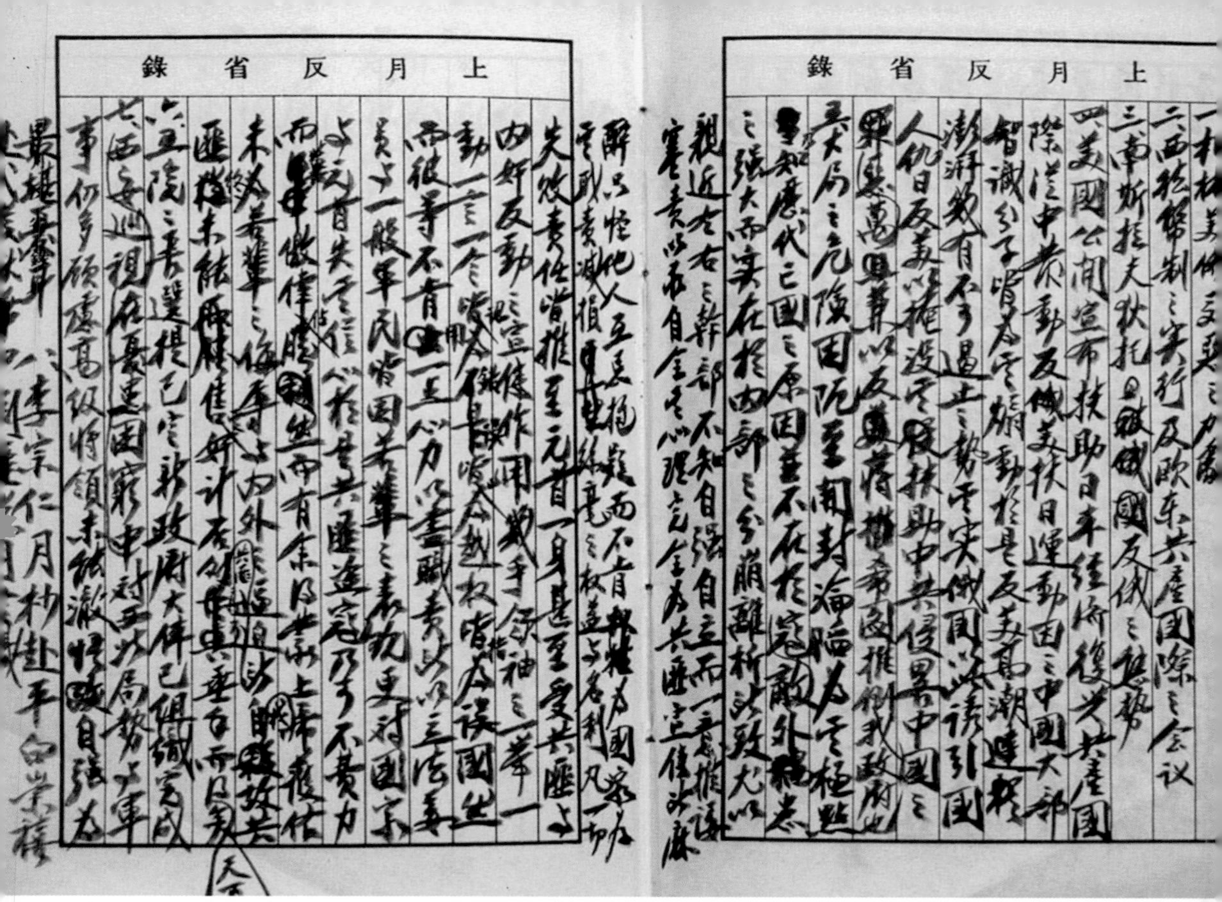

蔣介石日記手稿本（胡佛研究院藏）

胡佛研究院陳列的蔣介石日記手稿本

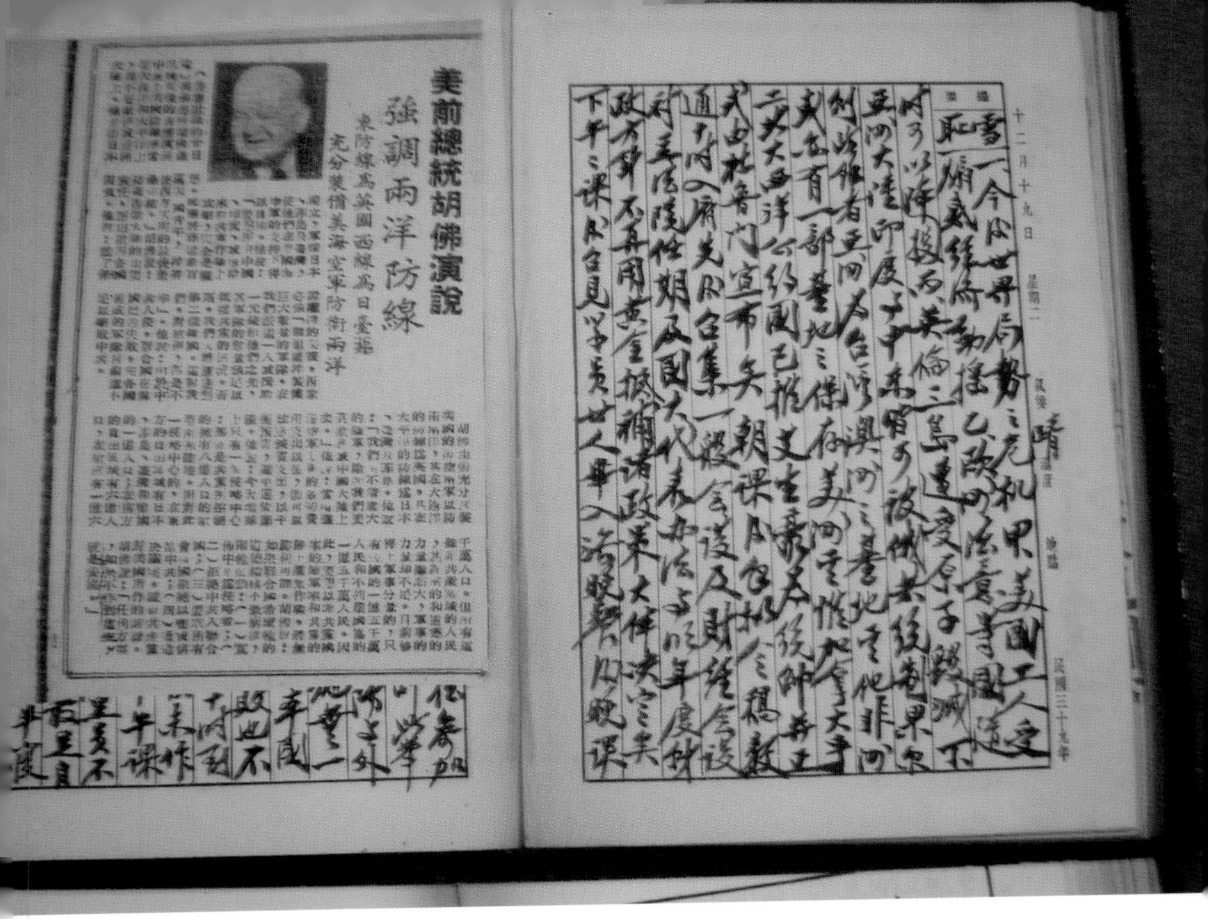

蔣介石日記手稿本（胡佛研究院藏）

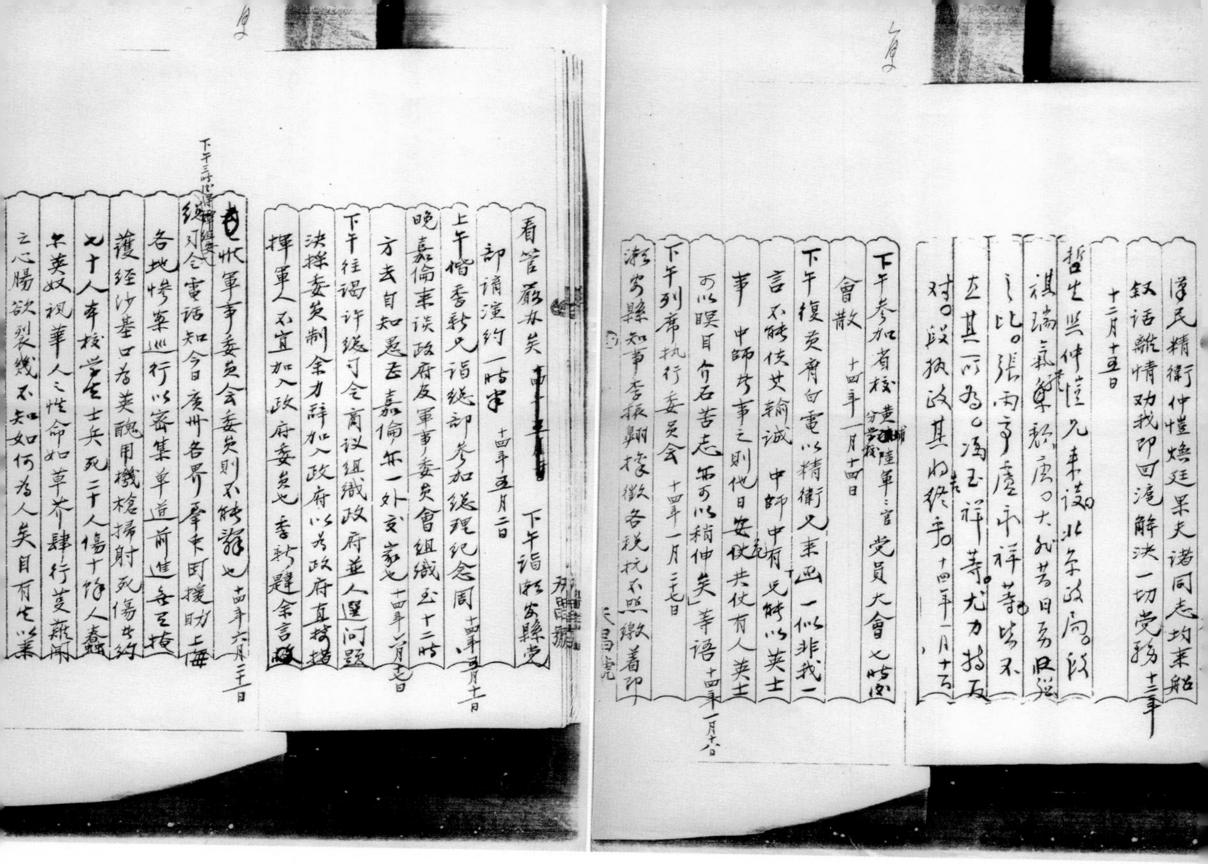
以民精衛仲愷糗廷果夫諸同志均來船叙話敘情劝我即回滬解決一切党務 十三年十二月十五日

哲生與仲愷兄來談北京政局，段祺瑞氣餒，唐少川大放其日爲政治之比。張雨亭、盧永祥等皆不直其所爲。馮玉祥等尤力持反對。段執政其將終乎。 十四年一月十五日

下午參加省校黃埔陸軍軍官學校黨員大會，七時會散 十四年一月十四日

下午復英甫白電，以精衛兄來函一似非我一言不能使其輸誠，中師中有兄能以英士事中師者之則他日安能共仗有人，英士可以瞑目，介石苦志亦可以稍伸矣等語 十四年一月十六日

下午列席執行委員會 十四年一月二十七日

潮安縣知事李振翩接徵各稅抗不照繳，着即

看管嚴密矣

下午詣潮安縣党部請演說一時半 十四年五月二日

上午偕季新兄詣總部參加總理紀念周 十四年五月十一日

晚嘉倫來談政府及軍事委員會組織，至十二時方去，自知惡在，嘉倫亦一外交家也 十四年六月十七日

下午往謁許總司令商議組織政府並人選問題，決採委員制，余力辭加入政府，以為政府直接指揮軍人不宜加入政府委員也，季新韙余言，收軍事委員會則不能辭也 十四年六月二十日

各地慘案迭起，行以密集單道前進，余至抵護經沙基口，為英艦用機槍掃射，死傷我七十人，本校學生士兵死二十人，傷十餘人，蠢來英奴視華人之性命如草芥，肆行戮殺，之心腸欲裂，幾不知如何為人矣，目前

蔣介石日記類抄本（中國第二歷史檔案館藏）

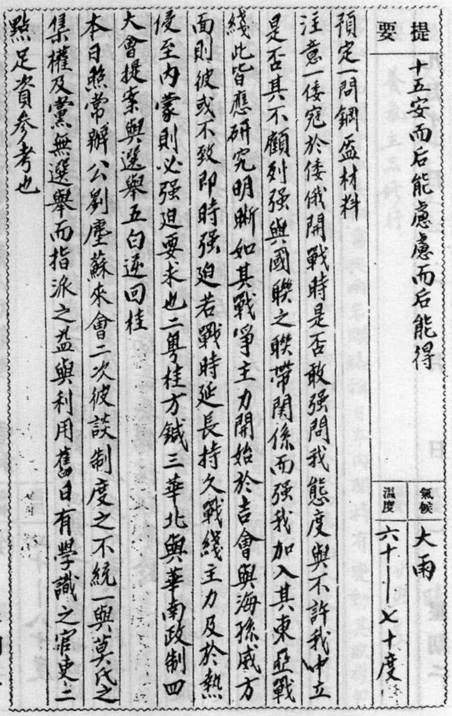
民國二十三年

提要：十五安而后能慮慮而后能得

預定一問鋼盔材料
注意一倭寇於倭俄開戰時是否敢強問我態度與不許我中立
是否其不顧列強與國聯之聯帶關係而強我加入其東亞戰
線此皆應研究明晰如其戰爭主力開始於吉會與海參威方
面則彼或不致即時強迫若戰時延長持久戰線主力及於熱
侵至內蒙則必強迫要求也二粵桂方鉞三華北與華南政制四
大會提案與選舉五白逆回桂
本日照常辦公劉麈蘇來會二次彼談制度之不統一與莫氏之
集權及黨無選舉而指派之益與利用舊日有學識之官吏二
點足資參考也

氣候：大雨
温度：六十一七十度

九月十二日（　月　日）星期三

蔣介石日记（仿抄本），采自中国第二历史档案馆

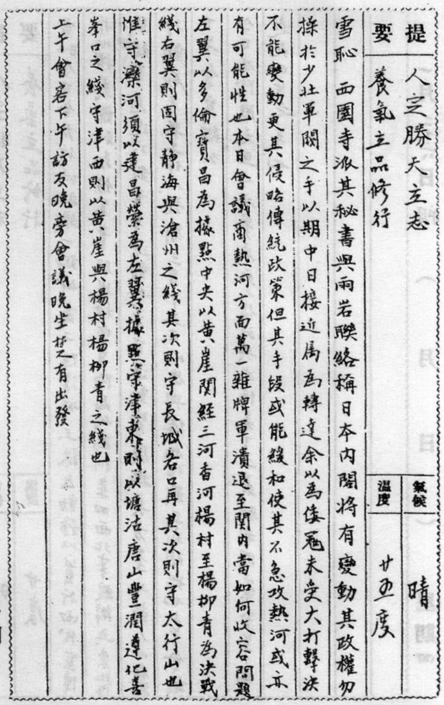
民國二十二年

提要：人定勝天立志
養氣主品修行

雪恥　西國寺派其秘書與雨若聯絡稱日本內閣將有變動其政權勿
操於少壯軍閥之手以期中日接近屬為轉達余以為倭寇未受大打擊決
不能變動更其侵略傳統政策但其手段或能緩和使其不急攻熱河或亦
有可能性也本日會議商熱河方面萬一雜牌軍潰退至關內當如何收容問題
左翼以多倫寶昌為據點中央以黃崖關經三河香河楊村至楊柳青為決戰
線右翼則固守靜海與滄州之線其次則守長城古北口其次則守太行山也
惟守灤河須以建昌營為左翼據點寧津東部或塘沽唐山豐潤遵化喜
峯口之線守津西則以黃崖與楊村楊柳青之線也
上午會客下午訪友晚旁會議晚生楚有出發

氣候：晴
温度：廿五度

一月二十七日（　月　日）星期五

蔣介石日记（仿抄本），采自中国第二历史档案馆

蔣介石日記仿抄本（中國第二歷史檔案館藏）

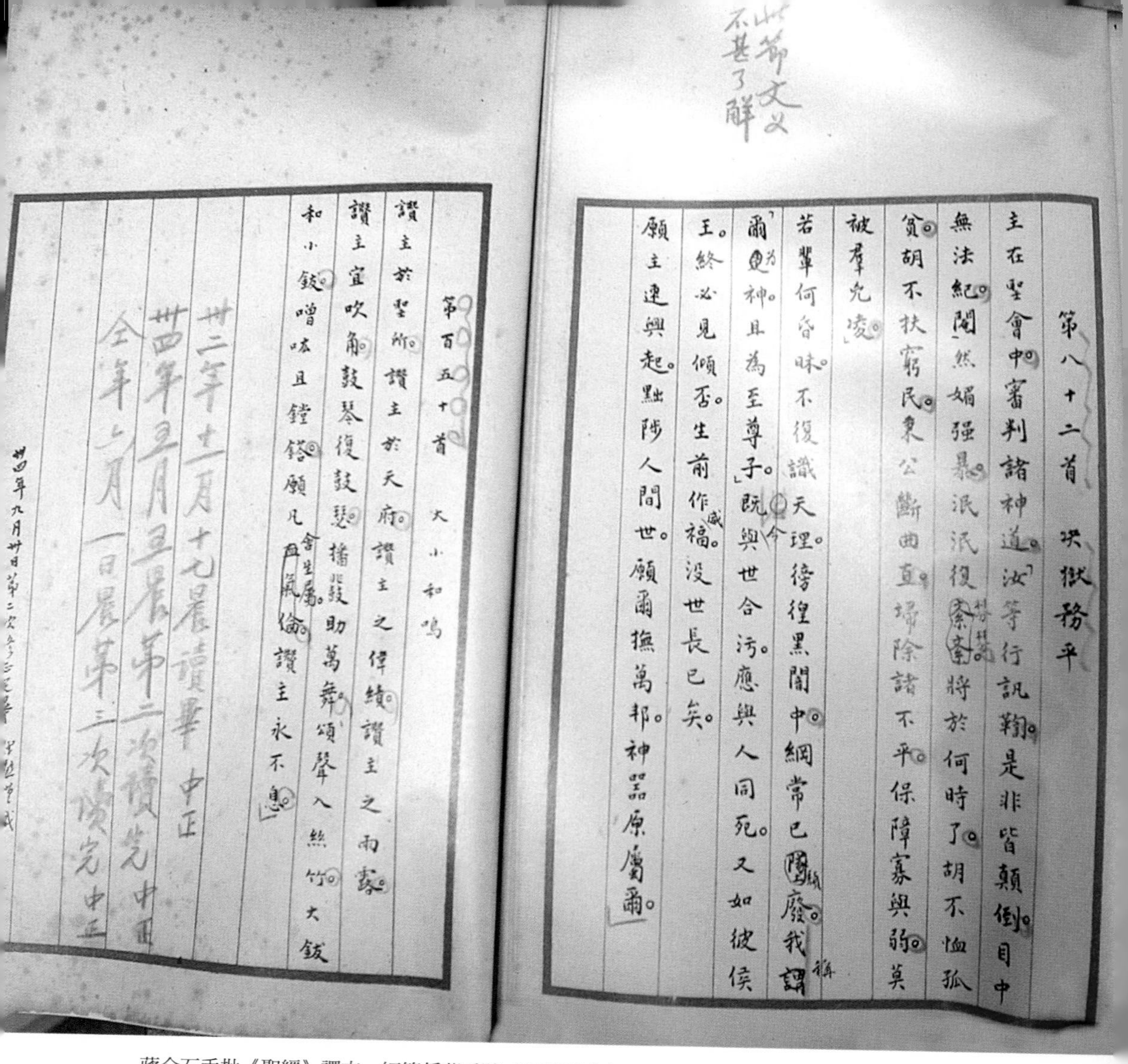
此節文義不甚了解
第八十二首 決獄務平
主在聖會中審判諸神道。「汝等行訊鞫是非皆顛倒。目中無法紀。闇然媚强暴。泯泯復棼棼。將於何時了。胡不恤孤貧。胡不扶窮民。秉公斷曲直。掃除諸不平。保障寡與弱。莫被羣兇凌」。
若輩何昏昧。不復識天理。徬徨黑闇中。綱常已隳廢。我謂「爾曹神。且為至尊子」。既與世合污。應與人同死。又如彼侯王。終必見傾否。生前作威福。没世長已矣。
願主速興起。黜陟人間世。願爾撫萬邦。神器原屬爾。
第百五十首 大小和鳴
讚主於聖所。讚主於天府。讚主之偉績。讚主之雨露。
讚主宜吹角。鼓琴復鼓瑟。播鼗助萬舞。頌聲入絲竹。大鈸和小鈸。噌吰且鏜鎝。願凡有氣倫。讚主永不息。
卅二年十一月十七晨讀畢 中正
卅四年三月三晨第二次讀完 中正
全年七月一日晨第三次讀完 中正

蔣介石手批《聖經》譯本，紅筆係蔣手跡（宋曹琍璇女士藏）

目錄

序言

呂芳上
台北中研院近代史研究所前所長
東海大學歷史系教授

一

最近一百多年來，中國是處在劇烈變動的時代。許多動亂的發生和曲折發展的過程，裡裡外外，直接間接，似乎都不能不注意領導人物、群眾活動、文化變遷、國際因素等的相激相盪，才構成中國現今的局面。至少在半個世紀之前，以近代史作為史學學術研究的一支，還頗見爭議。近代歷史雖有資料宏富之利，但更有問題複雜、事多隱晦、人多在世的困擾，尤難擺脫現實政治的糾纏。所幸五十年後的今天，尤其自二十世紀八十年代以後，全球冷戰架構解體，政治與學術空氣益見寬鬆，近代史研究已漸成氣候。以蔣介石研究為例，海峽兩岸對蔣一向的「神」、「鬼」之辨，到如今視為有成有敗、有功有過的「凡人」，蔣介石走入歷史，社會因此更見成熟。

二

一九三〇年六月，陳寅恪為陳垣《燉煌劫餘錄》作序，說了這樣一段話：

一時代之學術，必有其新材料與新問題。取用此材料，以研求問題；則為此時代學術之新潮流。治學之士，得預於此潮流者，謂之預流（借用佛教初㮚之名）。其未得預者，謂之未入流。此古今學術史之通義，非彼閉門造車之徒，所能同喻者也。

發掘新資料、引進新理論、提出新問題、得出新結果，這是近代史學研究的基本精神。二十世紀八十年代以來，即以近代中國政治史的研究而言，在拋棄舊有思維框架、運用科際整合方法，具備國際視野、重視團隊合作的條件下，運用新資料，提出新問題，已逐步呈現出了許多新的研究成果和前所未有的視野。舉例言之，台灣在二十世紀八十年代解嚴之前，近代政治史本存有若干「禁區」，例如國民黨內部派系問題、台灣史、中國共產黨史、「漢奸」等的歷史，都少有史家涉足；也有若干在國民革命史觀下難予突破的研究困境，例如偉人事蹟、群眾運動等。到了二十世紀八十年代，世局發生重大變動，近代史研究也跟着發生意義深遠的變革。以國民黨史為例，在資料方面，國民黨資料的空前開放，蔣介石檔案的全盤解密，蔣介石日記的陸續公開，對民國史研究議題的開發、歷史問題的解決均具正面意義；在歷史解釋方面，舊有思維框架的摘除、以多元取代一元的論述，歷史不再為政治服務已完全可能。擺脫僵化史觀、遠離偉人教條，去除條條框框，「黨史」、「國史」可以區分，「黨同伐異」的話語系統逐漸淡去，把握宏觀、研究微觀，還原「史學是找資料證明的學問」，帶給近代史學者更多發揮的空間。這也正是海峽兩岸歷史學者歡迎的氣氛，想來也應是楊天石教授新著出版的重要時代背景。

三

蔣介石是中國近代史的重要人物之一，如何依據原始資料還原其本來面目，一直是史家的興趣也是任務。早在二〇〇二年楊天石教授即有感於民國史事不免加油添醋，民國人物難免塗脂抹粉，致事件雲遮霧繞，人物面目走形，因此勤快走訪四海，廣蒐史料，然後以專題發掘蔣介石自民初以迄一九四〇年代史事，「目的是想尋找真實的蔣介石，以便進一步準確的闡述中國近、現代的歷史」。本此精神，二〇〇六年三月，當斯坦福大學胡佛研究院首次開放蔣介石日記時，楊教授是學者中進入檔案館內閱讀日記拔得頭籌者，上窮碧落下黃泉，他的勤快、執着與用功，直叫人敬佩。

大體歷史人物的研究，在握有最重要資料之後，得尋求基本史實的確鑿、深切認識時代環境、掌握各階段思想的發展，集中關鍵又發人深省的議題上進行發揮，不迴避、不竄改、不苟求、不溢美，又能恰得其分，是為上乘之作。楊教授的諸篇論文根據蔣介石日記的手稿本，復又以各種文獻、史料比證、勘核，可謂充分佔有並正確運用史料的優勢；從蔣介石自認對孫中山、陳其美忠心耿耿的刺陶（成章）案、經營上海號子（證券交易所）的失敗、一九二三年蔣自認「吾前程發軔有望」的蘇聯之行說起，到蔣胡湯山事件、對日秘密談判、史迪威事件中的蔣、史、宋（子文）角色與衝突、重慶談判中蔣對毛澤東態度一百八十度轉變的內心世界，乃至於蔣的私生活，每一議題都從疑點出發，回到論證嚴密的答案中。這本書的文章十分重要，是談人人一直想知道又得不到正確答案的歷史議題，這種問題意識的掌握，不只是史才、史識的兼備而已。

四

二〇〇七年夏，個人有幸，與楊教授同時在胡佛研究院檢閱蔣介石的日記。楊教授的文字斐然一如其便給口才，思路清晰，見識廣博，予人印象深刻。楊教授早期治文學，然後有哲學訓練的機緣，終乃投入歷史的研究，其根柢之深厚，卓然成家，自有淵源。

蔣介石日記的豐富內容，一如楊教授所言，是治民國史不能不看的重要史料，是史學家可以長時期、多方面挖掘引伸的寶藏。我們樂於看到楊教授第一部努力尋找真實的蔣介石著作的出現，民國史學界一定會熱切期待他續集、三集……的出版，因為只有多方面的研究成果出現，一個重要又備受爭議的歷史人物如蔣介石，才能真正走下神龕、走出政治的牢籠，真實的面貌才會呈現。

二〇〇七年十二月二十五日 敬序於南港

自序

人的本相常常迷失，歷史的本相也常常迷失。

人的本相迷失的情況很複雜。一種是因「捧」。將某一個人捧為天縱之聖，絕對正確，永遠英明，彷彿斯人不出，世界就永遠處於黑暗中一樣。一種是因「罵」。將某一個人罵成十惡不赦，壞事做絕，禍國殃民，是千夫所指、人人皆曰可殺的天字第一號大壞蛋，彷彿一切罪惡，一切黑暗，均源於斯人。

蔣介石早年追隨孫中山，參加辛亥革命，討袁、護法；孫中山逝世後，領導北伐、清黨、剿共、抗日、內戰，很長時期內擔任中國黨、政、軍三方的最高領導人，位居「元首」。一九四九後退到台灣，既堅持反共復國，又堅持一個中國，在活過八十八歲以後去世。在部分人的口中、筆下，他被神化、美化為千古完人，光同日月，功業和道德都彪炳萬代；但是，在另一部分人的口中、筆下，他則被鬼化、醜化為人民公敵、元兇首惡、民族敗類、千古罪人。

兩種情況——捧和罵，都背離蔣介石的實際，造成其本相的迷失，因此需要尋找。

廓清迷霧，尋找真實的蔣介石，正確評價其功過是非，揭示其本相，對於正確認識歷史上的國共關係，正確認識和書寫中國近代與現代的歷史，有其必要；對於建立兩岸的和平關係，實現中華民族的和解與和諧也有其必要。

我從二十世紀七十年代起，投身於中華民國史的研究。開始研究孫中山，其發展的必然結果是研究蔣介石。第一步，在海內外廣泛收集資料，第二步，選擇若干重大問題進行研究。從二十世紀二十年代起，蔣介石曾將他的部分日記和手稿交給他的老師和秘書毛思誠保存，我曾以這批資料為主撰寫了一批論文。二〇〇二年，結集為《蔣氏秘檔與蔣介石真相》一書，由北京社會科學文獻出版社出版。其後，我又多次到台灣，研讀蔣介石帶到台灣的大量檔案，特別是根據其日記所編寫的《困勉記》、《省克記》、《學記》、《事略稿本》等資料，寫成又一批論文。二〇〇六年三月，寄存於美國斯坦福大學胡佛研究院的《蔣介石日記》的手稿本開放，我有幸受邀成為最早的讀者之一。二〇〇七年，胡佛研究院繼續開放日記的一九三二至一九四五年部分，我再次受邀訪問該院。

日記，記錄個人經歷和內心世界，在各種歷史文獻中有其特殊價值。蔣的日記，長達五十餘年，大有助於人們瞭解其內心世界和許多不為人知的歷史秘密。當然，只看日記是遠遠不夠的，還需要大量閱讀相關的檔案資料和文獻，反覆比較、勘核、思考，才有可能揭示真相，找出真實的蔣介石來。

我在研究蔣介石的過程中，得到過許多鼓勵。一九八八年，我的《中山艦之謎》一文發表後，胡喬木多次在談話中稱讚此文有「世界水平」，「不可多得」，又當面對我說：「你的路子是對的，要堅持這樣走下去」。二〇〇一年，我的《蔣氏秘檔與蔣介石真相》一書完稿，經中共中央統戰部審讀，得到「華夏英才基金」資助。但是，也碰到過若干困難。二〇〇三年，有少數幾個人化名「一批老紅軍、老八路軍、老新四軍、老解放軍戰士」，給中央領導和有關機構寫信。他們根本沒有見過我的書，就毫無根據地指責我吹捧蔣為「民族英雄」，要求對我加以懲處。幸賴中國已經處於改革開放的年代，中國社會科學院的領導和中央有關領導同志對我的研究持肯定和支持態度，我的研究才得以堅持和繼續。

本書是我多年來所寫關於蔣介石研究專題文章的一個選本。部分文章利用收藏在大陸和台北的蔣介石日記仿抄本或類抄本寫成，部分利用胡佛研究院開放的日記手稿複印本寫成（本書注釋簡稱為「手稿本」）。由於類抄本經過不同程度的刪削、改動，已非原汁原味，故此次再到胡佛研究院訪問，又利用日記手稿的複印本對各文所引日記進行核對，並作了少量增補或修訂。

二〇〇五年我在胡佛研究院閱讀蔣介石日記時，新華社有一位記者要求我簡明扼要地對蔣介石「定性」，我曾說過三句話：一、在近代中國歷史上，蔣介石是個很重要的人物；二、在近代中國歷史上，蔣介石是個很複雜的人物；三、有功有過。既有大功，又有大過。同年在香港鳳凰衛視演講時，我曾對此作過比較詳細的闡述。我至今仍堅持這樣的看法。至於這些功過是非的內容和其間的比例關係，那是需要深入研究和討論的。見仁見智，說三說四，都可以，但是，要用學術的方法、討論的方法，擺事實、講道理的方法。斯所禱也。

看來，找尋真實的蔣介石，恢復其本來面目，正確評述其功過是非，給以準確的歷史定位，其事有相當難度，其時將不會很短，只有群策群力，通過長期「百家爭鳴、百花齊放」的道路解決。本書根據蔣介石的日記論述蔣介石生平的若干問題，故副題《蔣介石日記解讀》，但是，本書遠不足以概括蔣豐富、複雜的一生，也不足以表現蔣介石日記的豐富內容，故以後會有續集、三集的出版。

感謝蔣方智怡女士開放蔣介石日記的無私而勇敢的決定。感謝胡佛研究院、中國第二歷史檔案館、中國國民黨黨史館等機構多年來給予的閱讀便利。感謝馬若孟（Ramon Myers）教授、郭岱君教授、宋曹琍璇女士、邵銘煌教授、馬振犢教授、潘邦正博士、林孝庭博士等許多朋友的支持和幫助。

斯為序，並期待海內外廣大專家、讀者的批評。

二〇〇七年七月十五日寫於美國斯坦福大學之
Blackwelder Court，時為第四次訪問胡佛研究院也

前言：蔣介石日記的現狀及其真實性問題

一　日記現狀

根據現有資料，蔣介石的日記約始於一九一五年，其時蔣二十八歲，止於一九七二年八月，其時蔣八十五歲，距離去世只有三年。這一年，蔣介石手肌萎縮，不能執筆，因此停止了長達五十七年的日記。蔣的這五十七年日記，遺失四年。其中一九一五、一九一六、一九一七年，遺失於一九一八年底的福建永泰戰役。當時，蔣介石遭北軍襲擊，孤身逃出，日記、書籍大部失落。現在能見到的一九一五年日記僅存十三天，為蔣當年在山東任討袁軍參謀長時所記。胡佛研究院對外所稱一九一七年日記實際是蔣自撰的回憶，題為《中華民國六年前事略》，回憶一九一七年以前的個人歷史，並非日記。一九二四年的日記則可能遺失於黃埔軍校時期，毛思誠在上一世紀三十年代編輯《蔣介石日記類抄》時就未能見到。因此，蔣介石日記現存五十三年，共六十三冊。在中國以至世界政治家中，有這麼長時段的日記存世，內容如此豐富，大概絕無僅有。

蔣介石日記原由蔣本人保管。蔣去世後，由蔣經國保管；蔣經國於一九八八年去世後，囑其幼子蔣孝勇保管。孝勇於一九九六年去世後由其夫人蔣方智怡女士保管。二〇〇四年經斯坦福大學胡佛研究院研究員郭岱君女士動員，蔣方智怡決定將日記寄存於斯坦福大學胡佛研究院，時間為五十年。胡佛研究院的馬若孟教授及郭岱君教授親自去加拿大及美國加州的蔣宅，將這批日記攜到胡佛。

蔣介石日記的狀況並不很好。若干部分已經黴爛、損毀。胡佛研究院接受這批日記後，立即投入力量修復、保存，用現代科技進行微縮攝影，製作複本。宋氏家族的曹琍璇女士和秦孝儀先生的高足潘邦正先生受蔣家委託對日記進行初讀，對涉及個人隱私的少量內容進行技術處理。二〇〇六年三月首度向公眾開放一九一八至一九三一年部分。二〇〇七年四月又開放至一九四五年，其餘部分將陸續開放。其少量技術處理部分將在三十年後全部恢復原狀。

蔣介石日記有手稿本、仿抄本和類抄本、引錄本等幾種類型。胡佛研究院開放的蔣介石日記絕大部分由蔣介石親筆書寫，可以稱為手稿本或原稿本。蔣從早年起，即陸續命人照日記原樣抄錄副本。抗戰時期，蔣介石離開重慶出巡，為了防止遺失，有部分日記由秘書俞國華抄存。由於這兩種本子從內容到格式和手稿本都一模一樣，因此可以稱為仿抄本。這種仿抄本，大陸保存少數，胡佛研究院保存多數，自一九二〇至一九七〇，中缺一九二四、一九四八、一九四九各年。

蔣介石一生崇拜曾國藩，在很多地方都模仿曾。曾國藩有日記，還有別人替他編輯的《曾文正公日記類抄》。上一世紀二十年代至三十年代，蔣介石陸續將自己的日記、來往函電、文稿等許多資料交給他的老師和秘書毛思誠保管。毛即利用這批資料編輯長編性著作《民國十五年以前之蔣介石先生》。同時，毛思誠模仿《曾文正公日記類抄》的體例，將蔣的日記分類摘抄，計有黨政、軍務、學行、文事、雜俎、旅遊、家庭、身體、氣象等約十種，統名為《蔣介石日記類抄》。一般稱之為「類抄本」。毛的做法一般是首先摘抄蔣的日記原文，然後加以文字潤色，並不改變蔣的原意，所以還是可信的。但是。仍有個別地方，毛思誠為了將蔣的形象顯示得更完美些，有些改動和原文相差較遠。例如，蔣早年比較激進，主張將資本家「掃除殆盡」，毛思誠就改為「如不節制資本」。又如：「九一八事變」後，蔣日記曾有「以忍耐不屈之精神維護領土」的說法，但毛思誠卻修改為：「以堅強不撓之氣概吞壓強虜」。這一改，蔣的形象「完美」了，但也就不真實了。毛在編完《民國十五年以前之蔣介石先生》一書後，《類抄》和少數蔣日記的仿抄本以及其他函電、文稿等就一直保存在寧波家中。一九四九年中華人民共和國成立後，毛氏後人將這批資料藏在夾牆裡。「文革」中，紅衛兵砸破牆壁，發現這批資料，逐級上報，一直送到公安部。公安部撥交南京的中國第二歷史檔案館保存。「文革」後，毛氏後人將這批資料捐獻給國家。

抗戰時期，蔣介石命奉化同鄉王宇高、王宇正繼續按分類原則摘抄自己的日記，分《困勉記》、《省克記》、《學記》、《愛記》、《遊記》五種。《困勉記》記錄蔣在艱難中勉力奮鬥的事蹟。《省克記》記錄蔣的自我反省和克己修身。《學記》記錄蔣的讀書心得。《愛記》記蔣的人際關係和對同事的看法。《遊記》記蔣的遊歷。主要資料來自蔣的日記，但編者也偶採日記之外的資料，而且有些資料我們今天已經難以一一見到。其特點是用第三人稱的口吻記述，和毛思誠的《蔣介石日記類抄》並不完全相同。不過，編者基本上忠實於日記。編者所述和日記摘抄常用「公曰」分隔，「公曰」以下的內容一般抄自日記手稿本，因此可以大體歸入「類抄本」。不過這五種本子的文字都較日記手稿本簡括，也有編者潤飾、修改之處。除文字出入外，有些內容，日記手稿本沒有。例如，一九四〇年十一月日本外相松岡洋右向重慶國民政府求和，蔣當月七日的日記手稿為：「周作民受敵方請託條件轉達者，商人不察，以為較倭汪之條件減輕，其實文字變換，而內容無異也。商人只知私利，可痛！」而《困勉記》的記載則為：「此條件，不過文字變換，而內容實無少異。錢新之不察，以為較汪奸之條件減輕矣，希望政府採納，是只知私利而不顧國家者也，可痛！」兩種本子，內容基本一致，所不同的是後者點出了在松岡和蔣介石之間牽線的銀行家錢永銘。這一變動，一種可能為蔣介石審閱時所加，一種可能是編者根據其他資料所加。兩相比較，《困勉記》這一條的史料價值顯然更高。當然，手稿本也有很多有價值的史料，被《困勉記》的編者刪掉了。

蔣介石在命人編輯《困勉記》等五書之外，又命同鄉孫詒等編輯《事略稿本》。這是年譜長編性的著作。全稿按年、按月、按日收錄、排比與蔣的生平有關的各種資料，如文告、函電等，其中也大量摘錄蔣的日記。該書上接毛思誠編《民國十五年以前之蔣介石先生》，自一九二七年始，止於一九四九年。同樣，它對蔣的日記有刪選，有壓縮，有加工。特別應該指出的是，編者為了維護蔣的形象，對日記手稿本中的部分內容有所諱飾。有些地方，編者還曾根據後來的歷史環境對手稿本的文字作過刪改。例如，抗戰後期，蔣介石與美國衝突時，曾經多次在日記中痛罵「美帝國主義」。這些激烈語言，在《事略稿本》中就找不到了。

《困勉記》等五種稿本現藏於台北國史館。《事略稿本》也藏於該館，近年來陸續刊行。不過，由於該稿卷帙龐大，刊行速度較慢，全部出版恐尚須時日。

秦孝儀主編的《總統蔣公大事長編初稿》可以視為《事略稿本》的簡本。其中所引蔣的日記未作說明，也有修飾，個別改動甚至距手稿本較遠。該書印數很少，屬於內部資料性質。由於該書僅編至一九四九年，近年來，台灣學者劉維開教授等正在續編，已出一九五〇年、一九五一年、一九五二年、一九五三年四冊。

此外，上世紀五十年代，日本產經新聞社以日文出版了《蔣總統秘錄》。為幫助該社編輯此書，台灣中國國民黨黨史會派專人摘抄、提供了包括蔣介石日記在內大量文獻，因此該書在敍述蔣介石生平時曾部分引錄蔣的日記。後來美國學者黃仁宇寫作《從大歷史的角度讀蔣介石日記》一書，即根據《秘錄》和《長編》。此後海內外學者研究蔣介石的著作，所引日記不少出於此書。其實，黃仁宇本人並未讀過任何蔣日記的手稿本、仿抄本或類抄本。

《民國十五年以前之蔣介石先生》、《事略稿本》、《總統蔣公大事長編初稿》、《蔣總統秘錄》等書不以公佈蔣的日記為目的，其主體部分也不是蔣的日記。勉強分類，只能稱之為蔣的日記的「引錄本」。至於二〇〇七年初北京團結出版社出版的張秀章編著的《蔣介石日記揭秘》則是一本偽書，筆者已有兩文揭露，此處不贅。

二 真實性問題

日記記錄本人當日或當時親歷親見之事或個人所為所思，不僅比較準確，而且私密度很高，歷來為史家所重視。蔣介石一生，是近代中國許多重大歷史事件的參與者和決策者，長時期集黨政軍大權於一身。從他的日記中，人們能夠瞭解蔣介石的思想、性格、活動以至他的極為隱秘的內心世界，瞭解蔣介石和國民黨、國民政府的權力運作過程，特別是瞭解那些不見於新聞媒體、政府公報，為局外人所不可能得悉的、深藏的政治內幕。因此，蔣介石日記是研究蔣介石，研究近、現代中國歷史的極為重要的第一手資料，對於研究亞洲史、世界史也有相當的價值。但是，蔣的日記可靠嗎？我在研究蔣介石的過程中，常常碰到這樣的問題。

日記有兩種。一種是主要為寫給別人看的，這種日記往往裝腔作勢，把真實的自我包裹起來。例如閻錫山的《感想日記》，滿篇都是《論語》式的格言，一望而知是教人如何成聖成賢的，沒有多大價值。一種是主要為寫給自己看的。此類日記，目的在於自用，而不在於示人傳世，其記事抒情，或為備忘，或為安排工作與生活，或為道德修養，或為總結人世經驗，或為宣洩感情，往往具有比較高的真實性。蔣的日記大體屬於此類。

蔣雖然很早就投身革命，但是，辛亥前後生活一直比較荒唐，我曾稱之為上海洋場的浮浪子弟。一九一三年，「二次革命」失敗，蔣介石亡命日本東京，受孫中山之命，加入中華革命黨，同時盡力讀書，在這一年讀完曾國藩全集，深受影響。一九一六年，他的引路人陳其美被袁世凱派人暗殺。這件事給了蔣介石以極大刺激。「自矢立品立學，以繼續英士革命事業自任。」【二】他決心從此改邪向善，立志修身，每日靜坐、反思，按儒學要求克己復禮。此後的一段日記應該比較真實。其後，蔣介石在國民黨中的位置日益重要。他繼續用儒學，特別是宋明道學的要求來約束自己，存天理，去人慾，日記成為他個人修身的工具。他修身的願望是真誠的，日記自然也有相當的真實性。此後，他的日記逐漸增添新的內容，即每日生活、工作、思想的記錄，治兵、治國和處理人際關係的經驗總結等。蔣每日、每周、每月、每年常有反思，他的日記也就相應成為反思的載體。這一段時期，蔣介石還不會想到他將來會成為國民黨和中華民國的要人，他的日記會長期流傳，成為歷史學的研究資料，因此，沒有必要在日記中矯飾作假。等到他地位日隆、權勢日重之後，他自然明白其日記的重要，但是，由於他繼續通過日記記錄每日工作、思想、心得，安排工作日程、計劃，提醒應注意事項，並繼續用以治心修身，是為自用，而非用以示人，因此，一般會如實記錄，而不會有意作假，自己騙自己。例如，他抗戰期間的日記一般分幾個部分：一、提要。記當日主要事件或主要心得、主要修養要求。二、預定。記一二日內應做之事。三、注意。記對國內外形勢的思考和應加注意之事。四、記事，記一日所做主要之事。五、上星期反省錄。六、本星期預定工作綱目。七、本月反省錄。八、本月大事表。等等。假如蔣在這些項目中造假，等於是給自己造成混亂。

說蔣記日記一般會「如實記錄」，並不等於說蔣在日記中什麼重要的事情都記。有些事，他是「諱莫如深」的。例如，一九二七年的「四一二政變」，顯係蔣和桂系李宗仁、白崇禧精密謀劃之舉，但日記對此卻幾乎全無記載。又如，一九三一年的軟禁胡漢民事件，蔣只記對自己有利的情況，而不利的情況就不記。再如，抗戰期間，蔣介石派宋美齡去香港指導對日談判，他就絕對不記。蔣自己就說過，有些事情是不能記的。可證，蔣記日記有選擇性。同時，他的日記只反映他個人的觀點和立場，自然，他所反對的人，反對的事，反對的政黨和政派，常常被他扭曲。有些常常被他扭曲得完全走形，不成樣子。因此，只能說，蔣的日記有相當的真實性，不是句句真實，事事真實，而且，真實不等於正確，也不等於全面。研究近現代中國的歷史，不看蔣日記會是很大的不足，但是，看了，什麼都相信，也會上當。

蔣的日記，主要為自用，而非主要為示人，為公佈。這一點，可以從以下三點得到證明。

一、蔣身前從未公佈過自己的日記，也從未利用日記向公眾宣傳，進行自我美化。當然，他會想到身後立傳，使自己的事蹟流傳的需要，這一功能主要由《困勉記》和《事略稿本》一類著作完成。蔣一般會選擇自己的同鄉或親信進行編輯，這些人自然會本着「為尊者諱」的原則，刪削或修改部分內容，而蔣本人也會逐本校閱，嚴格把關。二、蔣喜歡罵人。在日記中，蔣罵過許多人，好友如戴季陶、黃郛，親屬如宋子文、孔祥熙、同僚如胡漢民、孫科、李宗仁、白崇禧、何應欽，下屬如周至柔等，幾乎沒有人不被他罵，而且罵得非常狠。蔣如果考慮到要示人、要公佈，他就不會在日記中那樣無所顧忌地罵人。三、在日記中，蔣寫了自己的許多隱私，例如早年搞「三陪」，在「天理」和「人慾」之間的艱難掙扎，甚至為解決生理需求而進行「自慰」等。此類事，蔣在日記中都如實記錄，顯然，記這些，決不是為了示人，更不是為了樹立自己的高大與神聖的形象。

註釋：

【一】《蔣介石自述革命思想之起源》，《蔣介石日記》，手稿本，美國：胡佛研究院藏，一九二九年八月三十一日。

蔣介石為何刺殺陶成章

一九一二年一月十四日，光復會領袖陶成章在上海廣慈醫院被刺身亡。關於此案，當時人們已經普遍懷疑是陳其美指使蔣介石所為；後來，毛思誠在編著《民國十五年以前之蔣介石先生》一書時，也承認不諱。近讀中國第二歷史檔案館所藏《中正自述事略》殘稿一冊，發現它的記載較毛思誠所著詳盡，且係蔣介石「自白」，因此，史料價值更高，有助於說明蔣介石刺陶這一疑案。《事略》以毛筆恭楷寫成，文字略有蝕損。現將有關段落照錄如下，凡蝕損處均以□□表示，可以意補的地方則以括號標明。

《事略》述蔣一九〇八年的經歷時說：

是時之知交，以竺紹康為第一人……余無形中亦漸染其風尚。彼□（言）錫麟之死，實為陶成章之逼成，不然，以□□（徐之）學行，其成就必不止此。又談陶之為人，不易共事。余聞此乃知陶、龔日常詆毀徐伯□□（生有）帝王思想者，實有其他意圖。余當時聞陶、龔毀徐，僅以為伯生已死，即有過誤，我同志不應再加猜測，詆毀先烈而已，而孰知伯生之死，為陶所逼□（乎）！自此，即甚鄙陶之為人，以其無光明正大態度，無革命人格。

竺紹康，浙江會黨首領，曾與秋瑾、徐錫麟共同在紹興創辦大通學堂，策劃起義；一九〇八年與蔣介石相識，一九一〇年去世。錫麟，即徐錫麟，字伯蓀，蔣介石寫作伯生，章太炎寫作伯孫。龔，指龔寶銓，光復會的重要成員。（按：徐錫麟和陶成章本是志同道合的戰友，後來，因在革命途徑及大通學堂應否續辦等問題上意見分歧，二人發生衝突。）一九〇七年，徐錫麟依靠表伯、山西巡撫俞廉三的關係，以道員分發安徽，被任命為巡警學堂會辦，深得信任。七月，徐刺殺巡撫恩銘，被捕犧牲。關於此事，章太炎曾說：「其後伯孫入官頗得意，煥卿等不見其動靜，疑其變志，與爭甚烈，及伯孫殺恩銘，始信之。」【二】竺紹康所言，「錫麟之死，實為陶成章之逼成」，指此。這一事實表現出陶成章性格的一個突出弱點——多疑，但據此即將徐錫麟之死的責任歸在陶成章身上，並由此認為其「無革命人格」，顯然不妥。

《事略》又說：

及陶由南洋歸日，又對孫先生詆毀□□（不遺）餘情。英士告余曰：陶為少數經費關係，不顧大體，掀起黨內風潮，是誠可憾，囑余置之不理，不為其所動，免致糾紛。余乃知陶實為自私自利之小人，向之每月接濟其經費者即停止，不與其往來也。

一九〇七年春，同盟會內部發生反對孫中山的風潮，陶成章是參預者之一。一九〇九年九月，陶成章因在南洋募捐未獲滿意結果，聯絡李燮和、柳聘農、陳方度、胡國梁等七、八人以東京南渡分駐英、荷各屬辦事的川、廣、湘、鄂、江、浙、閩七省同志的名義起草《孫文罪狀》，指責孫中山有「殘賊同志」、「蒙蔽同志」、「敗壞全體名譽」等罪狀十二條，要求開除其總理一職，通告海內外。《罪狀》並誣稱孫中山貪污公款，在香港、上海存款二十萬云云。陶成章並帶着《罪狀》，趕赴東京，要求同盟會本部開會討論。《事略》所稱「為少數經費關係，不顧大體，掀起黨內風潮」，指此。這一事實同樣表現出陶成章思想性格中的弱點，陳其美批評其「不顧大體」是有道理的，但由此判定其為「自私自利之小人」，也顯然不妥。

《事略》還說：

> 當革命之初，陶成章亦□（踵）回國，即與英士相爭，不但反對英士為滬軍都督而顛覆之，且欲將同盟會之組織根本破壞，而以浙江之光復〈會〉代之為革命之正統，欲將同盟會領袖□□（孫、黃）之歷史抹煞無遺，並謀推戴章炳麟以代孫先□（生），□（嗚）呼革命未成，自起紛爭。而陶之忌刻成性，竺紹康未死前，嘗為余曰：「陶之私心自用，逼陷徐伯生者，實此人也。爾當留意之！」惜竺於此時已逝世，而其言則余初未□（忘）。及陶親來運動余反對同盟會，推章炳麟為領袖，並欲置英士於死地，余聞之甚駭，且怨陶之喪心病狂，已無救藥，若不除之，無以保革命之精神，而全當時之大局也。蓋陶已派定刺客，以謀英士，如其計得行，則滬軍無主，長江下游必擾亂不知所之；而當時軍官又皆為滿清所遺，反覆無常，其象甚危，長江下游人心未定，甚易為滿清與袁賊所收復，如此則辛亥革命功敗垂成，故再三思索，公私相權，不能不除陶而全革命之局。

本段中，蔣介石坦率地承認，他是刺陶案的主兇，並列舉了許多理由，證明他的行動是有功於革命的正義之舉。其實，陶有可責之過，並無可殺之理。在蔣所述理由中，有些還有可疑之處。例如所謂陶成章準備刺殺陳其美的問題。蔣介石是陳其美的親信，這一點陶成章不可能不知道，他怎麼會糊塗到向蔣介石透露刺陳方案，甚至動員蔣下手呢？倒是蔣介石所說的其他理由，對於說明陶成章的死因，有一定意義。如蔣介石稱，陶成章「回國即與英士相爭，反對英士為滬軍都督而顛覆之」，以及「反對同盟會」等，應該說，這才是陶成章的真正死因所在。

一九〇九年秋陶成章再次掀起反對孫中山的風潮後，因受到黃興等人的抵制，於次年二月在東京重建光復會，以章太炎為會長，正式與同盟會分家。一九一一年籌備廣州起義期間，兩會關係有所緩和。不久。趙聲在香港患盲腸炎逝世，陶成章懷疑為胡漢民所毒，再次對同盟會產生疑忌。同年七月，陶成章應尹銳志、尹維峻姊妹之邀，回到上海，組織銳進學社，作為秘密聯絡機關。當時，陳其美、譚人鳳、宋教仁等正在上海籌備成立同盟會中部總會，以便在長江中下游發動起義。同月二十六日，陳其美、陶成章在沈縵雲宅開會，討論合作問題，二人發生爭執，陳其美一怒之下，竟掏出了手槍。幾天後，陶成章匆匆離滬，再赴南洋，上海一地存在着兩個革命組織的狀況也就因之未能改變。所幸的是，面對共同的敵人，雙方大體仍能配合。十一月三日，上海起義發動，陳其美率隊奪取江南製造局，他隻身入內勸降，被扣押。起義群眾奮勇進攻，光復會的李燮和也調來軍警助戰，救出了陳其美。十一月六日，滬軍都督府成立，陳其美被推為都督，李燮和任參謀。對此，李燮和與光復會的人都很不高興。有人主張逮捕陳其美，治以「違令起事，篡竊名義」之罪【二】。李燮和不同意，於十一月九日率部去吳淞成立軍政分府及光復軍總司令部，自任總司令，宣佈只承認蘇州軍政府為全省的軍政府，「所有上海地方民政、外交等事，均歸蘇州軍政府辦理」【三】。這樣，同盟、光復兩會矛盾再度公開化。

上海光復之際，陶成章自南洋歸國。他未能因應形勢，和同盟會棄嫌修好，相反，卻繼續鼓吹和同盟會分家，進一步惡化和孫中山的關係。南京攻克後，各省都督府代表聯合會在上海開會，推舉大元帥，一部分人主張推黃興擔任，以朱瑞為首的浙軍將領則主張推黎元洪，強烈反對黃興。時任浙軍參謀的葛敬恩後來回憶說：「祖黃（亦即祖孫）祖黎一時鬧得不可開交。光復會分子反對同盟會日益露骨，陶煥卿、李燮和一派鼓吹與同盟會分家，我們就成了此等人的對象。」【四】會議本已於十二月四日選舉黃興為大元帥，黎元洪為副，但於十二月十七日又改推黎元洪為大元帥，黃興為副，代行大元帥職權。這一變化，原因複雜，但同盟會方面認為和陶成章「嗾動軍隊」有關。【五】十二月二十日，馬君武鑒於孫中山即將回國，在上海《民立報》著文，盛讚孫中山的革命品格和經驗，斷言財政及外交等問題，「通計中國人才非孫君莫能解決」。該文稱：

孫君之真價值如此，日人宮崎至謂其為亞洲第一人傑，而尚有挾小嫌宿怨以肆誣謗者，其人必腦筋有異狀，可入瘋人院也。吾平生從不阿諛人，又以為吾國素知孫君，故默默然不贅論。今見反對孫君之人大肆旗鼓，扇惑軍隊，此事與革命前途關係至大，又孫君於數日內將歸國，故不能已於言。【六】

馬君武此文所稱「挾小嫌宿怨以肆誣謗」，「大肆旗鼓，扇惑軍隊」的人，顯指陶成章。辛亥前，馬君武長期生活在德國，和同盟、光復兩會之間的矛盾素無關係。他感到「不能已於言」而出面著文，可見陶成章的活動已經引起了嚴重的關切。當時，《民立報》和南洋同盟會員曾經為孫中山做過部分輿論鼓吹工作，陶成章等人認為意在為孫中山「騙取總統」。一九一二年一月，孫中山就任臨時大總統後，陶成章曾致書孫中山，重提「南洋籌款」舊事。這就意味着，要將孫再次放到「大騙子」和「大貪污犯」的被告席上。孫中山因此憤而覆書，責問陶在南洋發佈《孫文罪狀》的理由，並稱：「予非以大總統資地與汝交涉，乃以個人資地與汝交涉。」【七】這樣，兩人間沉澱已久的猜嫌再度攪起，革命隊伍有再次爭吵、分裂的危險。

這一時期，陶成章與陳其美的矛盾也進一步尖銳化，突出地表現在幾個問題上：

一、陶成章拒絕陳其美的「協餉」要求。據章天覺回憶，陳其美為在上海籌辦中華銀行，曾向浙江都督湯壽潛要求「協餉」二十五萬元，作為發行紙幣的準備金。當時，陶成章在浙江軍政府任總參議，湯壽潛向陶徵求意見，陶表示容「緩商」，湯壽潛即覆電拒絕。後來，陳其美當面質問湯壽潛，湯答以陶成章「不允」【八】。其他記載也說，陳其美曾因軍需，向陶成章要求分用南洋華僑捐款，陶回答說：「你好嫖妓，上海盡有夠你用的錢，我的錢要給浙江革命同志用，不能供你嫖妓之用。」【九】

二、陶成章對陳其美在滬軍都督任內的作為不滿。樊光回憶說：「時陳其美在滬督任上，聲名惡劣，（陶成章）當然是大不滿意，間有譏評」【一〇】。

三、陶成章在上海練兵，並號召舊部。據《民立報》記載，一九一一年十一月下旬，為了進攻清軍盤踞的南京，陶成章曾電飭浙江溫、台、處三府，添練義勇三營，又電告南洋各機關，速匯鉅款；同時又在上海成立「駐滬浙江光復義勇軍練兵籌餉辦公處」，準備在閔行鎮一帶練兵【一一】。這一舉動，自然更易引起陳其美的警惕，認為其鋒芒是指向自己的。一九一二年初，章太炎曾勸告陶成章：「江南軍事已罷，招募為無名。丈夫當有遠志，不宜與人爭權於蝸角間。」【一二】所謂「與人爭權」，自然是指陳其美等。

南京臨時政府成立後，湯壽潛出任交通總長，所遺浙江都督一職建議在陳其美、章太炎、陶成章三人中擇一以代。從當時輿論看，幾乎是一片擁陶聲。有的說：「成章早一日蒞任，即全浙早一日之福。」【一三】有的說：「非陶公代理，全局將解體矣！」【一四】有的甚至說：「繼其任者，惟有陶煥卿，斯人不出，如蒼生何！」【一五】章太炎也積極為陶成章活動，認為「浙中會黨潛勢，尤非煥卿不能拊助」【一六】。陳其美不會樂意丟掉上海去當浙江都督，但由陶成章出任，陳其美也不會安枕。

當時，上海已經謠傳陳其美準備刺殺陶成章，王文慶在南京也得到「確實消息」，陶成章在滬「大不利」。【一七】於是，陶成章先後避居於客利旅館、江西路光復會機關、匯中旅館、廣慈醫院等處。一月七日，他在《民立報》發表通告，內稱：

當南京未破前，舊同事招僕者，多以練兵、籌餉就商於僕，僕未嘗敢有所推諉。逮南京破後，僕以東南大局粗定，函知各同事，請將一切事宜商之各軍政分府及杭州軍政府，以便事權統一，請勿以僕一人名義號召四方，是所至禱。恐函告未周，用再登報聲明。

這一通告表明，陶成章已經十分清晰地感到了自身處境的危險，正在力圖使對手相信，他不會組織軍事力量，「號召四方」，構成什麼威脅。一月十一日，他又通電聲明，不能勝任浙江都督一職，電文云：

公電以浙督見推，僕自維輇才，恐負重任。如湯公難留，則繼之者非蔣軍統莫屬，請合力勸駕，以維大局。【一八】

蔣軍統，指蔣尊簋，同盟會會員，陶成章此舉仍然是為遠禍保身，但是，他的「舊同事」們卻不能理解他的苦衷，沈榮卿等以「全體黨員」名義致電各報館及陶成章，電稱：

頃閱先生通告各界電，駭甚。先生十餘年苦心，才得今日之收果。吾浙倚先生如長城，經理浙事，非先生其誰任？況和議決裂，戰事方殷，榮等已號召舊部，聽先生指揮。先生為大局計，萬祈早日回浙，籌備一切，若不諒榮等之苦衷，一再退讓，將來糜爛之局不可逆料。敢布區區，敬達聰聽。【一九】

這份電報不啻是陶成章的催命符。

一九一一年十二月，還在浙軍反對黃興出任大元帥的時候，陳其美就曾請浙軍參謀呂公望轉告陶成章「勿再多事，多事即以陶駿保為例」【二〇】。陶駿保原為鎮軍軍官，一九一一年十二月十三日為陳其美槍斃，可見，當時陳其美已萌發了除陶的念頭。這時，沈榮卿等又堅持要陶成章出任浙督，並且「號召舊部」，聽陶指揮，這樣，自然使陳其美感到事不宜遲。

《事略》又說：

余因此自承其罪，不願牽累英士，乃辭職東遊，以減少反對黨之攻擊本黨與英士也。

這裡，實際上是在承認，「除陶」是陳其美指使的了。

在《事略》中，蔣介石自詡他的「除陶」是「辛亥革命成敗最大之一關鍵」，實際上，他的行為極大地損害了革命隊伍的團結，削弱了革命力量。此後，光復會即煙消雲散，原成員和同盟會更加離心離德了。

陶案發生後，輿論譁然，蔣介石不得不避走日本；刺陶的另一兇手王祝卿逃到浙江嘉興，被當地光復會員僱人殺死。一九一二年九月，黃興、陳其美入京，共和黨設宴歡迎，邀請章太炎「同食」，但章太炎拒絕參加，他發表公開函件說：

陶成章之獄，罪人已得，供辭已明，諸君子亦當聞其崖略。自陶之死，黃興即電致陳其美，囑保護章太炎，僕

見斯電，知二豎之朋比為奸，已髮上衝冠矣！【二】

黃興要求保護章太炎，但章太炎卻將黃興視為「朋比為奸」者，表現出對同盟會的深刻的猜忌和隔閡。

附記：

此文原載《近代史研究》一九八七年第四期。發表後多年，發現一九四三年七月二十六日蔣介石日記云：「看總理致吳稚暉先生書，益憤陶成章之罪不容誅。余之誅陶，乃出於為革命、為本黨之大義，由余一人自任其責，毫無求功、求知之意。然而總理最後信我與重我者，亦未始非由此事而起，但余與總理始終未提及此事也。」這則日記很有意思，說明蔣始終認為他在一九一二年刺陶是「革命行動」，出於「大義」，其授意者雖並非孫中山，二人之間也始終未談及此事，但蔣介石自我估計，孫中山之所以長期信任他、重視他，卻和此事密切相關。

註釋：

【一】章太炎：《答陶冶公代劉霖生問光復會及煥卿事書》，《浙江辛亥革命回憶錄》，浙江人民出版社，一九八一，第二五三頁。

【二】楊鎮毅：《光復軍攻克上海江南製造局及陳其美篡取滬軍都督之真相》，《辛亥革命回憶錄》（一），北京：文史資料出版社，一九八一，第三三頁。

【三】《中華民國駐吳淞軍政分府李宣言》，《民立報》，一九一一年十一月十七日。

【四】葛敬恩：《辛亥革命在浙江》，《辛亥革命回憶錄》（四），第一二三—一二四頁。

【五】太炎口授，寂照筆述：《光復繼起之領袖陶煥卿君事略》，北京：中華書局，一九八六，第四三九頁。

【六】馬君武：《記孫文之最近運動及其人之價值》，《民立報》，一九一一年十二月二十日。

【七】魏蘭：《陶煥卿先生行述》，《陶成章集》附錄，《陶成章集》，第四三六頁；參見前引太炎口授，寂照筆述：《光復繼起之領袖陶煥卿君事略》。

【八】《回憶辛亥》，《辛亥革命史叢刊》（二），北京：中華書局，一九八〇，第一六三頁。

【九】《辛亥革命回憶錄》（六），第二八六頁。

【一〇】《陶成章集》，第四四四頁。

【一一】《光復義勇軍紀聞》，《民立報》，一九一一年十一月二十八日；參閱許仲和《章炳麟撰龔未生傳略注》，《浙江辛亥革命回憶錄》，第九八頁。

【一二】《太炎先生自定年譜》，章氏國學講習會校印，一九一二。

【一三】《杭州電報》，《民立報》，一九一二年一月十日。

【一四】《杭州電報》，《民立報》，一九一二年一月十一日。

【一五】《杭州電報》，《民立報》，一九一二年一月十一日。

【一六】《越鐸日報》，一九一二年一月十二日。

【一七】《陶成章集》，第四三六頁。

【一八】《民立報》，一九一二年一月十二日。

【一九】《民立報》，一九一二年一月十四日。

【二〇】《光復繼起之領袖陶煥卿君事略》，《陶成章集》，第四三八—四三九頁。

【二一】《卻與黃、陳同宴書》，《大共和日報》，一九一二年九月十九日。

蔣介石的早年思想

這裡所說的蔣介石的早年，指一九一八到一九二六年，其時蔣三十二歲到四十歲之間。這一時期，蔣介石追隨孫中山革命，和共產黨合作，是他一生中比較重要的時期。但是，歷史不能割斷，一個人的思想也不能割斷，因此本文的考察範圍將適當下延。

一個人的日記往往最能反映他的內心世界。本文所用資料，以蔣介石留在大陸的日記為主，結合斯坦福大學胡佛研究院二〇〇六年開放的蔣介石日記手稿本，少數地方則以其他資料參證。

為什麼考察從一九一八年開始呢？因為蔣介石此前的日記僅存片斷，其他已在福建永泰作戰時失落。

一　吸納新潮，崇拜舊學

五四以後，新思潮大量湧入，知識分子們如飢似渴地閱讀各種新式書報，企圖從中找尋救國真理，蔣介石也不例外。這一時期，他把「研究新思潮」列為自己的學課【一】，自覺地、有計劃地閱讀《新青年》等刊物和社會主義、馬克思主義等方面的書籍，儼然是個思想開通、追求進步的新派人物。

蔣介石閱讀《新青年》始於一九一九年，至一九二六年，在他的日記中不斷出現有關記載。如：

一九一九年十二月四日日記云：「看《新青年》雜誌。」[三]

一九一九年十二月五日日記云：「上午，看《新青年》。往訪林士及執信。下午，看《新青年》。」

一九一九年十二月七日日記云：「看《新青年》，定課程表。」

一九一九年十二月十日日記云：「看《新青年》易卜生號。」

一九二〇年四月九日日記云：「在船中看《新青年》雜誌。」

一九二六年四月二十一日日記云：「上午看《新青年》雜誌。」

一九二六年四月二十二日日記云：「上午看《新青年》。」

一九二六年五月五日日記云：「下午看《新青年》雜誌。」

五四以後，各種新式刊物如雨後春筍，但蔣介石對《新青年》似乎情有獨鍾，除該刊及北京大學羅家倫等編輯的《新潮》外，別的刊物蔣介石很少涉獵。

經濟問題是社會發展和變革的中心問題。從蔣介石日記中可以發現，他曾經用相當多的精力鑽研經濟學的有關問題。如：

一九一九年十二月八日日記云：「下午，看孟舍路著《經濟學原論》。」

一九一九年十二月十二日日記云：「看津村秀松著《國民經濟學原論》第一章。」

一九二〇年二月六日日記云：「看《經濟學》，至《社會主義》止。」

一九二五年三月三十日日記云：「船中看《經濟學》，如獲至寶也。」

一九二五年五月四日日記云：「上午看《經濟思想史》。以後擬日看《經濟思想史》及《將帥之拿破崙》

數十頁。」【三】

在閱讀經濟學有關著作的過程中，蔣介石也偶爾寫下他的感想。一九二〇年一月十六日日記云：「看經濟學，心思紛亂，以中國商人惡習不除，無企業之可能。」【四】同年二月七日日記云：「看《經濟學原論》完。津村主張，皆調和派的論調，其中不能自圓其說者亦只顧滔滔不絕，誠實堪笑，亦甚堪憐也。」

研究經濟學不可能不研究馬克思主義。在這方面蔣介石同樣投入過相當的精力。如：

一九二三年九月六日日記云：「下午看馬克思經濟學說。」

一九二三年九月二十一日日記云：「下午看馬克思學說。」

一九二三年九月二十二日日記云：「下午看《馬克思學說概要》。」

一九二三年十月四日日記云：「上午復看《馬克思學說概要》，習俄語，下午看《概要》。」

一九二三年十月七日日記云：「看《馬克思學說概要》。」

一九二三年十月九日日記云：「下午看《學說概要》。」

馬克思的經濟學說給蔣介石的第一印象是深奧難讀。據他自述，《馬克思學說概要》的「經濟主義」部分，他讀了三遍，還感到「不能十分瞭解，甚歎馬克思學說之深奧也」。【五】有時，他不得不掩卷而去，但是，讀來讀去，他終於讀出了滋味，甚至讀出了「趣味」：

一九二三年九月二十四日日記云：「今日看《馬克思學說概要》，頗覺有趣。上半部看不懂，厭棄欲絕者再。看至下半部，則倦不掩卷，擬重看一遍也。」

一九二三年十月十八日日記云：「看《馬克思傳》。下午，看《馬克斯學說》樂而不能懸卷。」

看書看到了「不能懸卷」的程度，說明蔣介石對馬克思主義已經有了相當瞭解並且相當有興趣了。

《共產黨宣言》是馬克思主義學說代表作，對該書，蔣介石也有涉獵。一九二三年十月十三日日記云：「晚，看《共產黨宣言》。」一九二三年十月十六日日記云：「看《共產黨宣言》。」

從蔣介石日記中，還可以看出，他還多次閱讀《列寧叢書》，印象良好。一九二五年十一月十日日記云：「晚，看《列寧叢書》第五種。其言勞農會與赤衛軍之組織與所犧牲之價值，帝國主義之破產原因，甚細密也。」同年十一月二十一日日記云：「看《列寧叢書》。其言權力與聯合民眾為革命之必要，又言聯合民眾，以主義的感化與訓練為必要的手段，皆經歷之談也。」

在閱讀馬克思主義著作的過程中，蔣介石接受了某些影響。一九二五年十一月，他準備為黃埔軍校第三期同學錄作序，打算既談人生觀，也談宇宙觀，苦無心得，最後決定重點闡述「精神出自物質，宇宙只有一原」二語，顯然，這是馬克思主義唯物論的基本觀點。不過，這一時期，蔣介石又讀到了《太戈爾傳》一書，使他又從馬克思主義身邊走開了。十一月十二日日記云：「太戈爾以無限與不朽為人生觀之基點，又以愛與快樂為宇宙活動之意義。列寧以權力與鬥爭為世界革命之手段。一以唯心，一以唯物。以哲學言，則吾重精神也。」這段日記表明：在唯心與唯物的二元對立中，蔣介石選擇了「唯心」；在「愛與快樂」和「權力與鬥爭」的二元對立中，蔣介石選擇了太戈爾學說。這成為他後來走向基督教、拒絕馬克思的起點。【六】

這一時期，蔣介石也曾深入地研究過德、法、俄諸國的革命史。一九二三年，他認真地讀過《德國社會民主黨史》。一九二六年，他在閱讀《法國革命史》的過程中發現俄國革命和法國革命之間存在着密切的關係。六月九日日記云：「看《法國革命史》，乃知俄國革命之方法、制度，非其新發明，十有八九，皆取法於法國及改正其經驗也，可寶貴也。」可見，他對俄國革命中的許多做法是持肯定態度的。其後，他認真地閱讀《俄國革命史》一書。六月二十三日、二十六日、二十七日、二十八日，其日記都有閱讀該書的記載。七月二十一日，他開始閱讀《俄國共產黨史》。八月十一日，他在向衡州進發船中繼續閱讀《俄國革命史》，並且在日記中寫道：「甚覺有益。」值得注意的是，一直到一九三一年十二月，他還在閱讀該書。【七】蔣介石後來雖然反蘇反共，但是，在他的統治術中，仍然有不少來自蘇俄的東西。

蔣介石日記中，也常有他閱讀孫中山思想有關著作的記載。如：

一九二三年五月九日日記云：「看《平均地權論》。」

一九二五年一月九日日記云：「摘錄《精神教育》『軍人之勇』，中師之精神文辭，使人閱之而不能掩卷，可謂觀止矣！」

一九二五年一月十六日日記云：「船上看《民生主義》第三講完。到省校辦事。晚，回長洲，船中看《民生主義》第四講完。打倒帝國主義，解除人民痛苦，為余一生事業。《三民主義》一書，博大精深，包羅萬有，而其主腦則在此二語也。」【八】

一九二六年八月七日日記云：「看《建國方略》……全以經濟為基礎，而以科學方法建設一切，實為建國者必需之學。總理規劃於前，中正繼述於後，中華庶有豸乎？」【九】

一九二六年八月八日日記云：「甚矣行易知難之理大矣哉，非總理孰能闡發無遺也。」

從這些記載中，不難看出蔣介石對於孫中山的崇拜心情。這種情況，使他很難聽得進任何對孫中山學說的批評。

五四時期許多新潮人物大多對中國傳統文化持強烈批判態度。蔣介石與他們不同，他雖然吸納新思想，卻並不廢棄舊學。一九一四年至一九一五年之間，蔣介石研讀王陽明、曾國藩、胡林翼三人著作，自稱「研究至再，頗有心得。甚至夢寐之間亦不忘此三集。」【一〇】五四前後，他喜讀諸葛亮《前出師表》和文天祥《正氣歌》等，也喜讀《心經》等佛學著作。【一一】不過，他最喜讀、常讀的還是曾國藩、胡林翼、左宗棠等人的著作。一九二一年四月二十九日，他重讀《曾文正公全集》，有「舊友重逢」之感。一九二三年三月，他讀胡林翼的《撫鄂書牘》，決定「日盡一卷」。比較起來，蔣介石讀新學諸書，常常食而不化，而讀舊學諸書，則如魚得水，常常用以作為立身處世、待人接物的原則，或用以作為治兵、從政的軌範。如：

一九二二年三月二十五日日記云：「看胡（林翼）集，其言多兵家經驗之談，千古不易之論，非知兵者不能言，亦非知兵者不能知其言之深微精確也。」

一九二三年四月十一日日記云：「胡公之言、德、功三者，皆有可傳，而曾公獨言其進德之猛，是可知其虛心實力，皆由刻自砥礪之德育而來，其辦事全在於『賞罰嚴明、知人善任』二語中用工夫……崇拜胡公之心，過於曾公矣！」

一九二三年十一月十四日日記云：「晚，看曾公尺牘，至《覆陸立夫書》，有『事機之轉，其始賴一二人默運於淵深微莫之中，而其後人亦為之和，天亦為之應』。信乎，吾可不以潛移默運之人自任乎！」

這些地方，可以看出曾國藩、胡林翼等人對蔣介石的深刻影響。

一九二六年以後，蔣介石的讀書生活逐漸發生方向性的轉變，即廢棄新學，專讀舊籍。例如，他一九三四年的讀書計劃為：王船山、顧亭林、程朱、資治通鑒、張居正、王安石、管子、韓子，沒有一本新潮方面的書。這種情況，反映出蔣介石思想的重要變化。

二 民族主義

鴉片戰爭以後，中國遭到世界資本、帝國主義的侵略，中華民族陷入前所未有的危機，因此，民族主義思想空前發達起來。

蔣介石早年即具有民族主義思想。當時主要內容是反清，宋遺民鄭思肖（所南）的《心史》曾經是他最愛讀的著作。【二二】五四運動後，蔣介石的民族主義思想逐漸向反帝方向發展。

五四運動給了蔣介石以強烈震動。他高度評價中國人民在運動中表現出的鬥爭熱情和愛國精神，視為中華民族復興的希望所在。當年九月二十四日日記云：「至今尚有各界代表群集總統府門前，要求力爭山東各權利及各處排日風潮，皆未稍息。此乃中國國民第一次之示威運動，可謂破天荒之壯舉。吾於是卜吾國民氣未餒，民心不死，中華民國當有復興之一日也。」【二三】一九二〇年六月，蔣介石出資五千元，與陳果夫等創立友愛公司，購買上海證券物品交易所的股票。但不久，銀價大落。蔣介石在日記中寫道：「金融機關，在外人之手，國人時受壓榨，可歎也。」同年十一月八日，蔣介石遊覽香港，看到英人在當地大規模建設的狀況，慨歎道：「英人之規劃宏遠，誠足浩歎。此皆吾錦繡河山，自不能治，而使人治之，尤為可惜！」

蔣介石不僅反對外人侵佔中國土地，控制中國的經濟命脈。而且反對為洋人服務的洋奴買辦。一九二〇年九月三日，他往訪張靜江，為車伕所侮辱。下午打電話時，又為「電話手」所梗，蔣介石極為生氣，在日記中寫道：「洋奴之可惡，不止於此。凡在租界、公署及洋立公司之洋奴，皆可殺也。」蔣介石將車夫、「電話手」等類人視為「洋奴」是錯誤的，但從這段日記中不難看出他對洋場買辦一類人物的憎惡。

一九二三年九月，蔣介石受孫中山派遣，作為孫逸仙博士代表團團長訪問蘇聯。十二月十二日乘輪自大連回上海。日本船主任意更改船期，不守信用，船中腐敗不堪。蔣介石居然由此預言：「吾料東邦帝國資本主義之命運，不久將盡矣！」

蔣介石反帝思想的高潮出現於「五卅」運動後。一九二五年六月二十三日，廣州群眾為支持香港工人大罷工，舉行遊行示威，隊伍經過租界對面的沙基時，英國軍隊悍然開槍射擊。群眾死五十餘人，傷一百七十餘人，造成沙基慘案。事件發生後，蔣介石在日記中寫道：「國勢至此，不以華人之性命為事，任其英賊帝國主義所慘殺，聞之心腸為斷，幾不知如何為人矣！自生以來，哀戚未有如今日之甚也。」他自黃埔赴廣州途中，覺得一路景色淒涼，天空「頓呈不可思議之紅灰色」。第二天，他在發病高燒中仍集合士兵講話。第三天，他在日記提要欄目中寫下：「如何可以滅此橫暴之陰（英）番？」自此，他逐日在日記中書寫「仇英」標語，總計約近百條，如：

英虜皆可殺！
英仇可忍耶！
毋忘英番之仇！
英虜我必殲汝！
英夷可不滅乎！
汝忘英虜之仇乎？
英夷不滅非男兒！
英番不滅革命不成！

英番不滅能安枕乎？

漢有三戶，滅英必漢。

英虜，我的同志為你殺害！

英番不滅，國家焉能獨立！

英夷不滅，焉能解放世界人類！

一年將匝，英番如故，竊自愧餒弱。

新年又逾二日，試問對付英夷工作成效如何？

舊曆新年已越一日，英番盤踞如故，思之痛徹骨髓。

英夷氣焰方張，當亟圖最後對付，不可徒幸其國內工黨革命也。

凡此種種，和中國人民當時同仇敵愾的感情是合拍的。

蔣介石把「英虜」、「英夷」看作是中國人民的頭號敵人，「英虜」、「英夷」也必欲除蔣介石而後快。一九二五年十月十九日蔣介石日記云：「陰（英）番勾通北段（祺瑞），竟以十萬金懸賞執余。」二十一日日記云：「陰番畏我益甚，而謀我更急乎！」

轟轟烈烈的省港大罷工給了港英當局以沉重打擊。一九二六年三月下旬，港英當局得到英國政府授權，決定提供一千萬元借款，用於改良廣州市政，企圖以此為餌，誘使國民黨人結束罷工。當時，廣州市長伍朝樞和孫科都有意接受英國條件，遊說蔣介石，爭取支持，但蔣介石卻堅決抵制。四月十四日日記云：「梯雲急於解決罷工問題，以貪英國借款，推其意為英人所利誘，余反對之，並斥其妄。不料哲生為彼所愚，後以余據理反對，彼亦無異詞。」同年七月二十一日，廣州工人糾察隊因英僑拒絕檢驗貨物，扣留其船舶及商人二名，港英當局派兵佔領深圳車站。當日日記云：「蠻番不問理由，即將我深圳車站派兵佔領，事之可恥孰甚於此！」次日日記再云：「得陰（英）番佔領深圳之報，不勝憤激，乃與鮑顧問磋商應付諸事。」可見，蔣介石的反英並非只是一時熱情。

除英國外，蔣介石對美、法等國也持警惕態度。其日記云：「英番可滅，美、法亦不可玩忽！」對美國外交，更曾嚴厲批判。一九二六年一月七日，蔣介石接見美國新聞記者，「痛詆美國外交政策之錯誤及其基督教之虛偽」。

不過，應該指出的是，儘管蔣介石早年思想中具有激烈的反帝成分，但是，他在北伐期間的行動卻是十分審慎、溫和的。一九二六年末至一九二七年初，他多次向日本方面伸出橄欖枝。一月二日，通過黃郛向日本駐武漢總領事高尾亨表示：「國民黨軍斷不會對租界發難」，「目前只希望對租界組織實行改良（例如給中國人參政權等）便可滿足，並打算採取緩進的、合理的、和平的手段實現這一目的。」【一四】同月二十五日，蔣介石接見日本駐九江領事大和久義郎，說明自己奉行的外交方針是：尊重歷來的條約，不採取非常手段和直接行動加以廢除，一定負責償還外債，充分保護外國企業。【一五】同月底，他在廬山會見留日時的老師小室靜時也表示：「對於上海租界不欲以武力收回。既佔領杭州、南京等地後，擬即提出收回上海租界之合理的提議。若各國對於此合理的要求不予採納，則更講求他種手段。」【一六】這些思想，後來進一步發展為對外妥協政策。

三　社會觀

蔣介石出身鹽商之家，社會地位不高，又早年喪父，自幼即受土豪劣紳的歧視和壓迫，因此，極不喜歡鄉村士紳階層。【一七】一九一九年二月，他在閩南長泰軍中，憶及往事，勾起宿憤。二十六日日記云：「吾國紳耆階級之不破，小民終無樂利之一日。」一九二一年十月，蔣介石在家鄉興辦武嶺學堂，受到鄉紳的阻撓，二十八日日記云：「鄉愿阻礙不少。周星垣之守舊迂闊，不可言狀，鄉間事辦理之難如此。」二十九日又稱：「鄉居極感痛苦，事事為鄉愿所阻礙，不能改良稍些，愧恨無涯。」他甚至發誓：「鄉愿不死，殊無回鄉之樂，甚想不願來鄉也」。【一八】

蔣介石也不喜歡商人和資本家。一九一九年十月十二日日記云：「政客、武人、官僚之外，商人之狡猾勢利，尤為可惡。資本家不掃除殆盡，則勞動家無樂利自由之道。」他甚至說：「為平民之障礙者，不在官僚與武人，實在資本家與紳耆扞格其間。以致一切權力不能伸張，一切意思不能自由。而政客、議員，名為民意代表，實則媒介於紳耆、官僚之間。凡有罪惡，皆此種蟊賊所造成者也。吾以為革新社會，資本家與紳耆二者之中等階級，須先掃除廓清。」

蔣介石在上海經營交易所，從事證券與棉紗等物品買賣期間，目睹董事們傾軋、壟斷的黑幕，更增加了他對資本家的厭惡感。一九二〇年一月二十四日日記云：「赴開元會議交易所選舉董事。商人積弊，仍不能脫把持與專制，大股份壓制小股份，大多數壓迫小多數，舞私牟利，壟斷其間。小商人中雖有達材正士，不能施展一籌，以致中國實業，日趨衰落，安得將此種奸商市儈一掃而空之，以發榮社會經濟也。」【一九】

在受到交易所中「大股份」壓迫的同時，蔣介石也感受到房東的壓迫與欺詐，進一步增加了他對資本家的憎惡。蔣介石同年十二月九日日記云：「晚，為房東朱子謙作惡不仁，心甚憤激，資本家之害人焉大矣哉！」不僅如此，房東還企圖吞沒蔣妾姚冶誠寄存的交易所單據。同月二十二日，蔣介石日記云：「為富不仁，復欲害人，居心毒極！滬上商人行為卑陋至此者，見不一見，亦無足怪，惟恨冶誠之生事也，氣極矣！」

以交易所的活動為紐帶，蔣介石結識了上海資產階級形形色色的人物。對他們，蔣介石日記常有嚴厲的批評。一九二一年五月十一日云：「知交股價落，不勝煩悶。遇盛四及一班無賴，社會之形態醜劣，嫌惡實甚，無可如何也。」一九二二年十一月二十八日云：「中國商人，見之頭痛。商家利祿之心，狡猾之謀，過於官僚也。」一九二三年二月三日云：「又因奸商妬忌，發怒憤激，殊非其道。」凡此種種，都表露出蔣介石對資本家和商人們的憎惡。

對軍閥，蔣介石在日記中也多所指斥。如：

一九一九年八月二十日日記云：「看《申報》，知浙江偽督楊善德已於十二日病斃，繼其任者為盧永祥。羊死驢繼，吾浙其無噍類乎！」

一九二一年三月二十七日日記云：「北方無不倒之理，惟在吾黨能起而應之耳！」

一九二二年六月十四日日記云：「黎元洪違法入京，就總統之位，從此天下又起紛糾，政客、議員之肉，其足食乎？恨手無寸鐵，不能一掃荊棘，憂悶無已。」

一九二五年十二月一日日記云：「郭（松齡）宣言討張作霖而戴張學良，可稱滑稽。然如此矛盾，則北方大小軍閥不能不自行瓦解耳。舊時代崩潰之症象，於此益明矣！」【二〇】

一九二六年七月十二日日記云：「余以關稅會議為賣國條件，決心與吳佩孚宣戰，通告中外。」

這些日記表明了蔣介石反對北洋軍閥的鮮明態度與立場。

與憎惡商人、資本家相反，蔣介石對工人有一定同情。

蔣介石對工人接觸不多，對中國工人階級的勞動與生活狀況也瞭解不多。一九二一年八月，蔣介石在鄉監督改建廳屋工程，目睹工人辛勞狀況，有所感動。二十八日日記云：「工人之辛苦危險，可謂極矣，資本家見之，如無慈悲之心，非人也。」十月二十一日日記繼云：「自歎為我一人，而苦彼二十工人，自朝至暮，除食事外，毫未休息，每日足作十小時餘苦工。嗚呼！小工何罪，其苦如此，資本家與勢力家之不勤儉自持，厚利報工，其必為神人所不容。不必言近世之潮流如何，徒問你自己良心過得去否耶！可不警惕乎？」十一月六日日記再云：「工人困苦，小工更苦。工場法如不速實行，小工無法保護，中國人民只見死亡病傷，決無完全生存之理。有責者其可不惻然設法，實行提倡乎？」這些地方，顯示出蔣介石願意通過社會改良的途徑改進工人的生活待遇。

一九二五年七月七日，蔣介石向國民黨中央軍事委員會提出「革命六大計劃」，其中說：「工人為革命中有力之一成分，且對於吾革命前途之難易成敗，實有莫大之影響。」但是，他的具體建議只有「吾革命政府，宜努力安置為我國犧牲之失業工人」，「利用罷工工人建築道路」等寥寥數語。值得注意的是，他曾提出：對罷工工人，可「酌加編制，施以軍事及政治之訓練，以植工人軍之基礎」【二一】。不過，這一思想，對蔣介石說來，恰如火星一閃，後來的正式文本就被修改得很模糊了【二二】。

在北伐進軍途中，蔣介石還同意工人在特殊情形下可以管理工廠。一九二六年九月，蔣介石參觀安源煤礦，發現廠主無能，受到日本資本壓制，停工近一年，便主張：「工人乘此廠主放棄權利時，起而自己管理也。」【二三】不過，蔣介石只同意對工人生活作一定程度的改良，而堅決反對階級鬥爭。還在北伐出師前夕，他就宣佈：「階級鬥爭及工農運動的罷工鬥爭，在戰時是破壞敵人的力量和方法，對付敵人是可以的。若是在本黨和政府之下，罷工就算是反革命的行動。」【二四】北伐出師之後，國民革命軍佔領地區的工人運動日漸發展，蔣介石曾發表文告，要求商人不要拒絕工人的「急迫要求」，「早早解決了工潮」，同時則要求工人集中在「本黨之下」，「受本黨指揮」，「非但不應該仇視商人，並且須在可能範圍內急謀諒解」【二五】。此後，罷工日漸頻繁，蔣介石仇視工人運動的態度日漸明顯。一九二七年一月底，他與小室靜談話，一方面聲稱「勞動者地位之向上與幸福之增進，乃吾等之主義，故不能中途而輟」，表示不能動用軍隊來「制止勞動者之罷工」，但同時又說：「唯勞動者苟有跋扈行為，甚且危及國際關係，亦不能過於放任，彼時或采非常手段，亦未可知。」【二六】這些地方，已經預示了他日後的行動方向。

蔣介石一度認為，中國「不存在大土地佔有制」，「中國很少發生大土地所有者與農民之間的衝突」【二七】。但是，蔣介石的早年日記顯示，他對土地問題還是關心的。一九二六年二月三日，蔣介石與鮑羅廷談話，鮑主張以「解決土地問題為革命之基礎」，蔣介石表示贊成，日記云：「余亦以為然，惟憂無法引起全國大革命耳。」但是，這以後，蔣介石逐漸傾向於北伐期間，暫不提出土地問題。【二八】出師前夕，鮑羅廷建議發佈土地政綱，蔣介石不贊成；鮑提議攻克武漢時發佈，蔣還認為太早。【二九】不過，他仍然在思考和研究這一問題。同年七月三十日，他收到鄧文儀的俄國來信，述及土地問題，日記云：「土地制不外土地國家化（即歸國有）與土地社會化（即歸社會分配），如太平天國制是也。」次日再云：「近日甚思研究土地問題，有一解決之方。」八月一日，他在湖南九峰村致電張靜江、譚延闓，要他們和鮑羅廷商量，在國民黨中央設立土地制度委員會，規定詳細辦法，或根據「平均地權」所言，再加細定，「逐條登報，公諸國人參考，且可臨時應用也」。【三〇】

一九二六年十二月七日，國民黨中央部分人員及鮑羅廷等在廬山開會，討論各地工農運動問題。會議「對工人運動主緩和，對農民運動主積極進行，以為解決土地問題之張本」。蔣介石在會上表示：「只要農民問題解決，則工人問題亦可解決也。」【三一】這一時期，蔣介石所率領的北伐軍受到湖南各地農民協會的熱烈歡迎和積極支持，因此，蔣介石對農民運動和農民協會都相當有好感。八月三日日記云：「各村人民與農會有迎於十里之外者，殊可感也。農民協會組織尤其發達，將來革命成功，還在湖南以為最有成績。」

民國期間，使用奴婢的現象仍普遍存在。奴婢們大多沒有人身自由，受到各種虐待。蔣介石對奴婢有一定同情，主張禁止蓄奴。一九一八年，蔣介石在福建永泰軍中，聽到一陳姓主婦毒打婢女之聲，很為之不平。一九一九年九月，又見到鄰婦虐待婢女，較往日陳婦尤甚，憤慨地在日記中寫道：「中國奴婢之制不革除，尚何有社會平等之可言乎！吾覺欲求人類平等，第一當先除奴婢毒制也。」【三二】

蔣介石還反對家族觀念。一九二〇年一月二十三日日記云：「家族觀念打不破，家族範圍跳不出，埋沒古今多少英雄。」【三三】

以上種種，都表現出蔣介石所受五四後新思潮的影響。

出於對舊社會的厭惡，蔣介石有改造中國社會的志向。一九一九年十一月，蔣介石在日本，發現各書坊中社會主義書籍特多。四日日記云：「吾知其社會改革必不遠也。以中國人民不識字者之眾，提倡革命，不及十年而得實行，則今日日本人民之智識普及，其改革進程之速，更可知矣！」當時，日本自然主義作家武者小路實篤接受空想社會主義和克魯泡特金的互助論等思想影響，提倡新村主義。蔣介石在日本讀到了《新村記》一書，有所觸動，即萌生「改造本鄉」的念頭。【三四】一九二〇年十二月，他自覺「矜張自肆，暴躁不堪，對於社會厭惡更甚」。【三五】日記云：「我對中國社會，實厭惡已極，其將何以謀脫也？。」【三六】這一時期，他對邵元沖等宣稱：「中國宜大改革，宜徹底改革。」【三七】

早期，蔣介石認為中國缺乏實行共產主義的條件，但對共產主義並不反感。一九二〇年二月二日日記云：「書廚包工來，欺偽百出，心甚嫌惡。中國工人之無道德，無教育如此。對於共產事，甚抱悲觀。非從根本上待其心理完全改革，教育普及之後，斷乎談不到此。」【三八】一九二三年蔣介石出使莫斯科時，認為中國革命應分兩個階段，第一階段是實行民族獨立和政治民主，第二階段才是宣傳共產主義，實行「經濟革命」、「社會革命」。【三九】一九二五年十二月，他在《陸軍軍官學校第三期同學錄·序》中稱：「吾為三民主義而死，亦即為共產主義而死」，「三民主義之成功與共產主義之發展，實相為用而不相悖」【四〇】，云云。衡之以他在日記中表現出來思想，他的上述言論當非完全是違心之言。

四　左右之間

孫中山在世時，國民黨內部在聯俄、容共等問題上，即有不同意見。孫中山去世後，迅速形成對立的兩派，通稱左派與右派。

蔣介石最初站在左派方面。一九二五年十一月二十三日，林森、鄒魯、謝持等在北京西山召開會議，通過《取消共產黨員國民黨黨籍》、《鮑羅廷顧問解僱》等案。十二月二十四日，在上海另立中央。同月下旬，廣東右派組織孫文主義學會的王柏齡等人準備示威響應。二十八日晚，蔣介石從汪精衛處得到有關消息，當日日記云：「王柏齡糊塗至此，可惡殊甚，嚴電阻止，不知有效否？」

當時，蔣介石反對在軍中形成派別。一九二六年一月二日日記云：「下午，對各將士痛誡派別之惡習，不禁淚下。」當時，在黃埔軍校中，與孫文主義學會對立的是左派組織中國青年軍人聯合會。二月二日，他約孫文主義學會與青年軍人聯合會兩派幹部開聯席會，限令高級官長退會，同時要求雙方幹事互入兩會，企圖消弭二者之間的界限。四月，又進一步要求兩派組織同時取消。

中山艦事件後，右派紛紛做蔣介石的工作，企圖爭取他站到自己一邊。四月三日，劉峙、古應芬、伍朝樞三人陸續見蔣，進行遊說。蔣介石日記云：「右派徒思利用機會，聯結帝國主義以陷黨國，甚可歎也。」同月五日，宋子文向蔣介石反映，廣州右派計擬召開市黨部大會，舉行示威，蔣介石立即致函廣州公安局長吳鐵城，加以制止。次日，蔣介石並通電反對西山會議派在上海召開的國民黨第二次全國代表大會，表示「誓為總理之信徒，不偏不依，惟革命是從。凡與帝國主義有關係之敗類，有破壞本黨與政府之行動，或障礙我革命之進行，必視其力之所及掃除而廓清之。」【四一】

蔣介石反對右派的立場一直持續了很久。北伐期間，樊鍾秀一直在河南南部活動，組織軍事力量，企圖響應北伐。一九二六年八月，蔣介石聽說居正、謝持有離間樊鍾秀等與北伐軍的打算，憤怒地在日記中寫道：「彼等誠反革命矣！」【四二】　同年九月十六日，蔣介石會見田桐、周震鱗後，在日記中留下了「其語不堪入耳」的記載。

不過，由於蔣介石在聯俄、容共問題上和西山會議派的觀點有相通之處，因此，最終必然會走到一起。一九二六年五月二十二日日記云：「總理責任交給國內青年，願以奮鬥之青年贊成國民黨，然而非欲黨員對三民主義疑為不澈底之革命也。如言不澈底，則俄國革命迄今仍未澈底也，不革命一語，為宣佈革命黨員之死刑，聞者無不反對，革命必致破裂。應聯合革命的新舊黨員對外也。」這段日記，已經預示着他和西山會議派矛盾的消解。

五　革命觀

一九二三年，蔣介石訪問蘇聯，原擬請蘇方支持國民黨人在蒙古的庫命建立軍事基地，遭到拒絕。他滿懷期望訪問蘇聯，卻沒有得到什麼具體成果。但是，他卻總結出了一條經驗——必須獨立，自動，不受外人支配。

蔣介石在訪問蘇聯時，遇到過一個名為趙世賢的中國青年，相談融洽。離開蘇聯時，蔣介石又和這位年輕人作了一次談話：「略述此次來俄經過情形，戒其毋為外人支配。」此後，蔣介石即力圖擺脫共產國際和蘇聯對中國革命的控制，並力圖和左派及中共爭奪對中國革命的領導權。一九二六年三月八日，蔣介石與汪精衛商決「大方針」。蔣稱：「中國國民革命未成以前，一切實權皆不宜旁落，而與第三國際必能一致行動，但須不失自動地位也。」【四三】同月三十日，又在日記中表示：「只要大權不旁落外人之手，則其他事皆可遷就也。前日政府事事聽命於外人，以致陷於被動地位，此非外人之故，而精衛自讓之也。」五月二十一日日記再云：「革命須求自立，不可勉強遷就。世界革命應統一指揮，但各國革命政權仍須獨立，不能以用人行政亦受牽制。」這時，蔣介石孜孜以求的是他能獨立自由地處理中國革命的各種問題。當年十二月，蔣介石聽說托洛茨基將要出使中國，將希望寄託在他身上，二十九日日記云：「黨務、政治不能自由設施，則勝無異於敗也，托氏來華，或能改正，而本身應具獨立之心也。」

蔣介石的蘇聯之行還使他得到了一條經驗，即革命必須由「一黨來專政和專制」。他開始致力於「一個主義、一個黨」的宣傳和努力，並以此為指針，處理國民黨內的左右派紛爭。一九二六年六月七日，他在黃埔軍校發表演講稱：「俄國革命所以能夠迅速成功，就是社會民主黨從克倫斯基手裡拿到了政權……什麼東西都由他一黨來定奪，像這樣的革命，才真是可以成功的革命。我們中國要革命，也要一切勢力集中，學俄國革命的辦法，革命非由一黨來專政和專制是不行的。」同月二十六日，他與邵力子談話，強調「革命以集中與統一為唯一要件」。【四四】不久，他即派邵力子赴蘇，出席共產國際執委會第七次擴大全會，要求共產國際承認中國國民黨是中國革命的領導者。

誰妨礙革命的統一和集中呢？蔣介石覺得是中共。一九二六年三月九日日記云：「共產分子在黨內不能公開，即不能開誠相見。辦世界革命之大事而內部分子貌合神離，則未有能成者。」於是，他的第一步便是限制共產黨的發展。一九二六年五月十四日日記云：「對共黨提出條件雖苛，然大黨允小黨在黨內活動，無異自取滅亡。」五月十六日，他訪問鮑羅廷，表示「甚以兩黨革命，小黨勝於大黨為憂，革命不專制不能成功為憂」。五月二十七日，他在高級訓練班致開學詞，聲稱為「集中革命勢力」，加入國民黨之共產黨應退出共產黨。六月八日，他明確向鮑羅廷提出：「共產分子在本黨應不跨黨理由。」【四五】

由於鮑羅廷等人的抵制，蔣介石要求跨黨共產黨員退出共產黨目的未能實現。此後，蔣介石日記中不滿共產黨發展與活動的記載日增。如：

一九二六年七月三日日記云：「各處宣傳，多是CP，心甚不悅。」

一九二六年八月二十三日日記云：「閱《嚮導》報，陳獨秀有誹議北伐言論，其用意在減少國民黨信仰，而增進共產黨地位也。」

一九二六年八月三十日日記云：「他黨在內搗亂，必欲使本黨糾紛分裂，可惡也。」

這樣，他雖然知道「總理策略既在聯合各階級」，表示「余不願主張違教分裂」【四六】但他最終還是走上了和共產黨「分裂」的道路。

蘇俄創立了一黨制和無產階級專政學說，沒有想到，蔣介石即以其人之道，還治其人之身，用以對付共產國際和中共。

六　結束語

蔣介石的日記表明：一、他早年追隨孫中山革命，有一定思想基礎；和共產黨合作，也有一定思想基礎。二、在若干問題上，早年的蔣介石與共產黨以及國民黨左派之間有一定分歧。這些分歧，屬於革命陣營的內部矛盾，並非革命與反革命的對立。後來在這些分歧基礎上演化為爭取領導權的鬥爭，並進而演化為你死我活的生死鬥爭，是不幸的、遺憾的。三、蔣介石既是國民黨中心主義者，也是個人中心主義者。在蔣看來，他自己就是革命的化身、真理的化身，凡與他持不同意見或反對他的人都是「敗類」或「反革命」，都需要加以「制裁」。一九二七年二月，他在南昌演講稱：「我只知道我是革命的，倘使有人要妨礙我的革命，那我就要革他的命。」【四七】這段話，典型地表露出他的個人中心心態。同一時期，他在日記中表示：「鮑羅廷固為罪人，而一般趨炎附勢之敗類更可殺也。」【四八】這一段話，是對他上述演講中「革他的命」一語的註腳，不久之後進行的武力清黨已經在此埋下了伏筆。

附記：

本文中文本原載紐約天外出版社二〇〇二年九月出版的《慶祝吳教授相湘先生九十華誕論文集》，收入拙著《蔣氏秘檔與蔣介石真相》，原有「蘇俄觀」一節，因本書另有專文，故刪去。

註釋：

【一】蔣介石一九二〇年一月一日日記云：「預定今年學課如下：一、俄語。二、英語。三、哲學。……十五、新思潮的研究。」按，本日日記手稿本已破損，此據《蔣介石日記類抄》（稿本）。

【二】原據《蔣介石日記類抄·文事》，今據《蔣介石日記》（手稿本）校核，美國：胡佛研究院藏，以下均同，不一一註明。

【三】《蔣介石日記類抄·文事》，一九二五年五月四日，南京：中國第二歷史檔案館藏。

【四】手稿本殘損，此據《蔣介石日記類抄·文事》，一九二〇年一月十六日。

【五】《蔣介石日記》，手稿本，一九二三年十月十日。

【六】蔣介石一九三一年四月十五日日記云：「共產主義實為一宗教，亦可謂之馬克思教，以其含有世界性無國界者也。耶穌教亦不講國界，完全以世界為主。蓋凡稱為宗教者必帶有世界性，而且皆排擠他教與其他主義，而以唯我獨尊者也。其目的則皆在救人，然而其性質則大有區別。馬克思以物質為主，是形而下之哲學，並以恨人為其思想出發點。其所謂救人者，單以工人一階級為主。其於後世之今日，則一般共黨徒越趨越下，而以卑劣仇殺為其本分，是其單欲挾工人階級利己主義，以物質誘人深入罪惡也。基督教以博愛救世為主義，今日共產黨之唯一大敵，且其以精神感化世人自新，故今日反對共產黨者當以聯合基督教共同進行。」

【七】《蔣介石日記》，手稿本，一九三一年十二月三十日。

【八】《蔣介石日記類抄·文事》，一九二五年五月四日。

【九】手稿本殘損，此據《蔣介石日記類抄·文事》，一九二六年八月七日。

【一〇】《蔣介石回憶民國四年以後之事略》，手稿本，一九三一年二月二十一日。

【一一】《蔣介石日記》，手稿本，一九二三年二月三日：「晚，看《心經》，甚覺虛空之理不誤也，以後擬多看佛經。」

【一二】蔣介石一九三四年六月二十二日日記云：「友人贈我鄭所南先生之《心史》，如逢故友。此史為余少年在倭時最愛讀之書，促進我革命情緒不少也。」

【一三】手稿本殘損，此據《蔣介石日記類抄．黨政》。

【一四】《高尾致幣原電》，一九二七年一月二日；又，《幣原大臣在樞密院關於中國時局報告綱要》，一九二七年二月二日；均見日本外務省文書，S16154，日本外交史料館藏。

【一五】《最近中國關係諸問題摘要》第二卷，日本外務省文書，SP166，日本外交史料館藏。

【一六】《蔣介石最近之重要表示》，《台灣民報》，一九二七年三月二十七日。

【一七】蔣介石：《報國與思親》：「其時清政不綱，胥吏勢豪，寅緣為虐。吾家門祚既單，遂為覬覦之的，欺淩脅迫，靡日而寧。」秦孝儀：《先總統蔣公思想言論總集》第三十五，台北：中國國民黨中央黨史委員會，一九八四。

【一八】《蔣介石日記》，手稿本，一九二一年十一月二十九日。

【一九】手稿本殘損，此據《蔣介石日記類抄．雜俎》。

【二〇】手稿本殘損，此據《蔣介石日記類抄．黨政》。

【二一】《軍事委員會提議案》，《蔣中正總統檔案》，以下簡稱「蔣檔」，台北：國史館藏；參見《蔣介石年譜初稿》，北京：檔案出版社，一九九二，第三八六頁。

【二二】《蔣介石年譜初稿》修改為：「吾革命政府宜努力安置為國犧牲之失業工人，以解決其困難，並設立兩廣工路局，以為解決之方，兼寓大元帥提倡工兵之至意。」見該書第三八六頁。按，此書即毛思誠《民國十五年以前之蔣介石先生》一書的原稿。

【二三】《蔣介石日記》，手稿本，一九二六年九月二十日。

【二四】《戰時工作會議之第三日》，《廣州民國日報》，一九二六年六月二十六日。

【二五】《蔣總司令告武漢工商同胞書》，《廣州民國日報》，一九二七年一月五日。

【二六】《蔣介石最近之重要表示》，《台灣民報》，一九二七年三月二十七日；參見FO.405,Vol.252,pp.431—433.Public Record office, London.

【二七】中共中央黨史研究室：《聯共（布）、共產國際與中國國民革命運動》（一），北京圖書館出版社，一九九八，第二九八頁。

【二八】蔣介石一九二六年七月二十三日日記云：「與鮑顧問談革命方略及政治主張，彼以余言為然，而獨以土地問題緩提為念也。」

【二九】《中局致北方區信》（一九二六年八月十一日），中央檔案館編：《中共中央文件選集》（二），北京：中共中央黨校出版社，一九八九，第二九五頁。

【三〇】《革命文獻拓影》，第六冊，「蔣檔」；又一九二六年九月十二日《共產國際執行委員會遠東局使團關於對廣州政治關係和黨派關係調查結果的報告》稱：「蔣介石重新轉向了社會輿論，他的政治行為又變得更明確了。國民黨中央收到了蔣介石要求起草土地法的建議。」見《聯共（布）、共產國際與中國國民革命運動》（三），第四七七頁。

【三一】手稿本殘損，此據《蔣介石日記類抄．黨政》，一九二六年十二月七日。

【三二】《蔣介石日記》，手稿本，一九一九年九月十四日。

【三三】手稿本殘損，此據《蔣介石日記類抄．家庭》。

【三四】《蔣介石日記類抄．文事》，一九一九年十一月二十二日。

【三五】《蔣介石日記類抄．雜俎》，一九二〇年十二月三十一日。

【三六】《蔣介石日記》，手稿本，一九二〇年十二月十一日。

【三七】轉引自《邵元沖致蔣介石函》，《蔣介石年譜初稿》，第五七頁。

【三八】手稿本殘損，此據《蔣介石日記類抄．雜俎》補。

【三九】蔣介石：《孫逸仙代表團關於越飛五月一日東京電中所提建議的備忘錄》，英文打字本，南京：中國第二歷史檔案館藏；參見蔣介石在共產國際執委會會議上的報告，《聯共（布）、共產國際與中國國民革命運動》（一）第三三一—三三三頁。

【四〇】《蔣介石年譜初稿》，第四六八頁。

【四一】《蔣介石年譜初稿》，第五五四頁。

【四二】《蔣介石日記》，手稿本，一九二六年八月二十一日。

【四三】《蔣介石日記》，手稿本，一九二六年三月八日。

【四四】《蔣介石日記》，手稿本，一九二六年六月二十六日。
【四五】《蔣介石日記》，手稿本，一九二六年六月八日。
【四六】《蔣介石日記》，手稿本，一九二六年五月十四日。
【四七】上海《民國日報》，一九二七年四月十六日。
【四八】《蔣介石日記》，手稿本，一九二七年二月二十六日。

「天理」與「人慾」之間的交戰

——宋明道學與蔣介石的早年修身

儒家學派認為：修身是人生的第一大事，也是各項事業的起點。《大學》有所謂「大學之道，在明明德」的說法，又有所謂「修身、齊家、治國、平天下」的人生程序。到了宋明時代，道學家們提出了以「存天理，去人慾」為核心的一系列修身主張，一方面將儒學倫理規範上升到「天理」的高度，一方面則前所未有地細密設計了各種遏制「人慾」的辦法。

蔣介石很早就接觸宋明道學，不僅是服膺者，而且是身體力行者。在他的日記裡，有大量修身的記載。從中不僅可以看出他的個人修養歷程和極為隱秘的內心世界，而且可以看出他早年的三重性格特徵：上海洋場的浮浪子弟、道學信徒、追隨孫中山的革命志士。

一　重視修身，按照道學家的要求進行修養

蔣介石年輕時沒有受過良好教育，養成了許多壞毛病。辛亥革命之後，「狹邪自娛，沉迷久之。」【一】

一九一九年七月二十四日，他回憶當時經歷，在日記中對自己寫下了「荒淫無度，辦理無狀」的八字考語。【二】由於這些壞毛病，在相當長的一段時期內，朋友們不大看得起他。一九二〇年三月，戴季陶醉酒，「以狗牛亂罵」，蔣介石一時激動，閃過與戴拚命的念頭，但他旋即冷靜下來，檢討自己，「彼平時以我為惡劣，輕我之心理，亦於此可見一般」，「我豈可不痛自警惕乎」！【三】一直到一九三〇年代，蔣介石想起早年種種劣跡，還痛自悔恨。日記云：「少年師友不良，德業不講，及至今日，欲正心修身孝友，已失之晚矣！」【四】又云：「少年未聞君子大道，自修不力」，「至今悔之不及」【五】。一言之不足，反覆言之，當係出於內心，而非泛泛虛語。

為了克服年輕時期形成的這些壞毛病，蔣介石曾以相當精力閱讀道學著作，企圖從中汲取營養。一九一九年五月二十四日日記云：「今日有研究性理書，思憤發改過，以自振拔之機，甚矣不求放心也久矣。」所謂「性理書」，指的就是宋明以來道學家們的著作。蔣介石不僅讀，而且選抄對自己進德有用的語錄，寫入日記，甚至作為自己的箴言或座右銘。例如，一九一九年，他為自己選擇的箴言是「靜敬澹一」四字，同年八月，增改為「精渾澹定，敬庶儉勤」八字。一九二三年一月五日，他模仿道學家的做法，自製銘文：「優游涵泳，夷曠空明，曄然自充，悠然自得，此養性之功候也。提綱挈領，析縷分條，先後本末，慎始圖終，此辦事之方法也。」【六】在此之後，他仍然覺得意猶未足，又抄錄道學家們常說的「修己以嚴，待人以誠，處事以公，學道以專，應戰以一」諸語，作為對自己立身處世的要求。【七】

宋明道學有所謂理學和心學兩派。前者以朱熹為代表，後者以陸九淵、王陽明為代表。蔣介石涉獵過朱熹的著作，例如一九二三年一月四日日記云：「晨興，思良友，竊取乎朱子『從容乎禮法之場，沉潛乎仁義之府』二語以自循省。」【八】可見，他對朱熹的學說有所瞭解。哲學史上有所謂朱陸異同之爭，或是朱非陸，或是陸非朱，蔣介石對兩派均無分軒輊，日記中也常有讀王陽明著作的記載。如一九二六年十一月十七日日記云：「車中悶坐，深思看陽明格言。」在這一方面，他是兼收並蓄的。

宋明以後的道學家中，蔣介石最喜歡曾國藩，很早就用功研習他的著作。一九二一年日記云：「晚編《曾文正公全集》。此書已經看過，甚以為遺失於永泰縣之役。今竟復見，不啻舊友重逢也。」【九】永泰之役，指一九一八年九月蔣介石在福建討伐李厚基的一次戰鬥。此戰中，蔣介石中敵緩兵之計，倉促中棄城出走，僅以身免，隨身攜帶的曾國藩著作連同日記等物遺失殆盡。蔣既自稱「不啻舊友重逢」，可見他對曾著的感情。

一九二〇年代，蔣介石仍然喜讀曾國藩的著作。一九二三年歲首，他曾節錄曾國藩的「嘉言」作為自己的「借鏡」。其內容有：「慮忘興釋，念盡境空」；「涵詠體察，瀟灑澹定」；「韜光養晦，忍辱負重」；「以志帥氣，以靜制動」；「事親以得歡心為本，養生以少惱怒為本，立身以不妄言為本，居家以不晏起為本，做官以不愛錢為本，行軍以不擾民為本」；「軍事之要，必有所忍，乃能有所濟；必有所捨，乃能有所全」等。一九二五年一月二日，他又將曾國藩的「懲忿窒慾」，「逆來順受」，「虛心實力」，「存心養性」，「殫精竭力」，「立志安命」等「嘉言」抄在當年日記卷首。可見，他在力圖按曾國藩的訓導立身處世。其後，蔣介石多次在日記中給予曾國藩以高度評價，如：

一九二五年一月九日云：「看《曾文正公雜著》，其文章真可告不朽矣！」

一九二五年二月十日云：「終日在常平站候車，看曾公日記，以勤、恕、敬三字相戒，可為規範矣。」

一九二六年三月八日云：「昨今兩日，看《曾公嘉言抄》，乃知其拂逆之端，謗毀之來，不一而足。而彼勸其弟以咬牙立志，悔字訣與硬字訣，徐圖自強而已。」

曾國藩之外，蔣介石也很敬佩胡林翼。胡有云：「林翼至愚，當不自作聰明；亦惟林翼頗聰明，當不自用其愚。」一九二二年三月，蔣介石讀到這段話，不禁悚然嘆惜，日記云：「可知我自作聰明，實為至愚之人，以後切不可自作聰明也。」【一〇】 胡集中曾論及「愚公移山」、「精衛銜石」等古代寓言或神話，蔣介石讀後深有所感。日記云：「因知成功之難，非一朝一夕之可能也。今日之事，固非三五年不能收一段落，豈可心猿意馬，朝三暮四，猶豫不決，輕舉妄動，來往隨便乎！以後應不再作回家掃墓之想，吾母有靈，其亦以此為慰安乎！」【一一】 胡集書牘中云：「所望有兵柄者，日夜懸一死字於臥榻之旁，知此身之必死則於以求生，或有生機。」蔣介石讀後特別將它們節錄下來，用以自勵。

道學著作中有《菜根譚》一書，蔣介石也很喜歡。一九二六年三月七日日記云：「途中看《菜根譚》，以毋憂弗逆與不為物役二語最能動心。」

蔣介石不僅認真讀道學書，而且也真像道學家一樣進行修身。道學家中朱熹一派普遍主張「省、察、克、治」，蔣介石也照此辦理。

一九一九年十月二十三日日記云：「過去之罪惡，悔恨莫及；將來之嗜慾，奢望無窮。若不除此二者，將何以求學立業也。」

一九二〇年一月十七日日記云：「中夜自檢過失，反覆不能成寐。」【一二】

一九二二年十月二十五日日記云：「今日仍有幾過，慎之！」【一三】

一九二五年二月四日日記云：「存養省察之要，未能實行也。」

一九二五年九月八日日記云：「每日之事，自問有欺妄與愧怍之事否，日日以此相課。」

上述日記表明，蔣介石是經常檢討自己的。

宋明道學家有所謂「功過格」，做了好事，有了好念頭，畫紅圈；做了壞事，有了壞念頭，畫黑圈。蔣介石則專記自己的「過失」，較之道學家們還要嚴格。一九二〇年一月一日，蔣介石決定自當日起，至第二年四月十五日止，「除按日記事外，必提敘今日某某諸過未改，良知未致（或良知略現），靜敬澹一之功未呈也」。【一四】他所警惕的過失有暴戾、躁急、誇妄、輕浮、侈誇、貪妒、吝嗇、淫荒、鬱憤、仇恨、機詐、迷惑、客氣、賣智、好閑等十六種。如果一旦發現有上述過失，就在日記中登錄。因此，他的日記對自己的疵病，常有相當坦率甚至是赤裸的記載。

蔣介石很重視日記在自己修身過程中的作用。毛思誠根據他的指示將日記分類照抄，其中有《學行》一類，蔣介石命毛另抄一本寄給他，「以備常覽」。【一五】

蔣介石之所以重視個人修養，不同時期有不同作用。早年是為了做「古來第一聖賢豪傑」【一六】。五四運動爆發，蔣介石從中看出了中華民族復興的希望，他當時在修身上對自己的要求，應是上進、自強的表現。其後，蔣介石投身國民革命，參加廣東革命根據地建設，反映出傳統道學中「民胞物與，宏濟群倫」思想對他的影響【一七】。北伐戰爭期間，國共矛盾逐漸尖銳，蔣介石處境困難，他企圖通過修養鍾煉自己，應付環境，獲取突破難關的意志和力量【一八】。一九二七年以後，蔣之地位已定，繼續修身則是為了做「國家代表」【一九】。

二　戒色

中國古代思想家孟子很早就承認，人有兩種天性：食與色。但是，孟子又主張，人必須遵守道德規範，否則和禽獸就沒有差別。從蔣介石的日記裡可以看出，他好色，但是，同時又努力戒色。為此，他和自己的慾念進行過長達數年的鬥爭。

一九一九年二月，蔣介石在福建曾勉勵自己「好色為自污自賤之端，戒之慎之！」【二〇】次月，他從前線請假回滬，途經香港，曾因「見色起意」，在日記中為自己：「記過一次」。【二一】不料第二天，他就在旅館中「見色心淫，狂態復萌，不能壓制矣」。不過，他當晚又檢討：「介石以日看曾文正書，不能窒慾，是誠一生無上進之日矣」！他勉勵自己，在花花世界努力「砥礪德行」。【二二】

到上海後，蔣介石與戀人介眉相會。四月二十三日，蔣介石返閩，介眉於清晨三時送蔣介石上船，蔣因「船位太污，不願其送至廈門」，二人難捨難分，介眉留蔣在滬再住幾天，蔣同意，在滬住了一周。事後深自懺悔。日記云：「母病兒啼，私住海上而不一省視，可乎哉？良心昧矣！」【二三】此後的幾天內，蔣介石一面沉湎慾海，一面又力圖自拔。日記云：「情思纏綿，苦難解脫，乃以觀書自遣。嗟乎！情之累人，古今一轍耳，豈獨余一人哉！」【二四】在反覆思想鬥爭後，蔣介石終於決定與介眉斷絕關係。五月二日，介眉用「吳儂軟語」致函蔣介石，以終身相許，函云：

> 介石親阿哥呀：照倷說起來，我是只想銅鈿，弗講情義，當我禽獸一樣。倷個閒話說得脫過分哉！為仔正約弗寄撥倷，倷就要搭我斷絕往來。
>
> 我個終身早已告代撥倷哉。不過少一張正約。倘然我死，亦是蔣家門裡個鬼，我活是蔣家個人。【二五】

從信中所述分析，介眉的身份屬於青樓女子。蔣有過和介眉辦理正式婚娶手續的打算，但介眉不肯訂立「正約」（婚約）。蔣批評介眉「只想銅鈿，弗講情義」，而介眉則自誓，不論死活，都是蔣家人。

蔣介石收到此信後，不為所動，決心以個人志業為重，斬斷情絲。一九一九年五月二十五日日記云：「蝮蛇螫手，則壯士斷其手，所以全生也；不忘介眉，何以立業！」同年九月二十七日，蔣介石自福建回滬。舊地重遊，免不了勾起往事。日記中有幾條記載：

十月一日：「妓女媚客，熱情冷態，隨金錢為轉移，明昭人覷破此點，則戀愛嚼蠟矣！」【二六】

十月二日：「以後禁入花街為狎邪之行。其能乎，請試之！」【二七】

十月五日：「自有智覺以至於今，十七八年之罪惡，吾以為已無能屈指，誠所謂決東海之水無以滌吾過矣。吾能自醒自新而不自蹈覆轍乎？噫！色即是空，空即是色，世人可以醒悟矣！」

十月七日：「無窮孽障，皆由一愛字演成。」【二八】

上述各條，可能都是蔣介石為割斷與介眉的關係而留下的思想鬥爭記錄。從中可見，蔣介石為了擺脫情網，連佛家的「色空觀念」都動用了。值得注意的是十月二日的日記：「潛寓季陶處，半避豺狼政府之毒焰，半避賣笑妓女之圈術。」當時，北京政府在抓捕作為革命者的蔣介石，而青樓女子介眉則在尋找「負心漢」蔣介石，迫使蔣不得不躲進戴季陶的寓所。

蔣介石謀求與介眉斷絕關係是真誠的，但是，卻並不能戒除惡習。十月十五日日記云：「下午，出外冶遊數次，甚矣，惡習之難改也。」【二九】同月三十日，蔣介石赴日遊歷，這次，他曾決心管住自己。關於這方面，有下列日記可證：

十月三十日：「自遊日本後，言動不苟，色慾能制，頗堪自喜。」

十一月二日：「今日能窒慾，是一美德。」

十一月七日：「欲立品，先戒色；欲立德，先戒侈；欲救民，先戒私。」

可見，蔣介石的自制最初是有成績的，因此頗為自喜，然而，蔣介石究終難以羈勒心猿意馬。十一月四日日記云：「色念屢起，幾不能制也。」同月八日，蔣介石到「森福家待花」，結果是「討一場沒趣」，自責道：「介石！介石！汝何不知遷改，而又自取辱耶！」十二日，又在日記中寫道：「一見之下，又發癡情。何癡人做不怕耶！」「海外逆旅，豈有妙妓真心眷客者，先生休矣！」【三〇】

同年十一月十九日，蔣介石回到上海，過了一段安靜日子，心猿意馬有所收斂。十二月十三日日記云：「今日冬至節，且住海上繁華之地，而能不稍應酬，閒居適志，我固為難事矣，近日固不知如何為樂事也。」【三一】十二月三十一日歲尾，蔣介石制訂次年計劃，認為「所當致力者，一體育，二自立，三齊家；所當力戒者，一求人，二妄言，三色慾。」他將這一計劃寫在日記中：「書此以驗實踐。」【三二】看來，這次蔣是決心管住自己了，但是，他的自制力實在太差，於是，一九二〇年第一個月的日記中就留下了大量自制與放縱的記載：

一月六日：「今日色念突發，如不強制切戒，乃與禽獸奚擇！」

一月十四日：「晚，外出遊蕩，身份不知墮落於何地！」

一月十五日：「晚歸，又起邪念，何窒慾之難也！」

一月十八日：「上午，外出冶遊，又為不規則之行。回寓次，大發脾氣，無中生有，自討煩惱也。」

一月二十五日：「途行頓起邪念。」

可見，這一個月內，蔣介石時而自制，時而放縱，處於「天理」與「人慾」的不斷交戰中。

第一個月如此，第二、第三個月，也仍然如此。

二月二十九日：「戒絕色慾，則《中庸》『尚不愧於屋漏』一語，亦能實行。污我、迷我、醉夢我者惟此而已，安可不自拔哉！」

三月二十五日：「邇日好遊蕩，何法以制之？」

三月二十七日：「晚，又作冶遊，以後夜間無正事，不許出門。」

三月二十八日：「色慾不惟鑠精，而且傷腦，客氣亦由此而起。」

三月三十日：「邪念時起，狂態如故，客氣亦盛，奈何奈何！」

四月十七日：「晚，遊思又起，幸未若何！」

六月二十七日：「色念未絕，被累尚不足乎？」

七月二日：「抵沈家門，積善堂招待者引余等入私娼之家，其污穢不可耐，即回慈北船中棲宿。」

當年七月三日，蔣介石遇見舊友陳峻民，暢談往事，蔣自覺「舊行為人所鄙」，因而談話中常現慚愧之色。這以後，蔣又下了決心，日記中多有自我批判、自我警戒的記錄。八月七日日記云：「世間最下流而恥垢者，惟好色一事。如何能打破此關，則茫茫塵海中，無若我之高尚人格者，尚何為眾所鄙之虞！」可見，蔣有保持「高尚人格」的念頭，因此「為眾所鄙」始終是蔣介石心頭的夢魘，迫使他不得不有所檢點。八月九日日記云：「吾人為狎邪行，是自入火坑也，焉得不燔死！」二十三日日記云：「午後，神倦假眠，又動邪念。身子虛弱如此，尚不自愛自重乎！」【三三】

當時，「吃花酒」是官場、社交場普遍存在的一種惡習，其性質類似於今人所謂「三陪」中的「陪酒」。九月六日，蔣介石「隨友涉足花叢」，遇見舊時相識，遭到冷眼，自感無趣，在日記中提醒自己交朋友要謹慎，否則就會被引入歧途，重蹈覆轍。【三四】十一月六日，蔣介石寄住香港大東旅社，晚間，再次參加「花酌」，感到非常「無謂」。這些地方，反映出蔣介石思想性格中的上進一面。

一九二一年全年，蔣介石繼續處於「天理」與「人慾」的交戰中，其日記有如下記載：

一月十八日：「我之好名貪色，以一澹字藥之。」

五月十二日：「余之性情，邇來又漸趨輕薄矣。奈何弗戒！」

九月十日：「見姝心動，又怕自餒，這種心理可憐可笑。此時若不立志樹業，放棄一切私慾，將何以為人哉！」

九月二十四日：「欲立品，先戒色；欲除病，先戒慾。色慾不戒，未有能立德、立智、立體者也。避之猶恐不及，奈何有意尋訪也！」

九月二十五日：「日日言遠色，不特心中有妓，且使目中有妓，是果何為耶？」

九月二十六日：「晚，心思不定，極想出去遊玩，以現在非行樂之時，即遊亦無興趣。何不專心用功，潛研需要之科學，而乃有獲也。」

十二月一日：「陪王海觀醫生診治誠病。往遊武嶺，頗動邪思。」

十二月八日：「邪心不絕，何以養身?何以報國?」

道學家主張，一念之萌，必須考察其是「天理」，還是「人慾」。倘是「天理」，則「敬以存之」；倘是「人慾」，則「敬以克之」。上述日記，大都屬於「敬以克之」一類。

一九二二年，蔣介石繼續「狠鬥色慾一閃念」。日記有關記述僅兩處。九月二十七日云：「見色，心邪不正，記過一次。」十月十四日，重到上海，日記云：「默誓非除惡人，不近女色，非達目的，不復回滬。今又入此試驗場矣，試一觀其成績！」次年，也只有兩次相關記載：三月一日云：「近日心放，色利之慾又起，戒懼乎！」六日云：「出外閒遊，心蕩不可遏。」兩年中，蔣介石僅在思想中偶有「邪念」閃現，並無越軌行為，說明他的修身確有「成績」。

一九二五年，蔣介石在戒色方面繼續保持良好勢態。四月六日日記嚴厲自責云：「蕩念殊甚，要此日記何用。如再不戒，尚何以為人乎！」十一日日記云：「下午，泛艇海邊浪遊，自覺失體，死生富貴之念自以為能斷絕，獨於此關不能打破，吾以為人生最難克制者，即此一事。」這段日記寫得很含蓄，看來，蔣介石打熬不住，又有某種過失。同年十一月十六日晚，蔣介石參加蘇聯顧問舉行的宴會，在一批外國人面前「講述生平經過、惡劣歷史」，對自己的「好色」作了坦率的解剖和批判。

一九二六年全年安靜無事，僅十一月二十一日日記云：「見可欲則心邪，軍中哀戚不遑，尚何樂趣之有！」

蔣介石的懺悔不僅見於日記，也見於他的《自述事略》中。例如，他自述辛亥前後的狀況時就自我批判說：

當時涉世不深，驕矜自肆，且狎邪自誤，沉迷久之。膺白冷眼相待，而其所部則對余力加排斥，余乃憤而辭職東遊。至今思之，當時實不知自愛，亦不懂人情與世態之炎涼，只與二三宵小，如包、王之流作伴遨遊，故難怪知交者作冷眼觀，亦難怪他人之排余，以人必自侮而後人侮也。且當時驕奢淫逸，亦於此為盡。民國元年，同季回滬，以環境未改，仍不改狎邪遊。一年奮發，毀之一旦，仍未自拔也。【三五】

膺白，指黃郛，蔣介石的把兄弟。從這份《事略》裡，可見當時蔣眾叛親離，為人所不屑的狀況。本文一題《蔣主席自述小史》，這時，蔣顯然已經成為「黨國要人」，但他不僅不隱諱早年惡跡，反而有意留下相關記載，這是極其不易的。

三　懲忿

蔣介石除「好色」外，性格上的另一個大毛病是動輒易怒，罵人、打人。為了革除這一惡習，蔣介石也進行了多年修養。

《易》經〈損卦〉云：「損，君子以懲忿制慾。」後來的道學家們因此將「懲忿」列為修身的重要內容，要求人們控制自己的感情，避免暴怒，也避免惡語傷人及相關行為。蔣介石對此也很重視，日記云：「以後修身之道，端正懲忿，其次窒慾也。」【三六】

蔣介石深知自身性情上的弱點。一九一九年一月三日日記云：「近日性極暴躁。」同月七日，有黃定中者來談報銷問題，蔣介石「厲斥其非，使人難堪」。事後追悔，蔣介石在日記中寫道：「近日驕肆殊甚，而又鄙吝貪妄，如不速改，必為人所誣害矣。戒之！戒之！」幾個月之後，蔣介石接見鄧某，故態復萌，「心懷憤激，怨語謾言，不絕於口」。這樣的情況發生多次，蔣介石「自覺暴戾狠蠻異甚。屢思遏之而不能」，因此，寫了「息心靜氣，凝神和顏」八字以作自我警惕之用，還曾有意閱讀道學著作，用以陶冶性情【三七】。

然而，俗話說得好：「江山易改，本性難移。」一種弱點如果已經成了性格的一部分，要改掉是頗為艱難的。一九一九年六月二十七日，蔣介石感歎說：「厲色惡聲之加人，終不能改，奈何！」七月二十九日再次為「會客時言語常帶粗暴之氣」而對自己不滿，在日記中寫下「戒之」二字。但是，蔣介石有時剛剛作了自我檢討，不久就再犯。同年八月五日，蔣介石與陳其尤談話，談着談着，「忽又作忿恚狀」，蔣深自愧悔，但是當晚繼續談話時，蔣「又作不遜之言」。這使蔣極為苦惱，日記云：「如何能使容止若思，言辭安定，其惟養吾浩然之氣乎！」

除了罵人，蔣介石有時還動手。

一九一九年十月一日，蔣介石訪問居正，受到人力車伕侮辱，不覺怒氣勃發。居正家人與車伕辯論，發生毆打，蔣介石見狀，忿不可遏，上前幫力，自然，蔣介石不是車伕的對手，反而吃虧。接着，又「闖入人家住宅，毀傷器具」。蔣介石自知理屈，他想起一九一七年在張靜江門前毆打車伕，被辱受傷一事，真是與此同一情景。當日日記云：「與小人爭閒氣，竟至逞蠻角鬥，自思實不值得。余之忍耐性，絕無長進，奈何！」

蔣介石打車伕畢竟只是個別情況，更多的是打傭人。一九二〇年十二月，蔣介石在船中與戴季陶閒談，戴批評蔣「性氣暴躁」，蔣聲稱「余亦自知其過而終不能改」，認為要杜絕此病，只能不帶「奴子」，躬親各種勞役。

一九二一年四月，蔣介石因事與夫人毛氏衝突，二人「對打」，蔣介石決定與其離婚。四日，蔣介石寫信給毛氏的胞兄毛懋卿，「縷訴與其妹決裂情形及主張離婚理由」。正在此時，發現毛氏尚未出門，又將毛氏「咒詛」一通。當日，蔣在日記中自責說：「吾之罪戾上通於天矣！何以為子，何以為人！以後對母親及家庭間，總須不出惡聲。無論對內對外，憤慨無似之際，不伸手毆人，誓守之終身，以贖昨日余孽也。」然而，自責歸自責，蔣介石仍然時發暴性。見之於日記者有下列記載，試為分類：

（一）打罵傭人、侍衛、下級：

一九二一年四月七日：「叱嚇下人，暴性又發，不守口不詈人之誓，記過一次。」

一九二五年二月二十一日：「自誤飲水，遷怒下人，逞蠻毆打，尚有人道乎！記過一次。」

一九二五年二月二十二日：「吾勉為莊敬寬和，以藥輕浮暴戾之病，則德可進，世可處也。叫人不應，有頃始至，又逞蠻根，日日自悔而不能改之，所謂克己者，如斯而已乎！」

一九二五年三月四日：「肆口漫罵，自失體統，幾不成其為長官，記大過一次。」

一九二五年十月五日：「昨夜十時到黃埔，閽者弛臥，鼾聲達門外，久叫始應，又動手打人。記大過一次。」

一九二五年十月十一日：「為傭人蠢笨，事事不如意，又起暴戾躁急，如此將奈之何！」「暴戾極矣，動手打人，記大過三次。」

一九二六年一月五日：「腦脹耳鳴，心煩慮亂，對傭人時加呵斥，即此一事，已成吾終身痼疾矣！」

（二）辱罵同事、同僚：

一九二一年十月二十二日：「慶華、穎甫先後就談，又發暴性，犯不着也。」

一九二二年二月二十五日：「下午，回八桂廳，對禮卿發脾氣，自知形態不雅。」

一九二六年一月十三日：「茂如來會，以其心術不正，敗壞校風，憤恨之餘，大加面斥，毋乃太甚乎！」

一九二六年八月一日：「動手打人，蠻狠自逞，毫無耐力，甚至誤毆幕友，暴行至此極矣！」

（三）對象不明：

一九二五年三月三日：「欲為蓋世之人物，不可不自深其學養。近日常多很（狠）厲憤狷，而無靜默沉雄氣象，其何以幾及之也？」

一九二五年三月五日：「昨夜罵人太甚，幾使夢魂有愧。今日在途懊悔不已。平日宅心忠厚，自揣差近長者，而一至接物，竟常有此惡態，尚何學養可言乎！」

一九二五年十月七日：「今日暴性勃發，幾視國人皆為可殺。」

以上三種情況中，不論哪一種，蔣介石都知道自己不對，因此事後對自己也多所責備。他也曾設法改正，例如立誓做到「四不」、即「口不罵人，手不打人，言不憤激，氣不囂張」。又立誓作到「四定」，即「體定、心定、氣定、神定」。還曾提出「三要」，即「謹言、修容、靜坐」，但是，收效不大，暴躁狠蠻幾乎成為他的終身「痼疾」。

四　戒客氣

蔣介石日記中常見「戒客氣」的記載。所謂客氣，指的是一種虛驕之氣。《宋書·顏延之傳》稱：「雖心智薄劣，而高自比擬。客氣虛張，曾無愧悔。」因此，宋明時代的道學家們也將「戒客氣」作為修養要求。根據現有資料，蔣介石批評自己的虛驕之氣始於一九一九年。當年二月四日，蔣介石出席許崇智的晚宴，席間，蔣介石「客氣與虛榮心並起，妄談孫先生事」，當日即懊悔無已，在日記中自責，認為自己的言談「不覺自暴其誇鄙，為人所嗤鼻矣」。同年，他自感人才難得，檢討原因，認為自己，所以有才之人不樂為己所用。【三八】

此後，蔣介石即將「客氣」作為自己修養中的大敵之一，稱之為「凶德」。一九一九年九月九日日記云：「言多客氣，為人所鄙，良用慚咎。謹其言，慎其行，自強其志，不徇外為人，立身之本也。」同年十一月二十四日日記云：「近日思想漸趨平實，欲改就社會上做一番事業，奈私利心、野心、客氣終不能消除何！」

蔣介石認為：「客氣」的表現之一是「言語輕肆，舉動浮躁」，針鋒相對地提出：「我守吾拙，言語遲鈍」【三九】。表現之二是氣質漲浮，行為佻達，說話太多，因此提出：多言不如少言，有言不如無言，能言不如不能言。日記稱：「人之是非好惡，己之愛憎取捨，默會於心，斯得之矣，何以言為哉！」

一九二三年七月十六日，蔣介石清晨醒來，自省差誤，認為自己「為人所嫌棄者乃在戲語太多，為人所妒忌者，乃在驕氣太甚，而其病根皆起於輕浮二字」，因此，要求自身今後要「謹然自持，謙和接物」。他表示：「寧為人笑我道學，而不願人目我為狂且也。」

五　戒名利諸慾

道學家們既反對縱情聲色，也反對沉溺名利，視之為「膠漆盆」，要人們通過修養，從中滾脫出來。南宋淳熙八年（一一八一年），陸九淵到朱熹的白鹿洞書院講學。陸的講題是《論語》中的「君子喻於義，小人喻於利」二語。他說：「今人讀書便是為利。如取解後又要得官，得官後又要改官，自少至老，自頂至踵，無非為利。」朱熹對他的這段講詞非常欣賞，認為「切中學者深微隱痼之病」。

蔣介石早年修身時，也很注意戒名利諸慾。一九一九年，他作《四言箴》自勵：「主靜主敬，求仁學恕，寡慾祛私，含垢明恥」，明確地要求自己「寡慾」。六月二十四日日記云：「今日餒怯有餘，謹慎不足，終是名利患失之心太重，能於敬、澹二字上用功一番，庶有裨益乎？」蔣介石這裡所說的「敬」，指的是敬於所事；「澹」，指的是「澹」於所欲。蔣介石要求自己將事業放在首位，而不汲汲於求名求利。這一層意思，他在一九二〇年二月的一則日記中表述得更清楚：「事業可以充滿慾望，慾望足以敗壞各種事業，不先建立各種事業，而務謀饜足慾望，是捨本而逐末也。」

多慾必貪。蔣介石既要求自己「寡慾」，因此，特別注意戒「貪」，保持廉潔。一九二一年，蔣介石因葬母等原因，花銷較大，欠下一批債務。次年九月，孫中山命他去福建執行軍務，蔣乘機寫信給張靜江，要求張轉請孫中山為他報銷部分債務。寫信之前，蔣矛盾重重，思想鬥爭劇烈，日記云：「今日為企圖經濟，躊躇半日。貪與恥，義與利四字，不能並行而不悖，而為我所當辨。如能以恥字戰勝貪字，此心超然於利義之外，豈不廉潔清高乎！一身之榮辱生死，皆為意中事，安有顧慮餘地乎！」一九二三年七月，蔣日記有云：「戲言未成，貪念又萌，有何德業可言！」可見，像他努力戒色一樣，對「貪念」，也是力圖遏制的。

蔣介石長期生活於上海的十里洋場，習染既久，難免沾上奢侈、揮霍一類毛病。一九二〇年歲末，蔣介石檢點賬目，發現全年花費已達七八千元之譜，頓覺驚心，嚴厲自責說：「奢侈無度，遊墮日增，而品學一無進步，所謂勤、廉、謙、謹四者，毫不注意實行，道德一落千丈，不可救藥矣！」一九二五年四月，他到上海的大新、先施兩家著名的百貨公司選購物品，自以為「奢侈」，在日記中提醒自己：「逸樂漸生，急宜防慮。」同年五月，自覺「心志漸趨安逸，美食貪樂，日即於腐化」，曾嚴厲自責：「將何以模範部下，而對已死諸同志也？」

道學家們大都要求人們生活淡泊，甘於「咬菜根」似的清苦生活。上述日記表明，蔣介石在這一方面同樣受到道學的影響。

在道學家的修養要求裡，寡慾，不只是寡於物質生活，也包括求名一類精神生活內容。在這一方面，蔣早年對自己也有所要求。一九二五年一月二十二日日記云：「好名之念太重，一聞蜚語，即覺自餒，是不能以革命主義為中心，而以浮世毀譽為轉轂，豈得謂知本者乎！」

六　其他

誠是中國古代哲學的重要範疇，原意為信實無欺或真實無妄，後來被視為道德修養的準則和境界。《禮記·中庸》說：「誠者天之道也，誠之者人之道也。」將「誠」視為天的根本屬性，要求人們努力求誠。在《中庸》有關思想的基礎上，《大學》進一步將「誠意」作為治國、齊家、修身、正心的根本。自此之後，道學家無不尊誠、尚誠。北宋的周敦頤將「誠」說成「聖人之本」，要求人們經過「懲忿窒慾，遷善改過」之後，回歸「誠」的境界。

蔣介石深受道學影響，自然，他在早年也尊誠、尚誠。一九二二年十一月二十日日記云：「率屬以誠為主，我誠則詐者亦誠意矣！」這裡，「誠」被蔣介石視作一種馭下之道。一九二三年五月四日日記云：「凡事不可用陰謀詭計，且弄巧易成拙，啟人不信任之端。」這裡，「誠」被蔣介石作為處理人際關係的準則。一九二四年五月三日日記云：「機心未絕，足墮信義與人格。」這裡，「誠」才被蔣介石作為一種道德修養準則。

道學們不僅提出了諸多內心修養方面的要求，而且在人的形體外貌方面也有許多規範。朱熹寫過一篇《敬齋箴》，要求人們「正其衣冠，尊其瞻視」，在這方面，蔣介石也是身體力行者。一九二五年二月十一日日記云：「蒞團部時履不正，為屬下窺見，陡覺慚汗。」近年來出現若干影視作品，其中的蔣介石形象大多衣冠端正，這是符合蔣的性格的。

七 結語

道學形成於宋明時代，它是中國封建社會後期的統治思想，也是中國儒學發展的一個特殊階段。其總體作用在於將傳統的儒學倫理規範哲學化，以便進一步強化其教化作用，藉以整飭人心，調節社會矛盾，鞏固既定社會秩序。但是，其中也包含着若干合理因素。

蔣介石少年頑劣，時代的激流將他推進了中國民主革命的大潮：留學日本，歸國革命，追隨孫中山。這樣，蔣介石早年就具備了兩重性格：既是上海洋場的浮浪子弟，又是革命志士，兩種性格相互矛盾而又長期共存。可以看出，在他登上政治舞台的漫長過程中，道學曾促使他勵志修身，克服了浮浪子弟的某些劣根性。但是，這也使他比較拘守傳統文化，未能在接受新文化、新思潮方面邁出更大的步伐，也未能使他在中國近代日益複雜的社會生活中，辨潮流，識方向，作出正確抉擇。

中世紀的修養方法無法完全適應近、現代的社會生活，這是自然的。

原載拙著《蔣氏秘檔與蔣介石真相》，社會科學文獻出版社二〇〇二年版

註釋：

【一】《蔣介石回憶民國元年以後之大事》，手稿本，一九三一年二月二十日，美國：胡佛研究院藏。

【二】《蔣介石日記》，手稿本，一九一九年七月二十四日，美國：胡佛研究院藏。

【三】手稿本殘損，此據《蔣介石日記類抄·雜俎》補，一九二〇年三月三日。

【四】《蔣介石日記》，手稿本，一九三一年一月二十日。

【五】《蔣介石日記》，手稿本，一九三一年一月二十五日。

【六】《蔣介石日記類抄·學行》，一九二三年一月五日，南京：中國第二歷史檔案館藏。

【七】《蔣介石日記類抄·學行》，一九二三年一月九日。

【八】手稿本殘損，此據《蔣介石日記類抄·學行》，一九二三年一月四日。

【九】《蔣介石日記》，手稿本，一九二一年四月二十九日。

【一〇】《蔣介石日記》，手稿本，一九二二年三月十九日。

【一一】《蔣介石日記》，手稿本，一九二二年三月二十一日。

【一二】《蔣介石日記類抄·學行》，一九二〇年一月十七日。

【一三】《蔣介石日記類抄·學行》，一九二二年十月二十五日。

【一四】手稿本殘損，此據《蔣介石日記類抄·學行》，一九二〇年一月一日。

【一五】《蔣介石日記類抄·學行》卷首。

【一六】《蔣介石日記類抄·學行》一九三一年三月二十一日記云：「晨起，曾憶少年聞人道，古人如孔孟朱王之學，與禹湯文武周公之業，竊自恨前有古人，否則此學此業，由我而發明，由我而創始，豈不壯哉！平日清夜，常興不能做古來第一聖賢豪傑之歎！」

【一七】蔣介石一九二五年十二月九日日記云：「一曰慎獨則心安，去人慾存天理。二曰主敬則身強，懍坎險，惕輕健。三曰求人則人悅，民胞物與，宏濟群倫。四曰習勤則神欽，敝精殫慮，困知勉行。」

【一八】蔣介石一九二六年八月二十六日日記云：「寸衷鬱結，看《嘉言抄》及《菜根譚》閱之，知天下之長，而吾所處者短，則橫逆困窮之來，當稍忍以待其定，又曰：逆來順受、居安思危等條，志為之踔，氣為之振，應以大無畏之精神，與此橫逆決鬥，以應環境，以破當前難關也。將其計而就之，則天下無難事矣。」（手稿本殘損，據《蔣介石日記類抄·學行》補）

【一九】蔣介石一九三一年一月九日日記云：「此時欲修身自立，不可不努力於學，思將哲學有統一之研究，以為修己立人之課，願期有恆，以底於成，不愧父母之遺體，國家之代表。」
【二〇】手稿本殘損，此據《蔣介石日記類抄．學行》，一九一九年二月九日。
【二一】《蔣介石日記類抄．學行》，一九一九年三月八日。
【二二】《蔣介石日記》，手稿本，一九一九年三月九日。
【二三】《蔣介石日記》，手稿本，一九一九年四月二十三日。
【二四】《蔣介石日記類抄．學行》，一九一九年四月二十七日。
【二五】《介眉致蔣介石函》，手跡，南京：中國第二歷史檔案館藏。
【二六】《蔣介石日記類抄．學行》，一九一九年十月一日。
【二七】《蔣介石日記類抄．學行》，一九一九年十月二日。
【二八】《蔣介石日記類抄．學行》，一九一九年十月七日。
【二九】《蔣介石日記類抄．旅遊》，一九一九年十一月十二日。
【三〇】《蔣介石日記類抄．學行》，一九一九年十月二日。
【三一】《蔣介石日記》，手稿本，部分文字據《蔣介石日記類抄．學行》校訂。
【三二】手稿本殘損，此據《蔣介石日記類抄．學行》。
【三三】以上各日日記，手稿本或殘損，或被塗去，均據《蔣介石日記類抄．學行》。
【三四】《蔣介石日記類抄．學行》，一九二〇年九月六日。
【三五】《自述事略》，稿本，南京：中國第二歷史檔案館藏，檔案號：三〇四一～一八一。
【三六】蔣介石日記，手稿本，一九二五年四月一日。
【三七】蔣介石一九二五年八月十五日日記云：「近日惱躁如此，晨讀性理書陶養。」
【三八】蔣介石日記，手稿本，一九一九年八月二十六日。
【三九】蔣介石日記，手稿本，一九二二年一月二十三日。

蔣介石與上海證券物品交易所

上海證券物品交易所是在近代中國政治史、經濟史上起過重要作用的機構。從一九一八年至一九二三年，蔣介石和它發生過密切關係；它也曾給予蔣的生活、思想以深刻影響。一九二〇年初，蔣甚至有過以經紀人為職業，「作棉花、棉紗買賣」的念頭。[一] 但是，前此有關論述大都依靠個別人員的回憶錄，或流於膚淺，或謬誤連篇。本文將根據確鑿的文獻和檔案資料清理有關史實，希望能在大多數問題上作出比較準確、清晰的說明。但是，由於某些環節的資料尚感不足，因此，本文又還難以說明全部問題。進一步的探討，有待於更多研究者的關注和更多資料的發現。

一　上海交易所是孫中山倡辦的

孫中山在多年的革命生涯中，始終為經費所窘。一九一六年十二月，孫中山接受日本某政黨的建議，決定與長期支持中國革命的日本神戶航運業巨頭三上豐夷共同在上海開辦交易所，企圖以盈利所得資助革命。同月五日，由戴季陶出面與三上的代表中島行一簽訂草約，規定資本總額為上海通用銀元五百萬元，日方提供二百五十萬元，作為無息貸款，所得紅利，日本資本團得十分之八，創立人得十分之二，同時規定，交易所須聘用日本資本團推選的精通業務之人為顧問，合議處理一切。【二】其後，對草約個別條款作過修改，即行定案，簽字者有孫文（中山）、趙家藝、虞和德（洽卿）、張人傑（靜江）、洪承祁、戴傳賢（季陶）、周佩箴等十一人【三】。次年一月二十二日，由孫中山領銜，虞洽卿、張靜江、戴季陶等八人附議，向北京政府農商部呈請，成立上海交易所。呈文首先歷述中國缺乏交易所的種種弊病，中云：

上海為全國物產集散之樞紐，所有大宗物產交易均由各業商人任意買賣，價格無適中之標準，交易無保證之機關，恐慌無從預防，金融不能活動，且經紀人亦漫無限制，於工商業之發展，窒礙實多，雖各業有各業之公會及任意集合之市場，然既無確實之資金，又無完備之組織，政府難於監督，商人無所置信，是以大宗物產之價格，一二外國經紀人常得自由操縱之，病商病國，莫此為甚。至於有價證券之交易，亦無一中心之機關，已發行之公司股票不能流通，新發生之公司不易招股，已發行之公債價格日見低落，將來國家或地方發行公債更難於辦理。因此之故，中國公司多於外國政府註冊，以圖其股票可以賴外國交易所而流通，中國之投資者亦多棄本國公債於不顧，而樂購外國之公債，且各公司之內容，無一機關調查保證之，買入賣出，漫無所察，一旦破綻發生，股票頓成廢紙，往往因一公司之內容缺陷，致市場大起恐慌。凡此種種禍患，皆由無資本充足、信用確實之交易所有以致之，不能徒責商人之無愛國心也。

呈文聲稱：「交易所之組織，則以證券交易、物品交易二者同時經營為最有益於上海市場，尤能助中國一盤實業之發展。」據有關人員回憶，該文由朱執信起草，但既由孫中山領銜，應視為孫中山的重要佚文。

根據該呈文，上海交易所申報的業務範圍有證券、花紗、金銀、中外布匹、皮毛等七項。【四】二月二十四日，北京政府農商部批准先行經營證券；關於物品交易，咨請江蘇省長查復報部，再行核辦【五】。同月，戴季陶赴日，在東京證券交易所內設立籌備處。但是，正當籌備工作緊張進行之際，張勳在北京擁溥儀復辟，上海市面頓時陷入混亂，銀根突緊，拆息猛漲，商業停滯，交易所籌辦暫停。

一九一八年，戴季陶、張靜江、蔣介石等共謀利用前案，繼續申辦。戴等秘密組織協進社，吸收原發起人虞洽卿、趙家藝、洪承祁為社員。同年三月，日人在上海成立取引所（交易所）股份有限公司，經營證券、棉紗、棉花等，企圖操縱上海市場。各業商董認為：「我不自辦，彼將反客為主，握我商權」【六】，因此，虞洽卿等於同年七月成立預備會，推虞及趙林士、鄒靜齋、盛丕華、周佩箴五人為籌備員【七】，上海工商界知名人士溫宗堯、聞蘭亭（漢章）、李雲書、張澹如、沈潤挹、吳耀庭、顧文耀等紛紛加入為發起人。此後，遂由虞洽卿領銜，呈請北洋政府，以「時會之趨勢，實不容再緩」為理由，要求「將證券、物品一併開辦」，得到批准。但是，上海各商幫旋即產生分辦、合辦之爭。原發起人金業董事施兆祥、徐甫孫擬申請成立上海金業交易所，原上海股票交易公會的范季美等人擬申請成立證券交易所。一九一八年四月，北京政府農商部要求分為三家交易所辦理。虞洽卿等據案力爭，農商部訓令上海總商會召集各商幫討論，並飭江蘇實業廳詳查。結果輾轉遷延，不能決定。一九一九年六月二十七日，農商部認為合辦資本勢力較為雄厚，取決多數，以合辦為宜，准予先行開辦【八】。此令既下，上海金業、股票兩業仍有異議。十二月二十日，農商部再令，要求從交易所營業範圍內除去證券、金類，以免糾葛，但虞洽卿等旋即提出異議，呈請免於修改。

一九二〇年二月一日，上海證券物品交易所在總商會開創立會。計股東五百七十二戶，十萬股，到場股東或代表四百零八戶，代表八萬五千四百零八權【九】，超過半數。會議公推虞洽卿為臨時主席。虞在致詞中追溯了中國交易會的發起歷史，聲稱二十年前，即有袁子壯及周熊甫二君提議創辦，但未成事，「民國五年冬間，孫中山先生又復發起，鄙人追隨其後」，「屈指二十載，交易所之創造艱難，一至於斯。幸今日股本已超過原額數百股，可知我國商業之程度日高，將來本所之成績，必大有可觀」，云云。會議選舉理事十七人，監察人三人。虞洽卿以八萬一千六百三十三權居理事第一位。【一〇】張靜江被選為候補理事。蔣介石的同鄉、同志周駿彥（枕琴）以五萬三千八百六十權當選為監察人。對此，蔣介石日記云：「枕琴當選為交易所監察人。」【一一】可見，他是相當重視的。周駿彥在辛亥前被官府選派赴日留學，入警監學校，與蔣介石結為同志。曾參加寧波光復之役，為奉化軍政分府負責人之一。一九一一年冬，在蔣介石麾下任軍需科科長。後任寧波商業學校校長。二次革命失敗，蔣介石受通緝，周曾將蔣藏於校內。【一二】二月六日，交易所召開理事會，選舉虞洽卿為理事長，聞蘭亭、沈潤挹、趙林士、郭外峰、鄒靜齋、盛丕華為常務理事。【一三】其中，寧波人郭外峰曾在日本長崎道勝銀行工作十八年。

二　蔣介石組建茂新號，陳果夫充當經紀人

從孫中山倡辦交易所之日起，蔣介石即奉命與戴季陶、張靜江等共同參與籌備。

一九二〇年四月，蔣介石因與陳炯明不合，從福建漳州的粵軍總部回到上海，與陳果夫共同籌辦友愛公司。同年六月三日蔣介石日記云：「擬與果夫訂定友愛公司資本共銀五千圓，先由中正全部墊付。先購上海物品證券交易所四百股為基本。定為十股。豐鎬房七股，果夫、駃夫、幹夫各約一股，推定果夫為義務經理。」陳果夫的岳父朱五樓原在上海經營福康錢莊。一九一八年五月，陳經其岳父介紹，到滬任晉安錢莊助理信房。

一九一九年，他曾借用蔣介石存在晉安的一千多兩銀子，「做了一筆洋鈿生意」，三個星期賺了六百幾十兩銀子。【一四】，因此，在革命黨人中，陳比較熟悉金融，懂一點經營之道。這是蔣介石推陳出任義務經理的緣由。不過，這個友愛公司似乎並沒有成立起來。計劃剛定，蔣介石迅即碰到了國際金融風潮。倫敦、紐約銀價下跌【一五】，上海的銀價也隨之突然大落。這一事件使蔣介石的經商遇到了第一次挫折，加之這一時期，蔣介石的家庭生活也出現矛盾。失意之餘，蔣介石離開上海，寄情山水去了。《年譜》云：「公以戎謀莫展，而閨房與商業又連不得意，遂乃漫遊以舒鬱懷。浮海至普陀……凡遊六日而倦還。」【一六】

普陀歸來後，蔣介石繼續與張靜江等商量交易所事宜。一九二〇年六月二十六日，蔣介石日記云：「往靜江家，與佩箴商議公司事。」佩箴，指周佩箴，吳興南潯鎮人，與張靜江有姻親關係，原為上海證券物品交易所理事，一九二〇年五月二十九日被補選為常務理事。這裡所說的公司當即幾天後出現的茂新公司。

同年七月一日，上海證券物品交易所開幕。王正廷、王正亭及江蘇省長、上海道尹代表等三千餘人等出席致賀【一七】。當日，上海《申報》出現了一則廣告：「上海證券物品交易所五四號經紀人陳果夫，鄙人代客買賣證券、棉花，如承委託，竭誠歡迎。事務所四川路一號三樓八〇室。電話：交易所五十四號。」【一八】關於此事，陳果夫回憶說：「蔣先生就要我和朱守梅（孔揚）兄，及周枕琴（駿彥）先生，趙林士先生等商量，組織第五十四號經紀人號，名茂新，做棉花、證券兩種生意，推我做經理，守梅兄做協理。」【一九】

此後幾天內，蔣介石日記連續出現關於茂新號的記載，可見此事已成為蔣的興奮中心，也可見他為此焦思苦慮的情況：

一九二〇年七月五日，蔣介石日記云：「今日為組織茂新公司及買賣股票事，頗費經營躊躇也，晚間不能安眠。」【二〇】

一九二〇年七月六日，蔣介石日記云：「晚在寓商議茂新公司組織法。」

一九二〇年七月七日，蔣介石日記云：「到茂新及冶誠處。」

辦友愛公司時，蔣曾表示，全部資本由他負責；但在組建茂新公司時，其資金則並非來源於蔣。據陳果夫回憶：它的開辦，最初由朱守梅出資兩千元，又由陳果夫向晉安錢莊借了一千兩銀子。資本總數不過三千數百元現金。

茂新號開業後並不順利。第一天開張，就虧了一千七百餘元。與此同時，蔣介石委託朱守梅代購股票，價格上也吃虧很大。朱原是蔣介石的奉化同鄉，畢業於兩浙高等師範學校，初營商業，沒有經驗。六月二十五日，證券物品交易所股票上市試驗，收盤價每股二十九點九元。【二一】二十七日，價格陸續上漲。到七月四日，已經漲到開盤價三十一元，收盤價三十一點二元；下午繼續上漲（開盤價三十一點六元，收盤價三十一點九元，記帳價三十二元）【二二】。以後幾天中，價格陸續升高，至七月四日，已經漲到每股四十二元。朱守梅在低價時沒有買進，到高價時，才突然收購。蔣介石得悉此訊，極為懊惱。當日日記云：「益欽（卿）來舍，知上交股票漲至四十二元，甚驚駭。即往茂新訪守梅，乃悉前託代買股票，均四十二元之價購入，不勝憂慮。初做生意者之不可靠也。果夫來會，其形容甚悲傷，甚至含淚而訴，乃知其不能作生意也。」

蔣介石託人買進高價股票本已吃虧，他完全沒有想到，幾天後，價格卻又突然回落。蔣介石在福建接到陳果夫電報，獲悉有關消息。日記云：「接果夫電，悉上交股票大落，虧本至七千餘元，乃知生涯不易做，而為果夫、守梅所害，亦一大半。星相家謂我五六月運氣不好，果應其言，亦甚奇也。」【二三】兩天後，又記云：「接果信，知其膽小多慮，不能作生意也。」

蔣介石此次赴閩，本是孫中山、廖仲愷、胡漢民等人力勸的結果，目的是協助陳炯明、許崇智處理軍務。

蔣介石對陳炯明有意見，到閩後，又發現陳、許二人不和，認為事無可為，便於八月五日離閩返鄉。在老家，他依然惦念上海證券物品交易所的買賣情況，思考對策，並派人赴滬傳達他的意見。【二四】下旬返滬後，又親到交易所參觀，污濁的空氣和嘈雜的人聲令蔣介石感到頭暈腦脹，不禁產生經紀人難當的感歎【二五】。

茂新號初期營業不利，後來逐漸興旺。陳果夫回憶說：「茂新的股本，由一萬加至一萬五千元，慢慢的又增到三萬元。每天開支不到三十元，而每天生意，在最差的時候，佣金收入總在三十元以上，最好則有二千元。生意的興隆可想而知。」【二六】於此可見，陳果夫在經營上還是有一套辦法的。

三　擴大投資，成立恒泰號

茂新號初期營業不利，蔣介石等即集議另組公司。九月二日，蔣介石決定退出六股。【二七】第二天，蔣介石訪問張靜江，因為心情不好，狠狠地揍了車伕一頓。【二八】九月五日，蔣介石、陳果夫、朱守梅等人再次集議，研究公司改組事宜。蔣介石決定投資四千銀元，作為與張靜江合作的本錢；同時決定投資五千元，託人經營臨時商業。【二九】九月二十二日，蔣介石再次訪問張靜江，談經商事，蔣介石決定投資一萬五千元作為成本。【三〇】

當蔣介石雄心勃勃地要在商業上大幹一場之際，粵桂戰爭正在緊張進行。九月三十日，蔣介石離開上海，趕赴前線。但是，又因與陳炯明意見不一，於十一月十二日回到上海，次日回到老家。十一月二十五日，孫中山應粵軍許崇智的要求，離開上海，前往廣州。張靜江、戴季陶要求蔣與孫中山同行，戴曾到甬相勸，聲色俱厲地責以大義，但蔣仍堅決拒絕。【三一】

十二月上旬，蔣介石再到上海，十五日，決定與張靜江等十七人合作，繼續經營上海證券物品交易所的經紀人事業，定名為恒泰號。議定條件如下：

一、牌號。定名為恒泰號，經紀人由張君秉三出名。
一、營業範圍，暫以代客買賣各種證券及棉紗二項為限。
一、資本額，計上海通用銀幣三萬五千元，每股一千元。
一、佔股數目，蔣偉記四股，張靜江五股。
一、此契約成立於上海租界，一式十八份。【三二】

該合同現存，下有吳俊記等十七人簽名，其中小恒記是戴季陶的化名，吟香記是周佩箴的化名，陳明記是陳果夫的化名，朱守記是朱守梅的化名，張秉記是張靜江的侄子張秉三（名有倫）的化名，張靜記是張靜江的化名，張弁記是張靜江的哥哥張弁群的化名，蔣偉記名下，蔣介石親筆簽了中正二字。【三三】不過，其股份是由張靜江代認的。【三四】

這一年，與蔣介石有關的商業繼續虧本。【三五】

上海證券物品交易所開業後，虞洽卿曾於一九二〇年九月向農商部呈請註冊，同年十一月，虞並親自到北京活動。但是，由於江蘇省議會及張謇都致電農商部，要求在《交易所法》未修正前停發執照，上海證券物品交易所的註冊因此受阻。直到次年三月七日，虞洽卿再次向農商部呈請發給營業執照時，才出現轉機。三月十四日，陳果夫致函蔣介石，報告申領執照及擴大金銀業務等喜訊，函稱：「股票價格前日稍稍回頭，大約今日可以望好，因為執照今日可以在北京發給，發給後，金即欲發表，所以只幾天可以望好。」【三六】，不過，

直到當年六月二十五日，北京政府農商部才批准發照。【三七】

張靜江等鑒於即將領到營業執照，決定擴大恒泰號的業務範圍，增加代客買賣金銀業務，資本額四萬六千元，每股一百元。計蔣偉記四十四股，張靜記五十五股。【三八】但是，業務仍然很不順利。

當年一月下旬，蔣介石在孫中山一再催促下，離開奉化，於二月六日抵達廣州，參加討論援桂作戰計劃。不久，因與陳炯明發生矛盾，於同月回返奉化，其後就一直留在家。四月間，蔣介石接連收到張靜江的告急電報，聲稱「商戰為人環攻，請兄速來營救」。蔣介石不知道恒泰號到底發生了什麼事，既擔心，又氣惱，一時神情失常。但是，蔣介石很快就自覺不夠鎮靜，在日記中嚴厲自責：「何養氣不到一至於此哉！」【三九】

在張靜江連電告急的情況下，蔣介石匆匆趕赴上海，和陳果夫、戴季陶、張靜江、林業明（煥廷）等商量挽救辦法。四月十七日，蔣介石日記云：「果夫來晤，談及靜公交易為人攻擊事，往訪煥廷先生。再到大慶里與季陶談天，商量生涯解急之法。」次日日記云：「下午，與靜江、季陶聚議，商量營業事。」兩天日記，雖是寥寥幾行，但蔣介石等人的焦急情狀，歷歷可見。不過，半個月之後，命運之神就又給蔣介石等人送來了喜訊：股票價格上漲。五月二日，蔣介石日記云：「接靜兄函，知交股價漲至百零八元。」五月五日，日記又云：「接守梅電，知交股票價漲至百廿四元。」對於股民來說，沒有比股價暴漲更好的消息了，蔣介石興奮之餘，在日記中寫下了四個字：「甚為欣幸！」【四〇】

孫中山於四月七日在廣州被選為非常大總統。計劃發動討桂戰爭。四月十八日孫中山致電蔣介石，告以「軍情緊急」，要他迅速來粵襄助；陳炯明、許崇智、胡漢民、戴季陶等人也函電交馳，敦促蔣介石赴粵。五月十日，蔣介石啟程。在粵期間，蔣介石收到陳果夫一函，報告交易所情況以及他和張靜江之間的矛盾，中云：

靜公為欲取回高所沒收證金之一部（即我們四家共做老股三萬股，計納證金一百廿萬元，被沒收者，外間只拿到七十五萬，其餘四十五萬，原為本所填補差金，現擬取回者即此一部分），囑我去商者約七八次。然彼自作主意，未嘗納我絲毫意見。我亦因不善語言，故有意往往不能盡達。且此時以為可辦，並不反對。近日彼大有急急動作之意，任不得不細心考察。考察結果，以為此事現在萬不可行，而二先生只顧自己一方面，不管他人為難。且此事由厲君為之奔走，難免為他方所利用，一舉而成，則彼等坐失其利。否則我方名譽損失之外，尚須再棄若干辛苦錢。現在所中所怕者是空頭，餘款由空頭來爭，而且未必能得，如由多頭爭，則將由上海全埠之人所唾罵，即使用全力致勝，空頭方面豈不又有說話，甚至要和你辦大交涉。因為當時糊裡糊塗過去，現在明白了，做三萬吸多頭者原來是你，即使你拿得到，也是不得安枕，況且我們經紀人是代客買賣，現在我們代表買方出場，將何以對得起一班吃虧最大，空頭、套頭的客人！所以我想來想去，不能替他做這一件事。我已經拒絕他了。不知我叔之意見如何？我擬將客人的交易如數了清之後，經紀人也不要做了，將茂新停辦。【四一】

函中所言「空頭」，指賣出股票者；「多頭」，指買進股票者；「套頭」，指利用近期和遠期股票的差價以套取利潤者；「我叔」，指蔣介石。據此函所述可知：張靜江等做「多頭」，買進交易所「老股」三萬股，由於判斷錯誤，保證金一百二十萬元被沒收，其中七十五萬賠償損失，另四十五萬元有可能收回。張靜江急於動作，挽回損失，和陳果夫商量過七、八次，但陳認為此時萬不可行，如做，不僅錢收不回來，而且有可能被全上海人唾罵，因此堅決拒絕，和張發生爭論。同函又云：

他前天晚上說名譽不顧這些氣話，但是我不能不顧他和我們的名譽，況且還是名譽壞了也必無效果的事情。

可以看出，張、陳之間已從挽回損失的時機發展為要不要名譽的爭論。張靜江聲稱「名譽不顧」，可見此次生意失敗給予他的刺激。

四 與張靜江、戴季陶等合資經營利源號

上海證券物品交易所開始營業後，半年內即盈利五十餘萬元。於是，各業「如發狂熱」，紛紛效法，上海華商證券交易所、麵粉交易所、雜糧、油餅業交易所、華商棉業交易所等陸續成立。《申報》調查報告稱：「本年（一九二〇年——筆者）秋後，交易所鼎盛一時，風起雲湧，各業以有交易所為榮耀。」【四二】至一九二一年十月，上海已有交易所一百四十餘家，額定資本達一億八千萬元。【四三】

此際的張靜江、戴季陶等人自然更加興奮。一九二一年五月三十一日，張、戴與徐瑞霖等簽訂合同，決定合資創辦上海證券物品交易所利源號經紀人營業所，以吳梅岑為經理。該所資本總額三萬元，每股一千元，共三十股，其中，張靜江一股，戴季陶一股。蔣介石三股，由戴季陶代簽【四四】。

利源號辦起來了，也和茂新、恒泰的最初的命運相似，受到同行排擠，使蔣介石極為憤慨。七月八日，陳果夫致函蔣介石，報告營業疲軟的情況，函稱：「靜公因公司尚未了結，日來交易不做，公司進行以廿餘元為事。近日價格極疲，侄看勢頭不至於大漲。且二元半之息，不能引起投機與投資家之興會也。」【四五】信中所反映的完全是一種事無可為的心態。但是，事實正好相反，七月十日，上海證券物品交易所召開第三次股東會，張靜江被選為理事。十八日，張靜江等決定擴大利源號的業務範圍，「兼辦金業」，同時決定每股追加股本二百元。計蔣介石追加六百元，張靜江、戴季陶各追加二百元，共六千元。【四六】其後，利源號的業務越做越

大。陳果夫致函蔣介石，報告張靜江大量購進股票和股票價格飛漲的情況：

> 靜江先生近來對於股票買進有增無減，公司益打益大，聽說和從前做空頭的人也有聯絡。不過時局不好，多拿在手中，不免危險耳！前日價格漲到二百四十二元，如照此價格出去，賺錢一定不少。

這一段時期，上海股票業正處於黃金時期。不僅張靜江等人幹勁十足，而且蔣介石、陳果夫等最初發起的茂新號，也大賺其錢。陳果夫在同函中向蔣介石報告說：

> 茂新自去年九月至今年六月止，共淨盈洋一萬八千四百零一元七角八，清單明後日可以寄上。新豐名下應得發起人酬金洋一千零八十二元四角，又紅利一千八百六十四元九角。下星期擬開股東會，吾叔到申一行否？否則請將意見知下，加股若干？【四七】

除茂新外，函中提到的「新豐」，應是蔣介石參加發起的另一個經紀人營業所，不過，關於它的情況，目前還沒有更多的資料。

從陳果夫函還可以發現，這一時期，蔣介石和朱孔揚等又在組建「第四號經紀人鼎新號」，做棉紗與金銀生意，由朱孔楊任經理，陳果夫為協理。函云：

> 現在資本一萬五千，除花、證、金三種，保證金一萬八千元外，尚有付鼎新資本洋二千元。如將紅利分派，無

活動餘地，故非加添資本不可。

至此，蔣介石已先後投資茂新、恒泰、利源、新豐、鼎新等五家經紀人事務所，可謂竭盡全力了。

五　交易所畸形發展後衰落，張靜江、蔣介石大虧本

事物的發展規律是盛極必衰。上海的交易所事業雖然一時繁榮，但是，當時國內商業並不景氣，交易所畸形發展，每個交易所的營業額必然大量減少，資金不足，緊跟着的必然是衰落。從一九二一年八月起，上海的交易所事業開始走下坡路【四八】。九月二十八日，陳果夫致函蔣介石云：

交所情形仍惡，市價變動非常，紗尤甚，花次之。所做客人因交所不可靠，多存於號者絕無，積欠於號者漸多，此次紗之下跌，鼎新因循，不免有吃虧矣！【四九】

函中，陳果夫告訴蔣介石，由於擔心商情危險，決定從十月一日起停止茂新號的業務，辭去鼎新號的協理職務，將家眷遷回湖州老家。陳並稱：「茂新結束事已與靜江先生接洽，靜江先生亦贊成，想吾叔亦必贊成也。」不過，後來茂新並未「結束」，可能出於蔣介石的反對。

陳函所反映的情況實際上是整個上海交易所事業的縮影。據統計，一九二一年十一月，上海有三十八家交易所歇業。十二月，歇業者幾乎每天都有。次年二月，上海法租界工部局發佈《交易所取締規則》，規定了嚴

格的管理和懲罰條例【五〇】。至一九二二年三月，各交易所驚呼「空氣日非，社會信仰一落千丈」【五一】，紛紛停業清理，經紀人因破產而自殺者也頗不乏人，蔣介石的同鄉、同志周駿彥也曾一度自殺。以見之於《申報》廣告和有關報道為例，三月份即有棉布匹頭證券交易所、中國糖業交易所、中華國產物券交易所、上海綢商絲織匹頭股券交易所籌備處、公共物券日夜交易所、中美證券物產交易所、上海五金交易所、上海糖業交易所、上海紗線證券市場、上海華煤物券交易所、上海內地證券交易所、神州物券日夜交易所、中外交易所、浦東花業交易所、東方物券交易等宣佈停業，成立清理處。當月上海全市能維持營業的交易所只剩下十二家。【五二】三月二十五日，具有同業公會性質的上海交易所公會決議解散。【五三】四月八日，江蘇督軍和省長會銜訓令：未經領照各交易所，一律解散；已領照者，勸令改營他業。【五四】

交易所屬於投機事業，其興也勃，其衰也速。當時有人撰文云：「去年上海各種交易所勃興以來，風起雲湧，盛極一時，投機事業，舉國若狂……不及匝年，噩耗迭起，某也倂，某也閉，某也訟，某也封，某也逃，某也死，而最近若最初開張之某交易所，亦以風潮聞。昨日陶朱，今日乞丐。飆焉華屋連雲，飆焉貧無立錐。」【五五】

大環境不利，上海證券物品交易所自難獨善其身。

最初，情況還是不錯的。一九二二年一月八日，上海證券物品交易所資本總額已達一千八百七十一萬九千七百五十二元，盈利六十六萬一千一百二十九元【五六】。當日股東會決定提取五十萬元作為第三屆股東紅利。「每一老股五元，新股四股作一老股。」【五七】會上，戴季陶提出，增加股銀五百萬元，作為附加份股。分為二十五萬股，每股二十元，一次繳足。各股東均表贊成。隨後，虞洽卿提出成立上交銀行，經討論。決定資本總額一千萬元，分作二十萬股，每股五十元。這次會上，周駿彥以六萬九千八百零六權繼續當選為監察人。十一日，上海證券物品交易所在報上刊登《發給紅利公告》，通告股東前來領取紅利。但是，情況迅速發生變化。二月二十四日，交易所在買賣本所股票時，因買方資金不足違約，證券部停止交割，引起恐慌。

關於此事，周駿彥向蔣介石寫信報告說：

查上交風潮之起，初由於賣空者造謠，實由於做多頭者乏款收現。二月二十三日，彥因茂新號電召到申，此時外面已有謠言，所中拍板如常。果夫先生詢之做多頭者，猶云資本已備，可無患。迨二十四□□□，證券部倏然停版，聞因做多頭者向某處所□（借）英洋三百萬元一時被絕，致有此變。證券部因此停止交割，大起恐慌。後由聞蘭亭等雙方調解，做多頭者貼現洋五十萬元，所中墊洋五十萬元（以九六鹽餘公債一百萬元相抵），並將多頭家代用品一百萬元沒收，以支配賣出者，計賣出六萬餘股。

同函並提出，此次事故，由交易所洪承祁、盛丕華造成。函稱：「此次交易所被做多頭者拆坍，非特前此開辦時一番之熱心及功績盡歸烏有，且市面動搖，寧幫大失體面，實為洪、盛諸惡所害（此中原因極複雜，大約洪、盛諸君實為首禍，做多頭失敗，亦因洪君之故居多，今洪君俱已先後相逝矣），言之殊堪痛心。」【五八】這次風潮，使得蔣介石前所未有地大虧其本。三月十五日，蔣介石日記云：「今日接上海來電，言交易所風潮，靜江失敗，余必被累，損失不少，或一文不留，亦未可知。」

關於此次風波，魏伯楨另有說法。魏是上海交易所的理事之一。他晚年時回憶說：戴季陶、張靜江等「以為他們有實力（有每股一百二十元市價的四萬股股票），因而大做本所股買賣」。「不僅不繳證據金反而強迫常務理事郭外峰、聞蘭亭（他們是管理市場業務的）等收受空頭支票，充作現金。同時現貨與期貨（本月期貨與下月期貨）的差價越來越大，差金打出愈多，致會計上的現金大量支出。交易所由外強中乾到捉襟見肘，拖延到一九二二年二月，宣告『死刑』，大量股票一旦變為廢紙，大富翁變為窮光蛋了。」【五九】魏與周，二人關於責任者的說法不同，但關於破產原因的說法則有一致之處。

違約事件發生後，二月二十八日，由聞蘭亭及經紀人公會出面調停，勸賣出一方認虧，其辦法為，由違約者交出現金五十萬，由交易所墊出鹽餘公債一百萬元，抵作五十萬元，連同違約者的代用品一百五十萬元，賠償賣方（共六萬一千零二十五股）。賣方每股僅得現洋六元一角九分，公債票抵額八元二角（代用品另擬）。【六〇】

四月四日，陳果夫致函蔣介石云：

> 此次靜江先生所認之二十三分三的公司份頭，又分為四份，其中四份之一是吾叔的。照現在拿出一百萬現洋，應派吾叔名下，約三萬二千六百元，又一百五十萬代用品，應派吾叔名下約四萬八千九百餘元，兩共洋八萬一千五百元。【六一】

信中，陳果夫告訴蔣介石，計核之後，「約數虧去五萬元」，「靜江先生損失，應與吾叔相等」。同函並稱：「恒泰號去年下半年之紅利，每股四百六十餘元。利源結至去年底止，約盈七八千元，並未分派。茂新至年底，約盈有二萬餘。此次損失，茂新約在二三萬左右，利源損失或比茂新多。」

蔣介石事後反思，一是覺得過於相信張靜江。一九二二年五月二十三日日記云：「以二十萬金信託於靜江，經營商業，全權交人，自不過問，雖信人不能不專，其病則在自不預問，不知幾，不留心，無經驗之累也，有何悔哉！」一是覺得陳果夫有問題。同年六月六日，蔣介石日記云：「果夫之為人，利己忘義，太不行也，當痛斥之。」

關於在交易所的經營情況，陳果夫後來回憶說：「從開始到交易失敗為止，大約做了數萬萬元的交易，傭金收入總在二十餘萬元。可惜到第三年，交易所風潮一起，所有盈餘全都倒了，幾乎連本錢也賠進去，好比一場春夢。到交易所將倒的時候，『茂新』辦理交割，把收入股票出售所得之款，與代商人買入股票應付出之款，兩相抵過，尚須付交易所六十萬左右。客人看見情勢不穩，款亦不交來了。我們在事前略有所知，便做了種種準備，一面保護客人，儘量減少他們的損失，一面卻須為自己的號子打算。我為計劃調度，一連幾晚沒有安睡。畢竟客人的保護已盡力所及，而自身部分本錢的保持，也算順利達到。這也不能不說是在錢莊做了兩年半夥計的好處。」他又說：「我們這樣的盡了人事，到交易所倒賬的時候，我們自問沒有對不起別人的事，心裡很安。」【六二】

六　風波之後

證券物品交易所發生買方違約事件後，處於停業狀態。其間，從上海全球貨幣物券交易所借得二十萬元。三月十八日，兩所成立契約，營業合併，雙方理事用合議制執行業務，資本共同運用，但兩所仍各自單獨存在，損益按資金比例分擔。三月二十七日，重新開市。增加了幾位「洋員」，意味着外國資本和外國勢力的增加。【六三】但是，證券部的本所股，仍然停板。【六四】三月三十日，虞洽卿、聞蘭亭等宴請上海新聞界，感謝報刊在風波期間的善意支持，宣佈與全球貨幣物券交易所共同營業的消息。【六五】四月一日，證券物品交易所全面開市。【六六】

上海證券物品交易所與「全球」合作，周駿彥不放心，向蔣介石報告說：

信用已失，營業一時能否復元，尚未可知。且與全球合併，難保無存心破壞者起而攻擊，後事真難逆料。惟近聞靜公云：現有人集款組織公司，擬將交所股票准與押款。此公司如果實現，將來或有生機。總之，且此次損失最大者為套利者。【六七】

信中，周駿彥稱，此次失利，係張靜江決策錯誤：「彥屢聞靜公言，套利甚穩，且云借款套利，亦屬便宜。」它不僅打擊了上海證券物品交易所，周駿彥在寧波開設的交易所也因之停業。可能蔣介石曾以蔣經國與蔣緯國的名義投資寧波交易所，因此周函稱：「經、緯事，彥前謂無希望，亦以甬交做品不佳，難免發生危險。」函末，周駿彥稱：

總之，吾輩非商人，經營新商業，究嫌其經驗之少。然事已如此，後悔莫及。惟望後局諸公，煞費經營，或尚有轉機，並望閣下盡心愛國，以國事為重，不必以此為念。

當時，蔣介石正在廣西軍中，周駿彥表示：「擬來桂願隨閣下之後，冀為國效勞。」他因套利欠債二十萬元，兩次跳黃浦江自殺。【六八】

當年四月，蔣介石返鄉。六月十五日，陳炯明兵變，孫中山避居永豐艦，蔣介石聞訊，從上海趕到廣東，與孫在艦上相見。據魏伯楨回憶，蔣行前，要虞洽卿資助，「開始時虞說蔣搞垮了交易所，還要搗蛋，不能同意。最後談判結果，虞答應可由交易所拿出六萬元，但要蔣在離開上海的那一天才能給錢。」【六九】同年八月，蔣隨孫中山抵達上海，二十三日返鄉。

陳炯明兵變後，許崇智率粵軍轉入福建。孫中山支持粵軍，企圖以武力推翻李厚基在福建的軍閥統治，然後回師廣東，討伐陳炯明。為此，孫中山計劃組織東路討賊軍，以許崇智為總司令，蔣為參謀長。九月十八日，蔣介石於入閩之前致函張靜江，敍述所欠債務。函云：

中秋節前，弟尚欠二千五百元之數，未知可為我代籌若干匯甬？在鄉以去年用度太大，至今未了之事尚欠七千餘元，在滬虧欠亦與此數相等，故今年以來不能稍資周轉。舍兒經國在滬上學，竟於十五元衣服費亦被茂新拒絕不支，思之傷心。

函中所稱「去年」，當指一九二一年。當年六月十四日，蔣母病逝，醫藥喪葬，自然花費不小。交易所破產之後，蔣經國所需衣服費雖僅十五元，但茂新號竟然拒付，可見其極端困難的狀況。同函中，蔣介石提出，請張從交易所賣方所賠「代用品」中借出若干，以便還清私債，安心赴閩。函云：「此次物品訟款，如能為弟借出若干，不致久苦涸轍，徒呼庚癸，俾得稍資活動，以了此私債，將來如能如數還清最好，否則以弟個人虧空名義報銷，想孫先生與汝為亦必見諒邀准也。」這一時期，蔣介石身體不好，心情也不好，他向張靜江傾訴說：

貧富生死，率有定數，得此不足為富，無此不足為貧，況預備死者未必死，但求生者未必生，亦不必競於此金錢，以貽平生之羞也。惟債留後人，於心不安；教育無費，終難辭責。此所忝在愛下，故敢不避公私，剖腹一談。【七〇】

寫完此函，蔣介石又很後悔，日記云：「往滬為金錢所苦迫，貪私之言，非我所應出，不勝悔恨，故不願往滬也。」【七一】不過張靜江接到此函後，立即向孫中山彙報，孫即命陳果夫匯寄二千五百元給蔣介石。張在覆函中表示：「代用品之事極易辦，來滬接洽可也。」【七二】十月一日，蔣介石日記有與周駿彥「談生意事」的記載，可能即與處理交易所善後事宜相關。【七三】十二日，蔣介石決定拋開各種個人考慮，獻身革命。日記云：「家何為乎？子何為乎？吾非盡吾力以剷除惡類，則誓不生還滬、甬也。」

蔣介石於十月二十二日啟程赴閩，就第二軍參謀長之職。其後，曾數度往返於福建、上海、奉化之間。一九二三年三月三日，陳果夫到寧波，與蔣商談「交易所起訴事」【七四】。七月十七日，蔣介石到上海，即訪問張靜江，「談交易所訟詞」。【七五】此後，蔣介石日記中在連續出現與葉琢堂、張靜江談交易所事務的記載。【七六】同月二十九日日記云：「交易所窳敗，非出而整理不可，故不准其今日開第七次股東會，先令其清理前賬。」這樣，蔣介石就開始了和交易所董事之間的艱難談判：

八月一日日記云：「晚，與友商議交易所事。能自立者，人能助之。勢利逼人，可悶也。」八月三日日記云：「下午琢堂、洽卿來談交易所事，其言比算盤之加減還兇。余心滋難過。晚，尤生變故，市儈之可惡極矣。」

八月四日日記云：「琢堂、端如兄前後來談，以交易所事未了，不克回甬。」

從上述日記可見，蔣介石與葉琢堂、虞洽卿討論交易所事務，發生嚴重分歧，方案反覆變卦，經反覆磋商，直到八月五日下午五時以後，才得以最終定案，蔣介石日記云：「為交易所事未了，幾不能安眠。天下事之難，莫難於共事人之不良也。」「心神之不快，乃甚於不了。以後莫管閒事，以免討氣。」同月十六日，蔣介石受孫中山委派，率領孫逸仙博士代表團訪蘇，此後，蔣介石不再過問交易所事務。

一九二四年國民黨第一次全國代表大會期間，孫中山決定建立陸軍軍官學校，以蔣介石為委員長。在上海的茂新、鼎新經紀人事務所相繼歇業，同人紛紛南下，到黃埔軍校找尋新的出路，只有陳果夫留在上海，清理遺留事項。一九二四年，由陳希曾出面，新創一家買賣棉紗號的經紀人事務所。一九二五年，陳希曾也南下黃埔，陳果夫只在春秋兩季「各做一次生意」，用以「補助生活或應付特殊用途」。一九三〇年，又做過兩筆。【七七】

七　上海證券物品交易所與國民黨的關係

如前述，上海證券物品交易所的初辦由孫中山倡議並領銜申請，那末，一九二〇年的重辦是否仍和孫中山有關，它和國民黨人的革命事業有無聯繫呢？

陳果夫回憶說：「在民國九年的秋天，總理命令本黨同志在上海籌設證券物品交易所。蔣先生把這件事告知了我，並且要我研究這問題。」【七八】上海證券物品交易所成立時，孫中山雖遠在廣州，但寄來賀詞：「倡盛實業，興吾中華。」【七九】一九二一年十二月十一日，陳果夫致函蔣介石，告以「孫先生之款已收到」。這裡所說的「孫先生之款」，聯繫下文「孫先生待款甚急」等語，當係蔣介石通過陳果夫資助孫中山的款項。同函云：

> 叔款現在晉安者約五千四百餘元，存侄處。金融公債二千，靜江先生告我，孫先生待款甚急，侄乃以此款移交靜公，並聲明作為侄個人向晉安借款。靜江先生亦說一月後歸還。侄已向索回六百元，其餘一千四百元待陸續歸還後收入叔賬。此事吾叔勿與靜公說起，作為不知可也。【八〇】

據此可知，陳果夫還曾將蔣介石存在晉安錢莊的金融公債二千元移交張靜江，以此解決孫中山的急需。當時，孫中山正在桂林成立北伐大本營，籌備北伐。張靜江所稱「孫先生待款甚急」，當指此事。

上海物品證券交易所和國民黨人在經濟上的聯繫，目前尚難一一釐清。周祖培稱：「當時國民黨基金完全由張掌管，國民黨有很多散在各地未到粵隨同孫中山擔任工作和職位的人，經孫中山批准，可到張處支領津貼和活動費。為了避免租界巡捕房的注意，付賬用種種暗號，如火柴代軍火，一角代一百元等。」【八一】這說明，張靜江經營交易所所得，有相當部分用於公。陳果夫也回憶說：「歇業之後，清算結果，有幾筆作撫恤同志遺族的股本，都能提出，加倍送去。」【八二】這說明，交易所有些股本是預留作為革命事業之需的。國外有的學者認為，上海證券物品交易所是為孫中山和革命籌集政治經費的巧妙渠道。【八三】此說雖尚待一步證明，但並非全無道理。至少，就孫中山倡辦的初衷來說，確實如此。

這種情況，也表現在廣東交易所方面。居正詩云：「吾黨中心政策行，必從經濟樹先聲，金融交易粗成就，百萬輸將始出兵。」【八四】一九二〇年十一月二十九日，孫中山在廣州重組軍政府，次年五月五日，就任非常大總統，任命居正為總統府參議，兼理國民黨本部事務。居正即利用外資，創辦廣東交易所及國民儲蓄銀行。曾撥借一百萬元，用為出兵廣西的軍餉。同年六月十日，蔣介石日記云：「接靜江函，知粵交易所只留二萬股與吾輩，當全數放棄。本黨作事如覺生者，誠令人灰心，決無良美結果也。即覆靜江書、覺生函。」這則日記所涉及的史實目前也還難以完全釐清，但廣東交易所的股本既可以留出二萬股給上海的張、蔣等人，則其間的關係可想而知。

陳果夫回憶說：「當時我們的招兵接洽機關，設在上海證券物品交易所內，掛了陳希曾經紀人的牌子，表面是做生意，實在每天按時前去，暗中接見客人，秘密接洽招兵事情。」【八五】據此可知，上海證券物品交易所還是國民黨人的一個特殊的聯絡站。

八　交易所生活對蔣介石的影響

蔣介石雖然出身鹽商家庭，但是，父親早故，家道中落，以後又留學日本，投身革命，可以說，是交易所的活動，才使蔣介石和商業、商人階層發生關係。

一九二〇年一月二十四日，蔣介石日記云：「赴開元會議交易所選舉董事。商人積弊，仍不能脫把持與專制，大股份壓制小股份，大多數壓迫小多數，舞私牟利，壟斷其間。小商人中雖有達材正士，不能施展一籌，以致中國實業，日趨衰落，安得將此種奸商市儈一掃而空之，以發榮社會經濟也。」【八六】根據上海證券物品交易所章程，可設名譽議董十五名，由有商業、工業學識，或有豐富之經驗者擔任，和理事共同組成評議會。【八七】但實際上，上海證券物品交易所開辦時，只有名譽議董十二人，為朱葆三、沈聯芳、顧馨一、姚紫若、項惠卿、徐慶雲、邵聲濤、張綸卿、許松春、葉惠鈞、賈玉山、宋德宜。【八八】蔣的這則日記可能反映的就是名譽董事的選舉過程。從中可以看出，蔣對上海商幫中的把持、壟斷、傾軋是極為不滿的。

蔣介石對上海商人的不滿和反感可以說貫徹他參與交易所活動的始終。如：

一九二一年六月十二日日記云：「得煥廷、瑞霖各函，見滬上奸市友人之報，不勝憤恨。交易所各理事之營私舞弊，思之痛心，刺激感觸，公私交迫，幾欲隱避林泉，獨善其身而不可得。恐病神經，萬事當胸襟澹然，達觀一切為要也。」

一九二二年十一月二十八日日記云：「中國商人，見之頭痛，商家利祿之心，狡猾之謀，過於官僚也。」

一九二三年二月三日日記云：「又因奸商妒忌，發怒激忿，殊非其道。」

上引各日日記，在在表現出蔣介石對「奸商」們的強烈憤懣之情。

交易所的活動也使蔣介石瞭解到中國民族資產階級的困境。前文已經提到，一九二〇年六月，蔣介石剛剛決定拿出五千銀圓，與陳果夫共同創辦友愛公司，就趕上國際金融風潮，銀價大落。《申報》探討這一突變原因時曾稱：「或謂係進口貨多結匯水，或謂某國有意外金融風潮，或謂因西曆六月底解款，或謂某國銀礦有大批現銀放出之故，總之大上大落，華商之對外營業，受其影響不鮮也。」【八九】這一事件激發了蔣介石的民族主義情緒。日記云：「銀價大落三日，賤六片士。金融機關在外人之手，國人時遭損失，可歎也。」【九〇】

經營交易所的失利增強了蔣介石的社會改造思想。一九二〇年十二月，他自覺「矜張自肆，暴躁不堪，對於社會厭惡更甚」。【九一】日記云：「我對中國社會，實厭惡已極，其將何以謀脫也？」。【九二】他對邵元沖等宣稱：「中國宜大改革，宜徹底改革。」【九三】這一時期，正是他在交易場上一再虧本的時候。

當然，交易所的活動也增強了蔣介石和江浙金融資產階級的聯繫。一九二四年，蔣介石要陳果夫在上海為黃埔軍校採辦制服、皮帶、槍帶、刀鞘等物，為上海海關扣留。葉琢堂、王一亭、沈田莘、虞洽卿等出面斡旋。【九四】一九二七年，北伐軍進展到長江中下游一帶，江浙金融資產階級寄望於蔣，紛紛出資，支援他和左傾的武漢國民政府相抗，這不是沒有原因的。

原載台北《近代中國》，二〇〇〇年十月第一三九期

附記：孫中山也是股民

蔣介石《民國二十六年雜錄》（手稿本）云：「當時總理與余及季陶、靜江四人所有之優先股最高價時亦約值百餘萬元，其後皆為靜江一人投機輸完。總理與余並未有獲得毫利，更於革命無關。當靜江投機倒賬時，余反由粵借匯廿萬元補救靜江也。惟總理赴粵之時，確由交易所董事公開貢給廿萬元之數，以為發起提倡者之報酬而已。」據此，孫中山不僅是上海證券物品交易所的發起人，而且也是投資者，是股民，他和蔣介石等共擁有股值百餘萬元。《雜錄》中所稱「總理赴粵之時」，當指一九二〇年十一月。當月十五日，孫中山應粵軍許崇智要求，偕伍廷芳、唐紹儀等離開上海，前往廣州，重組軍政府，繼續「護法」，並於次年發動討伐桂系軍閥陸榮廷的戰爭。據《雜錄》可知，孫中山離滬前，曾得到交易所董事二十萬元的資助。

註釋：

【一】手稿本殘損，此據《蔣介石日記類抄．雜俎》一九二〇年一月一日記云：「今年擬學習俄語，預備赴俄考察一看，將來做些事業，或學習英語，遊歷世界一周，訪探各國政治，以資採擇。二者如不能，即在事業方面立足，組織棉麥會社，種植棉麥，否則充當經紀人。作棉花、棉紗買賣。」

【二】《創立上海交易所股份有限公司協定豫約案》（戴季陶手跡），山田純三郎檔案，日本愛知大學藏。又，一九一七年二月二十八日日文《上海日報》對此有簡要報道，並摘錄了合同中的二、三、七、八、九各款。參見趙立人《孫中山與上海證券物品交易所》，《孫中山與近代社會》，廣東人民出版社，一九九六，第一六五—一七四頁。

【三】《孫文壟斷上海市面之大計劃》，《晨鐘報》，一九一七年四月六日。其主要修改為規定：「本借款之金額交款後，用創立人名義存入日本正金銀行，以信用狀在正金銀行上海支店支用所存正金銀行本店內日本金額之上海銀元交付股款。」

【四】《孫文等上北京政府農商部呈文》，原件，未刊，南京：中國第二歷史檔案館藏；參見魏伯楨：《上海證券物品交易所與蔣介石》，《文史資料選輯》第四九輯，北京：中華書局，一九六四，第一四九頁。

【五】轉引自虞和德：《致農商部事略》，上海市檔案館編：《舊上海的證券交易所》，上海古籍出版社，一九九二，第一九頁。

【六】虞和德：《致農商部事略》，上海市檔案館編：《舊上海的證券交易所》，第一九頁。

【七】《證券物品交易所創立會紀事》，《申報》，一九二〇年二月二日。

【八】《上海縣知事公署訓令第四零四號》，上海市檔案館編：《舊上海的證券交易所》。

【九】權，指各股東的議決權，一股一權。

【一〇】《證券物品交易所創立會紀事》記虞洽卿得票為八萬二千八百三十三權，見《申報》，一九二〇年二月二日。

【一一】手稿本殘損，此據《蔣介石日記類抄·雜俎》，中國第二歷史檔案館藏，一九二〇年二月一日。

【一二】王舜祈：《蔣介石故里述聞》，上海書店出版社，一九九八，第二〇〇—二〇一頁。

【一三】《上海交易所電報舉定理事長》，《申報》，一九二〇年二月八日。

【一四】陳果夫：《商業場中》，《陳果夫先生全集》，台北：正中書局，一九五二，第五四頁。

【一五】據中美新聞社消息，六月九日倫敦電匯及遠期銀價各跌六便士，紐約銀價跌至八角四分。見《銀市報告》，《申報》，一九二〇年六月十日。

【一六】中國第二歷史檔案館編：《蔣介石年譜初稿》，檔案出版社，一九九二，第四一頁。

【一七】《證券物品交易所開幕紀》，《申報》，一九二〇年七月二日。

【一八】《申報》，一九二〇年七月一日。

【一九】《陳果夫先生全集》第五冊，第五五頁。

【二〇】《蔣介石日記》，手稿本，一九二〇年七月五日，美國：胡佛研究院藏。

【二一】《申報》，一九二〇年六月二十五日。

【二二】《申報》，一九二〇年六月二十七日，第一二版

【二三】《蔣介石日記》，手稿本，一九二〇年七月十八日。

【二四】《蔣介石日記》，蔣介石一九二〇年八月二十日記云：「甚思以後交易所之買賣也，派阿順赴滬。」

【二五】《蔣介石日記》，一九二〇年八月三十一日。

【二六】陳果夫：《商業場中》，《陳果夫先生全集》第五冊，第五七頁。

【二七】《蔣介石日記》，手稿本，一九二〇年九月二日。

【二八】《蔣介石日記》，手稿本，一九二〇年九月三日。

【二九】《蔣介石日記》，手稿本，一九二〇年九月五日記云：「果夫、守梅、梧岡諸君來，談改組公司事，付新元洋四千元，作為與靜江合本，五千元託孫鶴皋作臨時生意也。晚結賬，茂新連資本五股及欠我四千四百元，尚欠洋九千四百元。」

【三〇】《蔣介石日記》，手稿本，一九二〇年九月二十二日記云：「傍晚，訪靜江兄，談生意事。余擬投資一萬五千元資本以為共同事業。」

【三一】《蔣介石年譜初稿》，第四七頁。

【三二】《舊上海的證券交易所》，第一〇五—一〇七頁。

【三三】參見陸丹林：《蔣介石、張靜江等做交易所經紀的物證》，《文史資料選輯》，第四九輯。

【三四】蔣介石一九二一年一月十日與張人杰書：「代認恒泰股份，甚感，請為簽字。」見《蔣介石年譜初稿》，第五五頁。

【三五】《蔣介石日記類抄．雜俎》一九二〇年十二月三十一日記云：「今年費用，除營商輸本外，不下七八千元之譜。」

【三六】《陳果夫致蔣介石函》，手跡，南京：中國第二歷史檔案館藏。

【三七】《舊上海的證券交易所》，第二四頁。

【三八】《舊上海的證券交易所》，第一二三—一二四頁。

【三九】《蔣介石日記》，手稿本，一九二一年四月十五日。

【四〇】《蔣介石日記》，手稿本，一九二一年五月二日。

【四一】《陳果夫致蔣介石函》，一九二一年五月十二日。

【四二】《辛酉年各業交易之概況》，《申報》，一九二二年一月二十三日。

【四三】舊金山日報（*The San Francisco Journal*），轉引自《外人論中國商人道德之墮落》，《申報》，一九二一年三月十六日。

【四四】《舊上海的證券交易所》，第一二〇—一二一頁。

【四五】《陳果夫致蔣介石函》。

【四六】《舊上海的證券交易所》，上海古籍出版社，一九九二，第一二二—一二三頁。

【四七】《陳果夫致蔣介石函》。

【四八】參見錢小明：《上海總商會史》，上海科學院出版社，一九九一，第四三三頁。

【四九】《陳果夫致蔣介石函》。

【五〇】《申報》，一九二二年二月四日。

【五一】《上海綢商絲織匹頭股券交易所籌備處通告》，《申報》，一九二二年三月七日。

【五二】《舊中國交易所介紹》，參見《取締後之法租界交易所》，《申報》，一九二二年三月七日。

【五三】《交易所公會議決解散》，《申報》，一九二二年三月二十六日。一九二一年九月上海交易所公會成立。

【五四】《蘇長官取締交易所之會令》，《申報》，一九二二年四月八日。

【五五】《交易所之教訓》，《申報》，一九二二年三月六日。

【五六】《上海證券物品交易所股東會紀》，《申報》，一九二二年一月九日。

【五七】《上海證券物品交易所股份有限公司發給紅利公告》，《申報》，一九二二年二月二十二日。

【五八】《周枕琴致蔣介石函》，手跡，南京：中國第二歷史檔案館藏。

【五九】《上海證券物品交易所與蔣介石》，《文史資料選輯》第四九輯，第一五二—一五三頁。

【六〇】《上海證券物品交易所經紀人公會關於該所股票買賣違法問題的會議記錄及通告》，《舊上海的證券交易所》，第一一一—一一六頁。原記錄有月份，無年代，該書編者寫為一九二一年，有誤。參見《物品交易所之和解訊》，《申報》，一九二二年三月九日。

【六一】《陳果夫致蔣介石函》。
【六二】陳果夫：《商業場中》，《陳果夫先生全集》第五冊，第五七—五八頁。
【六三】《上海交易所證券部明日開市》，《申報》，一九二二年三月二十六日。
【六四】《各交易所之最近狀況》，《申報》，一九二二年四月三日。
【六五】《上海證券物品交易所宴報界》，《申報》，一九二二年三月三十一日。
【六六】《全球與上交合同成立》，《申報》，一九二二年三月二十日。
【六七】《周枕琴致蔣介石函》。
【六八】《上海證券物品交易所與蔣介石》，《文史資料選輯》第四九輯，第一五三頁。
【六九】《上海證券物品交易所與蔣介石》，《文史資料選輯》第四九輯，第一五五頁。
【七〇】《致靜公函》（手跡複印件），湖州：張靜江故居藏。此函僅署「制弟中正頓，廿八日。」據此可知，當時蔣介石尚在為母親守制。又據函中所述「中秋節前」及「安心赴閩」等語，推斷此函為一九二二年夏曆七月廿八日（九月十九日）之作。
【七一】《蔣介石日記》，手稿本，一九二二年九月二十六日。
【七二】《張靜江函》，《蔣介石年譜初稿》，第九九頁。
【七三】《蔣介石日記》，手稿本，一九二二年十月一日。
【七四】《蔣介石日記》，手稿本，一九二三年三月三日。
【七五】《蔣介石日記》，手稿本，一九二三年七月十七日。
【七六】《蔣介石日記》，手稿本，一九二三年七月十八、二十六、二十七日。
【七七】《事在人為》，《陳果夫先生全集》第五冊，第六〇—六一頁。
【七八】《商業場中》，《陳果夫先生全集》第五冊，第五五頁。
【七九】南伯庸：《上海大亨——虞洽卿》，海南出版社，一九九六，第二四八頁。
【八〇】《陳果夫致蔣介石函》。

【八一】《張靜江事蹟片斷》，《文史資料選輯》第二四輯，第二七九頁。
【八二】《事在人為》，《陳果夫先生全集》第五冊，第五九頁。
【八三】斯特林．西格雷夫：《宋家王朝》，中國文聯出版公司，一九八六，第二三三—二三四頁。
【八四】陳三井、居蜜編：《居正先生全集》（上），台北：中央研究院近代史研究所，一九九八，第一一四頁。
【八五】《建軍史之一頁》，《陳果夫先生全集》第五冊，第六七頁。
【八六】手稿本殘損，此據《蔣介石日記類抄．雜俎》。
【八七】朱彤芳：《舊中國交易所介紹》，中國商業出版社，一九八九，第一五九—一六頁。
【八八】《上海證券物品交易所申謝》，《申報》，一九二〇年七月二日。
【八九】《兩日來金融之大變動》，《申報》，一九二〇年六月十日。
【九〇】《蔣介石日記》，手稿本，一九二〇年六月十日。
【九一】《蔣介石日記類抄．雜俎》，一九二〇年十二月三十一日。
【九二】《蔣介石日記》，手稿本，一九二〇年十二月十一日。
【九三】轉引自《邵元沖致蔣介石函》，《蔣介石年譜初稿》，第五七頁。
【九四】《建軍史之一頁》，《陳果夫先生全集》第五冊，第六三頁。

孫逸仙博士代表團團長的蘇聯之行

——一九二三年蔣介石訪問蘇聯紀實

一　早蓄遊俄願

俄國十月革命引起世界列強的恐慌與敵視。美、英、法、日等國首先選定在俄國遠東、西伯利亞等地區發動進攻。一九一八年四月五日，日軍在海參崴登陸。繼之，謝苗諾夫、鄧尼金等紛紛起兵，攻城掠地，成立政府。蔣介石很早就關心俄國革命。一九一八年七月二十四日，蔣介石日記云：

西比利亞霍爾瓦斯政府與海參崴政府兩相分離，皆為日本所利用，而置國家於不問，其不步中國之後塵者幾稀矣！【一】

從上引日記可以看出，蔣介石指斥那些投靠日本的白衛軍頭目，認為他們將走上與中國軍閥同樣的賣國道路。一九一九年十一月，蔣介石在遊歷日本期間，得悉反蘇維埃力量所組織的「西伯利亞政府」被迫遷離鄂木斯克，攻擊彼得格勒的白衛軍也已被擊退。他高興地在日記中記下這一消息，並且寫了一句：「利寧（列寧）政府之地位，為此更加鞏固矣！」【二】隨後他寫了一篇題為《列國政府對付俄國勞農政府的手段如何》的稿子，投寄在上海出版的《星期評論》，這是一份新文化運動的刊物。不過，蔣的這一文章未被刊出。十一月十五日，他從神戶乘輪回國，在船上閱讀《俄國革命記》，在日記中寫下「想望靡已」四字。【三】

蔣介石原來羨慕歐美，這一年夏天，還曾有過「籌措費用，遊歷歐美三年」以及「先赴法國，遊歷世界」的想法，不過，很快他就決定遊歷俄國，為此下工夫學習俄文。十一月二十七日，蔣介石日記中開始出現「究俄文」三字。次日，出現「上午，往讀俄文；下午，習俄文」的記載。當時，孫中山也已在觀察和研究俄國的革命道路，決定派人赴俄留學，特別請了一位俄國教師在廖仲愷家裡為革命黨人上俄語課。蔣介石「往讀俄文」的地方應該就是廖宅。蔣介石學俄文堅持了好幾年，一直到一九二三年底，他的日記不斷有類似記載出現。其間，朱執信還為蔣介石講過一次俄語。【四】

一九一九年十二月三日，蔣介石日記云：「覆滄白信，研究俄國事情。」滄白，指楊庶堪，四川巴縣人，同盟會會員，辛亥革命重慶起義的領導人，一九一八年被孫中山任命為四川省省長。蔣介石在與楊庶堪通信，「研究俄國事情」之後，一九二〇年一月九日日記又云：「下午往□□生處議事，命我以代表名義赴□。」很可能這是孫中山派遣蔣介石訪問俄國的最早記載，可惜由於日記字跡漫漶，不能確定。一九二〇年三月十四日，蔣介石萌生投身「世界革命」的想法，日記云：「革命當不分國界，世界各國如有一國革命能真正成功，則其餘當可迎刃而解。故中國人不必要在中國革命，亦不必望中國革命先成功。只要此志不懈，則必有成功之一日，當先助其革命成功能最速之國而先革之也。」四天以後，戴季陶到蔣介石處，商議赴俄。蔣介石思考之後，覺得廣東局面不佳，赴粵只能「為人作嫁」，「不如往俄，自練志識」。【五】幾天之後，這種想法更加熾烈，日記云：「近日看得國事皆非國內所可解決，極思離國他行。」【六】五月二十六日晚，蔣介石邀約戴季陶、朱執信、廖仲愷到住處來一起商量，擬於一月內啟程，蔣介石和戴季陶各出三千元作為旅費。不過，蔣介石不久即遵孫中山之命，赴福建漳州指揮作戰。七月十九日，蔣介石再生赴俄之想。同年九月，俄羅斯共產黨阿穆爾省中國支部書記劉謙到上海會見孫中山，建議聯合中俄革命力量，在新疆集中兵力，打倒中國北方的反動政府。孫中山決定派大元帥府參軍李章達使俄，蔣介石同行。二十二日，孫中山打電話給蔣介石，以俄國、四川、廣東三地，讓蔣介石選擇。蔣覺得：去廣東，「則公益大而個人損失不小」；去俄國，「同行者非知交，暫不能行」。【七】蔣選擇去四川，但最後聽廖仲愷的話，去了廣州。

一九二一年一月一日，蔣介石預定當年應做之事四項：其中第一項即是「學俄語，想到俄國去視察一回，實在做一些事業」。最後一項則是到北京去，「研究北京社會的內容，偵察北京附近的地形。還要借着議員的名義，結交幾個新朋友，或者就在北京組織一個新學社，團結狠（很）好同志，否則如有機會，即可以借議員的名義，到俄國去視察一回。」【八】從上述日記可見，蔣介石夢繞魂牽的還是想去俄國考察。

一九二二年九月，蘇俄代表越飛的軍事隨員格克爾將軍到滬，與孫中山會談。孫中山於八月三十日致函蔣介石，要他從溪口趕來上海，參加會談。九月十日，蔣介石到上海，但第二天就離滬還鄉。十二日，孫中山再次致函蔣介石，要他到上海住十天，詳籌種種。九月二十一日蔣介石的日記中出現下列八個字：「往俄無害，往贛有利。」不過，一直到十月三日，蔣介石才帶着蔣緯國再次來滬，直奔孫府，「談時局」。他是否與格克爾見過面，日記中沒有留下任何訊息。

二　機會終於來了，出任孫逸仙博士代表團團長

一九二三年，機會終於來了。

孫中山一直在努力和蘇俄聯繫，爭取蘇俄支持。一九二二年十一月二十一日，孫中山致函蔣介石稱，肯定他的訪蘇之願。函稱：「兄前有志於西圖，我近日在滬，已代兄行之矣。現已大得其要領。」【九】十二月，孫中山寫信給列寧，告訴他，「本人擬派遣全權代表於近期往莫斯科，與你和其他同志磋商合作事宜，以裨俄中兩國的合法利益」。【一〇】同月，孫中山寫信給蘇俄代表越飛，聲稱自己可以調動大約一萬人從四川經過甘肅到內蒙古去，控制位於北京西北的進攻路線。他詢問越飛：「貴國政府能否通過庫命支援我？」【一一】同年底，俄羅斯與烏克蘭等組成蘇維埃社會主義共和國聯盟。一九二三年年一月，孫中山和蘇俄代表越飛在上海會談。孫中山要求蘇俄給予二百萬金盧布的援助，同時表示願意派遣軍事代表團訪問蘇聯。五月一日，越飛自日本東京轉給孫中山一封蘇聯政府的電報，同意提供二百萬金盧布，並且宣稱，準備提供軍事物資，幫助孫中山在中國北部和西部建立作戰單位，開辦軍校。十二日，孫中山覆電越飛，感謝蘇俄的慷慨援助，表示將派代表去莫斯科磋商。【一二】五月十日晚，孫中山設宴招待共產國際代表馬林，蔣介石應邀作陪，「研究一切」。十二日，蔣介石日記有「商議赴歐事宜」一語，可見，在孫中山的「聯俄」計劃裡，蔣介石佔有愈來愈重要的位置。不過，孫中山當時想親自訪問莫斯科。六月十七日，孫中山任命蔣為大元帥行營參謀長。但蔣介石因對許崇智及西南各軍不滿，覺得廣東事無可為，於七月十二日，向孫中山辭職返滬。

七月十三日，蔣介石在香港致函時任孫中山大本營秘書長的楊庶堪，自述性格特點，說明「如欲善用弟材，惟有使弟遠離中國社會，在軍事上獨當一方，便宜行事，而無人干預其間，則或有一二成效可收」。函

稱：「為今之計，舍允我赴歐外，則弟以為無一事是我中正所能辦者。」【一三】

此後，蔣介石日記陸續出現下列記載：

七月二十三日：「接季新（汪精衛）轉來（廖）仲愷電。」

七月二十四日：「覆季新函。」

七月二十六日：「上午，往訪季新、煥廷（林業明）兄，決定赴俄之議，於個人設想，則心甚安樂也。」

廖仲愷電今尚未見，顯然，其內容應為通知蔣介石使俄一事。至七月二十六日，蔣介石和汪精衛以及國民黨本部財務部長林業明商量之後，「赴俄之議」就定下來了。多年宿願，即將實現，蔣介石非常高興。這以後，進入籌備階段。蔣介石忙着找人商量，物色成員，閱讀資料，其日記載：

七月二十七日：「往訪煥廷，致仲愷電。」

七月二十八日：「晚季新、溥泉（張繼）諸兄來，商赴歐事。」

七月三十日：「下午，劍侯（沈定一）、季新、仲輝（邵力子）、煥廷諸同志來談，共宴於小有天。」

七月三十一日：「上午與玄盧（沈定一）談天，下午看《新疆遊記》。」

八月五日：「晚，約會馬林及各同志，商決赴俄事。」

馬林是共產國際代表，荷蘭人，一九二一年初由共產國際派來中國，推動組織中國共產黨，促進國共合作。蔣介石在和馬林等商量之後，組織孫逸仙代表團一事最後定案。蔣介石任團長，成員為：

沈定一，浙江蕭山人。中國同盟會會員。辛亥革命後曾任浙江省議會議長。一九二〇年參與發起組織中國共產黨，成為中共早期黨員，但不久即脫黨。

張太雷，江蘇常州人。代表團中的唯一中共黨員。一九二一年在莫斯科擔任共產國際遠東書記處中國科書記，時任青年共產國際執委會委員。

邵元沖，浙江紹興人。中國同盟會會員，曾任孫中山大元帥府機要秘書。一九一九年留學美國，後受孫中山之命，考察國民黨海外組織。

王登雲，陝西醴泉人。美國留學生，曾任舊金山華文報紙主筆，代表團的英文秘書。瞿秋白視之為「無賴」。中共方面曾企圖阻止王登雲參加代表團，未能成功。

次日，蔣介石會見汪精衛。同日，瞿秋白、張太雷來訪，「詳談一切」。下午，蔣介石趕製軍服。三時後，乘船回鄉。到溪口後，整書檢衣，預備啟程。蔣介石自稱其心情悲喜參半。喜的是符合自己儘快脫離「中國污穢社會」，根本解決國事的心願，「前程發軔有望」，悲的是「吾黨在國內缺少人才，苦我黨魁，且對兒女不免戀愛也。」【一四】

八月十四日，蔣介石回到上海，會見林業明和王登雲。其後，蔣介石忙着量衣、照相、看牙。十五日一早，蔣介石寫信向廖仲愷報告，又給交易所同事周駿彥、夫人毛氏的二兄毛懋卿等人寫信，拜託各事。其後，又訪問張太雷和瞿秋白。當晚，汪精衛設宴餞行。午夜，沈定一從紹興匆匆趕來。

快要遠行了，蔣介石面對經國、緯國兩個兒子，自感時有依戀不捨之心，有時甚至背着人流淚，彷彿十二三歲時離開母親出外讀書時一樣。蔣介石對自己的這種心情也有點奇怪。

三　起行赴俄，心繫緯國

八月十六日是預定出發的日子，蔣介石六時起床，首先給許崇智、楊庶堪、胡漢民、廖仲愷及姚冶誠等人寫信，然後外出拜會汪精衛、張靜江、邵力子諸人。回時已是正午，經國、緯國及陳果夫、陳潔如都到蔣介石的住處大東旅社送行。一時十五分，蔣介石、沈定一、張太雷、王登雲一行四人登上日輪木神丸。邵元沖當時在歐洲，準備從那裡直接赴俄。二時正，輪船啟碇。緯國雖不是蔣介石親生，但最受寵愛。蔣介石在船上聽到小兒的聲音，就以為緯國在喊父親，夢中都會驚醒。十八日，船抵青島。入口時，雨霧連連，山色不青，但見港灣污穢，秩序紊亂，除少數苦力外，並不見有一警察及港吏，像是無人管理的自由港。一九二二年，王正廷代表北京政府與日本交涉，收回青島，出任青島商埠督辦，被北京政府視為外交重大勝利。如今蔣介石看到其成績不過如斯，徒負虛名，擔心將來收回其他租界時發生困難，深覺可歎。

在船上，蔣介石除寫信、想念緯國外，大部分時間用於閱讀、抄錄《蒙古地志》，為赴蘇後的談判作準備。十九日，船抵大連。上岸後，發覺街道頗似日本的橫濱。華人在大連約七萬人，一切訴訟均聽命日人，連會審公堂都沒有。整個「關東州」，不能設立一座中國學校，不能派一個中國官吏，連租界都比不上。蔣介石覺得「言之可歎，思之傷心，莫甚於此」。【一五】當日十時，換乘火車。二十日到長春。一路七百里，所見所聞，皆是日本勢力，好像進入日本國境一樣。二十一日到哈爾濱。二十四日，由哈爾濱搭車赴莫斯科。二十五日，到達中俄交界地滿洲里。當地居民約有千家，華俄雜處，市況蕭條。蔣介石等一行由俄方代表迎接，換乘汽車過境。所謂國界，不過是一條延長的土塍而已，雙方皆無人監視，可以自由進出。四十五分鐘後，到達孟邱夫斯克，重上火車。

八月二十六日，車抵赤塔。一路山明水秀，森林濃鬱，蔣介石想不到西伯利亞居然有此佳景。二十七日，車抵上烏金斯克。蔣介石眺望風景，觀察形勢，覺得地形類似中國南方的山河。他南望蒙古，覺得從此離國日遠，頗有「不勝依依」之感。二十七日，車過貝加爾湖，一望無際，風濤如海，被蔣介石視為「佳景」。

二十九日之後所見，道路住宅，漸漸整齊，有點歐洲景色了。

曾經和孫中山共同發表宣言的蘇俄代表越飛也在這列車上，由於病重，蔣介石等未能與之相敘。

四 抵達莫斯科，稱蘇聯共產黨是「姐妹黨」

九月二日下午一時，蔣介石等一行經過長途旅行之後，抵達莫斯科車站，隨即乘汽車前往招待所。當日，正值莫斯科召開群眾大會，二十二萬遊行群眾高舉紅旗前往會場，街道上到處擠滿了人群。蔣介石從未見過如此盛大而沸騰的場面，心情也跟着高昂起來，視為生平一大快事。第二天，蔣介石等拜會外交人民委員部東方部部長，會談一小時，商量會見蘇聯人民外交委員契切林的日期。蔣介石對會談和受到的接待很滿意，日記云：「相見時頗誠懇，皆以同志資格談話，尚未有失言過語之辭，私心亦安。」【一六】九月五日下午二時三十分，蔣介石等會見契切林，談話一時半，由沈定一擔任記錄。蔣介石覺得契切林「語頗誠摯」，自己的談話也很「適中」，「無失當之處」，彼此都覺得「甚為投機」【一七】。當天蔣介石就致電汪精衛和林業明，向孫中山報告。

九月七日，蔣介石等會見俄共（布）中央書記魯祖塔克。

「我們是被派到莫斯科來的國民黨代表，來這裡的目的主要是要瞭解以其中央委員會為代表的俄國共產黨，聽取對我們在中國南方的工作的一些建議，並互相通報情況。」蔣稱。

「我受俄共中央委託，歡迎代表團來訪。國民黨按其精神與俄共（布）非常接近。此外，還有另一些重要情況使中國的勞動群眾同蘇聯接近。無論在中國還是在俄國，兩國人民都主要從事農業生產；蘇聯的領土有幾千俄里與中國的邊界毗連，因此蘇聯人民同中國勞動人民發生聯繫是很自然的。遺憾的是，中蘇兩國勞動人民之間沒有任何接觸，這有礙於加強這種自然的聯繫。代表團的到來是向這個方向邁出的第一步。」魯祖塔克回答。

魯祖塔克的話使蔣介石聽來倍感舒服，他以更為熱情的話語回報魯祖塔克：

「國民黨一向認為，蘇聯共產黨是自己的姐妹黨。今天，代表團希望聽到對俄國革命的一些最重要的階段、對革命時期所犯的錯誤以及對共產黨在革命進程中的作用和意義的簡單介紹，因為俄國革命的經驗教訓可能對國民黨在中國的工作很有教益。」

魯祖塔克樂於滿足蔣介石的要求，他滔滔不絕地講了兩個小時，談到了俄國實行新經濟政策的原因，共產黨的民族政策，發展工業和組建紅軍等多方面的問題。蔣介石很重視，當日日記稱：「其革命成功之點：一、工人知革命之必要；二、農人要求共產；三、准俄國一百五十民族自治，成聯邦制。其革命缺點：一、工廠充公後無人管理；二、集中主義過甚，小工廠不應同樣歸國有；三、分配困難。」對魯祖塔克所談到的俄國當時建設情形，蔣介石記錄稱：一、兒童教育周密；二、工人皆施軍隊教育；三、小工廠租給私人。除了在日記中記下的魯祖塔克的言論大綱外，蔣介石還表示：「詳言另錄」，可見他對此次談話的重視。

魯祖塔克向蔣介石等介紹了俄國革命的成功之點與缺點外，提議國民黨代表團和共產國際代表組成專門委員會，討論一些細節問題，並且協調國民黨同俄共中央的行動。魯祖塔克提議，為了雙方的利益，最好有一名國民黨代表常駐莫斯科。蔣介石對魯祖塔克的「盛情的同志式接待」和所介紹的俄國情況表示感謝，聲稱不反對成立委員會和國民黨代表常駐莫斯科。談話至此結束。【一八】 當天下午，蔣介石等拜會共產國際東方局局長吳廷康（維經斯基）。這是位「中國通」，一九二〇年被派到中國，推動組織中國共產黨，與李大釗、孫中山都有交往。

五　會見紅軍高級領導人，暢談進軍北京計劃

九月九日，蔣介石等再次訪問吳廷康。下午三時，訪問蘇聯革命軍事委員會副主席斯克良斯基和紅軍總司令加米涅夫等。此前，孫中山任命的湖南省長兼湘軍總司令譚延闓一度佔領湖南省會長沙，因此，斯克良斯基首先向代表團祝賀，說：「為國民黨而高興，因為我們將國民黨視為戰友。」在互相問候之後，蔣介石向斯克良斯基提出幾項要求：

一、俄國革命軍事委員會盡量向中國南方多派人，去按紅軍的模式訓練中國軍隊。

二、向孫逸仙代表團提供瞭解紅軍的機會。

三、共同討論中國的軍事作戰計劃。

斯克良斯基答覆說：已經向中國南方派去了一些人，需要等一等，看南方軍隊怎樣使用已經抵達的同志。俄國革命軍事委員會並沒有多少瞭解中國並且懂得漢語的幹部，不可能向中國南方派出大量軍事指揮員。他表示，因為有大約三十名中國人在俄國東方民族共產主義大學學習，所以最好的辦法是在俄國為中國人成立專門的軍事學校。經過交換意見，雙方迅速達成協議：在俄國境內為中國人建立兩所軍事學校：一所高級學校，培養懂俄語的指揮員（不低於營級）三十人。校址設在彼得格勒或莫斯科；一所是中級軍校，建在靠近中國的地方，海參崴或伊爾庫茨克，五百人。關於代表團瞭解紅軍問題，斯克良斯基表示完全可以接受。

談到軍事作戰計劃，蔣介石聲稱：代表團擁有孫逸仙授予的全權。他介紹說：孫逸仙幾乎沒有任何軍事工業，香港距離廣州只有四十里，英國人阻止向廣州運輸軍事物資，因此，南方軍隊長期裝備不足。而且，香港對孫逸仙軍隊的後方構成嚴重威脅，一旦南方軍隊向北挺進，英國人就會收買附近幾個省的軍隊在後方暴動。

此外，外國人在長江流域擁有大型內河艦隊，南方軍隊一接近這個地區，英國和美國的炮艦就會立刻阻止。外國人絕對不會允許南方軍隊打敗吳佩孚。因此，南方軍隊的總參謀部和國民黨的代表團在動身來莫斯科前夕決定，將戰場轉移到中國的西北地區。這是孫中山派出代表團的目的。

蔣介石接着向斯克良斯基和加米涅夫介紹中國的軍事形勢以及孫中山和吳佩孚的力量對比。他建議：「在庫倫以南鄰近蒙中邊境地區建立一支孫逸仙的新軍。由招募來的居住在蒙古、滿洲和中國交界地區的中國人，以及由滿洲西部招募來的一部分中國人組成。在這裡按照紅軍的模式組建軍隊。從這裡，也就是從蒙古南部發起第二縱隊的進攻。」【一九】

斯克良斯基和加米涅夫聽完蔣介石的說明，建議蔣介石用書面形式闡明這項計劃。這次會談進行到當晚七時，持續三個多小時。蔣介石覺得斯克良斯基「和藹可親」，參謀長克姆熱夫也熱心幫助中國。他在日記中寫道：「俄國人民無論上下大小，比我國人民誠實懇切，令人欣慕，此點各國所不及也，其立國基礎亦本於此乎！」【二〇】

從九月十日起，蔣介石開始在招待所起草「作戰計劃」。十一日下午，蔣介石和蘇聯軍事學校管理總部主任彼得羅夫斯基敘談一小時，彼得答應向代表團提供各種學校教材，同時向代表團詳細介紹俄國軍隊中政治委員制度和共產黨組織狀況：每個團部都由黨部派一政治委員常駐，參與團中主要任務；凡有命令，均須經其簽署才能有效；團裡的共產黨員，不論士兵或將校，在團的活動中擔當主幹，凡有困難勤務，皆由其黨組織負責人擔任。十二日上午，蔣介石寫完「作戰計劃」，加進可能是由沈定一起草的「宣傳計劃」，總名為《中國革命的新前景》。十三日開始起草《致蘇俄負責人員意見書》，十四日寫成。

六　《中國革命的新前景》與《致蘇俄負責人員意見書》

《中國革命的新前景》與《致蘇俄負責人員意見書》是蔣介石親自起草的兩份文件。《中國革命的新前景》共十八個部分。在《緒論》部分，蔣介石表示：「中國人民不但飽嘗中國國內軍閥暴政的痛苦，並且還備受外國資本主義和帝國主義列強的壓迫，已經下決心要使中國完全徹底革命化，並且實行孫逸仙博士的三民主義：一、各民族獨立自由；二、人民自由行使各項政治權利；三、大工業國有化。」接着，蔣介石開宗明義地提出：

從軍事觀點看，我們暫時還不能在外國資本主義的勢力範圍內，在中國東南地區奠定永久的基礎，所以，我們希望在靠近俄國友邦邊境的中國西北地區找一個適當地方，作為我們實行革命計劃，與中國軍閥和外國資本主義、帝國主義列強進行戰鬥的軍事基地。【二二】

還在一九二一年一月，蔣介石就曾上書孫中山等人，建議「當以西北為第一根據地」。【二三】至《中國革命的新前景》，蔣就作了更充分、明確的闡述。《緒論》以下為《中國目前形勢》、《敵人》、《軍事行動目標》等部分，蔣介石稱：「中國的軍閥和由他們組成的北京政府已經向外國資本主義和帝國主義列強徹底投降。」「他們正在進行同國民黨截然相反的活動，因為後者不讓他們毀滅中國，正在全力以赴進行公開和秘密的反對他們的鬥爭。」「中國的內戰看起來是內部事務，實際上是國民黨和外國資本主義與帝國主義列強之間的戰爭。」蔣介石接着說明國民黨和中國軍閥之間的實力對比，提出國民黨的敵人是直系軍閥，其主義是「做外國資本主義和帝國主義列強赤裸裸的傀儡」，其領袖是曹錕和吳佩孚。蔣稱：當時有包括奉系和「安福系」在內的十多省正在計劃反對曹、吳，學生和工人的運動，平漢鐵路工人的罷工，已經戳穿吳佩孚的愛國主義口號，中國人民都非常支持孫博士關於成立「工人隊」的意見。國民黨的最後目標是北京。

第五部分為《兩個擬議中的軍事基地》。第一個在蒙古庫侖，第二個在新疆的烏魯木齊。蔣介石從軍事根據地和軍事目標之間的距離、地理位置、行軍時間、國際關係、戰略等方面將兩者作了詳細比較，認為庫侖比烏魯木齊具有「更多的優越性」。蔣介石建議，在庫侖，從平漢鐵路招募工人和從災區招募農民，以年輕、有覺悟的中國人做軍官，用紅軍的名義進行訓練，兩年以後開始進攻。但是，蔣介石又建議，用烏魯木齊作永久根據地，同俄國合作，幫助東方其他被壓迫民族進行反對資本主義和帝國主義的鬥爭。他說：「我主張在這兩個地區同時建立軍隊，在庫侖建立主力部隊，在烏魯木齊建立增援團隊。」

第六部分為《中國的自然特點和它的交通情況》。以下依次為《敵人的兵力》《敵人如何部署部隊》、《敵人內部情況》、《國民黨的兵力》、《國民黨軍隊情況》、《國民黨和它的敵人的軍事供應及其財政狀況》、《用庫侖做根據地和以北京為目標的軍事準備時間》、《進軍的西翼》、《軍事行動階段》、《擬議中的軍事編制和兵力》、《軍事預算》、《各種籌備組織工作》。

軍事計劃之外，可能由沈定一起草的「宣傳計劃」全名《國民黨的宣傳工作方案》，共十條。提出建立上海大學，在上海建立大型出版社、更多的通訊社、擴大上海《民國日報》，在廣州和北京創辦兩種大型報紙，出版一種月刊和一種周刊，成立一個委員會，出版各種不定期的小冊子等。最後提出，《方案》將在聯席會議上討論。

在《致蘇俄負責人員意見書》中，蔣介石對比中俄兩國革命，一個「將陷於絕境」，一個「收效之速，一日千里」，自感有愧於心。《意見書》總結辛亥革命失敗的教訓，認為其原因在於黨魁「注全力於外交與政黨」，未能直接掌握軍事。蔣稱：俄國革命之所以成功，在於革命軍佔領彼得格勒這一政治中心，並且固守不失。辛亥革命之所以失敗，在於未能「直搗北京」，反將全國的政治中心拱手讓與袁世凱，以致中外結合，使北京成為惡勢力中心，根深蒂固。蔣表示：「為今之計，中國革命之法，唯有軍事與宣傳雙方工作，同時並進。以實力為剷除現在惡勢力之張本，而以宣傳事業作主義上之根本培養。」蔣介石批評南方的「革命軍隊」已經沒有革命精神，只在「借革命名義以謀其私人之權利」。他提出：「中國惡勢力之根據地，反革命派之大本營以及其一切內亂與外侮之策源地，皆在其政治中心地之北京。如望中國革命之奏效，非先打破此萬惡政治中心地之北京，則革命絕無成功之望。」蔣介石並且認為，要「對列強作戰，打破其在中國的勢力範圍，亦非打破北京不為功」。【二三】

《意見書》中，蔣介石還聲稱，無論內亂與外侮之壓力如何強暴，中國革命黨決不當調和派，也決不代表資本階級，革命精神始終如一，只要變更方法，改善環境，三年之內，必有成效可睹。

蔣介石將這兩份文件起草完成後，略感輕鬆。不過，他沒有就此定稿，一直在修改中。

根據魯祖達克的建議，沈定一於九月十五日起草「兩黨聯結文稿」，並且擬於下星期二成立有國民黨代表團和共產國際代表組成的專門委員會。十六日，沈定一完成「草約」，蔣介石又忙着和沈一起研究「條文」。【二四】

七 被熱情的紅軍士兵抬了起來，批評外交人員「下流無賴」

九月十六日，俄國陸軍學校學生舉行畢業典禮，蘇聯中央執委會主席加里寧及紅軍各領導人都出席並發表演說。下午，蔣介石等應邀參加，受到與其他各國出席人員不同的特別招待，使蔣介石等頗感自豪。十七日，參觀步兵第一百四十四團。事先，軍事院校管理總局秘書盧果夫斯基向莫斯科軍區司令穆拉托夫等人打好招呼，指示說：有中國共青團團員來訪，舉行歡迎儀式，訪問盡量秘密進行。蔣介石本來是準備穿上全套軍服的，結果，接受俄國人建議，改穿便服。當時，這個團剛剛演習歸來，營房還在修繕，生活尚未進入正軌。蔣介石等參觀了連隊、營房、紅角、號令、修理部、醫務室、俱樂部、圖書室、機槍小隊、廚房、麵包房、俄共支部，而且品嚐了紅軍戰士的食品，瞭解了每周的食譜。不過俄國人對蔣介石等還是有點警惕，沒有讓他們參觀武器庫。盧果夫斯基在向外交人民委員部的書面彙報時，特別聲明：「我也沒有介紹特別秘密的資料」。【二五】

在有四百名紅軍士兵出席的大會上，蔣介石發表演說，首先稱讚「紅軍是世界上的一支最勇敢、最強大的軍隊」，他接着說：

紅軍戰士和指揮員們！你們戰勝了你們國內的帝國主義和資本主義，但你們還沒有消滅世界的資本主義和帝國主義。你們要準備同他們決戰，因為你們要在其他民族的幫助下完成這一事業。請記住，每一個戰士的義務就是犧牲。要時刻準備為你們的事業去犧牲，這就是勝利的保證。

我們是革命者，是革命的國民黨黨員，我們是軍人，我們是戰士，我們也準備在同帝國主義和資本主義的鬥爭中犧牲。

蔣介石表示：「我們來這裡學習並與你們聯合起來。當我們回到中國人民那裡時，要激發他們的戰鬥力，戰勝中國北方的軍事勢力。」【二六】

蔣介石的講話不時被經久不息的掌聲和高昂的《國際歌》樂聲打斷。講話結束時，與會者高喊「烏拉」。蔣介石情緒激動。據俄國人記述：「看來，他講話時充滿着強烈而誠摯的感情。他在結束講話時幾乎是在吼，他的雙手在顫抖。」離開軍營時，蔣介石等被紅軍戰士抬起來，輕輕搖擺，一直抬到汽車前。上車後，蔣介石等仍然非常激動，不斷讚美紅軍戰士的「精神」和「熱情」，認為這是他們在其他任何一支軍隊中都沒有見過的。蔣告訴全程陪同的盧果夫斯基說：「印象非常好。他為紅軍的『精神』所感動。他們所有人——指揮員和戰士——並不是首長與部下，而像是農民兄弟。」【二七】

蔣介石在參觀紅軍第一百四十四團的表現並不是故意造作。當日，他在日記中有同樣的記載：「其軍紀及整理雖不及日本昔日軍隊，然其上下親愛，出於自然，毫無專制氣象。」對於紅軍中的「雙首長制」，即司令員之外，還有一位黨代表，蔣介石也感覺不錯，認為兩者之間分工恰當，「亦無權限之見」。「大約軍事指揮上事務皆歸團長，而政治及智識上事皆歸政黨代表，尤其是精神講話及平時除軍事外之事務，皆歸代表也。」【二八】

九月十九日，蔣介石等參觀步兵第二學校。二十日，參觀研究毒氣的軍用化學學校。二十二日，參觀高級射擊學校，看到了十五世紀以來的各種槍支，共約數百種，其中俄造騎兵用機關手槍，可連發三十五響，輕便非常，給了蔣介石很深印象。他在日記中慨歎道：「俄國武器之研究及進步可與歐美各國相等，不比我國之腐敗也。」

初到莫斯科，受到熱情接待，蔣介石的印象是好的，只是覺得物價高。九月八日晚，蔣介石等往前皇家劇院觀劇，聽說正廳票價每人約需五個金盧布，感到莫斯科生活程度不低！十四日，蔣介石外出買鞋，看見定價九十金盧布，蔣介石驚詫地叫起來：「太貴了！」不過，蔣介石對這些均覺得無所謂，並不十分在意。使他在意的是蘇聯政府工作人員的態度。

九月二十三日，代表團中唯一的共產黨員張太雷和外交人民委員部的工作人員發生爭論，蔣介石為張太雷幫腔。事後悶悶不樂，認為「其部員之下流無賴，實使人討嫌」。【二九】二十四日，蔣介石仍不能釋懷，日記云：「為外交部員無禮怠慢，使人嫌惡，幾欲回國。余之性質，實太狹褊，不能放寬，奈何！」蔣介石早年性格的特點是任性。前些年在孫中山、陳炯明手下工作的時候，常常因與人不合，立刻甩手走人，辭職不幹。這次雖因蘇聯外交人民委員部的工作人員不敬，萌生回國念頭，但是，這畢竟是在外交場合，他還是忍住了。

八 參觀彼得格勒等地，為市況蕭條及海軍士氣擔憂

九月二十五日晚九時，蔣介石等一行乘火車前往彼得格勒等地參觀。

九月二十六日下午，參觀冬宮。先參觀博物館，收藏以瓷器、圖畫為多，宮殿的牆壁、柱子，均用紅、白、綠三種大理石為原料。其後參觀冬宮的覲見廳、寢室、書房、餐廳、浴室、會議廳、禮堂等處，或稱為金間，或稱為銀間，或稱為翡翠間，給蔣介石的印象是「鋪陳華麗」。不過，其中最吸引蔣介石卻是展出的俄國革命黨歷史，特別是革命前的艱苦鬥爭與巨大犧牲。蔣介石在日記中寫道：「惟其中新設一層，皆述革命黨經過歷史之慘狀，殊令人興感也。」

九月二十七日，參觀海軍大學及海軍學校。

九月二十八日，參觀海軍博物館。該館陳列彼得大帝以來俄國海軍的發展史，包括人員及艦船模型等。俄國海軍的發展迅速，使蔣介石頗感「驚駭」。同日，乘船遊覽涅瓦河，一直到海口為止，使蔣介石等充分領略了彼得格勒形勢的宏壯。三時後參觀製造潛艇的工廠。第二天，再由彼得格勒乘船，參觀喀琅施塔得軍港，登

上「摩拉塔」戰艦及第二號潛水艇。九月三十日，參觀大劇院和「伊矖克」教堂。蔣介石一直登上教堂的最上一層，彼得格勒四郊百餘里之內的風景，一一收入眼底。對這一教堂建築的宏大壯麗，蔣介石歎為「實所罕睹」。

十月一日，參觀前皇村，這是歷代沙皇居住的宮殿，蔣介石日記稱：「其建築之宏大，裝飾之華麗，誠所謂窮奢極慾。大理石與翡翠之柱壁、地板，不足奇也。」對沙皇尼古拉西的宮殿，則認為遠遠超過法國的凡爾賽宮，「世無其比」。歸途中順道訪問一戶人家，受到親切接待。一位既漂亮又熱情的俄羅斯女郎一會兒翩翩起舞，一會兒揮指彈琴，使得一向貪戀女色的蔣介石歎為「誠尤物也」。【三〇】

從九月二十六日到十月一日，蔣介石等在彼得格勒參觀、訪問共六天。當時，俄國經濟還處於困難時期，喀琅施塔得軍港兩年前還發生過反對蘇維埃政府的暴動。蔣介石的總印象是：「市況凋零，民氣垂喪，皆不如莫斯科之盛，而其海軍人員之氣象，更不良佳，殊堪為蘇俄憂也。」【三一】

九　再回莫斯科，向托洛茨基等呈遞《備忘錄》

十月二日，上午十一時，蔣介石等回到莫斯科，又因為為外交人民委員部的工作人員「弄鬼」生氣，蔣介石覺得自己意志不堅。日記云：「寬容大度，包羅萬象，方能成偉大事業。器小如此，奈何！」

還在彼得格勒訪問期間，蔣介石就在起草一份信稿。九月二十七日日記云：「早起，致函稿成。」二十八日日記云：「早起修正函稿。」三十日日記云：「上午，繕正函稿。」回到莫斯科的當晚，蔣介石將函稿謄錄一遍，大功告成。十月三日，代表團內部為函稿及《中國革命的新前景》發生爭論，只是「稍有齟齬」，情況並不嚴重，但蔣介石卻很不高興，日記云：「交友實難，吾自不慎，有何言也。」十月五日，蔣介石修改《中國革命的新前景》，定名為《孫逸仙代表團關於越飛五月一日東京電中所提建議之備忘錄》，一直到晚上十點才睡，日記云：「同伴參差，蕭然寡欣。交友之難，可歎！」十月六日，蔣介石檢點《函稿》及《備忘錄》，一份送交外交人民委員契切林，一份送交革命軍事委員會托洛茨基、斯克良斯基和加米涅夫。《函稿》目前只有英文打字稿留存下來，現翻譯如下：

親愛的同志：

我們受孫逸仙博士委派，為建立中國國民革命的主要軍事力量，前來討論在中國的西北邊境建立革命的軍事組織的計劃細目。五月一日，蘇維埃政府通過越飛發自東京的電報，答應給我們的領導者以相關援助，對此，我們首先要充分表達感激之情。五月十二日，孫博士覆電，接受俄國人的建議並陳述說，他將為此投入很大的精力。該電已自廣州電達越飛和達夫謙。有信通知我們，孫博士的回答已經電告莫斯科。

我們受我們黨的領導人的委託，前來和你們討論建議的軍事部分。但是，我們也將利用這一機會，討論建立政治思想戰線的方案，作為成功地執行我們計劃的基礎。俄國同志在此領域有偉大的經驗，因此，我們期待關於我黨宣傳工作的討論將給予我們許多有價值的情報。這些，我們在不遠的將來會需要。

在所附《備忘錄》中，我們已經陳述了這一計劃的兩個方面，但是，我們必須強調，這是我們的特別任務，以達到一項軍事組織的明確決定。它將不僅是中國革命成功的絕對需要，而且會在太平洋地區的鬥爭中有偉大的實際作用。在這一鬥爭中，俄國和中國的革命軍隊將抵抗帝國主義的聯合力量。這一力量，企圖將中國置於他們的控制之下，並且成為蘇俄的真正危險。【三二】

函末，蔣介石表示希望，儘早與蘇方會見，討論《備忘錄》，以便儘快執行計劃。可以看出，這封信和前述蔣介石寫就的《致蘇俄負責人員意見書》已經大不相同了。《備忘錄》分《緒論》、《軍事計劃》、《宣傳》、《結論》四大部分，共八千二百餘字。【三三】從筆者見到的部分英文打字稿看，它在篇章結構上作了較大調整，但和《中國革命的新前景》並無很大不同。

十　好壞印象夾雜的蘇俄觀感

蔣介石遞上《備忘錄》後，主要任務完成，就等着俄國人回答，因此日子過得並不緊張。俄國人乘機安排蔣介石等人看戲、看芭蕾舞，參觀莫斯科的工廠、農村和克里姆林宮等處。

十月八日晚，往莫斯科大劇院觀劇。「此劇係俄國各民族各種演劇模型」，大概是一場綜合性晚會，教育人民委員盧那卡爾斯基親自登台演出。蔣介石日記稱：「台上印刷機器隨時印佈宣傳品，實乃共產主義國之特色也。」【三四】

十月二十五日下午，參觀莫斯科的燈泡製造廠及發電廠，考察廠中的工人俱樂部、教室、音樂補習室、販賣合作社、圖書室、閱報室、膳廳、劇場等地，感到「應有盡有」。對工廠為工人配備「專科教師」，以備工人業餘學習，以及職工會與共青團，蔣介石都表示滿意。對工廠舉辦的展覽會，展示廠史及工人狀態，列表說明廠中資本盈虧，供工人觀覽，注重社會科學等做法，蔣介石也都贊成。

十月二十八日，看芭蕾舞。演員們的精湛舞姿看得蔣介石等人目瞪口獃，歎為觀止。蔣介石日記稱：「演劇婦女之活潑動作，無異機械，吾國優伶萬不及也。」

十月三十日，參觀莫斯科西郊的農村。先進入村蘇維埃，蔣介石覺得類似奉化鄉間的自治會，但制度不同。繼而參觀消費合作社、小學校。小學展覽的是學生自製的工具和自繪圖畫，蔣介石感覺較中國教育為新穎。最後參觀鄉蘇維埃。蔣介石覺得規模較大，司法、行政、立法三權皆由出於此，鄉村警察亦出於此。

十一月一日，參觀克里姆林宮，正值衛生人民委員報告，蔣介石坐在台下聽了約一小時。克里姆林宮留給蔣介石的印象是建築宏大，但裝潢則比不上彼得格勒的冬宮等處。

十一月五日，參觀俄國共產無政府主義者克魯泡特金的故居。

十一月六日晚，到莫斯科市蘇維埃，參加慶祝十月革命節紀念大會，聽加米涅夫和布哈林以及當年起義水手、海軍士兵等演説。

十一月七日為蘇維埃聯邦共和國六週年紀念日。上午九時，蔣介石等到紅場參觀閱兵式及群眾遊行。自十一時起至下午六時止，遊行尚未完畢。參加者有軍隊二萬，飛機十六架，炮車八門，機關槍車一隊。炮車和機關槍車，蔣介石都未見過，充分感到俄國軍械的先進和軍容的威嚴。典禮讓蔣介石看到了俄羅斯人民對政府的擁護，當日，蔣介石在日記中寫道：「觀今日之運動，足知蘇維埃政府對於人民已有基礎，殊足以破帝國主義之膽。吾於蘇俄無所間言。」但是，蔣介石仍然覺得，俄國「中級以下人材缺乏，辦事時間延遲不準，緩慢非常，而其高級人員處事或尚感情，是其短處。至於其有否自滿之志，則吾尚未敢斷言也。」

十一月十五日下午，參觀博物館。

閒暇時，蔣介石自己參觀市場，或者獨自沿着美麗的莫斯科河散步。有一次，蔣介石一個人搭船，順流到莫斯科西南的「不寂之園」去觀光。那裡是莫斯科的最高處。風景優美，蔣介石感到有些像東京的上野公園，但比上野還要美。公園的最西邊是府雀山，相傳拿破崙到莫斯科後，曾先登此山。蔣介石徘徊於山徑和森林之間，眺望全城，自覺精神爽暢，稱譽此地為「莫斯科第一勝景」。此後，蔣介石又去過三次。

十一月十六日，拜訪蘇聯中央執行委員會主席加里寧。加里寧給蔣的感覺是「完全一農民」，「言語誠實，行動自在」。蔣介石和他談起國外大勢，不知所答。蔣介石暗自將加里寧和曾任中國總統的黎元洪比較，覺得黎「狡猾餒弱」，因此轉而讚美加里寧，「誠不愧為勞農專政國之議長也」。【三五】

十一月十九日晚，參觀莫斯科市蘇維埃大會。內容為報告一年來的工作成績：工業已恢復至戰前的百分之六十；工資比去年增加一倍；新增工人宿舍可容一萬餘人；三萬失業工人，政府每月津貼每人八元。蔣介石日記稱：「是其重要報告也。」

十一月二十一日，蔣介石訪問越飛。下午，訪問教育人民委員盧那卡爾斯基。盧稱：蘇聯的教育方針：一、廢除宗教；二、男女同校；三、接近實際生涯；四、學生管理校務；五、統一教育制度；六、注重勞工學校；七、專門學科。盧並稱：中央與地方合計，現在常年教育經費約佔國家總預算的百分之十四，共為一億四千萬元。蔣介石對盧的談話很重視，將其所談比較詳細地記入日記，但他還覺得教育預算偏低，「尚不足其預算三分之一也」。

從俄國人那裡，蔣介石得知各地都有共青團組織，蔣介石稱之為「少年共產黨支部」。對「少年共產黨支部」注重培植青年，蔣介石讚美其為「第一優良政策」。【三六】蔣介石也瞭解到，當時的蘇維埃政府，看不起知識分子和商人，「優待農工而輕士商」，這本來是一項「左傾」政策，但蔣介石也贊成，在日記中表示：「吾亦無間言也。」【三七】

十一　俄國人拒絕國民黨在庫侖建立軍事基地的要求，蔣介石大失所望

俄國人長期將蒙古視為其勢力範圍。一九一一年，中國發生辛亥革命，沙俄乘機派兵進入蒙古，導演「獨立」。一九二一年，紅軍為追剿沙俄白衛軍，進佔庫侖，此後即長期不肯撤兵。蔣介石要求在庫侖建立軍事基地，自然不能為俄國人所接受。十月十八日，契切林約蔣介石往見，但臨時有病，未見。十月二十一日下午，蔣介石拜會契切林，集中談「蒙古自治問題及根本計劃」。契切林沒有正面回答可否，只籠統地強調「蒙古人怕中國人」，要蔣介石與蘇共領導人商談。二十六日，蔣介石致函契切林，反駁說：

> 要知道蒙古人所怕的是現在中國北京政府的軍閥，決不是怕主張民族主義的國民黨，蒙古人惟其有怕的心理，所以急急要求離開怕的環境。這種動作，在國民黨正想把他能夠從自治的途徑上，達到相互間親密協作底目的。如果蘇俄有誠意，即應該使蒙古人免除怕的狀況。須知國民黨所主張的民族主義，不是說各個民族分立，乃是主張在民族精神上做到相互間親愛的協作。所以西北問題正是包括國民黨要做工作的真意，使他們實際解除歷史上所遺傳籠統的怕。【三八】

訪蘇前，蔣介石沒有料到事情會如此不順利。發出致契切林函後，蔣介石一整天都心神不寧，悶悶不樂，日記云：「可謂缺少經驗，自討其苦也。」【三九】二十五日，蔣介石致斯克良斯基一函。二十八日，再各致契切林和斯克良斯基一函。這時候，蔣介石已經對他所受到的接待和蘇方的拖延不覆表示不耐。十一月一日，契切林寫信向季諾維也夫報告，說明蔣介石「已經神經過敏到極點，他認為我們完全不把他看在眼裡。」【四〇】

蘇聯方面對國民黨的要求遲遲不覆，固然由於蒙古問題，同時也由於蘇聯正熱衷於在德國、保加利亞、波蘭等地發動革命，建立「工人代表蘇維埃」。十一月二日，托洛茨基致函契切林與斯大林，要求「極其果斷地和堅決地」向國民黨代表團「灌輸」：「他們面臨着一個很長的準備時期」，「軍事計劃以及向我們提出的純軍事計劃，要推遲到歐洲局勢明朗和中國完成某些政治準備工作之後。」【四二】十一月十一日，斯克良斯基和加米涅夫再次與蔣介石等人會談。

當日上午，蔣介石檢出《意見書》，仔細審查，精心作好談話準備。下午見面時，斯克良斯基開門見山，表示不贊成國民黨代表團的計劃：

「孫逸仙和國民黨應該集中全力做好政治工作，因為不然的話，在現有條件下的一切軍事行動都將注定要失敗。」他以「十月革命」為例，說明那是「俄國共產黨長期堅持不懈的工作」的結果。他要求國民黨在中國也做同樣的工作，首先全力搞宣傳，辦報紙、雜誌，搞選舉運動，等等。

「孫逸仙同越飛會談以後，國民黨加強了自己的政治活動，但黨認為同時也有必要開展軍事活動。」蔣介石還想盡力一搏，針鋒相對地與斯克良斯基辯論。他接着說明：「在俄國，共產黨只有一個敵人，而在中國，地球上的所有國家的帝國主義者都反對中國的革命者，所以，在中國採取軍事行動是必要的。」【四三】

斯克良斯基寸步不讓，要國民黨「首先應該把自己的全部注意力用在對工農的工作上」。他說：「有必要在近幾年只做政治工作，軍事行動的時機只有當內部條件很有利時才可能出現。」他尖銳地批評蔣介石提出的軍事計劃：「發起你們方案中所說的軍事行動，就是事先注定要失敗的風險。」為了不讓蔣介石完全失望，斯克良斯基提出，可以允許「中國同志」到蘇聯軍事學校學習。參謀部學院可以接受三至七人，軍事學校可以接受三十至五十人。至此，會談已經進行了兩個小時，蔣介石等無話可說了，表示將於十一月二十二日回國，希

望再一次會見斯、加二人，並且請他們轉交一封信給革命軍事委員會主席托洛茨基。【四三】

在歸途中，張太雷向陪同的俄國人表示：「在學習了蘇聯的經驗之後，本代表團應該同意革命軍事委員會的意見。」據這名俄國人事後的彙報，會談前，蔣介石由於神經緊張，過度勞累，一再要求送他去療養院休養兩周，而在與斯克良斯基會談之後卻表示：不要張羅療養院和醫生，自己感覺好多了。這名俄國人由此作出結論說：「中國人對同斯克良斯基同志的會見是滿意的。」【四四】

事實是，俄國人拒絕了蔣介石的庫侖軍事計劃，蔣介石的內心極為憤懣、失望。當日，他在日記中寫道：

無論為個人，為國家，求人不如求己。無論親友、盟人之如何親密，總不能外乎其本身之利害。而本身之基業，無論大小成敗，皆不能輕視恝置。如欲成功，非由本身做起不可。外力則最不可恃之物也。【四五】

十一月十二日，蔣介石給汪精衛發了電報，又給契切林寫了封信。整天「心緒沉悶」。他想起了當時國內的狀況，更加抑鬱，日記云：世人虛偽，本黨同志，優秀者或死節，或遠離，現在所見者，只有「趨炎附勢，爭權奪利，吹牛拍馬，以公濟私，卑陋惡劣，互相利用挑撥之徒」，其他人則「貪似狼，猛似狗，蠢似豕」。想到這裡，蔣介石在句末重重地寫下了「可歎」二字。

蔣介石又給斯克良斯基和契切林各寫了一封信。

十二 批評蘇俄政府「無信」，察覺斯大林等人「排斥異己」

蔣介石在俄國時間久了，對俄國社會瞭解漸多。十一月二十四日日記云：「俄國中級人才太少，政府往往為其下所蒙蔽，而其輕信、遲緩、自滿，為其切要弊端，遇大事不能深重觀察，專尚客氣。人而無信，尚不能立，況其國乎！少數人種當國，排斥異己，亦其國之一大弊也。吾為之危。」這一段日記前半段批評蘇俄政府「無信」，後半段，批評「少數人種當國，排斥異己」。

一九一九年七月，蘇俄政府曾由副外交人民委員加拉罕發表對華宣言，宣稱：「蘇維埃政府把沙皇政府獨自從中國人民那裡的掠奪的或與日本人、協約國共同掠奪的一切交還給中國人民。」【四六】一九二〇年九月，加拉罕照會北京政府外交部，聲稱：「以前俄國政府歷次同中國訂立的一切條約全部無效，放棄以前奪取中國的一切領土和中國境內的俄國租界，並將沙皇政府和俄國資產階級從中國奪得的一切，都無償地永久歸還中國。」【四七】當時，蒙古問題是中蘇之間的重大糾紛。一九二三年一月，越飛與孫中山會談時，曾向孫表示，俄國現政府從來不想在外蒙實施帝國主義政策，也絕無使其脫離中國的目的。【四八】一九二三年九月十六日，加拉罕到北京談判，專門向報界聲明：蒙古應為中國之一部，俄國決無若何侵併計劃。【四九】現在，蘇方堅決拒絕蔣介石在庫侖設立軍事基地的計劃，自然要被蔣視為「無信」。

俄國共產黨從一九二一年起進行「清黨」，至一九二二年三月召開聯共（布）第十一次代表大會前，已經開除了十七萬黨員，佔全體黨員的百分之二十五左右。第十一次黨代表大會上，由於列寧已經病重，出生於格魯吉亞的斯大林當選為總書記，並與季諾維也夫、加米涅夫等人陸續形成「三駕馬車」以至「七人小組」，壟斷蘇聯黨和國家大權，將托洛茨基排除在外。一九二三年四月，聯共（布）召開第十二次代表大會，「清黨」

仍在進行。同時，斯大林對托洛茨基的鬥爭也漸次進入火熱狀態，開始批判托洛茨基本人和他的擁護者拉狄克和克拉辛等。這些，不能不給蔣介石留下印象。十一月二十四日日記所稱「排斥異己」，顯指斯大林等人。蔣介石認為這是蘇聯的「大弊」，並且聲稱「吾為之危」。

蔣介石晚年回憶說：「在蘇俄黨政各方負責諸人之中，其對我國父表示敬重及對中國國民革命表示誠意合作的，除加密熱夫、齊采林是俄羅斯人之外，大抵是猶太人為多，他們都是在帝俄時代亡命歐洲，至一九一七年革命才回俄國的。這一點引起了我特別注意。我以為托洛茨基、季諾維也夫、拉迪克與越飛等，比較關切中國國民黨與俄國共產黨的合作。可是越飛自中國回俄之後，已經失意了。我並且注意到當時列寧臥病如此沉重，而其俄共黨內，以托洛茨基為首要的國際派與斯大林所領導的國內組織派，暗鬥如此激烈，我就非常憂慮。他們這樣鬥爭，必於列寧逝世之後，對於中俄合作的關係，更將發生嚴重的影響。」【五〇】蔣介石的這一段回憶，可以幫助我們理解他十一月二十四日的日記。

十三　認真攻讀馬克思著作，但崇拜孫中山，婉拒加入中共

在蘇聯期間，蔣介石有較多空閒。除了學俄語，讀吳承恩的《西遊記》，學習拉手風琴，彈琵琶外，不少時間都用在閱讀馬克思主義著作上。其日記載：

九月二十一日下午，看《馬克思學說》。

九月二十二日下午，看《馬克思學說概要》。

九月二十四日，看《馬克思學說概要》。日記云：「頗覺有趣。上半部看不懂，厭棄欲絕者再。看至下半

部，則倦不掩卷，擬重看一遍也。」

九月二十五日下午，看《經濟學》。

十月三日晚，看《共產黨宣言》。

十月四日上午，看《馬克思學說概要》。下午看《概要》。

十月七日，看《馬克思學說概要》。

十月九日，下午看《馬克思學說概要》。

十月十日，下午，看《馬克思學說》之《經濟主義》。日記云：「復習第三遍完，尚不能十分瞭解，甚歎馬克思學說之深奧也。」

十月十六日，看《共產黨宣言》。

十月十七日，看《共產黨宣言》。

十月十八日，上午看《馬克思傳》。下午看《馬克思學說》，「樂而不能懸卷」。

十月二十日，下午看《德國社會民主黨史》。

十一月一日，看《德國社會民主黨史》。

從上述日記可見，蔣介石這一時期讀馬克思主義著作不僅很積極，很認真，一遍、兩遍、三遍地讀，有時還讀得很有興趣，愛不釋手。但是，蔣介石仍然高度崇拜孫中山。

當蔣介石訪問蘇聯之際，蘇聯政府也正派其副外交人民委員加拉罕來華和北京政府談判。九月八日，加拉罕致電孫中山，稱孫為「新俄國的老朋友」，表示希望得到孫的幫助【五二】。九月十六日孫中山覆電加拉罕，其中談到：「中俄兩國之真實利益使雙方採取一種共同政策，俾吾人得與列強平等相處，及脫離國際帝國主義之政治、經濟的壓迫。」【五二】十月九日，蔣介石從蘇聯報紙上讀到孫中山這一電報，高興地在日記中寫道：「今日俄報登載中師覆加拉罕宣言，甚為得體，且有反對帝國資本主義之決心，不勝欣喜。」

十月十日是當時中國的國慶節。從下午起，蔣介石就在預備演講，題目是中國國民黨的歷史。當天晚上，在莫斯科的全體中國學生到蔣介石寓所，共同慶祝「雙十節」。蘇聯外交人民委員部、蘇聯共產黨都派代表前來祝賀。蔣介石講了大概一個半小時，自覺「頗有條理」。接着是演劇、獻技，奏《國際歌》，一直到夜十二時方散。

大概蔣介石在演說中比較突出地宣揚了孫中山的功績，第二天，蔣介石就聽到批評：「有崇拜個人之弊」。當時在俄國的中國學生接受馬克思主義教育，在領袖與群眾的關係上，在孫中山的個人作用上有某些新看法，本是很自然的事，但蔣介石卻不能理解，他聯想到中國國民黨和俄國共產黨內的情況，更增添一層憂慮。日記稱：「甚笑中國人自大之心及其願為外人支配而不願尊重國內英雄，此青年之所以能言難行而無一結果也。黨人好尚意氣，重妒嫉，而俄黨下級人員較吾中國更甚，此實為俄黨慮也。」【五三】

十月十三日，蔣介石到蘇聯外交人民委員部。在那裡讀到孫中山致列寧、托洛茨基和契切林的三封信，其中稱蔣介石為「我的參謀長和密使」，聲稱「蔣將軍要和貴國政府及軍事專家一起提出一項由我的軍隊在北京西北地區進行軍事行動的建議。茲授權蔣將軍代表我全權行事。」【五四】蔣介石感受到孫中山的「至誠」，心頭一熱，不覺淚下。孫中山為中國革命奮鬥多年，尚未成功，蔣介石頗為孫中山不平，日記稱：「天何不欲至誠之人成功而使其久屈也！」【五五】同日，蔣介石還收到汪精衛、廖仲愷的來信，也都對蔣充滿期待，使處在異國他鄉的蔣介石感到溫暖。十月十八日，蔣介石再次接到孫中山手擬長電，又一次受到感動，日記云：「中師誠摯之辭，每使人讀之淚下，其非比長於文字者故為此籠絡之語，此其更可貴也。」

其間，曾有人動員蔣介石加入中國共產黨，蔣介石答以「須請命孫先生。」蔣的答覆使動員者失望，批評蔣是「個人忠臣」，這一批評又很快為蔣介石得知，大為不滿。【五六】到當年十二月十三日，蔣介石離開蘇聯回國，見到「留俄同志」致孫中山函稿，其中論及孫中山周圍「忠臣多而同志少」，更使蔣介石「閱之甚駭」。其實，這本是一句要求加強國民黨內民主建設的善意勸告，但蔣介石不能理解。日記云：「少年輕躁自滿，詆笑道義，殊為可歎！排人利己之徒，誘引青年，自植勢力，而不顧黨誼，其實決不能自成其勢。夢夢之人，惟有一歎而已。」【五七】這裡所批評的「少年」和「排人利己之徒」，顯指當時的部分年輕的共產黨員，這是蔣介石對中共發生嫌隙的開始。第二年三月，蔣介石更致函廖仲愷訴苦說：「弟自知個性如此，殊不能免他人之非笑，然而忠臣報君，不失其報國愛民之心，至於漢奸、洋奴，則賣國害民而已也。吾寧願負忠臣卑鄙之名，而不願帶（戴）洋奴光榮之銜。」【五八】

十四　與共產國際領袖季諾維也夫爭論，主張中國革命「兩步走」

蔣介石等到莫斯科後，曾於十月中旬通過吳廷康向共產國際提交過一份《關於中國國民運動和黨內狀況》的書面報告。該報告認為：辛亥革命以來，中國的政權一直掌握在軍閥手中，帝國主義列強對中國的經濟剝削日益增強。國民黨的任務是「推翻世界資本主義」。中國的國民革命具有國際性質。《報告》對三民主義提出了新解釋：民族主義意味着「所有民族一律平等」，反對帝國主義，扶助弱小民族。民權主義指每個人都擁有言論、結社、集會、出版等自由，政府必須來自人民，取得人民幫助並為了人民。民生主義就是國家社會主義，所有大工業、所有土地都屬於國家，由國家管理，以便避免私人資本主義的危害。但是，由於現時的經濟條件，中國不可能立即實行共產主義。民生主義是當前中國「最能接受的經濟制度」。《報告》還提出：國民黨必須進行改組，目前最重要的任務是為宣傳工作尋找政治口號。同時，必須在反帝運動中同蘇維埃俄國合作。這種合作不僅為中國革命帶來好處，也會為世界革命帶來好處。【五九】

吳廷康收到國民黨代表團的《書面報告》後，約蔣介石在適當時刻拜會共產國際主席團，但其時間卻一再延宕，不能確定，蔣介石覺得很失面子，不大高興。十一月二十五日，吳廷康再次相約，而又不定具體時間，蔣介石「憤激不堪，婉言拒其約會」，但吳廷康一再要求，蔣介石勉強答應。當晚七時，蔣介石到共產國際主席團參加共產國際執行委員會。首先會見主席季諾維也夫等人，據蔣介石日記稱：「各國共產黨主席皆履會，情形頗佳」。會上，蔣介石發表演說：

國民黨代表團是奉國民黨領袖孫逸仙之命派出的，目的是在這裡，在莫斯科這個世界革命的中心，同共產國際的同志們進行坦率的討論。

演說中，蔣介石重點對孫逸仙的民生主義，特別是「兩步走」的設想作了闡釋。他說：

民生主義是通向共產主義的第一步。我們認為，對中國革命來說。目前最好政策是，作為第一步，使用「（爭取）獨立的中國」、「人民政府」、「民族主義」之類政治口號。作為第二步，我們將根據共產主義的原則做一些事情。

蔣介石說明，由於當時大多數中國人民不識字，屬於小農階級和小資產階級，因此中國「目前不能進行無產階級革命」，不能使用「共產主義口號」，否則，「就會造成小土地所有者對這些口號的錯誤理解」，「會使他們加入反對派陣營」，「跟隨中國軍閥反對我們」，「會使中國革命不能取得成功」。「所以目前我們的綱領是旨在聯合中國人民的所有人士，以便借助於統一戰線來取得革命的巨大成功」。接着，蔣介石說明，孫逸仙博士三十年前開始革命時，就使用三民主義為口號，人民已經習慣，軍閥也不會特別注意，小農階級和小資產階級也不會反對。

演說中，蔣介石還闡明了國民黨對世界革命的設想：「主要基地在俄國」，贊成「俄國同志幫助德國革命取得成功」。他說：

> 國民黨建議，俄國、德國（當然是在德國革命取得成功之後）和中國（在中國革命取得成功之後）組成三大國聯盟來同世界資本主義勢力作鬥爭。借助於德國人民的科學知識、中國革命的成功、俄國同志的革命精神和該國的農產品，我們將能輕而易舉地取得世界革命的成功，我們將能推翻全世界資本主義制度。

蔣介石展望，三、五年之後，中國的國民革命就能成功，一旦取得成功，「我們就開始進行第二階段，即在共產主義口號下展開工作。我們認為，那時，中國人民將更容易實現共產主義。」【六〇】

蔣介石對他在共產國際執委會上的報告很滿意，日記中自稱，訪蘇以來所作報告、講話，「亦以今日為最從容而有條理也」。【六一】演講後，蔣介石接受共產國際執委會總書記科拉羅夫等人的提問並作了答覆。季諾維也夫在總結中聲稱，共產國際的中國問題委員會將繼續開會，同國民黨代表團討論，作出決議。

季諾維也夫關心中國國民黨和中國共產黨兩黨之間已經開始的合作，希望國民黨做工作，將兩黨部分成員之間的可能發生的困難和誤解減少到最低程度，要求在中國工人罷工的時候，始終站在工人一邊，積極支持工人鬥爭，並且特別強調，這種支持應該是「認真的和積極的」。季諾維也夫表示，他不能肯定，得到的消息是否確實，有人對他說，漢口「二七罷工」時期，國民黨的支持不夠「強而有力」，其「冷淡態度使人感到很失望」。他希望，國民黨注意這一點，在工人的所有衝突和發動中，國民黨的支持真正是堅決有力的，以便不給埋怨和抹煞帶來口實。

對國民黨的「三民主義」，季諾維也夫明確表示，「不是共產主義的口號」，要使這些口號「更具體，更明確」。關於「民族主義」，季諾維也夫說：它應該「不為新的資本家階級、新的資產階級在中國的統治提供可能」，「它不應用中國資本家的統治去取代外國帝國主義的統治」，也「不應導致建立中國一部分居民對另一部分居民的霸權地位」，「不應該導致對生活在中國境內的各民族的壓迫」。關於「民權主義」，季諾維也夫表示，「民權主義在歐洲已是一個反動的口號，民權主義不贊成革命。」在中國，它能否成為「進步口號」，取決於「它能在多大程度上保障居民中的勞動群眾有可能捍衛自己的權利，並把自己的事業推向前進」。關於「民生主義」，季諾維也夫稱，未必有必要詳細討論，如果把它理解為「致力於把勞動群眾，如耕種土地的莊稼人」從賦稅重負等壓迫下解放出來，那就不必反對。但是他明確表示「這完全不是真正的社會主義」，只是「有可能導致真正的社會主義目標的發展」。【六二】

蔣介石表示，原則上同意季諾維也夫的講話，但他強調：「我們不是為資產階級而進行革命工作的。」「目前我們希望，小資產階級和我們建立反對資本主義和帝國主義的統一戰線。但是，我們並不為它的利益而鬥爭。」

季諾維也夫對蔣介石的回答作了有條件的肯定：「當然，共產國際並不認為國民黨是資產階級的政黨。否則我們就不會同這樣的黨打任何交道。我們認為，國民黨是人民的政黨。它代表那些為爭取自己的獨立而鬥爭的民族力量。」「國民黨也是革命的政黨。」

會議最後，蔣介石要求共產國際派一些有影響的同志到中國，仔細研究中國局勢，領導國民黨，就中國革命的問題提出建議。季諾維也夫接受蔣介石的建議，答應向中國派出一位負責的代表，並請代表團轉達對中國國民黨，特別是孫逸仙同志的「熱烈的兄弟般的問候」。【六三】

十一月二十八日，共產國際主席團發佈《關於中國民族解放運動和國民黨問題的決議》。該決議由布哈林、科拉羅夫、庫西寧、阿姆特爾以及吳廷康組成的委員會起草，共八條。它批評國民黨「沒有吸收城鄉廣大勞動群眾參加鬥爭」，把希望寄託於國內反動派，建議對三民主義作出新解釋，使之成為「符合時代精神的民族政黨」。

關於民族主義，《決議》認為，它的含義是：「要消滅外國帝國主義的壓迫，也要消滅本國軍閥制度的壓迫」；「不僅要消滅外國資本家的殘酷剝削，而且也要消滅本國資本的殘酷剝削。」決議提出，民族主義對外體現的是「健康的反帝運動的概念」；對內，和「同受中國帝國主義壓迫的各少數民族的革命運動進行合作」，公開提出「民族自決」原則，建立「中華聯邦共和國」。

關於民權主義，《決議》認為，應使其有利於勞動群眾，只有那些真正擁護反帝鬥爭綱領的分子和組織才能享有權利和自由，決不能為在中國的幫助外國帝國主義者及其走狗（中國軍閥）的分子和組織享有。

關於民生主義，《決議》認為，應該解釋為把外國工廠、企業、銀行、鐵路和水路交通收歸國有，同時，對中國的民族工業實行「國有化原則」。《決議》認為，不能提出「土地國有化」，只能提出，「消滅大土地所有者和許多中小土地佔有者的制度」，將「土地直接分配給在這塊土地上耕種的勞動者」。《決議》要求國民黨重視中國工人階級，放手發動其力量，「把全國的解放運動建立在廣大群眾的支持上」，善於運用在華帝國主義的內部矛盾，同工農國家的蘇聯建立統一戰線，同日本的工農解放運動和朝鮮的民族解放運動建立聯繫。【六四】

共產國際的這份決議有正確的部分，也有脫離中國革命實際的部分。蔣介石讀後，在日記中寫道：

普（浮）泛不實，其自居為世界革命之中心，驕傲虛浮。其領袖徐諾微夫（即季諾維也夫——筆者）似有頹唐不振之氣，吾知不久必有第四國際出現，以對待該黨不正之舉也。【六五】

下午，蔣介石赴共產國際會見其秘書，「應酬數語，即辭行」。

十五　會見托洛茨基，蔣介石和沈定一差點打起來

托洛茨基是列寧的戰友，十月革命的重要領導者。此時雖然受到斯大林的批判、排斥，但仍然是革命軍事委員會主席。蔣介石到蘇後，一直希望見到他。

十月十六日，蔣介石致函托洛茨基。

十一月九日，蔣介石草擬致托洛茨基函稿。

十一月十八日晚，改正致托洛茨基函。

十一月十九日，發致托洛茨基函，大意云：「此次負國民黨使命，代表孫先生來此，要求貴政府於本黨所主張西北計劃，力予贊助。華人懷疑俄國侵略蒙古一點，務望注意避免。並即辭行。」【六六】但是，直到十一月二十七日，托洛茨基才接見孫逸仙博士代表團全體。

托洛茨基表示早就想會見代表團，但由於生病，未能這樣做。現在健康恢復，有可能同蘇聯的朋友——孫逸仙的代表們交談。他說：「只要孫逸仙只從事軍事行動，他在中國工人、農民、手工業者和小商業人的眼裡，就會同北方的軍閥張作霖和吳佩孚別無二致。」他建議「國民黨的絕大部分注意力應當放到宣傳工作上」，說是「一份好的報紙，勝於一個好的師團。在目前情況下，一個嚴肅的政治綱領比一個不好的軍團具有更大的意義。」他要求國民黨「把軍事活動降到必要的最低限度」，「盡快放棄軍事冒險」。對於國民黨提交的備忘錄，托洛茨基明確表示：「國民黨可以從自己國家的本土而不是蒙古發起軍事行動。」【六七】

蔣介石試圖作最後的爭辯，力圖說明各國帝國主義殘暴地壓制一切革命宣傳，國民黨政治活動困難，但托洛茨基則表示：政治宣傳必須適合於具體情況。報刊上只發表那些根據新聞檢查條件可以發表的東西，告示和傳單可以宣傳自己的觀點。應該有合法的工作和地下的工作。托洛茨基的這些話再次堅決地表明，蘇聯共產黨和政府不支持國民黨在蒙古的軍事計劃。

蔣介石的日記沒有記錄托洛茨基的上述態度，只有簡單的幾行字：「其人慷慨活潑。其言革命黨之要素，忍耐與活動，二者相輔並行而不可一缺也云。余之性質，厭倦與消極，此所以不能成事也。」【六八】

會見托洛茨基後，蔣介石很生氣，認為托洛茨基在騙他們。他在代表團內部說：「如果蒙古想獨立，那需要我們承認，需要我們給予他獨立，而不是他自己承認自己。」沈定一反對蔣介石的意見，二人發生口角，差一點打起來。蘇聯外交人民委員部傳說：「中國代表團內部在打仗！」【六九】

十六　在抑鬱無聊中歸國

會見托洛茨基的當晚，蔣介石向契切林辭行。二十八日下午三時，應外交人民委員部之宴。敘談三小時，「凡想說的話，大略各露其端倪，使其自繹。」【七〇】六時，送邵元沖登車回德國。在邵元沖到莫斯科以後，蔣、邵已經結為兄弟，交換了蘭譜。臨別時，蔣介石頗有「不盡依依，良友去之何速」之感。當晚，蔣介石與趙世賢談話，「略述此次來俄經過情形，並勉其不使為外人所支配而已。」【七一】趙大概是留蘇學生。十一月十八日，蔣介石與他有過一次談話，認為是「青年有為之士，殊可貴也。」二十九日，蔣介石向越飛夫人辭行。下午二時登車。張太雷留在莫斯科，沒有隨蔣介石等歸國。此次訪蘇之行，蔣介石主要的目的沒有達到，勞而少功，加之與沈定一吵架之後，兩人關係緊張。蔣介石自悔「擇友不良」，見沈心煩，在車上也懶得說話。三時正，火車開動，蔣介石感到「抑鬱無聊已極」。十一月三十日，從車上望去，「冰天雪地，一望無際，日色沉沉，慘淡無光」。十二月一日，車過一座盛產寶石的城市，蔣介石本想買點寶石玩具，帶給經國、緯國，但因錢不多，只得作罷。八日，到中國國境，一片平原，只有由東北至西南一帶，有不甚高峻的山脈。蔣介石是軍人，立刻想起北方戰事適合採取攻勢。八時後到滿洲里。當地長官前來迎接，頗為殷勤。代表團全體均無護照，因事前有電報通知，一律放行。當日到哈爾濱，地方高級長官來接，蔣介石因用的是假名，迴避不見。

十二月十日，蔣介石到大連，逛老虎灘。十二月十二日，登亞拉伯船。本定下午四時啟碇，因裝貨不足，至第二天早晨方開。蔣介石感歎道：「日商信用，遠不如前，而船中腐敗形狀，不堪言爾。吾知東邦帝國資本主義之運命不久將盡矣。」【七二】十三日，蔣介石開始在船上寫作《遊俄報告書》。十四日續寫，時作時輟，不寫時便在甲板上與王登雲一起跑步。訪蘇四個月以來，蔣介石至今才感到心地略暢。日記云：「風平浪靜，船位寬暢，亦一樂事也。」十四日，繼續寫作《遊俄報告書》。十五日，船入吳淞口。九時登岸回家，陳潔如還未起床。

當天下午，蔣介石往訪張靜江後，即登上江天輪，趕回奉化。胡漢民、汪精衛、廖仲愷、林業明、陳果夫諸人都到船上與蔣介石相會，詳敘別情。蔣介石向廖仲愷等人簡要彙報了訪蘇之行，說明俄國人對代表團「很同情」，「他在一些會議上發表了演說，人們把他抬了起來，音樂打斷了他的講話；人們向他說明了與政治工作有關的各種情況，甚至向他講了黨內在中國問題上存在的意見分歧」。蔣概括說：「這一切給他留下了很誠懇的印象。」「蘇聯有給予支援的真誠願望，問題在於，國民黨人是否充分理解自己的任務。」【七三】此前二日，孫中山在廣州已經啟動了在近代中國具有重大意義的國民黨的改組工作，重新進行黨員登記，委任廖仲愷、譚平山、陳樹人、孫科、楊庶堪等人為臨時中央執行委員，因此大家都勸蔣介石回滬，參加上海地區的黨務改組，但蔣介石執意不從，一心趕回溪口，紀念母親王太夫人的六十冥誕。他只向孫中山捎去一個建議，任命楊庶堪為廣東省省長。回奉化後，蔣介石又將他所寫的《遊俄報告書》寄給孫中山。不過，這份《報告》至今尚未發現。

十七　去廣州向孫中山報告，孫認為蔣「過慮」

十二月十六日早七時，蔣介石船抵寧波，僱了座轎子，兼程趕回溪口。二時半到家，沒有休息，就趕往母親墓地參拜。當晚就住在新近落成的慈庵中。二十四日，又赴祖父母墓地參拜，同時視察亡弟的墳塋。

這邊蔣介石在家鄉省墓，那邊廖仲愷、孫中山心急如焚地等待蔣介石彙報。十二月二十日，在上海的廖仲愷致電蔣介石，告以鮑羅廷有事商量，黃埔軍校急待開辦，要蔣立即乘輪來滬，共同南下。二十二日，廖仲愷、汪精衛、胡漢民聯名致函蔣介石，說明已將蔣的建議向孫中山提出，「待商之事甚多」，要求蔣介石勿因省長問題未決而拖延來滬時間。二十六日，胡、廖、汪三人再次致函蔣介石，轉抄楊庶堪覆電，中稱：「鮑先生日盼兄至，有如望歲，兄若不來，必致失望。」又稱：「軍官學校由兄負完全責任辦理，一切條件不得兄提議，無從進行。」【七四】二十七日，張靜江也致函蔣介石，認為「似不宜再緩」。二十八日，汪精衛轉來孫中山二十四日電報，中稱：

兄此行責任至重，望速來粵報告一切，並詳籌中俄合作辦法。台意對於時局、政局有所主張，皆非至粵面談不可，並希約靜江、季陶同來，因有要務欲與商酌也。【七五】

同日，廖仲愷也致函蔣介石，說明上海諸人最遲一月四日搭船離滬，要求蔣「萬不能再延」。函件以前所未有的語氣責備說：「否則事近兒戲，黨務改組後而可乘此惰氣乎！」【七六】

儘管眾人一再催促，蔣介石還是在一月十六日才到達廣州。四天後，中國國民黨第一次全國代表大會開幕。二十四日，孫中山任命蔣介石為陸軍軍官學校籌備委員長。三十日，孫中山任命楊庶堪為廣東省省長。二月三日，孫中山任命蔣介石為國民黨本部軍事委員會委員。

到廣州後，蔣介石即向孫中山口頭報告訪蘇情形，同時提出對國共合作的意見。孫中山原本支持蔣介石的軍事計劃。一九二三年十月九日，他就向蘇聯派遣來華的顧問鮑羅廷表示：我還等待着我派赴莫斯科的代表所進行的談判的結果。很明顯，我期待着在莫斯科的這些談判能夠取得豐碩成果。【七七】蘇俄政府拒絕蔣介石的計劃，孫中山不能沒有失望之感。不過，孫中山認為，「唯一的朋友是蘇聯」，因此，他批評蔣介石「對於中俄將來的關係，未免顧慮過甚，更不適於當時革命現實的環境」。對國共合作問題，孫中山也認為蔣介石過慮。【七八】據蔣介石多年後的回憶，孫說：蘇俄對中國革命，只承認本黨為唯一領導革命的政黨，並力勸其共產黨員加入本黨，服從領導，何況，蘇俄也承認，中國並無實行其共產主義的可能呢！因此，孫中山決心堅持聯俄容共的決策。

國民黨第一次全國代表大會期間，蔣介石認為參加大會的共產黨員「挾俄自重」，「本黨黨員盲從共產主義」，於二月二十一日向孫中山辭去陸軍軍官學校校長職務，離粵還鄉。三月十四日，他致函廖仲愷，將共產黨區分為「國際共產黨」與「俄國共產黨」，又將「俄國共產黨」的「主義」與「事實」分開，表示「主義」雖可信，而「事實」則不然。信中，蔣介石強烈指責「俄黨」對中國的政策，他說：「至其對中國之政策，在滿、蒙、回、藏諸部，皆為其蘇維埃之一，而對中國本部未始無染指之意。」「彼之所謂國際主義與世界革命者，皆不外凱撒之帝國主義，不過改易名稱，使人迷惑於其間而已。所謂俄與英、法、美、日者，以弟視之，其利於本國而損害他國之心，則五十步與百步之分耳。」【七九】蘇聯支援中國革命，有其真誠的一面，蔣介石將其與英、法、美、日並視，稱其為變相的「凱撒之帝國主義」，是錯誤的，但是，揆諸歷史，蘇聯在其國家發展中，確有其民族利己主義和民族擴張主義的一面，這也是不爭的事實。

蔣介石對蘇聯和中共的批評並沒有堅持多久，很快，他就以堅決主張聯蘇、聯共的左派姿態出現在中國的政治舞台上。

原載上海《世紀》二〇〇七年第二—三期

註釋：

【一】《蔣介石日記》，手稿本，一九一八年七月二十四日，美國：胡佛研究院藏。

【二】《蔣介石日記》，手稿本，一九一九年十一月五日。

【三】手稿本殘損，此據《蔣介石日記類抄．文事》補。

【四】《蔣介石日記》，手稿本，一九二〇年二月十四日云：「下午，執信來教俄語。」

【五】《蔣介石日記》，手稿本，一九二〇年三月十八日、十九日。

【六】《蔣介石日記》，手稿本，一九二〇年四月二十六日。

【七】《蔣介石日記》，手稿本，一九二〇年九月二十二日。

【八】《蔣介石日記》，手稿本，一九二一年一月一日。

【九】《孫中山全集》第六卷，北京：中華書局，一九八五，第六一六頁。

【一〇】卡爾圖諾娃：《加倫在中國》，北京：中國社會科學出版社，一九八三，第一七頁。

【一一】《聯共（布）、共產國際與中國國民革命運動》（一），北京圖書館出版社，一九九七，第一六六頁。

【一二】李玉貞主編：《馬林與第一次國共合作》，北京：光明日報出版社，一九八九，第一七四頁。

【一三】《與楊庶堪縱談粵局與個人行止》，秦孝儀主編：《先總統蔣公思想言論總集．別錄》，台北：中國國民黨中央史委員會，一九八七，第九一頁。

【一四】《蔣介石日記》，手稿本，一九二三年八月六日、七日。

【一五】《蔣介石日記》，手稿本，一九二三年八月十九日。

【一六】《蔣介石日記》，手稿本，一九二三年九月三日。

【一七】《蔣介石日記》，手稿本，一九二三年九月五日。

【一八】以上對話，見《聯共（布）、共產國際與中國國民革命運動》（一），第二八二—二八三頁。

【一九】《聯共（布）、共產國際與中國國民革命運動》（一），第二八七頁。

【二〇】《蔣介石日記》，手稿本，一九二三年九月九日。

【二一】*New Prospects of the Chinese Revolution*, 原存俄羅斯現代歷史文獻保管與研究中心。

【二二】中國第二歷史檔案館編：《蔣介石年譜初稿》，北京：檔案出版社，一九九二，第五四頁。

【二三】《致蘇俄負責人員意見書》，《籌筆》（一），0001，「蔣檔」，台北：國史館藏。

【二四】《蔣介石日記》，手稿本，一九二三年九月十六日。

【二五】《聯共（布）、共產國際與中國國民革命運動》（一），第二九一頁。

【二六】《聯共（布）、共產國際與中國國民革命運動》（一），第二九二頁。

【二七】《聯共（布）、共產國際與中國國民革命運動》（一），第二九二—二九三頁。

【二八】《蔣介石日記》，手稿本，一九二三年九月十七日。

【二九】《蔣介石日記》，手稿本，一九二三年九月二十三日。

【三〇】《蔣介石日記》，手稿本，一九二三年十月一日。

【三一】《蔣介石日記》，手稿本，一九二三年十月二日。

【三二】To Comrade Trotzky, Skliansky & Kameneff. 南京：中國第二歷史檔案館藏。

【三三】Memorandum of the Delegation of Dr. Sun Yat Sen with Relation to the Proposal Mentioned in the Telegram of A.A. Joffe Sent from Tokyo May 1, 南京：中國第二歷史檔案館藏。

【三四】《蔣介石日記》，手稿本，一九二三年十月八日。

【三五】《蔣介石日記》，手稿本，一九二三年十一月十六日。

【三六】《蔣介石日記》，手稿本，一九二三年十一月四日。

【三七】《蔣介石日記》，手稿本，一九二三年十一月四日。

【三八】《蔣介石年譜初稿》，第一三七—一三八頁。

【三九】《蔣介石日記》，手稿本，一九二三年十月二十六日。

【四〇】《聯共（布）、共產國際與中國國民革命運動》（一），第三〇八頁。

【四一】《聯共（布）、共產國際與中國國民革命運動》（一），第三〇九頁。

【四二】《聯共（布）、共產國際與中國國民革命運動》（一），第三一一頁。本文原件為俄文，本文引用時對中譯文的口氣略有變動。

【四三】《聯共（布）、共產國際與中國國民革命運動》（一），第三一〇—三一二頁。

【四四】《聯共（布）、共產國際與中國國民革命運動》（一），第三一二—三一三頁。

【四五】《蔣介石日記》，手稿本，一九二三年十一月十一日。

【四六】《蘇俄政府第一次對華宣言》，《中國近代對外關係史資料選輯》，下卷，第一分冊，上海人民出版社，一九七七，第一五—一六頁。

【四七】《蘇俄政府第二次對華宣言》《中國近代對外關係史資料選輯》下卷，第一分冊，第一八頁。

【四八】《孫越宣言全文與國共聯合》，《外交月報》第二卷第一期。

【四九】《時報》，一九二三年九月十九日。

【五〇】《蘇俄在中國》，《先總統蔣公思想言論總集．專著》，第二九—三〇頁。

【五一】陳錫祺：《孫中山年譜長編》下冊，北京：中華書局，二〇〇三，第一六八七頁。

【五二】《孫中山全集》第八卷，第二一六頁。

【五三】《蔣介石日記》，手稿本，一九二三年十月十一日。

【五四】Allen Suess Whiting, *Soviet Policies in China*, Stanford Univercity Press,1968, p.234.

【五五】《蔣介石日記》，手稿本，一九二三年十月十三日。

【五六】《蔣介石年譜初稿》，第一六八頁。

【五七】《蔣介石日記》，手稿本，一九二三年十二月十三日。

【五八】《蔣介石年譜初稿》，第一六八頁。

【五九】《聯共（布）、共產國際與中國國民革命運動》（一），第二九七—三〇二頁。

【六〇】《聯共（布）、共產國際與中國國民革命運動》（一），第三三〇—三三一頁。

【六一】《蔣介石日記》，手稿本，一九二三年十一月二十五日。

【六二】《聯共（布）、共產國際與中國國民革命運動》（一），第三三五—三三七頁。
【六三】以上對話，見《聯共（布）、共產國際與中國國民革命運動》（一），第三三七—三三八頁。
【六四】《聯共（布）、共產國際與中國國民革命運動》（一），第三四二—三四五頁。
【六五】《蔣介石日記》，手稿本，一九二三年十一月二十八日。
【六六】《蔣介石年譜初稿》，第一四〇頁。
【六七】《聯共（布）、共產國際與中國國民革命運動》（一），第三四〇—三四一頁。
【六八】《蔣介石日記》，手稿本，一九二三年十一月二十七日。
【六九】《聯共（布）、共產國際與中國國民革命運動》（一），第三八三頁。
【七〇】《蔣介石日記》，手稿本，一九二三年十一月二十八日。
【七一】《蔣介石日記》，手稿本，一九二三年十一月二十八日。
【七二】《蔣介石日記》，手稿本，一九二三年十二月十二日。
【七三】《聯共（布）、共產國際與中國國民革命運動》（一），第三八四頁。
【七四】《蔣介石年譜初稿》，第一四四—一四五頁。
【七五】《蔣介石年譜初稿》，第一四四頁。
【七六】《蔣介石年譜初稿》，第一四五頁。
【七七】N.Mitarevsky, *World Soviet Plots*, Tientsin Press ,1927.
【七八】《蘇俄在中國》，《先總統蔣公思想言論總集·專著》，第三二頁。
【七九】《蔣介石年譜初稿》，第一六七頁。

「中山艦事件」之謎

一九二六年三月二十日在廣州發生的「中山艦事件」，撲朔迷離，它的許多疑團至今尚未解開。本文擬探討這一事件發生前後的真實過程，以進一步揭開「中山艦事件」之謎。

一 「中山艦事件」之前蔣介石的心理狀態

「中山艦事件」後，蔣介石曾多次談到有關經過，但是，他吞吞吐吐，欲言又止。六月二十八日，他在孫中山紀念周上演說稱：「若要三月二十日這事情完全明白的時候，要等到我死了，拿我的日記和給各位同志答覆質問的信，才可以公開出來。那時一切公案，自然可以大白於天下了。」【一】現在，該是對這樁公案徹底清理的時候了。下面，就我們所能見到的蔣介石這一時期的部分日記及有關信件、資料，對它進行一次考察。

根據日記、信件等資料，自一九二六年一月起，蔣介石和蘇俄軍事顧問團團長季山嘉以及汪精衛之間的矛盾急劇尖銳。先是表現在北伐問題上，後又表現在黃埔軍校和王懋功第二師的經費增減問題上。

一九二五年末，蔣介石從汕頭啟程回廣州，參加國民黨第二次全國代表大會，主張立即北伐。十二月二十八日日記云：「預定明年八月克復武漢。」【二】一九二六年一月四日，他在國民政府春酌中發表演說：「從敵人內部情形看去，崩潰一天快似一天。本黨今年再加努力，可以將軍閥一概打倒，直到北京。」【三】兩天後，他在向大會所作的軍事報告中又聲稱：「再用些精神，積極整頓，本黨的力量就不難統一中國」，「我們的政府已經確實有了力量來向外發展了」。【四】季山嘉反對蔣介石立即北伐的主張。他在黃埔軍校會議上以及在和蔣介石的個別談話中，都明確表示過自己的意見。這些意見，從顧問團寫給蘇聯駐華使館的報告中可以知其梗概。該報告認為：「國民黨中央缺乏團結和穩定。它的成員中包含着各種各樣的成份，經常搖擺不定」；又說：「軍隊缺乏完善的政治組織，將領們個人仍然擁有很大的權力。在有利的情況下，他們中的部分人可能反叛政府，並且在國民黨右翼的政治口號下，聯合人口中的不滿成份。另一方面，國民革命軍何時才能對北軍保持技術上的優勢還很難說。當然，革命軍的失敗將給予廣州內部的反革命以良機。」【五】文件未署名，但季山嘉身為顧問團團長，報告顯然代表了他的意見。據此可知，季山嘉和顧問們認為，由於政治、軍事等方面的條件還不成熟，因此，北伐應該從緩。然而，蔣介石容不得反對意見，二人的裂痕由此肇端。

但是，這一時期，蔣介石與季山嘉之間的關係還未徹底破裂。一月中旬，奉、直軍閥在華北夾攻馮玉祥的國民軍。為此，季山嘉提出兩項建議：一、由海道出兵往天津，援助國民軍；二、蔣介石親赴北方練兵。其地點，據說是在海參崴。【六】對於這兩項建議，汪精衛贊成，蔣介石最初也同意。一月二十六日日記云：「往訪季山甲（嘉）將軍，商運兵往津援助事。」【七】二十八日日記又云：「往訪季山嘉顧問，研究北方軍事、政治。實決心在北方尋得一革命根據地，其必大於南方十倍也。」【八】然而，蔣介石很快就改變了態度。二月六日，軍事委員會會議議決黃埔軍校經費三十萬元，王懋功第二師經費十二萬元。七日，軍校經費減至二十七萬元，王懋功第二師的經費則增至十五萬元。此事引起蔣介石的疑忌，懷疑是季山嘉起了作用。【九】當日，蔣介石和季山嘉進行了一次談話。從有關資料看，季山嘉擔心中國革命重蹈土耳其的覆轍，對國民革命軍軍官的素質表示不滿，對蔣介石也有委婉的批評。蔣介石「意頗鬱鬱」，抱怨蘇俄顧問「傾信不專」，在日記中說：「往訪季山嘉顧問，談政局與軍隊組織，針砭規戒之言甚多，而其疑惑戒懼之心，亦昭昭明甚。以中國之社會與空氣，難怪其以土耳其為殷鑒，亦難怪其疑中國軍人為貪污卑劣之品也。嗚呼！國家若此，軍人如彼，欺淩侮辱，誠令人格喪失，無地自容矣。」【一〇】當日，蔣介石在日記中表示：「急思跳出環境，免成軍閥也。」季山嘉覺察到了蔣介石的不滿，曾於事後立即向汪精衛表示：「我等俄國同志，若非十二分信服蔣校長，則我等斷不致不遠萬里而來，既來之後，除了幫助蔣校長，再無別種希望。」又稱：「至於其他一切商榷，我等既意存幫助，則當知無不言，言無不盡，此正由十二分信服，故如此直言不隱。若蔣校長以為照此即是傾信不專，則無異禁我等不可直言矣。」【一一】季山嘉的這一態度，柔中有剛，一方面表示「信服」蔣校長，「幫助」蔣校長，另一方面又毫不妥協地聲明，在有不同意見時應該「直言不隱」。汪精衛隨即於八日致函蔣介石，將季山嘉的上述表態原原本本地告訴了他。蔣介石的直接反應是，決定辭去一切軍職。【一二】八日，蔣介石表示不就軍事總監一職；九日，通電辭去軍事委員會委員及廣州衛戍司令職務。十一日日記提出有兩條路可走，一條是「積極進行，衝破難關」，一條是「消極下去，減輕責任，以為下野餘地」，並云：「蘇友疑忌、侮慢、防範、欺弄之行，或非其本來方針，然亦無怪其然，惟有以誠義感之而已。」【一三】十三日，日記中突然有了準備赴俄的記載：「如求進步，必須積極，否則往莫斯科一遊，觀察蘇俄情形也。」

在蔣介石與季山嘉的矛盾中，汪精衛支持季山嘉。國民黨第二次全國代表大會期間，蔣介石提出北伐問題，汪精衛曾表示同意，並開始準備經費，但不久轉而贊同季山嘉的意見。二大未就北伐問題作出任何決定。二月八日，汪精衛在向蔣介石轉述季山嘉態度的信函中，又盛讚季山嘉「說話時，一種光明誠懇之態度，令銘十分感動」，要蔣介石創造條件，使季山嘉等能夠「暢所欲言，了無忌諱，了無隔閡」【一四】。對於蔣介石的辭職，汪精衛則一再挽留，二月九日函云：「廣州衛戍司令職，弟實不宜辭，是否因經費無着？此層銘昨夜曾想及，故今晨致弟一電，請開預算單。」【一五】十二日再致一函云：「以後弟無論辭何職，乞先明以告我。如因兄糊塗，致弟辦事困難，則兄必不吝改過。」【一六】十四日，汪精衛並親訪蔣介石，從上午一直談到晚上，勸他打消辭意。【一七】但是，蔣介石毫不動心。十九日，蔣介石向汪精衛正式提出「赴俄」一事。當日日記云：「余決意赴俄休養，研究革命，以近來環境惡劣，有加無已，而各方懷疑漸深，積怨叢生，部下思想不能一致，個人觀念亦難確定，安樂非可與共，亦不得不離粵休養也。」同日，季山嘉到蔣介石寓所訪問，談話中，蔣介石透露了「赴俄」的意圖，並且觀察季山嘉的反應，於日記中寫下了「狀似不安」四字。大約在此期間，蔣介石擬派邵力子赴北京，請鮑羅廷回粵。隨後又致電鮑羅廷，要求撤換季山嘉。

二月二十二日晚，蔣介石應邀參加蘇聯顧問的宴會。席上，蔣自感有人「嫌」他。二十三日，原代理軍校教育長、第二十師師長王柏齡見蔣，說有人詆毀他。蔣介石將這兩件事聯繫起來，疑慮重重。日記云：「聞茂如言，人毀我，昨夜又見人嫌我。」【一八】二十四日，國民政府成立兩廣統一委員會，任命汪精衛、蔣介石、譚延闓、朱培德、李濟深、白崇禧為委員，將廣西軍隊改編為第八軍、第九軍，以李宗仁、黃紹竑為軍長。此事進一步引起蔣介石的疑忌，他認為廣東有六個軍，照次序，廣西軍隊應為第七、第八軍。但是，現在卻將第七軍的建制空下來，必然是季山嘉企圖動員王懋功背叛自己，然後任命他為第七軍軍長。【一九】於是，蔣介石聽從王柏齡的建議，於二十六日以迅雷不及掩耳的手段將王懋功扣留，任命自己的親信劉峙為第二師師長。當日日記云：「上午，茂如來談，撤革王懋功之師長職，扣留之。此人狡悍惡劣，唯利是視」，「其用心險惡不可問，外人不察，思利用其以倒我，不知將來為害黨國與革命至於胡底，故決心革除之」。【二〇】扣王之後，蔣日記云：「今晚略得安睡矣。」次日，將王押送赴滬。

王懋功政治上接近汪精衛，王部是汪可以掌握的一支武裝力量。蔣介石驅王之後，覺得心頭一塊石頭落了地。二十七日在日記中得意地寫道：「凡事應認明其原因與要點。要點一破，則一切糾紛不解自決。」一月以來之難境心戰，至此稍安，然而險危極矣。」他找到汪精衛，聲言季山嘉「專橫矛盾，如不免去，不惟黨國有害，而且牽動中俄邦交。」又稱：「如不准我辭職，就應令季山嘉回俄。」下午，季山嘉在和汪精衛議事時，表示將辭去顧問職務。蔣介石在日記中對此稱：「不知其尚有何作用也？」【二一】

儘管蔣介石在驅除王懋功問題上取得了勝利，但仍然疑慮重重，覺得自己處於極為危險的境地。三月五日日記云：「單槍片馬，孤苦零丁，忤逆毀巇，此吾今日之環境也。總理與諸先烈有靈，其當憐而援之，不使我陷於絕境至此也。」【二二】三月七日，劉峙、鄧演達二人告訴蔣介石，有人以油印傳單分送各處，企圖掀起「反蔣」運動，這更增加了蔣介石的危機感，覺得有人在陷害他，企圖把他搞掉。三月十日日記云：「近日反蔣運動傳單不一，疑我、謗我、毀我、忌我、排我、害我者亦漸顯明，遇此拂逆，精神頹唐，而心志益堅矣。」這時，蔣介石和季山嘉的矛盾更形尖銳，以致於公然「反臉」【二三】。十二日，季山嘉和他討論北伐問題，他居然「力辟其謬妄」【二四】。蔣介石曾同意季山嘉由海路運兵往天津的計劃，此時卻認為這是「打消北伐根本之計」，與孫中山的「北伐」之志完全「相反」【二五】。對於季山嘉勸他往北方練兵的建議，更認為是心懷叵測，是有意設法使他離開廣東，「以失軍中之重心，減少吾黨之勢力」【二六】。「赴俄休養」本來是蔣介石自己提出的，而當汪精衛為了緩解他和季山嘉的矛盾，同意這一要求，惟其「速行」時，蔣介石卻又恐懼起來。三月十四日，蔣介石和汪精衛談話後，在日記中寫道：「晚，與季新兄談話，其催予離粵乎？」三月十五日日記云：「知王懋功之惡劣及世道人心之險詐，誠不能辨事矣。革命絕望。晚在家憤悶已極。」又云：「憂患疑懼已極，自悔用人不能察言觀色，竟陷於此，天下事不可為矣！」這一時期，他和秘書陳立夫的赴俄護照也得到批准【二七】，就使他更加惶惶然了。

正是在這種狀態下，右派乘虛而入，利用蔣介石多疑的心理，製造謠言和事端，以進一步挑起蔣介石和汪精衛、季山嘉以及共產黨人之間的矛盾。

二 中山艦調動經過

要揭開「中山艦事件」之謎，還必須查清中山艦調動經過。

根據黃埔軍校管理科交通股股員黎時雍的報告，事件的開始是這樣的：「十八日午後六時半，孔主任因外洋定安火輪被匪搶劫，飭趙科長速派巡艦一隻，運衛兵十六名前往保護。職奉令後，時因本校無船可開，即由電話請駐省辦事處派船以應急需，其電話係由王股員學臣接。」【二八】孔主任，指黃埔軍校校長辦公廳主任孔慶叡。趙科長，指黃埔軍校管理科科長趙錦雯。定安輪是由上海開到廣州的商輪，因船員與匪串通，在海上被劫，停泊於黃埔上游。【二九】根據黎時雍的上述報告，可知當時調艦的目的在於保護商輪，最初並沒有打算向李之龍管轄的海軍局要艦，更沒有指定中山艦開動，所求者不過「巡艦」（巡邏艇）一隻，衛兵十六名而已。只是由於黃埔軍校「無船可開」，才由黎時雍自作主張，向黃埔軍校駐省辦事處，請求「速派船來，以應急需」。

駐省辦事處接電話的是交通股股員王學臣。他事後的陳述是：「三月十八日午後六時三十分，接駐校交通股黎股員時雍電話云：因本晚由上海開來定安商輪已被土匪搶劫。現泊黃埔魚珠上游。奉孔主任諭，派衛兵十六名，巡艦一隻，前往該輪附近保護，以免再被土匪搶劫。職因此時接電話聽不明了，係奉何人之諭，但有飭趙科長限本夜調巡洋艦一二艘以備巡查之用。職當即報告歐陽股長……想情係教育長之諭，故此請歐陽股長向海軍局交涉。」【三〇】歐陽股長，指黃埔軍校管理科交通股股長兼駐省辦事處主任歐陽鍾。根據上述報告可知，向海軍局要艦的是王學臣，所謂鄧演達「教育長之諭」則是因為電話聽不清，「想情」之故。至於艦隻規模，也因「想情」之故，由「巡艦」而上升為「巡洋艦一二艘」了。

歐陽鍾得到王學臣的報告後，即親赴海軍局交涉。當時，海軍局代局長李之龍因公外出，由作戰科科長鄒毅面允即派艦隻一二艘前往黃埔，聽候差遣。此後，據歐陽鍾自稱，他「於是即返辦事處」【三一】。而據海軍局的《值日官日記》則稱：「因李代局長電話不通，無從請示辦法，故即着傳令帶同該員面見李代局長，面商一切。」【三二】又據李之龍夫人報告：當夜，有三人到李之龍家，因李仍不在，由李之龍夫人接待，「中有一身肥大者」聲稱：「奉蔣校長命令，有緊急之事，派戰鬥艦兩艘開赴黃埔，聽候蔣校長調遣」，同時又交下作戰科鄒科長一函，中稱：已通知寶璧艦預備前往，其餘一艘，只有中山、自由兩艦可派，請由此兩艦決定一艘。李之龍歸來閱信後，即去對門和自由艦艦長謝崇堅商量，因自由艦新從海南回省，機件稍有損壞，李之龍決定派中山艦前往，當即下令給該艦代理艦長章臣桐。【三三】同夜十時餘，黃埔軍校校長辦公廳秘書季方接到歐陽鍾電話，據稱：向海軍局交涉之兵艦，本晚可先來一艘（即寶璧艦），約夜十二時到埔，請囑各步哨不要誤會。季方當即詢問因何事故調艦，抑奉何人之命交涉，答稱：係由本校黎股員時雍電話囑咐，請保護商輪之用。【三四】

十九日晨六時，寶璧艦出口。七時，中山艦出口。同日晨，海軍局參謀廳作戰科科長鄒毅要求歐陽鍾補辦調艦公函，歐陽鍾照辦。此函現存，內稱：「頃接黎股員電話云：奉教育長諭，轉奉校長命，着即通知海軍局迅速派兵艦兩艘開赴黃埔，聽候差遣等因，奉此，相應通知貴局迅速派兵艦兩艘為要。」中山艦於上午九時開抵黃埔後，代理艦長章臣桐即到軍校報到，由季方委派副官黃珍吾代見。章出示李之龍命令，略稱：派中山艦火急開往黃埔，歸蔣校長調遣。該艦長來校，乃為請示任務，並稱：若無十分重要事情，則給其回省，另換一小艦來候用。黃珍吾當即報告鄧演達，鄧謂並無調艦來黃埔之事，但他「公事頗忙」，命黃轉知該艦長聽候命令。【三五】

當時，以聯共（布）中央委員布勃諾夫為團長的蘇聯使團正在廣州考察。中山艦停泊黃埔期間，海軍局作戰科鄒科長告訴李之龍，因俄國考查團要參觀中山艦，俄顧問詢問中山艦在省河否？李之龍即用電話請示蔣介石，告以俄國考查團參觀，可否調中山艦返省，得到蔣介石同意，然後李之龍便電調中山艦回省。【三六】

中山艦的調動經過大體如上。這一經過至少可以說明以下幾點：

一、中山艦駛往黃埔並非李之龍「矯令」，它與汪精衛、季山嘉無關，也與共產黨無關。多年來，蔣介石和國民黨部分人士一直大肆宣傳的所謂「陰謀」說顯然不能成立。

二、蔣介石沒有直接給海軍局或李之龍下達過調艦命令。因此，所謂蔣介石下令調艦而又反誣李之龍「矯令」說也不能成立。

三、中途加碼，「矯」蔣介石之令的是歐陽鍾。他明明去了李之龍家，卻在事後隱匿有關情節；他在海軍局和李之龍夫人面前聲稱「奉蔣校長命令」調艦，而在給作為校長辦公廳秘書的季方的電話裡，卻只能如實陳述；在給海軍局的公函裡，他清楚地寫着要求「迅速派兵艦兩艘」，而在事後所寫的報告和供詞中，又謊稱只是「請其速派巡艦一、二艘」【三七】，有意含糊其詞。因此，歐陽鍾是中山艦事件的一個重要干係人物。此人是江西宜黃人，一九二五年五月任軍校代理輜重隊長，不久改任少校教官，其後又改任管理科交通股股長兼軍校駐省辦事處主任。他是孫文主義學會骨幹、海軍軍官學校副校長歐陽格之侄。【三八】瞭解了他的這一身份，將有助於揭開中山艦事件之謎。

三　蔣介石的最初反應和「中山艦事件」之後的日記

據蔣介石自述，三月十九日上午，「有一同志」在和蔣介石見面時曾問：「你今天黃埔去不去？」蔣答：「今天我要去的。」二人分別之後，到九點、十點時，「那同志」又打電話來問：「黃埔什麼時候去？」如此一連問過三次。蔣介石覺得有點「稀奇」了：「為什麼那同志，今天總是急急的來問我去不去呢？」便答覆道：「我今天去不去還不一定。」蔣介石所說的「有一同志」，他當時表示名字「不能宣佈」，但實際上指的是汪精衛。到下午一點鐘的時候，蔣介石又接到李之龍的電話，請求將中山艦調回省城，預備給俄國參觀團參觀。蔣介石當即表示：「我沒有要你開去，你要開回來，就開回來好了，何必問我做什麼呢？」此後，蔣介石愈益感到事情蹊蹺：「為什麼既沒有我的命令要中山艦開去，而他要開回來為什麼又要來問我？」「中山艦到了黃埔，因為我不在黃埔，在省裡，他就開回來省城。這究竟是什麼一回事。」【三九】當日，蔣介石有這樣一段日記：「上午，往訪季新兄。回寓會客。準備回汕休養，而乃對方設法陷害，必欲使我無地自容，不勝憤恨。下午五時，行至半途，自思為何必欲私行，予人口實，志氣何存！故決回寓，犧牲個人一切以救黨國也，否則國粹盡矣。終夜議事。四時往經理處，下令鎮壓中山艦陰謀，以其欲陷我也。權利可以放棄，名位可以不顧，氣節豈可喪失乎？故余決心不走。」【四〇】蔣介石的這一段日記提出了一個重要事實，就是，他在判斷所謂「陷我」的陰謀之後，最初的反應是離開廣州，退到他所掌握的東征軍總指揮部所在地汕頭。已經行至半途了，才決定返回，對中山艦採取鎮壓措施。蔣介石的這一段記載，證以陳肇英、陳立夫、王柏齡等人的回憶，當是事實。陳肇英時任虎門要塞司令，他在《八十自述》中回憶說：三月十九日，蔣介石專使密邀陳肇英、徐桴（第一軍經理處處長）、歐陽格三人籌商對策。「當時蔣校長顧慮共產黨在黃埔軍校內，擁有相當勢力，且駐省城滇軍朱培德部，又有共黨朱德統率之大隊兵力【四一】，且獲有海軍的支持，頗非易與，主張先退潮、汕，徐圖規復。我則主張出其不意，先發制人，並請命令可靠海軍，集中廣九車站待變，以防萬一。初時蔣校長頗為躊躇，且已購妥開往汕頭之日輪『廬山丸』艙位。迨車抵長堤附近，蔣校長考慮至再後，終覺放棄行動，後果殊難把握，亟命原車馳回東山官邸，重行商討，終於採納我的建議，佈置反擊。」【四二】陳立夫則稱：「汪先生謀害蔣先生」，「蔣先生發覺了這個陰謀，很灰心，要辭職，要出亡」。十九日那天，檢點行李，帶他坐了汽車到天字碼頭，預備乘船走上海。在車上，他勸蔣先生幹，「有兵在手上為什麼不幹？」【四三】又稱：「昔秦始皇不惜焚書坑儒，以成帝業。當機立斷，時不可失。退讓與妥協，必貽後悔。」【四四】汽車到了碼頭，「蔣先生幡然下決心，重複回到家中發動三月二十日之變。」【四五】陳肇英和陳立夫的回憶在回汕頭或去上海上雖有差異，但在蔣介石一度準備離開廣州這一點上卻和蔣介石的日記完全一致。這說明蔣介石當時確實相信有一個「陷害」他的陰謀，否則，他是不必在自己的親信面前演出這一場戲的。

關於此，還可以在蔣介石「中山艦事件」之後的日記和其他資料中得到證明。

二十日晨，根據蔣介石命令，採取了一系列措施：全城戒嚴；逮捕李之龍等共產黨員五十餘人；佔領中山艦；包圍省港罷工委員會，收繳工人糾察隊的槍械。與此同時，蘇俄顧問也受到監視，衛隊槍械被繳。二十一日，汪精衛致函國民黨中央委員會請病假，聲稱「甫一起坐，則眩暈不支，迫不得已，只得請假療治」，所有各項職務均請暫時派人署理。【四六】當日傍晚，蔣介石去探視汪精衛，日記云：「傍晚，訪季新兄病。觀其怒氣沖天，感情衝動，不可一世。甚矣政治勢力之惡劣，使人幾乎無道義之可言也。」

二十二日，國民黨中央委員會在汪精衛寓所召集臨時特別會議。會議上，汪精衛對蔣介石擅自行動表示了不滿，會議決定：「工作上意見不同之蘇俄同志暫行離去」；「汪主席患病，應予暫時休假」；「李之龍受特種嫌疑，應即查辦。」【四七】 會後，汪精衛即隱居不知去向。二十五日，蔣介石日記云：「四時後回省，與子文兄商議，找覓精衛行蹤不可得。後得其致靜兄一書，稱余疑其、厭其，所以不再任政治、軍事之事。彼之心跡可以知矣。為人不可有虧心事也。」此後數日內，蔣介石日記充滿了對汪精衛的指責。

三月二十六日日記云：「政治生活全是權謀，至於道義則不可復問矣。精衛如果避而不出，則其陷害之計，昭然若揭矣，可不寒心！」

三月二十八日日記云：「某兄始以利用王懋功，離叛不成，繼以利用教育長陷害又不成，毀壞余之名節，離間各軍感情，鼓動空氣，謂余欲殺某黨，欲叛政府。嗚呼！抹煞余之事業有所不計，而其抹煞總理人格，消滅總理系統，叛黨賣國，一至於此，可不痛乎！」

四月七日日記云：「接精衛兄函，似有急急出來之意，乃知其尚欲為某派所利用，不惜黨國之敗壞也。」

蔣介石的這些日記表明，他當時確實認為，「陷害」他的陰謀的核心人物是汪精衛。四月二十日，蔣介石在演說中聲稱：「有人說，季山嘉陰謀，預定是日待我由省城乘船回黃埔途中，想要劫我到中山艦上，強逼我去海參崴的話，我也不能完全相信，不過有這樣一回事就是了。」【四八】 話雖然說得有點遊移，但卻道出了他的心病。

汪精衛於政治委員會臨時特別會議之後隱居不出，據陳璧君說，一是為了「療病」，一是為了讓蔣介石「反省一切」。【四九】 但蔣介石除了裝模作樣地給軍事委員會寫過一個呈子，自請處分外，並無什麼像樣的

「反省」行為。其間，汪精衛讀到了蔣介石致朱培德的一封信，信中，蔣介石毫不掩飾地表露了他對汪精衛的疑忌，於是汪精衛決定出國。三月三十一日汪精衛致函蔣介石，內稱：「今弟既厭銘，不願與共事，銘當引去。銘之引去，出於自願，非強迫也。」【五〇】蔣介石於四月九日覆函云：「譬有人欲去弟以為快者，或有陷弟以為得計者，而兄將如之何？」又稱：「以弟之心推之，知兄必無負弟之意，然以上述之事實證之，其果弟為人間乎？抑兄早為人間乎？其果弟疑兄而厭兄乎？抑吾兄疑弟而厭弟乎？」【五一】這封信也說明了蔣介石當時認為，汪精衛受人離間，懷疑並厭棄自己，和其日記是一致的。

此外，還可以考察一下蔣介石這一時期的精神狀態。三月二十日下午，何香凝曾去見蔣介石，質問他究竟想幹什麼，派軍隊到處戒嚴，並且包圍罷工委員會，是不是發了瘋，還是想投降帝國主義？據記載，蔣介石「竟像小孩子般伏在寫字台上哭了」。【五二】陽翰笙也回憶說，當他代表入伍生部到黃埔開會，見蔣介石「形容憔悴，面色枯黃」，作報告時講到「情況複雜，本校長處境困難時，竟然哭起來了」。【五三】鄧演達也因為蔣介石「神色沮喪」，甚至關照季方：「要當心校長，怕他自殺」。【五四】這種精神狀態，從蔣介石認為自己處於被「陷害」的角度去分析，也許易於理解。

儘管蔣介石內心對汪精衛恨之入骨，但是，汪精衛當時是國民政府主席、國民革命軍總黨代表，公認的孫中山事業的繼承人，蔣介石這時還不具備徹底倒汪的條件。於是，一方面，他不得不在公眾面前透露某些情節，以說明有人企圖陷害他；另一方面，卻又不能全盤托出他的懷疑。其所以吞吞吐吐，欲言又止，要人們在他死後看日記者，蓋為此也。

四　西山會議派與廣州孫文主義學會的「把戲」

據陳公博說，鄒魯在一九三〇年曾告訴他：當時，西山會議派謀劃「拆散廣州的局面」，「使共產黨和蔣分家」，鄒魯等「在外邊想方法」，伍朝樞「在裡頭想辦法」，於是，由伍朝樞出面，「玩」了下面這樣一個「小把戲」：有一天，伍朝樞請俄國領事吃飯，跟着第二天便請蔣介石的左右吃飯。席間，伍朝樞裝着不經意的樣子說：昨夜我請俄國領事食飯，他告訴我蔣先生將於最近期內往莫斯科，你們知道蔣先生打算什麼時候起程呢？事後，蔣介石迅速得到了報告，他懷疑「共產黨要幹他」，或者汪精衛要「趕他」，曾經兩次向汪精衛試探，表示於統一東江南路之後，極端疲乏，想去莫斯科作短暫休息。一可以和俄國當局接頭，二可以多得些軍事知識。在第二次試探時，得到汪精衛的同意。自此，蔣介石即自信判斷不錯。他更提出第三步試探，希望陳璧君和曾仲鳴陪他出國。陳璧君是個好事之徒，天天催蔣介石動身。碰巧俄國有一條船來，並且請蔣介石參觀，聽說當日蔣介石要拉汪精衛同去，而汪因已參觀過，沒有答應，於是蔣便以為這條船是預備在他參觀時扣留他直送莫斯科的了。因此決定反共反汪。「這是三月二十日之變的真相」。【五五】

這段記載說明了伍朝樞在挑起蔣介石疑懼心理過程中的作用。應該說，陳公博沒有捏造鄒魯談話的必要。但是，我們還必須結合其他材料加以驗證。

一、這一段話的核心是蔣介石懷疑共產黨和汪精衛要「幹他」或「趕他」，以自請「赴俄休養」作試探，得到汪精衛同意，便進一步增強了他的懷疑。此點和前引蔣介石日記大體一致。

二、陳孚木在《國民黨三大秘案之一》一文中說：其時，伍朝樞知道有一艘裝載軍械送給黃埔軍校的俄國商船，不久會到廣州，便編造「故事」說：「蘇聯從蔣介石與俄顧問季山嘉的不和諧，判定蔣是反革命分子，已得汪精衛的同意，不日以運贈軍械為名，派遣一隻商船來廣州，即將強擄蔣介石去莫斯科受訓。」「他把這『故事』作為很機要秘密的消息，通傳給在上海西山會議派中央的許崇智、鄒魯等幾個廣東人，很快便傳到蔣介石在滬的親密朋友如戴季陶、張靜江、陳果夫等幾個人耳朵裡了。」【五六】陳孚木的這一段記載認定伍朝樞是編造謠言的主要人物，謠言的核心情節是利用俄船強擄蔣介石去莫斯科，伍並將這一謠言通傳給在上海的西山會議派。凡此種種，均可與鄒魯對陳公博所述相印證。陳孚木當時是國民政府監察委員，曾任《廣州民國日報》的總編輯，和國民黨上層人物廣有聯繫。他看過中山艦事件製造者歐陽格一九二七年寫的有關回憶稿【五七】，所述自然具有相當的可靠性。

三、一九二六年四月一日，柳亞子致柳無忌函云：「反動派陷害共產派是確實的，李之龍是一個共產派的軍人（屬於青年軍人聯合會的），而蔣部下很有孫文主義學會的人在那裡搗鬼，他們製造一個假命令，叫李把中山艦開到黃埔去，一方面對蔣說，李要請你到莫斯科去了，蔣大怒，即下令捕李。」柳亞子所述的核心情節是，有人造謠，以李之龍將劫蔣「去莫斯科」，煽動蔣介石反共，此點和鄒魯、陳孚木所述基本一致。柳亞子是國民黨元老，各方面交遊頗廣，他的這一段話不會沒有來歷。同函中，柳亞子又說：「在兩星期前，沈玄廬（定一）告訴陳望道，廣州不出十日，必有大變，所以反動派的陰謀是和上海通氣的。」【五八】沈定一是西山會議派的重要人物，當時在上海。如果他不瞭解伍朝樞「玩的小把戲」，是不會作出「廣州不出十日，必有大變」的判斷的。六月四日，陳獨秀在給蔣介石的一封信裡也說：「先生要知道當時右派正在上海召集全國大會，和廣東孫會互相策應，聲勢赫赫。三月二十日前，他們已得意揚言，廣州即有大變發生。先生試想他們要做什麼？」【五九】這些材料，都可以反證陳孚木所述：伍朝樞曾將他編造的故事，通傳給在上海的西山會議派中央。

四、鄧演達曾告訴季方，蔣介石之所以「倉皇失措」，是因為「得到密報」：「共產黨利用其海軍局長李之龍的關係，將中山艦露械升火，與黃埔鄧演達聯合行動，圖謀不軌。」【六〇】此說雖未提到伍朝樞，但在指出蔣介石「得到密報」這一點上，仍有可資參證之處。

從一九二六年一月起，西山會議派的鄒魯等人就在廣州和香港散佈謠言。第一次說李濟深陰謀倒蔣，廣州並發現以四軍名義指蔣為吳佩孚第二，想做大軍閥的傳單；第二次說第一軍要繳四軍的械；第三次說，二、三、四、五各軍與海軍聯合倒蔣；第四次說，蔣介石對俄械分配於各軍不滿，將驅逐俄顧問全體回國；第五次說，蔣介石倒汪。【六一】如此等等。很顯然，散佈這些謠言的目的在於製造廣東國民政府內部的不和，煽起蔣介石心中疑忌的火焰。事實上，它們也確實起了作用。這一點，前引蔣介石日記已有充分的證明。蔣介石之所以在那樣一個特定時刻對中山艦採取鎮壓措施，應該說，西山會議派和伍朝樞的謠言起了重要作用。

當然，鄒魯把「中山艦事件」完全說成是西山會議派和伍朝樞的「功勞」也並不全面。其中還有柳亞子、陳獨秀所指出的廣州孫文主義學會的作用。廣州孫文主義學會發端於一九二五年六月的中山學會，其核心人物為王柏齡、賀衷寒、潘佑強。這一組織成立後，即與西山會議派相勾結，陰謀反對國共合作。其間的聯絡人就是時任國府委員，兼任廣州市市政委員會委員長的伍朝樞。李之龍說：「這種組織（指廣州孫文主義學會——筆者）在廣州的主要工作，最初是對抗青年軍人聯合會，其後經伍朝樞、吳鐵城之介紹，遂與西山會議派結合，遂受其利用而擴大為倒汪、排共、仇俄之陰謀。」「他們在廣州發難，領過了上海第二次全國代表大會數萬元之運動費，陳肇英領了一萬五千元，歐陽格領了五千元。」【六二】中山艦事件發生前，廣州孫文主義學會分子異常活躍。王柏齡很早就到處散佈汪精衛反蔣。【六三】二月二十二日，蔣介石日記中有王柏齡進讒的記載。三月十七日早晨，王柏齡在黃埔軍校內又散佈說：「共產黨在製造叛亂，陰謀策動海軍局武裝政變。」【六四】王柏齡並在他的部隊內，對連以上軍官訓話，要他們「枕戈待旦」，消滅共產黨的陰謀【六五】。當日，蔣介石在日記中寫道：「上午議事。所受苦痛，至不能說，不忍說，是非夢想所能及者。政治生活至此，何異以佛入地獄耶！」顯然，蔣介石的這段日記和王柏齡的謠言之間有着某種聯繫。正是在這一狀況下，作為孫文主義學會成員之一的歐陽鍾出面假傳蔣介石命令，誘使李之龍出動艦隻，以便和王柏齡的謠言相印證。他的活動是整個陰謀的組成部分。關於此點，如果我們將幾個有關回憶錄綜合起來考察，就可以真相大白。陳孚木寫道：「那時伍朝樞所說的俄國商船已經到達，起卸軍械之後，停在黃埔江面。一連幾天，沒有什麼動靜。於是，王柏齡便與歐陽格商量，決定『設計誘使中山艦異動』。」【六六】章臣桐寫道：「在三月十八那一天，歐陽格打電話給黃埔軍校駐省辦事處的副官歐陽鍾（歐陽格之侄），叫他用辦事處的名義向海軍局要一隻得力兵艦開往黃埔，說是校長要的。所謂得力的兵艦，即暗指中山艦而言。」在章臣桐接到李之龍命令，上艦升火試笛之後，「歐陽格就在蔣的面前報告說：『中山艦已出動，正在開往黃埔，聽說共產黨要搶黃埔的軍火』。」【六七】自由艦艦長謝崇堅也有類似回憶。他說：「三月十八日歐陽格偵知中山艦上發生混亂，戒備不嚴，有機可乘，密令歐陽鍾偽稱接到校本部電話，通知海軍局立派一艘得力軍艦，駛往黃埔聽用。據說十九日上午中山艦在東堤起錨後，孫文主義學會分子立即向蔣介石控告，說海軍李之龍異動，已出動中山艦要逮捕校長，奪取軍火。」【六八】這就很清楚了：歐陽格與王柏齡定計之後，一面唆使歐陽鍾矯令，一面向蔣介石謊報，其結果便演出了震驚中外的「中山艦事件」的一幕。

中共很快就對孫文主義學會在「中山艦事件」中的作用有所瞭解。當年五月，上海區委主席團開會，有人報告說：「中山艦問題，純由孫文主義學會的挑撥而成。」【六九】多年以後，王柏齡曾得意地說：「中山艦云者，煙幕也，非真歷史也，而其收功之總樞，我敢說，是孫文主義學會。」【七〇】這不啻是自我招供。

五 偶然中的必然

就蔣介石誤信伍朝樞、歐陽格等人的謠言來說，「中山艦事件」事件有其偶然性；但是，就當時國民黨內左、右派的激烈鬥爭和蔣介石的思想狀況來說，又有其必然性。

孫中山逝世後，國民黨內的左、右派力量都有所發展。一九二六年一月召開的國民黨第二次全國代表大會是左派的勝利。會議代表中，共產黨員和國民黨左派佔絕對優勢。吳玉章任大會秘書長，實際上主持會議。會議通過的宣言進一步闡明了聯俄、聯共、扶助農工的三大政策，堅持了「一大」的革命精神。會議選出的中央執監委員中，共產黨員佔七人，國民黨左派佔十五人。在隨後建立的國民黨中央秘書處、組織部、宣傳部、農民部中，都由共產黨員擔任領導工作。與此同時，國民革命軍中大約已有一千餘名共產黨員。一軍、二軍、三軍、四軍、六軍的政治部主任都由共產黨人擔任。一軍三個師的黨代表，有兩個是共產黨員。九個團的黨代表中，七個是共產黨員。此外，中國共產黨在廣東的群眾基礎也大為加強。當時，有組織的工人隊伍約十餘萬，農會會員約六十餘萬，其中工人武裝糾察隊二千餘人，農民自衛軍三萬餘人。

蘇俄顧問團這一時期也加強了自己的地位和影響。顧問團向蘇俄駐華使館報告說：「總參謀部是軍事委員會的專門組織。羅加喬夫，我們的軍事指揮者（團長助理）實際上擔當總參謀長」；又說：「我們的顧問事實上是所有這些部門的頭頭，只不過在職務上被稱為這些部門首領的顧問。（一九二五年）十二月末，我們的顧問甚至佔有海軍局長（斯米諾夫）和空軍局長（列米）的官方位置。」該報告又稱：「現存的國民黨是我們建立起來的。它的計劃、章程、工作都是在我們的政治指導下按照俄國共產黨的標準制訂的，只不過使它適合中國國情罷了。直到最近，黨和政府一直得到我們的政治指導者的周密的指導，到目前為止，還不曾有過這樣的

情況，當我們提出一項建議時，不為政府所接受和實行。」【七一】

汪精衛也表現為前所未有的左傾。據張國燾回憶：他「一切事多與鮑羅廷商談」【七二】。第二次全國代表大會舉行前夕，莫斯科來了一個很長的報告，內容為反對帝國主義，汪精衛還沒有讀完就說內容很好，可作大會宣言的資料。在會議召開期間，汪精衛多次強調共產派與非共產派在歷次戰役中，熱血流在一起，凝結成一塊，早已不分彼此。既能為同一目的而死，更可為同一目的而生存下去。【七三】在選舉中央委員以前，他預擬了一份名單和中共商量，其中左派以及和汪有關係的人佔多數。【七四】一九二六年二月一日，他在中執會常委會會議上，提議任命周恩來為第一軍副黨代表，李富春為第二軍副黨代表，朱克靖為第三軍副黨代表。五日，又提議請毛澤東代理宣傳部長。【七五】二月二十二日，他在紀念蘇俄紅軍成立八周年聯歡會上，繼季山嘉之後發表演說，聲稱：「吾人對於如師如友而助我的俄同志，真不知如何表示其感激之情，惟有鐫之中心而已。」【七六】對於孫文主義學會和青年軍人聯合會之間的衝突，他也鮮明地左袒，曾命令王懋功「嚴厲制止」孫文主義學會的遊行。【七七】三月初旬，他又召集兩會會員訓話，激烈地批判孫文主義學會的反共傾向，曾稱：「土耳其革命成功，乃殺共產黨；中國革命未成，又欲殺共產黨乎！」【七八】

國民黨右派不能容忍共產黨力量的發展和蘇俄顧問影響的增強，不能容忍汪精衛的左傾。西山會議派稱：「現在的國民政府，名義上是本黨統治的，事實上是被共產黨利用的。」又稱：「俄人鮑羅廷操縱一切」，「軍政大權已完全在俄人掌握之中」。蔣介石雖然因依靠蘇俄供應軍械而仍然主張聯俄，對共產黨也時而表現出願意合作的姿態，但在內心裡，卻早已滋生出強烈的不滿。三月八日日記云：「上午與季新兄商決大方針。余以為中國國民革命未成以前，一切實權皆不宜旁落，而與第三國際必能一致行動，但須不失自動地位也。」九日日記云：「吾辭職，已認我軍事處置失其自動能力，而陷於被動地位者一也；又共產分子在黨內活動不能公開，即不能相見以誠，辦世界革命之大事而內部分子貌合神離，則未有能成者二也。」四月九日，蔣介石在覆汪精衛函中也說：「自第二次全國代表大會以來，黨務、政治事事陷於被動，弟無時不抱悲觀，軍事且無絲毫自動之餘地。」這一切都說明了蔣介石和左派力量爭奪領導權的鬥爭必不可免，即使沒有右派的造謠和挑撥，蔣介石遲早也會製造出另一個事件來的。

原載《歷史研究》一九八八年第二期，略有增訂

註釋：

【一】《黃埔潮》第二期。
【二】本文所引蔣介石日記，原據毛思誠的分類摘抄本，現改用手稿本，以下不再一一註明。
【三】《廣州民國日報》，一九二六年一月七日。
【四】《中國國民黨第二次全國代表大會日刊》第十八號，一九二六年一月九日。
【五】Document 22,Wilbur and How: *Document on Communism Nationalism and Soviet Advisers in China*(1918—1927), Columbia Universitypress, New York,1956,p.246.
【六】參見《包惠僧回憶錄》，北京：人民出版社，一九八三，第二〇二頁。
【七】《蔣介石日記》，手稿本，一九二六年一月二十六日，美國：胡佛研究院藏。
【八】《蔣介石日記》，手稿本，一九二六年一月二十八日。
【九】蔣介石：《覆汪精衛書》，稿本，一九二六年四月九日，南京：中國第二歷史檔案館藏。
【一〇】《蔣介石日記》，手稿本，一九二六年二月七日。

【一一】汪精衛：《致蔣介石書》，原件，一九二六年二月八日，南京：中國第二歷史檔案館藏。

【一二】《蔣介石日記》，手稿本，一九二六年二月八日云：「晚傍回校部，擬辭軍職及此生不復任軍職通電稿成。」

【一三】《蔣介石日記》，手稿本，一九二六年二月十一日。

【一四】汪精衛：《致蔣介石書》，原件，一九二六年二月八日。

【一五】汪精衛：《致蔣介石書》，原件，一九二六年二月九日。

【一六】汪精衛：《致蔣介石書》，原件，一九二六年二月十二日。

【一七】《蔣介石日記》，手稿本，一九二六年二月十四日：「季新兄來談終日，終無善法，以解決辭職之意也。」

【一八】《蔣介石日記》，手稿本，一九二六年二月二十三日。

【一九】蔣介石：《覆汪精衛書》，一九二六年四月九日；參見《晚宴退出第一軍黨代表及CP官長並講經過情形》，《民國十五年以前之蔣介石先生》，第八編二，第四〇—四二頁，南京：中國第二歷史檔案館藏。

【二〇】《蔣介石日記》，手稿本，一九二六年二月二十六日。

【二一】《蔣介石日記》，手稿本，一九二六年二月二十七日。

【二二】《蔣介石日記》，手稿本，一九二六年三月五日。

【二三】蔣介石：《覆汪精衛書》，一九二六年四月九日。

【二四】《民國十五年以前之蔣介石先生》，第八編一，第七七—七八頁。此句為蔣介石親筆所加。

【二五】蔣介石：《覆汪精衛書》，一九二六年四月九日。

【二六】蔣介石：《覆汪精衛書》，一九二六年四月九日。

【二七】蔣介石對曾擴情等人口述。見曾擴情：《蔣介石盜取政權和蓄謀反共的內幕》，全國政協文史資料未刊稿；參見陳肇英：《八十自述》，《中華民國史事紀要》，台北：正中書局，一九七四。

【二八】《交通股員黎時雍報告》，原件，一九二六年三月二十四日，南京：中國第二歷史檔案館藏。

【二九】參見《廣州民國日報》，一九二六年四月十二日、一九日。

【三〇】《交通股王學臣報告》，原件，一九二六年三月二十六日，南京：中國第二歷史檔案館藏。

【三一】《歐陽鍾報告》，原件，一九二六年三月二十三日，南京：中國第二歷史檔案館藏。

【三二】《值日官日記》，抄件，南京：中國第二歷史檔案館藏。

【三三】《李之龍夫人報告》，原件，一九二六年三月三十一日，南京：中國第二歷史檔案館藏。

【三四】《季方報告》，原件，一九二六年三月二十四日，南京：中國第二歷史檔案館藏。

【三五】《黃珍吾報告》，原件，一九二六年三月二十四日，南京：中國第二歷史檔案館藏。

【三六】《李之龍供詞》，原件，未署日期，南京：中國第二歷史檔案館藏。

【三七】《歐陽鍾報告》，又名《歐陽鍾供詞》，原件，一九二六年三月三十一日。

【三八】季方在關於「中山艦事件」一文中回憶說：「在那年三月十八日夜晚，有一艘來自上海的商船，於虎門駛過來遭到水盜的劫持後，即駛來軍校要求緝查保護。當時由管理處（軍校的後勤機構）的歐陽格（科長級幹部，孫文主義學會份子）用校長的名義打電話給海軍局，要調兩艘炮艦到黃埔軍校來。」見《黃埔軍校回憶錄專輯》，廣東人民出版社，一九八二，第三四—三五頁。這裡所說的管理科的科長級幹部歐陽格係管理科交通股股長歐陽鍾的誤記。此點筆者曾函詢季方，蒙季方之女季明相告，可以訂正。

【三九】蔣介石：《晚宴退出第一軍黨代表及CP官長並講經過情形》，《民國十五年以前之蔣介石先生》，第八編二，第四五—四六頁。

【四〇】《蔣介石日記》，手稿本，一九二六年三月九日。

【四一】此說誤，當時朱德尚在莫斯科。

【四二】轉引自《中華民國史事紀要》，一九二六年三月二十日。

【四三】陳公博：《苦笑錄》，香港大學亞洲研究中心，一九八〇，第七五頁；參閱陳立夫：《北伐前余曾協助蔣公作了一次歷史性的重要決定》，台北《傳記文學》第四一卷，第三期。

【四四】文心玨：《國共合作與國共分離的回憶》，湖南政協文史資料未刊稿。作者在「三·二〇」事件後，曾親自聽陳立夫講述有關經過。

【四五】陳公博：《苦笑錄》，第七五頁；參閱陳立夫：《北伐前余曾協助蔣公作了一次歷史性的重要決定》。

【四六】《時報》，一九二六年三月三十日。

【四七】《中國國民黨第二屆中央執行委員會常務委員會會議記錄》，油印件，南京：中國第二歷史檔案館藏。

【四八】蔣介石：《晚宴退出第一軍黨代表及CP官長並講經過情形》，《民國十五年以前之蔣介石先生》第八編二，第四六頁。

【四九】陳璧君：《致介兄同志書》，原件，一九二六年四月一日，南京：中國第二歷史檔案館藏。

【五〇】汪精衛：《致蔣介石書》，原件，一九二六年三月三十一日，南京：中國第二歷史檔案館藏。

【五一】蔣介石：《覆汪精衛書》，一九二六年四月九日。

【五二】陳孚木：《國民黨三大秘案之一》，連載之七，《熱風》第七四期，香港創墾出版社，一九五六年，發表時署名浮海。

【五三】陽翰笙：《風雨五十年》，人民文學出版社，一九八六，第一〇五頁。

【五四】季方：《我所接觸到的蔣介石》，《文史資料選輯》第七三輯，北京：文史資料出版社，第九八頁。

【五五】陳公博：《苦笑錄》，第七七—七八頁。

【五六】《國民黨三大秘案之一》，連載之三，《熱風》第七〇期。

【五七】據陳孚木敘述，歐陽格的回憶寫於一九二七年「四．一二」政變之後，想乘「清黨」之機出版表功，曾請陳看過。後來送呈蔣介石，蔣約略一翻閱，臉色一沉，罵他道：「嚇！你懂什麼？有許多問題你哪裡知道，這種小冊子可以出版的嗎？把稿子留下來！」說着把稿本向抽屜內一丟，硬把這稿子沒收了。見《國民黨三大秘案》，連載之十八，《熱風》第八五期。按《蔣介石日記》（手稿本）一九二七年七月十一日云：「會藍、方、歐陽葛（格）諸友。」可見，「四．一二」政變後，歐陽格確實找過蔣介石。

【五八】《柳亞子文集．書信輯錄》，上海人民出版社，一九八五，第七〇頁。

【五九】《給蔣介石的一封信》，《嚮導週報》第一五五期。

【六〇】季方：《白首憶當年》，《縱橫》，一九八五年第二期。原文未說明消息來源，承季明女士相告，係季方直接得之鄧演達者。當時，中山艦事件的製造者們確曾企圖將鄧演達牽連在內。季方回憶說：三月二十日晚，新任中山艦艦長歐陽格曾將中山艦開到黃埔，要求鄧到艦上去商量要事。季方、嚴重、張治中等怕有陰謀，勸鄧不要上當，鄧因此託故未去（見上文）。關於此，陳肇英回憶說：當時曾由他和歐陽格「具函請軍校的重要共黨分子來艦談話，而後予以扣押或驅逐出校」。見其所著《八十自述》。

【六一】李之龍：《汪主席被迫離職之原因、經過與影響》，漢口中央人民俱樂部印發；參見《鄒魯、胡毅生秘密到港》，《廣州民國日報》，一九二六年三月十六日。

【六二】李之龍：《汪主席被迫離職的原因、經過與影響》，漢口中央人民俱樂部印發。

【六三】《包惠僧回憶錄》，第二〇四頁。

【六四】馬文車：《中山艦事件的內幕》，《文史資料選輯》第四五輯。

【六五】茅盾：《我走過的道路》，人民文學出版社，一九八一，第三〇五頁。

【六六】《國民黨三大秘案之一》，連載之十八，《熱風》第八五期。

【六七】《中山艦事件》，《上海文史資料》第八輯，上海人民出版社。

【六八】《中山艦事件親歷記》，《上海文史資料》第一九輯。關於歐陽格謊報共產黨要「搶黃埔的軍火」一事，還可從蔣介石當時的活動中得到佐證。據民生艦艦長舒宗鎏及黃埔軍校軍械處長鄧士章回憶，三月十九日（原文誤記為三月十八日），他們曾接到「緊急通知」，要把黃埔庫存的軍火迅速裝上民生艦，計三八式步槍一萬支，俄式重機槍二百挺，裝好後停泊與新洲海面。事後，蔣介石並登艦檢查，對舒宗鎏說：「沒有我的命令，不許把軍火交給任何人。」見覃異之《記舒宗鎏等談中山艦事件》，《文史資料選輯》第二輯。如果沒有歐陽格的謊報，蔣介石是不會這樣將軍火搬來搬去，折騰一氣的。

【六九】《上海區委主席團會議記錄——報告政局、黨的策略及內部組織問題》。

【七〇】《黃埔創始之回憶》，《黃埔季刊》第一卷第三期。

【七一】Document 22, Wilbur and How: *Document on Communism Nationalism and Soviet Advisers in China* (1918—1927), pp.245—247.

【七二】《張國燾回憶錄》第二冊，北京：現代史料編刊社，一九八〇，第八二頁。

【七三】《張國燾回憶錄》第二冊，第八二—八三頁。

【七四】《張國燾回憶錄》第二冊，第八五頁。

【七五】《中國國民黨第二屆中央執行委員會政治委員會會議錄》，《中國國民黨第一、二次全國代表大會會議史料》，江蘇古籍出版社，一九八六，第四六四—四六五、四七一頁。

【七六】《廣州民國日報》，一九二六年二月二十四日。

【七七】王懋功：《致張靜江書》，原件，南京：中國第二歷史檔案館藏，一九二六年三月七日。

【七八】蔣介石：《覆汪精衛書》，原件，南京：中國第二歷史檔案館藏，一九二六年四月九日。

蔣介石與前期北伐戰爭的戰略、策略

戰爭是一門高超的軍事指揮藝術，既需要正確的戰略，也需要正確的政治策略與之配合。一九二六至一九二七年的前期北伐戰爭是在蘇聯和共產國際援助下由國共兩黨聯合進行的，其戰略、策略的制訂者有蔣介石、鮑羅廷、加倫、張靜江、譚延闓，陳獨秀等人。本文將着重考察這一時期蔣介石在制訂和執行有關戰略、策略中的作用，藉以推進對北伐戰爭和蔣介石其人的研究。

一　關於北伐時機

發動戰爭必須選擇恰當的時機。這一選擇的正確與否，常常影響戰爭的勝負以至結局。

一九二五年十二月第二次東征結束後，蔣介石即有意於北伐，設想在次年八月克復武漢，年內打到北京。一九二六年一月四日，他發表演說稱：「去年可以統一廣東，今年即不難統一中國。」【一】六日，他在國民黨第二次全國代表大會上作軍事報告，樂觀地宣佈：「國民革命的成功，當不在遠。」【二】二月二十四日，他向廣東國民政府提出，早定北伐大計。

在北伐時機上，蔣介石和蘇聯軍事顧問團、蘇共中央、鮑羅廷以及陳獨秀等人的意見相抵觸。一九二六年初，蘇聯軍事顧問團即向蘇聯駐華使館報告，認為：國民黨中央缺乏團結和穩定，成員複雜，經常搖擺；軍隊缺乏完善的政治組織，將領權力過大，部分人可能反叛政府【三】。三月二十五日，蘇共中央政治局決議，廣東政府應該竭其全力進行土地改革、財政改革、行政改革和政治改革，動員廣大人民參加政治生活，加強自衛能力。決議明確聲稱：「在現時期，應當着重拋棄任何軍事討伐的念頭，一般說來，應當拋棄任何足以惹起帝國主義軍事干涉的行動。」【四】此後，蘇共中央政治局多次作出類似決定，如四月一日決議云：「廣州（政府）不應佔領廣州地區以外的目標，而應在現階段把注意力集中在內部工作。」四月十五日決議強調上述指示「應當不折不扣地執行」。【五】共產國際遠東書記處也於四月二十七日決議：「致函中共中央，說明目前提出廣州進攻的問題無論從政治角度還是從宣傳角度來說都是錯誤的。」參加會議的中共黨員蔡和森並建議，由共產國際致函中國方面，「批評廣州政府提出的關於組織北伐的建議」。【六】直到五月六日，蘇共中央的口氣才有所鬆動，同意派遣一支規模不大的部隊去保衛湖南，但不久就再度嚴厲起來，要求在廣東的中共成員堅決譴責廣州政府「在目前進行北伐或準備北伐」。【七】

鮑羅廷積極貫徹蘇共中央和共產國際的上述決議，他在中共廣東區委會議上力陳必須進行充分的準備，以保證北伐的結局有利於革命。五月一日，他和蔣介石進行了一次長達四小時的談話，對北伐多所爭執。但是，蔣介石堅持己見，爭論以鮑羅廷的妥協告終。

蔣介石的主張得到部分中國將領的擁護。當年三月十八日，軍事委員會即議決進行北伐準備。同月三十日，馮玉祥的代表馬伯援到達廣東，表示國民軍願與國民黨合作，希望集中革命力量，向長江發展。此事加強了國民政府和國民革命軍將領的決心。四月三日，蔣介石向國民黨中央建議：「整軍肅黨，準期北伐」。建議書分析國民軍退出京津以後的形勢，認為「以後列強在華，對於北方國民軍處置既畢之後，其必轉移視線，注全力於兩廣革命根據地無疑，且其期限，不出於三月至半年內也」【八】。他提出，在三個月內，即在國民軍未被消滅，吳佩孚的勢力尚未十分充足之際，出兵北伐。其時，江西方本仁的代表蔣作賓也到達廣州，聲稱國民政府倘能於近期北伐，江西可不勞而獲。四月十六日，政治委員會與軍事委員會舉行聯席會議，議決由蔣介石、朱培德、李濟深三人籌擬北伐準備計劃，由宋子文籌辦軍餉。同月二十日，赴湘聯絡唐生智的陳銘樞、白崇禧回粵，向軍事委員會報告，聯絡成功：「將來實行協同出師北伐，當收事半功倍之效。」【九】這些，使原來對北伐持謹慎態度的將領也樂觀起來。在李濟深、陳銘樞、李宗仁等人的一再催請下，軍事委員會於五月二十九日會議決定，命第七軍刻期出發援湘，北伐大計遂決。

儘管北伐已經見之於實際行動，但是，國民革命陣營內部的意見仍然並不一致。

一九二六年二月，中共中央北京特別會議曾議決，當時的第一責任是「從各方面準備廣東政府的北伐」【一〇】。但是，也有部分共產黨人認為，南方革命陣營暴露出來的問題很多，首先要積聚北伐的實力，不可輕於冒險嘗試。兩種意見並存的結果是搖擺不定。六月下旬，派赴廣州調查中山艦事件真相的張國燾、彭述之回到上海，中共中央一度傾向於進行北伐，認為只有這樣，才是使廣州「擺脫內外威脅的唯一出路」【一一】。然而沒過幾天，中共中央的態度又大幅度改變。七月七日，陳獨秀在《嚮導》發表文章，認為北伐只是討伐北洋軍閥的一種軍事行動，不能代表中國民族革命的全部意義。他說：「若其中夾雜有投機的軍人政客個人權位慾的活動，即有相當的成功也是軍事投機之勝利，而不是革命的勝利。」文章認為，北伐時機尚未成熟，當前的問題是防禦吳佩孚南伐，防禦反赤軍擾害廣東，防禦廣東內部買辦、土豪、官僚右派響應反赤【一二】。在隨後召開的中共中央擴大會議上，陳獨秀的主張得到大多數人的支持，通過了相應的決議，認為廣東國民政府出兵，只能是

「防禦反赤軍攻入湘粵的防禦戰，而不是真正革命勢力充實的徹底北伐」【一三】。九月十三日，陳獨秀又在答辯文章中說明，北伐成熟的標準一為「在內須有堅固的民眾基礎」，「在外須有和敵人對抗的實力」。文章特別提出，當時孫中山的擁護農工利益、聯俄、聯共政策，「都幾乎推翻了」，「這樣來革命，其結果怎樣呢！」【一四】「中山艦事件」後，蔣介石已經牢固地掌握了領導權，中共的權力、活動受到限制，在這一情況下北伐，不能確保其結局有利於工農，因此，從這一意義上說，北伐的時機尚未成熟，陳獨秀關於倉促北伐的危險有一定見地。但是，一九二六年上半年，吳佩孚正集中力量在北方進攻國民軍，無力南顧；湖南實力派唐生智又驅逐趙恒惕，倒向廣州國民政府，因此，這一時機對保證北伐的軍事勝利又是有利的。後來的事實也證明了這一點。

二　各個擊破與遠交近攻

北伐前，中國存在着吳佩孚、孫傳芳、張作霖三大軍閥集團。同時，在西南、東南、西北、中原等地還存在着若干軍閥小集團。這些集團既彼此爭鬥，又在一定條件下相互勾結。如何利用矛盾，因勢利導，分化聯絡，確定打擊的先後主次，是北伐出師必須首先解決的問題。

從一九二六年初起，蔣介石就在考慮北伐戰略問題。一月十一日日記云：「聯絡東南，然後直出武漢為上乎？或統一湖南，然後聯絡西南、東南，而後再問中原為上乎？其或先平東南，聯絡西南，而後再問中原乎？殊難決定也。」【一五】最初，他傾向於同時攻佔湖南和江西，但加倫將軍則主張各個擊破，先取兩湖。六月二十一日，軍事委員會接受加倫提出的北伐計劃【一六】。七月一日，蔣介石下達北伐部隊動員令，宣佈其進軍計劃為「先定三湘，規復武漢，進而與我友軍國民軍會師，以期統一中國，復興民族」【一七】。隨令頒發《集中湖南計劃》，規定以第七軍李宗仁部、第八軍唐生智部、第四軍陳可鈺部進攻長沙，以第二軍譚延闓部、第三軍朱培德部、第六軍程潛部防備江西。這就表明，蔣介石接受了加倫的「各個擊破」戰略。

根據「各個擊破」戰略，北伐的首攻目標是吳佩孚。為了與這一戰略相配合，蔣介石和廣州國民政府又採取遠交近攻策略。

對孫傳芳，蔣介石和國民政府最初企圖「收撫」，承認其地位，與之共同夾擊吳佩孚；後來則企圖使之保持中立。

孫傳芳與吳佩孚同為直系。一九二五年十月，自任浙、蘇、皖、閩、贛五省聯軍總司令，旋又被吳佩孚委任為江蘇都督。浙、蘇等省是中國的富庶之區。孫傳芳雖有進一步擴張地盤的野心，但最為重視的是保持現有勢力範圍。他就任五省聯軍總司令後，即多次派人赴粵「修好」。北伐出師前夕，孫傳芳派人向蔣表示，如能答應不進攻江蘇與浙江，則孫軍不反對國民革命軍佔領江西；在國民革命軍佔領漢口後，孫傳芳可以參加未來的政府。【一八】北伐開始後，孫傳芳改變主意，向蔣介石提出，希望不用北伐字樣，不侵犯福建與江西。蔣介石則要求孫傳芳擺脫和吳佩孚的關係，倒向粵方，並以承認孫的「五省總司令」地位相許。【一九】八月，蔣介石指令駐滬代表何成浚和孫傳芳接洽，要求孫有確切表示，或提出加入國民政府的具體條件。【二〇】八月下旬，何孫在南京會談。何成浚提出：由廣州政府委派孫傳芳為東南五省首領，要求孫軍自江西西進，會同國民革命軍夾擊湖北，會師武漢。孫傳芳則要求國民革命軍退出湖南，將湖南作為南北緩衝地帶【二一】。會談中，孫傳芳表示，贊同國民黨的三民主義，但堅決反對共產主義，對何成浚的具體意見則始終不答覆【二二】。九月初，張群再次赴寧談判。孫傳芳表示，不能接受國民政府的任命，但又同時聲稱：願保持和平與中立。孫的左右手楊文愷則提出辦法三條，其內容為：在現下不犯入其轄境；將來與廣東國民政府立於對等地位，商量收拾全局；粵方

「須表明非共產」等【二三】。自然，這些條件，廣東國民政府也不能接受。

湘贛互為犄角。北伐軍的作戰特點是長驅直進，奪取大城市，自然，不能不顧慮側翼的安全。七月十一日，北伐軍克復長沙。二十四日，唐生智在長沙召集第四、第七、第八各軍將領會議，研究下期作戰計劃。唐生智、李宗仁主張同時進攻鄂、贛，第七軍第二路指揮官胡宗鐸則主張迅速進取武漢，對江西暫取監視態度。【二四】會議結果，通過了唐、李主張。【二五】八月五日，蔣介石在湘南郴州與加倫、白崇禧等會議，研究唐、李送來的意見書。加倫顧慮到武昌時會遇到帝國主義的阻礙，主張多加兵力，先攻武漢，對江西暫取守勢，蔣介石贊成加倫的意見。【二六】會議決定，以第一、第四、第六、第七、第八軍擔任洞庭湖以東之線，為主攻，以第十軍擔任洞庭湖以西之線，為助攻，僅以少數兵力監視贛西【二七】。十二日，蔣介石抵達長沙，當晚即召開有加倫、白崇禧、唐生智、李宗仁、鄧演達、朱培德、陳可鈺和黔軍袁祖銘的代表等二十多人參加的軍事會議，研究下一步行動方案。會上，蔣介石重提攻鄂、攻贛先後問題，徵求與會者意見。會議經過反覆討論，決定仍依出師前原定方案進行。【二八】蔣孫之間的談判雖然未能取得成效，但它延緩了孫傳芳援助吳佩孚的軍事行動；在湘鄂戰場未取得決定性勝利之前，對江西取守勢，也保證了北伐軍得以集中兵力，首先擊潰吳佩孚軍閥集團。

對於張作霖，國民政府和蔣介石採取「聯盟」政策，力圖離間奉系和吳佩孚、孫傳芳的關係。

一九二六年七月，國民黨北京政治分會的李大釗、李石曾等通過葉恭綽等人與張學良交涉，要求奉方斷絕對吳佩孚的軍火接濟，並在廣東國民政府和奉系之間建立反對吳佩孚的聯盟。【二九】同時，譚延闓也派奉軍總參議楊宇霆的同學楊丙赴奉聯絡。【三〇】一九二二年至一九二四年期間，孫中山曾和張作霖、段祺瑞等締結反直同盟，楊丙到奉後重提舊事，希望建立新的聯盟。楊對張作霖表示：「兩家事實，原無衝突，三角同盟，久有聯絡」，「此番用兵之原因，只全在吳一人」【三一】。奉方同意：與國民政府之間「互以實力（兵力彈械）相助，並規定切實聯絡辦法」；在孫傳芳出兵援贛的情況下，奉系出兵攻取南京；政治問題，如五權憲法、國民會議本是孫中山主張，有協商地步；雙方用對等協商方式或各派專使負責討論方案，由雙方當局簽字。但是奉方提出的條件則很苛刻：（一）湘、鄂、浙、川、滇、黔、兩廣，統由西南悉心支配，及設法收拾聯絡，蘇、皖及黃河流域，統由東北支配，負責收拾。（二）未來選舉，正屬北，副及第一期國務總理屬西南，委員則尚待商。這就是說，奉系要與國民政府分治中國，並由張作霖任總統。奉方提出的其他條件的還有：外交背影，互相設法自行疏遠，免使由內戰而牽動為國際大戰；黨治行之西南，北方暫難辦到。【三二】

八月十七日，張靜江、譚延闓派蔣作賓赴奉，動員張作霖設法阻止吳佩孚率兵南下，同時合作討孫，其條件為：南京讓與奉系，安徽作為緩衝地，雙方各派代表數人協商政治問題。【三三】九月十八日，蔣作賓抵達瀋陽，與奉方談判。奉系和吳佩孚、孫傳芳雖有共同的「反赤」關係，但吳、孫的失敗有利於奉系的擴張，因此，奉系同意和廣東國民政府聯合。談判中，奉方表示：（一）決不援吳，聽吳自滅；（二）決不援孫，雖王（占元）、靳（雲鵬）等坐此要求，亦不過為口頭之敷衍。現已令張宗昌赴魯，相機出動，無論如何，不使孫全部力量對北伐軍作戰；（三）以後政治結合，俟孫解決後再商量。奉方再三表示，對於三民主義、五權憲法，絕不反對。【三四】同月，蔣作賓派湯蔭棠攜帶致譚延闓密函南歸，內稱：「此行已得圓滿結果。」【三五】下旬，蔣作賓南歸，攜回楊宇霆、張作霖致張靜江、蔣介石、譚延闓等人函件，其中，張作霖追述奉粵合作歷史，聲稱「時事益棘，非得海內二、三豪傑出而合力挽救，不足以奠國本」【三六】。張、譚等接信後認為：「中國混亂已久，不可失此唯一之良機」，建議於「最短時間成立具體協定，解決大局」【三七】。鮑羅廷也同意張、譚的意見。一時間，廣東國民政府與奉系的關係似乎再次熱烈起來。【三八】

蔣介石支持和奉系結盟。當年八月，國民黨宣傳品中出現「打倒張作霖」字樣，蔣介石立即致電糾正：

「中央議決，此次獨對吳攻擊，而不與張。今本部兼言張逆，殊違中央方針。」【三九】十月中旬，蔣介石估計江西戰事即將結束，準備制訂向長江下游進軍，徹底消滅孫傳芳集團的計劃。他希望奉系出兵，夾擊孫傳芳。同月十六日，蔣介石致電張靜江、譚延闓，要他們詢問奉方「究能何時出兵入蘇」，電稱：「應催奉方從速對南京出兵，並表明此間非殲除孫傳芳決不終止，望其同時夾擊，則收效更速。」【四〇】十二月七日，蔣介石、鮑羅廷、徐謙、宋子文、孫科等在廬山會議，決定「消滅孫傳芳，聯絡張作霖」【四一】。十六日，蔣介石接楊丙函，得悉奉方「毅然與革命軍為敵」的情況，估計與奉方的大戰即將爆發。但是，為了首先消滅孫傳芳集團，蔣介石仍然希望與奉方緩和。十八日，蔣介石致電鮑羅廷，同意在奉方「有重要人員來商，或有緩和希望」時，派孫科、蔣作賓赴奉。【四二】

中共中央在十月份才得知國民政府和奉系的談判情況，當時奉方提出的條件已進一步發展為：一、承認張作霖為總統，取消國民政府；二、粵、貴、川、黔、湘、鄂、閩、贛、浙、滇等十省歸粵，蘇、皖歸奉；三、川、滇由蔣介石自由解決，馮玉祥、吳佩孚由奉方自由解決【四三】。這些條件較之楊丙正式傳遞回來的條件還要苛刻，因此，中共中央認為「十分奸險，絕無容納之餘地」，主張一面拖延時間，一面調兵入贛，迅速解決孫傳芳之後再與奉系談判。後來又建議：一、在奉系勢力之下，各地一切政治設施，奉張均可自由為之，即張要做總統也不反對；二、奉方如不進攻國民軍與國民政府，國民政府也不反奉。三、江蘇、安徽地盤歸屬問題，視哪方面的軍隊先取為斷。如奉方先取，可以屬於奉方。【四四】

當時，奉系正積極向南擴張，企圖從孫傳芳、吳佩孚、靳雲鵬等人的手中搶奪江、浙、河南等地，因此，也想與國民革命軍「緩和」。約在一九二七年一月間，楊宇霆邀李石曾會晤，聲稱：「奉軍即入河南，解決吳、靳各部」，表示在佔領武勝關後將與北伐軍議和。楊並約李石曾與他同伴出京，轉赴南方主持和議【四五】。

與此同時，日本方面也出面勸說國民政府與奉方實行南北分治。李大釗表示，國民政府方面「極欲與奉方謀和平」，但是，他對奉方的和平誠意表示懷疑，詢問日方「對奉天有沒有把握使之不對南作戰」？【四六】由於奉方胃口太大，要求太高，通過多渠道進行的對奉談判最終都沒有結果。一九二七年三月，李石曾說：「奉系軍閥楊宇霆要與我們妥協，五、六個月來派人來說話，也非止一次，但是條件終是做不到一路。我同守常君商量，有時大家都發笑。我屢次不願理它了，倒是守常君幾次囑我與他委蛇。守常以為我們打仗，勝負未可定，把奉天和緩住了，亦很好。」【四七】

儘管與奉方的談判沒有達成協議，但是，張作霖也沒有給予吳佩孚以實際援助。口頭上，張作霖信誓旦旦，一再對吳佩孚表示，要共同討赤，合作到底，並保證提供吳所急需的一百萬發子彈，實際上，卻一再「延宕」、「敷衍」，吳佩孚連一粒子彈都沒有得到【四八】。一九二七年春，張作霖又不顧吳佩孚的強烈反對，毅然派兵南下，強佔了吳佩孚恃以再起的根據地河南。

國民革命軍出師時，兵力約十萬餘人，實際作戰兵力僅有五萬人【四九】。三大軍閥集團的聯合力量遠遠超過國民革命軍，如果彼此聯合，國民革命軍將難以應付。根據情況，利用矛盾，遠交近攻，將消滅三大軍閥集團的任務分解為幾個階段，在打擊第一階段的敵人時，暫時與第二、第三階段的敵人聯盟，以利於各個擊破，這一戰略是正確的。

三　保護側背，轉戰江西

按照北伐出師前的決策，第一步是打下武漢，第二步是進取河南，與馮玉祥的國民軍會師；關於江西，在蔣介石和鮑羅廷之間有過討論，但未作出正式決定。當時，蔣介石認為佔領江西，對前方、後方都有利；鮑羅廷贊成蔣的意見，認為如不佔領江西，戰線就過於狹窄，不能防禦各方面的進攻。【五〇】八月二十七日，國民革命軍佔領汀泗橋，蔣介石即部署進攻江西。

當日，蔣介石電告程潛，決於九月一日對江西實行攻擊。二十九日，蔣介石決定親自指揮江西戰事。三十一日，北伐軍擊潰吳軍主力，佔領賀勝橋。同日，蔣介石和加倫商量。加倫當時在攻克武漢後是進取河南還是回兵江西問題上方針未定，處於矛盾狀態。【五一】其顧慮是：如果「取江西，必與孫傳芳衝突，同時英帝國主義為維持其長江勢力，亦必出死力幫助孫傳芳」；「如果放棄江西，一直進攻吳佩孚，先聯絡樊鍾秀取得河南，再同國民軍聯絡，拋棄長江下游，只向內地發展，這樣做固然有這樣做的好處，但是，戰線太長，江西、福建都可以從側面進攻，很有後顧之憂，對於軍事上也有不利的地方。」【五二】儘管如此，蔣介石決心已下。【五三】九月二日，命第二軍魯滌平部、第三軍朱培德部、第六軍程潛部協同動作，三天後進攻。

這一決策的改變主要由於孫傳芳態度的變化。北伐軍向湖南進軍後，孫傳芳一面與廣東國民政府談判，討價還價，一面坐山觀虎鬥，準備在北伐軍與吳佩孚兩敗俱傷的時侯，出而收漁翁之利。八月中旬，孫傳芳覺得形勢有利，又經楊文愷等勸說，決定出兵援贛【五四】。同月下旬，孫部十餘萬人陸續到達贛北。月底，孫傳芳任命盧香亭為援贛軍總司令，同時下達進攻計劃：以皖軍王普部為第一軍，進攻通山、岳州；以蘇軍為第二、第三軍，進攻平江、瀏陽；以贛軍鄧如琢部進攻醴陵、株州；同時命閩南周蔭人部進攻廣東潮州、梅縣【五五】。這樣，不僅廣東革命根據地受到威脅，而且進攻武漢的國民革命軍的側背也處於孫軍的攻擊目標之中。孫軍隨時可以截斷北伐軍和廣東的聯繫，使之處於首尾不能相顧的局面。

其二是和唐生智的矛盾。長沙軍事會議後，第八軍的實力迅速擴充。由唐生智指揮主力第四、第七、第八軍奪取武漢的局面已經形成。這一路節節勝利，出現了「武昌指日可下」的形勢，蔣介石急於另闢戰場並迅速取勝，以提高自己的威望。八月二十九日蔣介石日記云：「余決心親督江西之戰，以避名位」，正是這一心情的曲折表現。【五六】其後，在進攻武昌過程中，蔣介石和唐生智的矛盾進一步發展，以至到了不能相容的地步。九月八日蔣介石日記云：「接孟瀟總指揮函，其意不願余在武昌，甚明也。」十四日日記云：「余決離鄂赴贛，不再為馮婦矣，否則人格掃地殆盡。」【五七】這樣，他終於在十七日離開湖北前線，並於十九日到達江西萍鄉，開始指揮江西軍事。

為了鬆懈孫傳芳的作戰意志，指揮江西軍事期間，蔣介石一面部署進攻，一面繼續與孫傳芳談判。孫傳芳曾提出，雙方於十月三日停戰，恢復原狀。同月十四日，蔣介石覆電孫傳芳代表葛敬恩等，要求孫先行確定撤退援贛軍隊日期，同時邀請江浙和平代表蔣尊簋、魏炯諸人到前方面商。二十三日，葛敬恩、魏炯在奉新會見蔣介石，聲稱孫傳芳「可放棄閩、贛，惟須保江、浙、皖，暗中結約，共同對奉，商妥後，即由贛撤兵」【五八】。加倫主張「表面答應，實則準備總攻擊」。蔣介石與鄧演達商量之後提出：一、浙江歸國民革命軍；二、江蘇、安徽作為孫傳芳的勢力範圍，但應允許國民黨自由宣傳；三、孫傳芳撤退援贛之兵前一日為停戰之期。【五九】二十八日，蔣尊簋自南昌抵達蔣介石行營所在地高安，表示只要保持孫傳芳的五省總司令的頭銜，其餘皆可商量。蔣介石堅持要求孫傳芳首先確定撤兵日期，限於十一月一日前答覆【六〇】。至期，孫傳芳沒有回答，戰事再起。十一月八日，北伐軍攻入南昌。十一月九日，江西戰役結束。孫傳芳的第一、第二、第三方面軍殲滅殆盡。孫傳芳率殘軍逃往長江下游。

蔣介石率軍入贛，改變了原定計劃，但是，這一改變有其戰略需要。由於吳佩孚的主力大部已在賀勝橋被擊潰，另一部分被包圍於武昌城內，因此，這一改變沒有影響戰爭局勢。

四 圍城強攻的教訓

戰爭是兩軍軍力的較量，着重點在於消滅敵人的有生力量。戰爭中當然也要攻城掠地，但那應該是消滅敵人有生力量的結果。在敵人的有生力量還很強大，或者在條件還不具備時勉強攻城，都必然損兵折將，導致失敗以至慘敗。

北伐戰爭中，蔣介石有過兩次圍城強攻，導致失敗的教訓。

一次是一九二六年九月至十月的武昌攻城戰。九月二日，北伐軍第一軍第二師、第四軍、第七軍等開始進攻武昌。武昌城垣高大，易守難攻，進攻未能奏效。九月三日，蔣介石偕白崇禧、加倫等人到洪山麓視察。蔣介石自恃有東征時惠州攻城的經驗，決定第二天拂曉，由第一軍第二師「帶頭衝鋒」，各軍「跟着衝上去」【六一】。第一軍第二師是蔣介石的嫡系，出師以後一直作為預備隊。蔣介石此舉，意在讓自己的嫡系取得頭功。當日，召集各將領緊急會議。唐生智對第一軍第二師的戰鬥力已喪失信心，堅決要求蔣介石將該師調離前線，蔣介石認為唐「以下淩上」，是一種不能忍受的「奇辱」。【六二】他訓斥第二師師長劉峙說：「如不爭氣，不能見人！雖積屍纍城，亦所不恤！」【六三】五日淩晨，蔣介石頒發第二次攻城計劃，指示各將領「肉搏猛衝」【六四】。各軍奮勇隊多次衝到城下，都被城上守軍的密集火力擊退。劉峙唯恐其他部隊已攻城得手，為搶奪頭功，竟通報稱，第二師第六團已攻進城內【六五】。第四、第七軍得訊後，調動預備隊再次進攻，結果又付出許多傷亡。當日上午，蔣介石得到第二師入城消息，信以為真，非常高興。後從白崇禧處得知，消息不確，「不勝愁慮」，自稱「有生以來，愧悔愁悶，未有如今日之甚者也。」【六六】。

北伐軍兩次攻擊武昌失利，傷亡二千餘人。九月五日，蔣介石和李宗仁、陳可鈺等到前線視察後，也感到硬攻無望。六日，蔣介石和各軍將領會議，決定以少數兵力在城外對敵保持警戒，主力撤到城外較遠的地區集結整頓。十五日，北伐軍發佈封鎖令，禁絕武昌城內外的一切水陸交通，實行長期圍困。至十月十日，吳軍發生內變，北伐軍攻入城內，歷時四十六天的武昌攻城戰勝利結束。

第二次是一九二六年九月和十月的南昌攻城戰。

蔣介石決定進軍江西後，北伐軍迅速佔領萍鄉、贛州、修水等地。在勝利的鼓舞下，蔣介石於九月十二日電令朱培德，要求他從速督軍，「猛進南昌」【六七】。當時，敵軍主力正在樟樹佈防，與北伐軍第二、第三軍相持，南昌城內守敵很少，第六軍軍長程潛變更原定攻擊德安和涂家埠的計劃，於九月十九日奇襲南昌得手。其後，敵軍迅速由南北兩面來攻。程潛感到孤城難守，下令撤離，旋即陷入包圍，結果，第六軍受到巨大損失。

十月九日，蔣介石以自湖北調來的第一軍第二師為主力，會同第二軍、第三軍，第二次進攻南昌，守敵退入城內固守。十二日，蔣介石趕到南昌，與白崇禧、魯滌平會商。白崇禧反對圍城硬攻，但蔣介石求勝心切，親往北門第二師陣地，決定夜半爬城。當夜，第二師正在作攻城準備之際，敵軍敢死隊從城下水閘中破關而出，襲擊攻城部隊。時值黑夜，不辨虛實，第二師秩序大亂。白崇禧下令全軍沿贛江東岸南撤，由事先搭好的浮橋渡江，退往西岸【六八】。此役，蔣介石自感指揮無方，既煩惱，又緊張，「終夜奔走，未遑休息」【六九】。混戰中，部隊及裝備受到很大損失。十三日，蔣介石下令撤圍。他在日記中悔恨地寫道：「因余之疏忽鹵莽，致茲失敗，罪莫大此，當自殺以謝黨國。」不過，他並沒有執行的意思，自己又補寫了一句：「且觀後效如何。」【七〇】

再攻南昌的失利使蔣介石冷靜了下來。十月十四日。他通知各軍，暫取守勢。他一面決定調第四軍及賀耀祖的獨立第二師來贛。一面與白崇禧、加倫重訂計劃，準備第三次進攻。十月下旬，日本軍事專家稱：「孫軍精銳在沿南潯路，南昌只少數軍隊利用堅城而守，因此，九江、南昌得以相互策應；南軍不先向沿南潯路擊破孫軍精銳以斷九江。南昌間之交通，而突然集大兵於南昌城下，久攻而疲，後援不繼，敵人則由南潯路更番來援，甚易活動，因此，『攻城』是南軍失策之一云云。」【七一】中共中央隨即將日本專家的意見轉告加倫，加倫、蔣介石等採納了這一意見。

鑒於孫軍主力集中在南潯路九江、德安、建昌、涂家埠等地，得交通之便，可以及時轉移兵力，相互增援，因此，第三次進攻以截斷南潯路，殲滅孫軍主力為主，而不急於奪取南昌。十一月一日，總攻開始，南潯線及南昌郊外的孫軍一一被擊潰，南昌成了孤城，守軍不戰而降。關於蔣介石進攻江西之役的經驗，中共中央在有關文件中總結說：蔣介石作戰「注意攻城而不先擊破敵人在南潯路之主力軍，故犧牲極大，北伐軍幾有覆滅趨勢，幸而挽救得快，尚能轉敗為勝。」【七二】

五　順流而下，繼續追殲

江西之戰結束後，北伐軍的進軍方向再次成為國民革命陣營內部爭論的焦點。

加倫、鮑羅廷等反對向長江下游進軍，其原因，一是不願和帝國主義列強發生直接衝突；一是擔心蔣介石脫離革命。【七三】中共中央贊同加倫等人的意見，主張為便於北伐軍專力向北方發展，可以設法使長江下游地區的各軍閥「分頭獨立」，「成為紛亂局面」，令「帝國主義無法為一致的對付」【七四】。後來又曾主張守住武勝關以南，不輕易與孫傳芳開釁，也不輕易進入河南，而以主要力量統一西南，準備進攻奉系的軍力。【七五】十一月八日，蔣介石與加倫商量向長江下游進軍問題，加倫認為：繼續向安徽、江蘇前進，不僅「現在不是時侯，並且危險」。加倫建議：利用夏超、周鳳岐等地方武裝佔領浙江，使江蘇、安徽成為緩衝地。【七六】十一月九日，中共中央與共產國際遠東局討論，決定改變攻克江西後不再東下的意見，贊成蔣介石向長江下游進軍，完全消滅孫傳芳的勢力，「至於前進至浙江、安徽為止，抑直到江蘇，則應視北伐軍的實力及奉軍南下的遲速而定」【七七】。

北伐開始以後，蔣介石集黨權、軍權於一身，鮑羅廷和中共中央逐漸感到扶持和向蔣介石妥協的失策，力求削弱蔣介石的權力，於是有迎汪運動的展開，企圖以蔣汪合作代替蔣介石的個人專權。自此，蔣介石即產生與左派分家，另立門戶，分庭抗禮的想法。一九二六年十二月遷都之爭發生後，蔣介石的這種想法更為強烈，向長江下游另謀發展的計劃也就日漸具體了。

一九二七年一月一日至七日，國民革命軍總司令部在南昌召開軍務善後會議。會上，蔣介石提出向長江下游進軍問題。鄧演達認為此舉是蔣介石「欲在東南別開局面的政治問題」，因此持反對態度。加倫也表示：「用兵東南實在毫無把握，我也不知怎樣計劃才好！」【七八】但由於蔣介石的堅持，會議決定對河南吳佩孚部暫取守勢，對浙江、江蘇、安徽的孫傳芳等部取攻勢。會議同時決定：將北伐軍分編為東路軍、中路軍和西路軍三個作戰序列。東路軍自閩贛入浙，佔領浙江，進取上海，夾攻南京。中路軍一部由贛東北進取南京，一部由鄂東北進取安慶、合肥，側擊津浦路敵軍。會議期間，蔣介石將有關部署電告何應欽：「閩平後應即以全力入浙，一俟浙局統一，再圖蘇皖，暫以畫江而守，以待時局之變遷。總之，上海不得，則長江形勢閉塞，而海內外交通亦難自如，故南京與皖南亦應急謀收復。」【七九】該電的值得注意之點是蔣介石關於北伐的階段性設想：「河南不得，則中原難定，西北軍不能與我聯絡，閻錫山亦不能表示態度。閻已派代表正式聲明，一俟我軍入豫，或至津浦路，彼必響應也。中意如此，佔河南，南得南京，晉必響應，則奉軍危，不出關而不可得。否則攻守亦得自如，北伐乃可告一段落。」蔣介石的這一設想可能與他政治上準備與左派攤牌有關。

江西之戰中，孫傳芳的主力受到了巨大打擊。但是，孫部在長江下游仍保有相當力量，而且，孫部的再生力量很強，經過一段時期，其戰鬥力即會得到恢復。北伐軍沿京漢路北伐，孫傳芳部仍可向江西、湖北發動進攻，從而斬斷北伐軍的南北聯繫。因而，蔣介石在江西戰役之後，趁熱打鐵，向長江下游進軍，除了其政治上的目的外，從戰略方面考察，可以追殲孫傳芳軍閥集團，不使其有喘息修整，捲土重來的時間。中共中央從反對到改取支持態度，正是基於後一方面的考慮。

六　不為遙制

戰爭中的形勢瞬息萬變，很難拘守某一既定的程序和方案。最高統帥既須有原則性，又須有靈活性，特別是賦予下級統帥以一定的靈活性。因此，當下級統帥遠離主戰場，獨立作戰時，「不為遙制」歷來是兵家重視的一條原則。

九月初，在福建的周蔭人接受孫傳芳指示，宣佈就任五省聯軍第四方面軍總司令，積極企圖進擾粵邊，進而進攻廣州。當時，國民革命軍駐防潮州、梅縣一帶的軍隊，僅有第一軍第三師、第十四師、獨立第四師等部，計槍六千支，炮八門，而周蔭人所屬張毅等部則有槍三萬餘支，機槍六十餘挺，炮二十餘門【八〇】。雙方力量懸殊，因此，蔣介石確定作戰方案時，力主穩健，要求採取攻勢防禦，不可急切進攻。九月十三日，蔣介石致電何應欽，指示其對周蔭人聲明：「如閩不派兵侵粵與贛，則閩、粵仍敦睦誼。」【八一】但是，何應欽則認為，由於北伐軍在鄂、贛節節勝利，周軍士氣已餒，又多為北方人，不善山戰，更兼竭力搜括，閩民恨之入骨，因此，致電蔣介石，詳細羅列周軍弱點，要求率師入閩作戰。何的要求得到蔣介石同意，福建戰役於是開始【八二】。

北伐戰爭以軍事打擊為主，但是，也注重對敵軍的策反。由於國共兩方的共同工作，周部曹萬順、杜起雲兩旅於十月八日在粵北蕉嶺起義。接着，何應欽又在閩、粵交界的永定、松口取得勝利。十五日，蔣介石電任何應欽為東路軍總指揮，指示何乘勝平定閩南。十九日，蔣介石再電何應欽，告以和加倫研究結果：「如我力能勝張毅，則速進取，否則暫守邊境，以待贛局發展」，但蔣介石表示，相信以第一軍之力，「必能勝周克閩，新開東南之局」【八三】。二十日，三電何應欽，認為「此刻對閩作戰，我已處於主動地位」，要求何「相機處理」【八四】。當時，蔣介石正專注於江西戰場，不可能深入地研究福建的情況並指揮作戰，因此，只能要求何應欽「相機處理」。何應欽接電後，即積極部署，發兵入閩。周蔭人部兵敗如山倒。十二月三日，東路軍收復福州。

浙江之役與福建之役類似，也是「不為遙制」的成功戰例。

一九二六年十二月十一日，浙軍第三師周鳳岐部在衢州起義，奉命進攻富陽，掩護東路軍主力進入浙江。當時，東路軍主力還在福建，周鳳岐部作戰失利，孫軍浙江總司令孟昭月進逼衢州。東路軍入浙部隊分電何應欽及蔣介石，要求迅速增援。何應欽電告白崇禧稱，在不得已時，可以退守浙、贛邊境仙霞嶺之線，待本部主力到達後，再採取攻勢。一九二七年一月二十日，白崇禧到達衢州，召集各將領會議。與會者一致認為：衢州無險可守，為使東路軍安全集中，必須佔領嚴州以西地區。如等待閩中部隊，不免坐失良機。會議期間，蔣介石來電告知：皖南陳調元、王普已表示與我合作，側背威脅減輕，盡可全力對付當面之敵【八五】。蔣介石還表示：衢州為戰略要點，戰守由白崇禧自決。白崇禧獲得「自決」權後，即決定轉守為攻【八六】。二月十六日，擊敗孟昭月部。十七日，收復杭州。白崇禧僅用了約二十天時間，即佔領整個浙江。孟部被打垮，使孫傳芳聯合奉魯軍，以浙江為基地實行反攻的計劃徹底粉碎，為北伐軍進攻江蘇、安徽，奪取上海、南京，創造了有利條件。

在中國近代史上，北伐戰爭是一場勝利的革命戰爭。其所以勝利，原因很多，既和戰爭的性質、人心向背、國共合作以及國際國內環境有關，也和戰略、策略的運用得當有關。這一方面的歷史經驗，是近代中國軍事史的重要內容之一。

原載《歷史研究》一九九五年第二期，略有增補，
此據拙著《蔣氏秘檔與蔣介石真相》一書收錄，社科文獻出版社二〇〇二年版

註釋：

【一】中國第二歷史檔案館編：《蔣介石年譜初稿》，北京：檔案出版社，一九九二，第五〇三頁。

【二】《中國國民黨第二次全代大日刊》第一八號，一九二六年一月九日。

【三】*Report on the National Revolution Army and the Kuomintang, Early 1926*, C.M. Wilbur and J.L. How, *Missionaries of Revolution*, Harvard University Press,1989,pp.613—614.

【四】Problems of Our Policy with respect to China and Japan, Leon Trotsky on China, Monad Press, New York, 1976, pp.107—108.

【五】《聯共（布）、共產國際與中國國民革命運動》（三），北京圖書館出版社，一九九七，第一九一、二〇三頁。

【六】《聯共（布）、共產國際與中國國民革命運動》（三），第二二八、二三〇頁。

【七】《聯共（布）、共產國際與中國國民革命運動》（三），第二四一、二六八頁。此後，類似的意見存在了很久，如，六月二十一日共產國際遠東局俄國代表團會議稱：「在廣州內部業已形成的形勢下舉行北伐是有害的。」維經斯基甚至肯定：「依我看，北伐必然遭到失敗。」見同上書第三〇七、三〇九頁。

【八】《蔣校長建議中央請整軍肅黨準期北伐》，《蔣介石年譜初稿》，第五五四頁。

【九】《赴湘代表陳銘樞、白崇禧回粵》，《申報》，一九二六年四月二十八日。

【一〇】《國民黨工作問題》，《中共中央文件選集》（一九二六），北京：中共中央黨校出版社，一九八九，第六〇頁。

【一一】文件六三、六四，《聯共（布）、共產國際與中國國民革命運動》（三），第三一七、三二一頁。

【一二】《論國民政府之北伐》，《嚮導》第一六一期。

【一三】《中國共產黨對於時局的主張》，《嚮導》第一六三期。《中央政治報告》，《中共中央文件選集》（一九二六），第一五三頁。

【一四】《嚮導》第一七一期。

【一五】《蔣介石日記》，手稿本，一九二六年一月十一日，美國：胡佛研究院藏。

【一六】切列潘諾夫：《中國國民革命軍的北伐》，北京：中國社會科學出版社，一九八一，第四一六—四一七頁；關於軍事委員會的開會日期則據《民國十五年以前之蔣介石先生》第八編二，南京：中國第二歷史檔案館藏，第八八頁。

【一七】《民國十五年以前之蔣介石先生》，第八編三，南京：中國第二歷史檔案館藏，第一頁。

【一八】文件七六，《聯共（布）、共產國際與中國國民革命運動》（三），第三六四頁。

【一九】《民國十五年前之蔣介石先生》，第八編三，第七七頁。

【二〇】《蔣介石致何雪竹電》，一九二六年八月十八日，台灣《近代中國》第二三期，一九八七年六月三十日。

【二一】《何成濬致譚延闓密函》，一九二六年九月四日，南京：中國第二歷史檔案館藏；《粵蔣代表何成濬之談話》，《申報》，一九二六年九月四日；何成濬：《八十回憶》，《近代中國》第二三期。

【二二】《粵蔣代表何成濬之談話》，《申報》，一九二六年九月四日。

【二三】《何成濬致譚延闓密函》，一九二六年九月七日。

【二四】陳訓正：《國民革命軍戰史初稿》第一輯，卷二第一編第四章，台北：文海出版社，一九七二。

【二五】國民革命軍總司令部參謀處：《北伐陣中日記》，一九二六年八月二日，《近代稗海》第一四輯，四川人民出版社，一九八八，第四五頁。

【二六】《蔣介石日記》，手稿本，一九二六年八月五日。

【二七】《北伐陣中日記》，一九二六年八月六日，《近代稗海》第一四輯，第六四頁。

【二八】陳訓正：《國民革命軍戰史初稿》第一輯，卷二第一編第四章。
【二九】《陸山致畏公（譚延闓）密函》，南京：中國第二歷史檔案館藏。
【三〇】楊丙與楊宇霆同為日本士官學校學生。
【三一】《楊丙致譚延闓密函》，南京：中國第二歷史檔案館藏。
【三二】《楊丙寄來件》，革命文獻拓影，北伐時期第五冊，「蔣檔」，台北：國史館藏。
【三三】《張靜江、譚延闓致蔣介石函》，革命文獻拓影，北伐時期第五冊，「蔣檔」。
【三四】《蔣作賓致蔣介石函》，革命文獻拓影，北伐時期第五冊，「蔣檔」。
【三五】譚延闓手抄：《蔣作賓致譚延闓函》，南京：中國第二歷史檔案館藏。
【三六】《楊宇霆致張靜江等函》，手跡，南京：中國第二歷史檔案館藏。
【三七】《張靜江、譚延闓致李石曾等電》，革命文獻拓影，北伐時期第五冊，「蔣檔」。
【三八】廣東國民政府和奉系的談判進行得很秘密，但還是有所洩露。九月二十一日，張宗昌、韓麟春、張學良聯名致電張作霖：「頃聞蔣介石處派代表蔣作賓到奉，商洽一切，倘為他方所聞，不免滋生誤會，搖動大局。如該代表到奉時，務乞嚴密拿辦，立予槍斃，以表示我方堅決不饒。」二十三日，張作霖覆電，聲稱確有蔣作賓來奉之說，「當即注意，久未來見，詳細調查，聞已潛行離奉。想知我方對彼意思不良，不敢來見也。」張作霖要張宗昌將此意轉告孫傳芳，以安其心。見遼寧省檔案館編：《奉系軍閥密電》第三冊，中華書局，一九八七，第一二八—一二九頁。
【三九】《蔣介石致軍人部曾秘書電》，革命文獻拓影，北伐時期第五冊，「蔣檔」。
【四〇】《民國十五年以前之蔣介石先生》，第八編五，第六五頁。
【四一】《民國十五年以前之蔣介石先生》，第八編七，第一八頁。
【四二】《蔣介石致宋子文轉鮑羅廷電》，「蔣檔」；參見《民國十五年前之蔣介石先生》，第八編七，第四三、五二頁。
【四三】《中共中央文件選集》（二），第四一九、四七八頁。
【四四】《中共中央文件選集》（二），第四〇八、四一八—四二〇頁。
【四五】《中華民國史檔案資料彙編》第四輯，江蘇古籍出版社，一八八六，第一〇二四頁。

【四六】《中華民國史檔案資料彙編》第四輯，第一〇三一頁。
【四七】《廣州民國日報》，一九二七年三月二十五日。
【四八】《于國翰致張學良電稿》，一九二六年十月一日；參見《張景惠等覆何恩溥電稿》，一九二六年十月十一日，《奉系軍閥密電》第三冊，中華書局，一九八七，第一〇八、一〇九頁。
【四九】秦孝儀：《總統蔣公大事長編初稿》，卷二，台北：國民黨中央黨史會，一九七八，第二三三頁。
【五〇】《聯共（布）、共產國際與中國國民革命運動》（三），第三六四頁。
【五一】《中央局報告》，《中共中央政治報告選輯》，北京：中共中央黨校出版社，一九八二，第六八頁。
【五二】《中共中央文件選集》（二），北京：中共中央黨校出版社，一九八九，第三三六頁。
【五三】《蔣介石日記》（手稿本）一九二六年八月三十一日：「與加倫將軍談天一次，彼對攻贛尚有猶豫之意，而余則決心入贛矣。」
【五四】《何豐林致張作霖電》，《奉系軍閥密電》第三冊，第九六頁。
【五五】《孫傳芳世電》，《申報》，一九二六年九月十九日；參見《民國十五年以前之蔣介石先生》，第八編四，第一九頁。
【五六】《蔣介石日記》，手稿本，一九二六年八月二十九日。
【五七】《蔣介石日記》，手稿本，一九二六年九月十四日。
【五八】《特立同志由漢口來信》，《中央政治通訊》第一〇期，一九二六年十一月三日。
【五九】《蔣介石日記》，手稿本，一九二六年十月二十四日。參見《蔣介石致張靜江、譚延闓電》，《民國十五年前之前蔣介石先生》第八編五，第一〇九頁、一一七頁。
【六〇】《蔣介石日記》，手稿本，一九二六年十月二十九日。
【六一】唐生智：《從辛亥革命到北伐戰爭》，《文史資料選輯》總一〇三輯，北京：文史資料出版社，第一七七頁。
【六二】《蔣介石日記》，手稿本，一九二六年九月四日。
【六三】《蔣介石日記》，手稿本，一九二六年九月四日。
【六四】《民國十五年以前之蔣介石先生》，第八編四，第一五頁。

【六五】《周士第回憶錄》，北京：人民出版社，一九七九，第八〇頁。
【六六】《蔣介石日記》，手稿本，一九二六年九月五日。
【六七】《民國十年以前之蔣介石先生》，第八編四，第二九頁。
【六八】《李宗仁回憶錄》第二八章，上海：華東師範大學出版社，一九九五，第四〇九頁。
【六九】《蔣介石日記》，手稿本，一九二六年十月十二日。
【七〇】蔣介石日記》，手稿本，一九二六年十月十三日。
【七一】《中共中央文件選集》（二），第四一〇頁。
【七二】《中共中央文件選集》（二），第四八二頁。
【七三】參見文件七六，《聯共（布）、共產國際與中國國民革命運動》（三），第三六四頁；文件二〇一、二六八，同上書（四），第二二七、四九四頁。
【七四】《上海區委主席團會議記錄》《上海工人三次武裝起義研究》，北京：知識出版社，一九八七，第一五〇頁。
【七五】《中央局報告》（一九二六年九月二十日），《中共中央文件選集》（二），第三三六—三三七頁。
【七六】《加倫同志報告》，《北伐戰爭（資料選輯）》，北京：中共中央黨校出版社，一九八九，第二八—二九頁。
【七七】《對於目前時局的幾個問題》，《中共中央文件選集》（二），第四四一頁。
【七八】陳銘樞：《我為什麼要打倒共產黨》，《中央》半月刊，一九二七年六月十五日。
【七九】《蔣介石致何應欽電》，「蔣檔」。
【八〇】《國民革命軍東路軍戰史紀略》，武漢印書館，一九三〇，第一九頁。
【八一】《民國十五年以前之蔣介石先生》，第八編四，第三二頁。
【八二】《國民革命軍東路軍戰史紀略》，第二一—二二頁。
【八三】《民國十五年以前之蔣介石先生》，第八編五，第九二頁。
【八四】《民國十五年以前之蔣介石先生》，第八編五，第九八頁。
【八五】《北伐簡史》，台灣：正中書局，一九六八，第一〇五頁。
【八六】《白崇禧回憶錄》，解放軍出版社，一九八七，第四〇頁。

「約法」之爭與蔣介石軟禁胡漢民事件

一 南京政壇的一次強震

自一九三一年二月上旬起，蔣介石日記中逐漸出現對胡漢民的強烈不滿和攻擊之詞。

二月九日日記云：「見人面目，受人束縛，小人不可與共事也。紀念週時幾欲痛泣，而又止，何人而知我痛苦至此耶！」[一]這裡，蔣介石僅用了「小人」一詞，沒有點名，但是，這位「小人」在第二天的日記中就登場了。十日日記云：「胡專欲人為其傀儡而自出主張，私心自用，顛倒是非，欺罔民眾，圖謀不規（軌），危害黨國，投機取巧，妄（罔）知廉恥，誠小人之尤者也。惟余心暴躁發憤，幾忘其身矣，戒之！」[二]從這一段日記可以看出，蔣介石認為，「胡某」也者，罪大惡極，他使得蔣介石「暴躁發憤」、「幾忘其身」。

其後，蔣介石在日記中對「胡某」的攻擊就接連不斷。十三日日記指責其「挑撥內部，詆毀政治，曲解遺教，欺惑民眾」。[三]十五日日記指責其「破壞黨國，阻礙革命」，「以『司大令』（斯大林）自居，而視人為『托爾斯基』（托洛茨基）」。[四]二十五日日記則稱：「今日之胡漢民，即昔日之鮑爾廷（鮑羅廷）。余前後遇此二大奸，一生倒霉不盡。鮑使國民黨徒受惡名，而共產黨受其實惠。今胡則使國民黨受害，而彼自取利。鮑使國民黨革命破壞，不能建設，胡則使國民黨革命阻礙，不能進取。」【五】十幾天之中，由「小人」，而「胡某」，而直書「胡漢民」，標誌着蔣介石怨憤的迅速加深和增強。

這一時期，胡漢民問題使得蔣介石性情乖戾，難以自制。十八日日記云：「近日躁急，恐將僨事。」【六】二十五日日記云：「為胡事又發憤怒。」【七】二十六日日記云：「在湯山俱樂部痛述某之罪狀，幾為髮指。」當日中午，蔣介石與邵力子談起胡漢民的「罪狀」時，再次動情，日記云：「心為之碎，自知失態。」【八】

也就在二十五日，蔣介石制訂了一個處理胡漢民的十四點計劃。前四項對胡本人：一、請胡到家；二、監視護兵；三、令警察監視其家；四、請孫科往見，在「公開審判」和「自行辭職」兩者中問胡自願；同時要胡保薦立法院正副院長，並要胡函慰立法院各委員，使其安心供職；最後將胡遷往中山陵。其他十項為善後，其內容為：明告中央委員；開國民黨中央臨時政治會議；開中央常務會議，推任立法院院長；由監察委員提起彈劾，令國府緊急處分，嚴重監視；監察院提起政治彈劾；通告各地黨部與各軍隊等。當然，蔣介石也沒有忘記控制新聞，「令各報不准登載中央未發表之消息」。其中還包括「請立法委員組長明午吃飯」一條，考慮得相當周密。【九】

二十八日晚，蔣介石以宴客為名，邀請胡漢民到自己的住所晚餐。胡漢民到後，便從首都警察廳長吳思豫手裡得到了一封蔣介石列數其「罪狀」並有其親筆修改手跡的信件【一〇】，又從邵元沖口裡得知：「蔣先生想請胡先生辭立法院院長。」胡漢民堅決要求蔣介石出面，蔣出面後，兩人激烈辯論到深夜。第二天，胡漢民具書「辭職」。當日，移送湯山軟禁。三月八日，移回南京，仍然處於軟禁狀態中。

這就是二十世紀三十年代初著名的胡漢民「被囚」事件。早在同盟會時期，胡漢民就追隨孫中山，獻身革命，長期充任孫的助手，堪稱「黨國元老」。他當時任國民黨中央常務委員、南京國民政府委員、立法院院長。「事發以後，舉世駭然。」【二】他被軟禁無異是南京政壇上的一次強震。

二　一九二〇年代末期至一九三〇年代初期的「黨治」與「法治」之爭

要瞭解蔣胡之爭，首先必須瞭解孫中山的有關思想和蔣胡之爭的歷史環境。

孫中山是偉大的民主主義革命家，他的目標一開始就定位在將中國建設為世界上的頭等民主國家。但是，他又認為，這個境界不可能一蹴而就，必須循序漸進。還在同盟會時期，孫中山和他的戰友們即將中國實現民主和法治的進程分為軍政、訓政、憲政三個階段。軍政時期適用於革命軍初起之時，軍民共同受治於軍法。訓政時期適用於三年之後，各縣軍政府將地方自治權歸之於當地人民，由人民選舉地方議會議員及地方行政官員，同時制訂約法，規定軍政府和人民之間各自的權利和義務。憲政時期適用於全國實行約法六年之後，其特徵為制定憲法，由國民公舉大總統，公舉議員，組織國會，一切國事，均依憲法而行。此後，孫中山對他的「三階段論」作過多次說明，其大原則雖始終如一，但也有出現了某些相異或模糊之處。

辛亥革命後，南京臨時參議院迅速制訂了相當於憲法的《臨時約法》，它規定了此前中國從未出現過的一系列民主原則。但是，曾幾何時，《臨時約法》即被袁世凱和北洋軍閥扔進了廢紙簍。為了捍衛《臨時約法》，孫中山曾多次發起護法運動，但是，也均一無所成，護法的旗號反而為曹錕、吳佩孚之輩所利用。這種情況，其主要原因在於，中國社會源遠流長和根深蒂固的封建傳統和當時社會中強大的封建勢力。但是，晚年的孫中山總結經驗，卻認為其原因在於人民沒有經過必要的訓練，「未經軍政、訓政兩期，而即入於憲政」，他說：「不經訓政時代，則大多數之人民久經束縛，雖驟被解放，初不瞭知其活動之方式，非墨守其放棄責任之故習，即為人利用陷於反革命而不自知。」他甚至說：「辛亥之役，汲汲於制定《臨時約法》，以為可以奠民國之基礎，而不知乃適得其反。」【一二】這一時期，他接受蘇俄經驗，比較多地強調「以黨治國」，即所謂「黨治」。一九二四年一月，孫中山起草《建國大綱》時僅云：「（訓政時期）得選舉縣官以執行一縣之事，得選舉議員以議立一縣之法律」，沒有出現「約法」二字。【一三】這就為後來滋生論爭留下了空隙。

一九二八年六月，蔣介石、馮玉祥、閻錫山等人所率領的國民革命軍和平佔領北京和天津，奉系軍閥退出關外。至此，雖有東北和新疆的易幟問題有待解決，但大體上完成了全國統一。一九二八年八月，國民黨召開二屆五中全會，宣稱軍事告終，訓政開始。會議決議，遵照孫中山「遺教」，迅速起草並頒佈約法。【一四】十月三日，國民黨中央常務會議通過胡漢民、孫科提出的《訓政綱領》。該綱領規定：訓政期間，以中國國民黨全國代表大會為國家最高權力機關，代表國民大會行使政權；平日則將政權付託國民黨中央執行委員會，由該委員會中的政治會議指導國民政府施行重大國務。同日，通過胡漢民等提出的《中華民國國民政府組織法》，規定國民政府設行政、立法、司法、考試、監察五院，其正副院長均由國民黨中央執行委員會選任。這樣，國民黨就提出了一個完整的以一黨專政為特徵的政治體制。胡漢民的《訓政大綱提案說明書》將這一點表述得很清楚，很坦率：「一切權力皆由黨集中，由黨發施。」【一五】次年的有關決議甚至說：「中國國民黨獨負全責。」【一六】

一九二九年三月十三日，國民黨第三次全國代表大會召開。胡漢民在開幕詞中聲稱：「總理給我們的遺教，關於黨的，關於政的，已非常完全，而且事實上都已條理畢具。我們只要去奉行，只要摸着綱領，遵循着做，不要在總理所給的遺教之外，自己再有什麼創作。」【一七】在這一思想指導下，會議「確定總理所著《三民主義》、《五權憲法》、《建國方略》、《建國大綱》和《地方自治開始實行法》為訓政時期中華民國最高之根本法」。【一八】這樣，孫中山思想就被凝固化、絕對化、法律化，而不能允許有任何發展和匡正。會議並就此作出說明，聲稱民國元年的《臨時約法》當時就「不愜總理本意」，所以後來總理即「不復以約法為言」【一九】，這就明確否定了訓政時期有制定「約法」的必要，也否定了二屆五中全會的決議。

胡漢民、蔣介石等推行的「黨治」受到了自由知識分子和國民黨內的非主流派以及部分地方實力派的反對。早在一九二八年八月，上海四十八個商業團體就曾組織請願團，向國民黨中央黨部提出十項要求，其第一項即是「頒佈約法」。【二〇】一九二九年五月，胡適發表《人權與約法》，批評當時中國社會嚴重缺乏人權的現象：無論什麼人，只須貼上「反動分子」、「土豪劣紳」、「反革命」、「共黨嫌疑」等招牌，就可以任意侮辱其身體，剝奪其自由，宰制其財產；無論什麼書報，只須貼上「反動刊物」的字樣，就可以禁止。他要求制訂憲法，至少，也應該制訂訓政時期約法，用以「規定政府的權限」和「人民的『身體、自由、及財產』的保障」。【二一】七月二十日，胡適進一步發表《我們什麼時候才可有憲法》一文，對孫中山手擬的《建國大綱》提出疑問。該文認為，民國十三年的孫中山「簡直是完全取消他以前所主張的『約法之治』」。該文由此進一步地批評孫中山「根本不信任中國人民的參政能力」，其言論中有「根本性大錯誤」。文稱：「民國十幾年的政治失敗，不是驟行憲政之過，乃是始終不曾實行憲政之過；不是不經軍政、訓政兩時期而遽行憲政，乃是始終不曾脫離擾亂時期之過。」胡適明確地要求迅速制訂憲法。他說：「我們不相信無憲法可以訓政；無憲法的訓政只是專制。」【二二】

胡適的呼籲受到他的朋友羅隆基、馬君武、張元濟等人的支持。羅隆基稱：「人權破產是中國目前不可掩蓋的事實。」他尖銳地提出：「明火打劫的強盜，執槍殺人的綁匪」，其「蹂躪人權」的危害，「遠不如某個人，某家庭，或某團體霸佔了政府的地位，打着政府的招牌，同時不受任何法律的拘束的可怕」【二三】。同年十二月，胡適將他自己和朋友們的文章編輯為《人權論集》。

胡適、羅隆基等人的批評鋒芒直指國民黨的「黨治」，在當時的思想界掀起了要求民主、人權和法治的波瀾。繼胡適等人之後，國民黨內的非主流派和地方實力派相結合，進一步掀起批判獨裁、要求實行民主和法治的潮流。

國民黨三大之後，以蔣介石、胡漢民為代表的國民黨主流派掌握中樞、權傾一時，但是，以汪精衛為首的改組派和以鄒魯為代表的西山會議派則處於失勢地位。他們以反對蔣介石的「專制」、「獨裁」，要求「民主」、「法治」為名，積極進行反蔣活動。和他們站在一起的有晉系閻錫山、西北軍馮玉祥、桂系李宗仁等地方實力派。一九二九年一月編遣會議後，他們的利益、權力、地盤受到損害，因此，力圖武力倒蔣。

一九三〇年二月十日，閻錫山首先發難，提出「禮讓為國」，要求蔣介石與自己同時下野。三月十五日，馮玉祥部鹿鍾麟等人通電，擁護閻錫山為陸海空軍總司令。自然，南京國民政府視此為叛逆，下令通緝閻錫山，並於五月一日發佈討伐令，持續六個月的中原大戰由此展開。同年七月十三日，反蔣各派在北京聯合成立國民黨中央黨部擴大會議。汪精衛等在《聯名宣言》中指責蔣介石：「背叛黨義，篡竊政權」，將民主集中制變為個人獨裁。宣言稱：「本黨目的在扶植民主政治，蔣則託名訓政以行專制。人民公私權利剝奪無餘，甚至生命財產自由一無保障。」【二四】八月七日，再次發表宣言，指責蔣介石借黨治名義實行獨裁，「號稱訓政，於今三年，而約法一字亦未頒佈」。宣言稱：「吾黨提出民主政治四十餘年，民國成立亦已十九年，而仍滯於極端專制之境，此誠吾黨之大恥，而國民之大不幸。」宣言表示，決於最短期內按照孫中山遺教籌備召集國民會議，制訂約法。【二五】汪精衛為此特別說明，孫中山晚年所批評的是民初制訂的「實際即是憲法」的《臨時約法》，至於《孫文學說》中所說「訓政時期的約法」，其目的在於確定政府對人民的關係，限制政府對於人民的權利的干涉程度，仍為革命時代所必要。【二六】汪精衛不是胡適，他不敢對孫中山稍有批評，只能在其學說的範圍之內做文章。

九月一日，「擴大會議」諸人在北平成立以閻錫山為主席的「國民政府」。十五日，成立包括羅文幹、周鯁生等六名法學家在內的約法起草委員會，負責起草約法並向全國徵詢意見。其間，曾計劃聘請胡適為起草委員，胡也認真地和羅作過討論，意見「大致相投」。【二七】

在南北兩個「國民政府」兵戎相見的關鍵時刻，張學良支持蔣介石，率兵入關。閻錫山被迫退回山西。汪精衛、鄒魯等眼看失敗在即，決定抓緊時間演出最後一幕，向南京政權作一次「悲壯」的宣傳戰。十月二十七日，「擴大會議」在太原繼續開會，通過約法起草委員會所擬《中華民國約法草案》，用以作為「憲法未頒佈以前的根本大法」。該草案所規定的人民人身、財產、居住、集會、結社、言論等「私權」和選舉、罷官、創制、復決等「公權」，在相當程度上體現出現代民主思想，與胡適等人權派的觀點一致，而與南京國民政府一黨專政下的情況迥然相反。《大公報》曾評之為「從理論言，此項草案實有許多優點」，「極合人權法理」，「比較任何國家現行憲法為周密」。【二八】同日會議即將草案公佈，「徵求全國人民真實意見及正當評判」。【二九】次日，汪精衛等人離開太原，轉到天津、上海等地活動。

「擴大會議」的組成人員很複雜，其中大部分人員並不是民主派，其反蔣目的也並不都很純潔，但是，他們是非主流派或在野派，在和主流派鬥爭時，有可能看到主流派所不可能看到或不願意承認的現實，為爭取民心，他們所批判的，所用以作為旗幟的，也可能反映出人民的某些要求或願望。民主和法治是現代國家的基本特徵。應該承認，「擴大會議」諸人對南京國民政府以「黨治」為名而專制、獨裁為實的批判，對民主和法治的呼喊，以及太原「約法」的起草等等，都在不同程度上曲折地反映出近代中國的歷史發展要求。

胡適等人權派的出現，中原大戰的爆發，「擴大會議」的召開，這一切表明，在當時的中國，要求制訂約法不僅已經形成一股思潮，而且形成了一股勢力，威脅着南京國民政府的統治地位。

三　蔣胡在制訂「約法」問題上的分歧與衝突

面對自由派知識分子和「擴大會議」派的「法治」要求，國民黨主流派內出現了兩種不同的態度。蔣介石企圖接過胡適等人的口號，召集國民會議，制訂約法，而胡漢民則堅持一貫主張，反對在當時召開國民會議，制訂約法。

胡適要求制訂憲法，批評孫中山的文章發表後，招來了國民黨對自己的一場頗具聲勢的「圍剿」，極端分子甚至要求將胡適逮捕法辦。但是，蔣介石特予「優容」，沒有採取任何措施。一九三〇年十月三日，蔣介石所率領的南京「討逆軍」克復開封，閻錫山、馮玉祥、汪精衛等人的失敗已成定局。同日，蔣介石致電南京國民政府，前所未有地首先作出自我批評，聲稱「中正自維涼德，誠信未孚，對人處事，每多過誤」。電報建議，在軍事大定之後，赦免陳炯明、閻錫山之外的所有軍事、政治上的「罪犯」，「取消通緝，復其自由」。電報甚至提出，共產黨員個人如能「悔過自新」，「得有切實保證人」，可以「暫予緩刑」，三年之後，實無「犯罪行為」時，得確定赦免之。【三〇】同日另電國民黨中央，要求在最短期內召集四中全會，討論提前召開國民黨第四次全國代表大會，以便進一步討論召集國民會議，起草憲法，「準備以國家政權奉還於全國國民」等問題。蔣並提出，在憲法未頒佈以前，先行制訂訓政時期適用的約法，「使《訓政綱領》所規定，與《第一次全國代表大會宣言》中之《政綱》，益能為全國人民所瞭解」。【三一】上述兩電，通常稱為「江電」。十月十

日，蔣介石發表文告，進一步作出革新姿態，聲稱「負責建國之中央，則尤必於討逆勝利之後，緊接之以政治之刷新。」【三二】

蔣介石的「江電」受到部分輿論讚許，視為「制度上之重要改革」，「開政治的解決之端」。【三三】但是，卻遭到胡漢民的強烈抵制。胡面諭中央通訊社負責人，「要等到中央常委會討論決定後才能公開。」【三四】該電到十月八日方見之於《中央日報》。十一月十三日，國民黨中央委員會三屆四中全會開幕，蔣介石的提議雖被列為主席團提案，但在會前審查時，由於胡漢民力持異議，作了很多修改。十五日，張群等人提案，支持蔣介石，要求採納「擴大會議」等「反對者的意見」，立即召開國民會議，制訂約法。提案稱：「今日通稱黨國，固非黨高於國，或黨即國之解釋；黨與國的機關，不能混合。」又稱：召開國民會議，可以密切國民黨和人民的關係，增進與人民的團結。該提案還對三全大會將孫中山遺教定為「最高之根本法」的有關決議明確地提出異議，認為孫中山的遺著「不含法律性質者亦復不少」。【三五】但是，該案遭到胡漢民的強烈反對，胡稱，該案已經三全大會決定，不必討論。他並稱：孫中山所指約法，乃是軍政時期，對軍政府而言；民元時期的「約法」就是憲法，「非我們之約法」。「總理在《建國大綱》內，就沒有提到約法兩個字，而單講訓政了。」【三六】

胡漢民在國民黨三屆四中全會的有關發言不是偶然的。早在一九二八年，他就在《訓政大綱提案說明書》和有關演說中批判民初制訂《臨時約法》的舉措，強調必須堅持孫中山設計的「訓政程序」，反對「躐等而上」。【三七】一九二九年九月二十三日，他在一天中兩次發表演說，重申孫中山晚年的觀點，指責民初制定《臨時約法》，「不遵守總理訓政方案，已誤國家。」他說：人民必須首先受訓練，「到了能運用自治民權，方能有憲法」；如果「人民不知如何運用參政權，憲法豈不是假的」。他並以三全大會的決議為依據，不點名地批評胡適等人，聲稱「總理的一切遺教就是成文的憲法」，「如再要另外一個憲法，豈非怪事！」【三八】一九三〇年一月，南京國民政府法制委員會委員長焦易堂提出《人權法原則草案》十三條，擬作為「實質約法」的一部分，但是，在胡漢民主持召開的國民黨中常會上，此案也以上文同樣的理由被決定「緩議」。【三九】對於「擴大會議」諸人提出的制訂約法的主張，胡漢民更斥之為「胡鬧」，再次強調，孫中山的「主要遺教」已被定為「效力等於約法的根本大法」，不應將之「一齊擱開，另尋一個所謂約法」！【四〇】

由於胡漢民的反對，國民黨三屆四中全會未能就是否制訂約法一事作出決定，僅議決於次年五月五日召開國民會議。會議通過的蔣介石有關提案也是模糊的。這次會議，蔣雖被加推為行政院長，但「江電」所提召開國民黨四全大會等意見，或被否定，或被擱置。

三屆四中全會結束後，蔣介石加緊籌備召開國民會議。一九三〇年十二月末，國民黨中央常務委員會通過國民會議代表選舉法，次年一月，成立國民會議代表選舉總事務所，以戴季陶為主任，孫科為副主任。二月十五日，加派陳立夫為總幹事。

按蔣介石的意思，這個國民會議仍然要制訂約法。但是，胡漢民繼續持反對態度。一月五日，胡漢民在立法院演講，列述孫中山的有關主張，而不及約法二字。他說：「關於國民會議的一切，無論是會議前的召集，會議中的討論，必須完全遵依總理的遺教。」【四一】他表示，希望大家「能深識國民會議的性質、組織效能，避免許多無謂的誤解。」【四二】話雖含蓄，意思是明確無誤的。二月二十四日，胡漢民、戴季陶、吳稚暉、張群等在蔣介石處聚會，商討約法問題。張群力主「立憲救國」，受到胡漢民的強烈批駁。胡稱自己是「真的為約法憲法而奮鬥者」，但他堅持當時條件不夠，「各項法律案還沒有完備」，「軍權高於一切」，「約法這件東西，寒不能為衣，飢不能為食，有而不能行，或行而枉之，只於人民有害」。【四三】同日，《中央日報》記者訪問胡漢民，徵詢胡對於國民會議的意見。胡稱：「我追隨總理數十年，總理之重要著作，我亦曾參加若干意見，從未聞總理提及『國民會議應討論約法』一語。」他提出，國民會議的議題只應限於孫中山手定的三項：謀中國之統一；謀中國之建設；廢除一切不平等條約。【四四】這就將他反對國民會議討論約法的態度徹底公開了。

胡漢民的態度使蔣極為憤怒。二月二十五日胡漢民談話見報的當天，蔣介石即在日記中寫道：「彼堅不欲有約法，思以立法院任意毀法、亂法，以便其私圖，而置黨國安危於不顧。又言國民會議是為求中國之統一與建設，而不言約法，試問無約法何能言建設！」二十八日，他在《致胡漢民函》中尖銳地責問說：「遍查各國歷史，在革命政府成立而統一亟需鞏固之時期，是否均有一全國國民公守之大法？今即退一步而政府不提出訓政時期之約法案於國民會議，亦必由國民會議自身決定應否議及約法，乃先生必預欲剝奪國民會議提及約法之權，是直欲限制國民會議，壓迫國民會議，使國民會議之真意全失，僅預為搗亂者再留一為約法而戰之題目而已。」【四五】

蔣介石高度評價約法的作用，稱之為「本黨與中國生死存亡之最大關鍵」。【四六】他認為，孫中山晚年並無不要「約法」的主張。《日記》稱：「總理革命，不欲民國元年參議院之約法，而主張重訂訓政時期之約法，重訂革命之約法，而非不欲約法也。」【四七】他和汪精衛一樣，也只能在孫中山思想的範圍內做文章。

蔣介石雖然早年就參加辛亥革命，但始終並無多少民主思想。他此際之所以重視約法，主要是中原大戰和北平擴大會議的刺激。《致胡函》稱：他的「江電」是「積數十萬將士之鮮血、戰地無數人民之犧牲，瘡痍滿目，痛定思痛，懲前毖後，滴滴血淚之所成」。這段話雖不無美化自己之嫌，但道出了他的「政治刷新」主張和中原大戰之間的關係。同函又稱：「兩年以來，黨國多故，叛變紛起」，「不能不為拔本塞源之計，以求戰禍之永不復行」。這段話比較真實地道出了問題的實質。中原大戰是國民黨統一中國後第一次大規模的軍閥混戰。雙方動員兵力高達一百六十萬人，其中「逆軍」傷亡三十萬，「討逆軍」傷亡近十萬。它不僅造成了人民生命財產的巨大損失，也嚴重威脅着以蔣介石為首的南京國民政府的統治。在這種情況下，蔣介石不得不接過政敵的口號來，力圖以此爭取人心，剝奪反對派的藉口，從而穩固自己的統治。

這一時期，蔣介石思想中確有某些「刷新」的念頭。除赦免軍事、政治犯、制訂約法外，廢除國民黨代表大會的指定和圈選制度亦是一例。

國民黨採用指定或圈選制由來已久。第三次全國代表大會共有代表四百零六人，其中指定者二百一十一人，圈定者一百二十二人，選出者僅七十三人。當時就受到不少地方黨部的反對。三全大會甫經閉幕，所謂「護黨救國第一方面軍」等反蔣力量即乘時而起。北平擴大會議宣言更稱：「本黨組織為民主集中制，蔣則變為個人獨裁。偽三次代表大會指派圈定之代表數在百分之八十以上。」【四八】針對這種情況，蔣介石曾在日記中寫道：今後「各省黨部選舉絕對自由，不再圈定，而一切議案亦絕對公開」。他還表示，即將召開的國民會議「必須自由提案，自由決議，不加限制」。【四九】

儘管蔣介石的目的是「劂絕亂源」，鞏固統治，但是，赦免軍事、政治犯，制定約法，自由選舉、自由提案，議案公開等措施，畢竟是在向着現代民主和法治前進。他在「江電」中重提曾作為國共合作基礎的《國民黨第一次全國代表大會宣言》，也頗有耐人尋味之處，無奈蔣介石專制、獨裁成性，一遇到反對意見，他就又用起老套路來了。

四　蔣胡矛盾的其他方面

除了約法之爭，蔣胡矛盾還有其他一些方面：

一、胡漢民多次批評國民黨、國民政府行政院和蔣介石本人。南京國民政府成立後，即以「造成廉潔政府」相號召。二月十六日，胡漢民發表演講，指出四年中不曾檢舉過一個貪官污吏。他質問道：「我們能相信今日之政府，是真實廉潔了嗎？政府之下的公務人員，是真實都奉公守法了嗎？不待言，是一個絕大的疑問。」【五〇】同日，又在國民黨中央黨部發表演講稱：「目前我們黨的生氣，似乎一天一天在那裡消沉了。」「從前國民黨包辦一切，不許人家來染指，現在則包而不辦，形成了一個特殊的階級。」【五一】胡漢民當時此類言論很多，其最尖銳者為批評南京國民政府「政不成政，教不成教」，這使蔣大為不滿，指責其「謗毀行政院」，「漫肆譏評」，「若必欲使中央信用喪失，革命無由完成而後快者」。【五二】在國民黨歷史上，胡漢民是老資格，而蔣介石只是後生小輩，因此，胡漢民對蔣介石批評、教訓起來也常常不留餘地，蔣介石對此尤為惱火，指責其「以政治一切罪惡推於中正一人之身，而以軍人不懂政治之誹謗，詆之於中外人士之前」【五三】。

二、胡漢民反對召開國民黨第四次全國代表大會，要求蔣介石辭退國民黨中央組織部長一職。「江電」中，蔣要求提前召開國民黨四全大會，胡反對；及至法定時間已到，胡仍然反對。其原因，據蔣稱，是由於胡要求蔣辭退國民黨中央組織部長一職未能如願。《致胡函》稱：「先生嘗對中正等自詡政治手腕，惟史太林差可比擬，其不欲第四次代表大會早為召集，是否以強迫中正辭退組織部未遂所欲，乃致先生之個人佈置未周妥，所以模仿史太林者尚須逐漸準備？」

三、胡漢民企圖以立法院牽制以蔣介石為首的行政院。胡漢民認為：「立法者只該忠於黨，忠於國，忠於由法律案所產生的政治設施。」【五四】他企圖以立法來限制行政，補救行政的過失。對此，蔣介石指責其為「阻礙革命，破壞《建國大綱》之精神。」【五五】《致胡函》稱：「今先生對於政制之應單純簡捷者，必使之複雜紛糾，以致一切政治皆東牽西制，不能運用自如。」「必欲以五院院長牽制行政，且皆欲以立法院主張是從，而以立法院為國民政府之重心。」

四、立法院擱置《郵政儲金法》。一九三〇年，行政院交通部曾將《郵政儲金法》交立法院審議，但胡漢民認為，郵政儲金關係國家財政的周轉和挹注，因此持審慎態度，該案始終未獲通過。對此，蔣介石指責說：「行政院要案，有擱置一年之久不得通過者。」【五六】

五、立法院對《中日關稅協定》提出質疑。南京國民政府統一全國後，即推行「改訂新約」運動，企圖修改近代以來列強陸續加在中國身上的不平等條約。其內容之一是改訂關稅條約，實現關稅自主。但是，南京國民政府的這一正當要求卻遭到了日本政府的蠻橫拒絕。經過艱難談判，直到一九三〇年五月，日本才在列強中最後一個與中方簽署協定。中方承諾每年從海關稅收中提取五百萬元，用以償還北洋政府向日方的借款，同時允諾三年內不提高日本對中國出口的主要貨物的關稅率；日本則承認中國的關稅自主權。【五七】由於讓步較大，立法院提出質疑，蔣介石當時在前方，命人詢問胡漢民：「軍情緊急，胡先生這樣幹，是不是想推翻政府？」【五八】胡對來人答稱：「簽訂法律案，不經立法院認可，是違法。」他指責主持談判的外交部長王正廷「昏瞶糊塗，擅簽協定」，建議撤職查辦。【五九】對此，蔣介石指責為「反對外交，妨礙稅法，擱置要案，不與通過」。【六〇】

六、胡漢民反對以官職為手段拉攏東北將領。一九三〇年，為了動員張學良出兵攻打「擴大會議」諸人，蔣介石曾於當年六月提名以張為陸海空軍副司令。中原大戰結束後，張學良於同年十一月到南京，蔣介石又準備提拔張的部屬為國府委員及部長，對胡表示：「要與漢卿合作，非這樣辦不可。」但胡立即駁蔣說：「在一個政府的立場，不應該用這種拉攏湊合的卑劣手段」，「合作並不在分配官職，國家的名器也不應該這麼濫給人，而且既然是一個中央政府，在『中央』的意義之下，對於國內的任何個人，都談不到什麼『合作』」。【六一】對此，蔣介石指責為「阻礙和平，破壞統一」。《致胡函》稱：「當統一告成，東北竭誠擁護中央，我中央正宜開誠相與，示以大公，使各省心悅誠服，懷德知威，不致再啟糾紛，貽禍黨國，使我人民得有休養生息之機。乃先生褊狹懷疑，必曰東北無誠意，嚴防固拒，屏諸化外，凡有提議東北之人與東北之事者，先生必從中阻撓，竭力反對。推先生之意，若必欲使中央失信於東北，引起東北對中央之惡感，使中央原定之和平政策不能實現，軍政不能統一，黨國永無安寧之日，誠不知先生是何居心也？」

七、反對蔣介石提出的「赦免軍事、政治犯」的方案。胡漢民認為，蔣的方案過於寬大，在制訂《政治犯大赦條例》時沒有完全採納其意見。對此，蔣介石指責說：「其對於赦免政治、軍事犯亦多不贊成，今《大赦條例》與余「江電」條例相左甚多，以胡同志要主張如此，故中央同志亦無所異議。」【六二】

蔣介石對胡漢民的指責尚多，如「任意破壞財政」，包庇援引廖仲愷案的嫌疑分子，引用許崇智，接濟曾計劃謀害蔣介石的陳群、溫建綱等。或無事實，或非事實，本文不擬一一列舉。

南京國民政府成立後，蔣胡之間曾經有過一段密切的合作時期，也逐漸積累了若干矛盾，涉及許多方面。但是，在各項矛盾中，胡對蔣的批評和牽制則是招致蔣不滿的主要原因。一直到一九三四年，蔣還在日記中恨恨地寫道：「五院制乃總統集權制之下，方得實行。否則未得五權分立之效，而必起五院鬥爭之端；未得五權互助相成之效，而反生五院牽制糾紛之病。胡漢民不明此理，專以私心自用，竟至黨國衰敗而無法建立健全之中央，其肉豈足食乎！」【六三】蔣是個獨裁主義者，追求、神往的是大權在握、個人專斷的「總統集權制」，豈能容得別人的批評、牽制和反對呢！

五　軟禁胡漢民事件的影響

軟禁胡漢民的當晚，國民黨中央執行委員全體到蔣宅赴宴，得知胡漢民的「罪狀」後，相顧失色，「皆噤不作一言」【六四】。蔣稱：「諸同志既認展堂舉動不對，應即請其辭職。」他提議於明日召集中常會，推舉林森繼任立法院長，邵元沖繼任國民政府委員兼立法院副院長。諸人仍不敢開口。蔣稱：「諸同志既一致同意，明日即照此辦吧！」【六五】

陳立夫倚仗他和蔣多年的密切關係，客散後拉着葉楚傖去見蔣，葉仍然一句話不說，陳也不敢提出相反意見，只勸蔣「就此罷手，千萬不要走極端」，「再予監禁是不妥的」。但蔣一不做、二不休，盛氣表示：「已經做了，就沒有辦法再掩飾了。」【六六】三月二日，蔣介石在國民政府紀念週報告，「面帶怒容」【六七】，指責胡漢民「在中央未有具體決議以前，徒憑個人見解，發為國民會議不當議及約法之言論」。【六八】蔣報告後，國民黨中央隨即召開臨時常務會議，通過蔣介石、戴季陶、于右任、蔡元培、孫科等十二人提議，決定召集國民會議，「排除一切困難與謬見」，確立約法，推吳稚暉、王寵惠等十一人為約法起草委員。會議同時通過決議，聲稱「胡漢民同志因積勞多病」，「不足膺重要繁劇之任」，辭去本兼各職。【六九】據孫科回憶，會議情況是：「半句鍾之久，無一發言，後蔣作默認，糊塗通過」。【七〇】三月九日，蔣介石再次在國民政府紀念週報告，一方面繼續用「辭職」說掩蓋暴力軟禁的真相，一面大肆鼓吹「黨員、官吏無自由」論，聲稱：「革命的黨和革命的政府，因為革命的需要」，「隨時可以限制黨員與官吏各人的自由」，「所以胡同志的行動是否

自由，不是什麼重大的問題」，云云。【七一】

軟禁胡漢民是中國二十世紀三十年代初期的一次典型政治事件，國民黨的一黨專政進一步發展為個人獨裁。自此，南京國民黨中央和國民政府僅存的一點民主氣氛掃地殆盡。國民黨元老們記取教訓，「咸袖手結舌，莫敢一言」。【七二】

然而，任何獨裁統治的力量又都是有限的。人們在輦轂之下的南京無法吭聲，但是，在蔣介石鞭長莫及的地方就無所顧忌了。

從三月三日起，屬於改組派系統的上海《華東日報》連續發表評論，抨擊蔣介石的「獨斷專行」，認為「欲謀解放，除徹底反對個人獨裁，實現民主政治外，絕無他道可循」。【七三】天津《大公報》也發表評論，認為「政治意見既不能無爭，要當以言論為工具，以多數決從違」，「軌道內之論爭，無論黨治、法治之國家胥應允許。蓋不如此，則政治必腐化，國家必退步」。【七四】八日，上海各省公團駐滬聯合辦事處通電指出：「專制民主，誓不兩立」，要求南京各院長，各部長，「去職遠引」，「勿為一姓之走狗」。【七五】同月底，中國國民黨黨權運動總同盟發表《討蔣宣言》，要求開除蔣介石黨籍，撤銷其本兼各職。【七六】

古應芬是胡派重要人物，軟禁事件發生後，他最早致電蔣介石表示不滿，旋即在廣東聯絡陳濟棠、鄧澤如、蕭佛成等人組織「策劃機關」，研究救胡及組織「西南政府」方案。【七七】四月三十日，鄧澤如、林森、蕭佛成、古應芬等四人以國民黨中央監察委員會委員身份聯名通電，彈劾蔣介石有「違法叛黨」等六大罪狀。五月三日，陳濟棠以第八路總指揮的名義，率領所部陸海空各軍將領聯名通電，要求蔣介石「引退」。十一日，桂系李宗仁、白崇禧率張發奎等全體將領通電，聲援陳濟棠等，聲稱「本軍業經下令動員」，願與各方袍澤「趁時奮起，會師長江，底定金陵」。

「擴大會議」諸人自離開太原後，反蔣活動的重點轉入輿論宣傳方面。汪精衛於三月十四日發表宣言，指責蔣介石「一面擺酒請客，一面拔槍捉人，以國民政府主席，而出於強盜綁架之行徑」。【七八】其後，連續發表文電，以「顛覆個人獨裁，樹立民主政治」及「恢復民主集權制」相號召，呼籲各反蔣派系聯合起來。【七九】他探悉粵方醞釀反蔣後，即積極表示願意參加。廣東方面秘密徵詢胡漢民的意見，胡表示同意。【八〇】

南京國民政府內部此際也發生分化。孫科原是蔣倒胡依靠的人物，但他由於看不慣蔣的作為，離寧赴滬，消極抗議。五月五日，致電蔣介石稱：「歷代各國元首罪己，事本平常」，要蔣「自訟自劾」。【八一】二十一日，秘密偕唐紹儀、許崇智、陳友仁離滬赴港，和汪精衛、白崇禧等會面，討論兩廣合作討蔣問題。此後，他即成為西南反蔣陣線中最激烈的人物，演說中有云：「蔣不是尋常老鼠，是一個疫鼠，傳染甚速，倘我們不忍些痛，急撲殺之，則全國皆亡不可！」【八二】

聯絡既有端緒，唐紹儀、鄧澤如、古應芬、林森、蕭佛成、汪精衛、孫科、陳濟棠、許崇智、李宗仁、陳友仁等於二十五日聯署，通電要求蔣介石在四十八小時之內下野。二十七日，汪精衛、孫科、鄒魯等在廣州召開「國民黨中央執、監委非常會議」，成立「國民政府」。除了原北平擴大會議的人馬之外，又新增了一批反蔣分子，形成國民黨內非主流派系的更大聯盟。一個北平，一個廣州，前後兩個反蔣的「國民政府」，用以號召的旗幟都是「民主」與「法治」。

由於「九一八事變」的爆發，廣州非常會議所成立的「國民政府」雖然很快撤銷了，但是，寧粵對立的局面卻一直延續到一九三六年，長達五年之久。

六 餘論

「民主」與「法治」是國家現代化的重要內容，也是現代歷史的基本走向。法律不是萬能的，但是，在現代社會生活中，法律又是極為重要的。其中，約法、憲法等「根本大法」規定國家和社會生活的基本民主原則，規範執政者和人民彼此的權利義務，就尤為必要而不可缺。在強權統治下，法律有時會成為具文，但是，它提供了人民保護自己、揭露強權的武器，還是比無法好。因此，一九二〇年代末期，胡適等人要求在國民黨統治下制訂約法或憲法，保障人權，雖有其局限，但卻是中國現代化進程中的合理要求。擴大會議承繼這一要求，以之作為反蔣口號，正是看到了這一不可逆轉的歷史趨勢。蔣介石將這一口號接過來也是看到了這一不可逆轉的趨勢，但是，中國長期處於專制統治之下，個人專斷和獨裁已經成了一種思維定勢和行為定勢。當蔣介石與胡漢民發生政見分歧時，既不能訴諸於民主的協商和討論，又不能訴諸於辯論與表決，而是無限上綱，暴力軟禁。原本是追求民主和法治的努力（雖然是表面上的和形式上的）卻變為反民主、反法治的演示。這一事件深刻地說明了現代中國民主進程的長期性和複雜性。

胡漢民與蔣介石的矛盾不僅是複雜的，而且是多重交叉的。就胡漢民將孫中山「遺教」絕對化，反對在當時制訂約法來說，他不懂得現代的民主和法治，但是，他又企圖運用現代的多權分立制度來反對蔣介石的個人獨裁；就蔣介石來說，他準備召開國民會議，制訂訓政時期約法，顯示出他企圖邁上民主和法治的道路，或者說，他企圖以民主和法治來裝點門面，但是，當他遭到牽制，面臨反對意見時，他又用粗暴的辦法踐踏了現代民主的原則。

附記：

對胡漢民事件，蔣介石後來曾多次追悔。一九四一年四月五日《上星期反省錄》云：「對溥泉斥責事，愧悔不知所止。此為余每十年必發憤暴戾一次之惡習。回憶民十對季陶，民廿年對漢民，而今民卅對溥泉之憤怒，其事實雖不同，而不自愛重之惡習則同也。」又同年六月九日日記云：「（民國十九年冬）當時討平閻、馮叛亂以後，乘戰勝餘威，應先積極統一各省軍、民、財各政，而對中央內部謙讓共濟，對胡特予信任與尊重，以國府主席讓之，則二十年胡案不致發生，內部自固矣。」

註釋：

【一】《蔣介石日記》，手稿本，一九三一年二月九日，美國：胡佛研究院藏。
【二】《蔣介石日記》，手稿本，一九三一年二月十日。
【三】《蔣介石日記》，手稿本，一九三一年二月十三日。
【四】《蔣介石日記》，手稿本，一九三一年二月十五日。
【五】《蔣介石日記》，手稿本，一九三一年二月二十五日。
【六】《蔣介石日記》，手稿本，一九三一年二月十八日。
【七】《蔣介石日記》，手稿本，一九三一年二月二十六日。
【八】《蔣介石日記》，手稿本，一九三一年二月二十六日。
【九】《蔣介石日記》，手稿本，一九三一年二月二十五日。
【一〇】《蔣介石致胡展堂書》，原件，南京：中國第二歷史檔案館藏，以下行文，簡稱《蔣致胡函》或《致胡函》，不一一註明出處。

【一一】《第四次全國代表大會與中國國民黨之復興》，國民黨中央執監委員非常會議印行，一九三一年九月。

【一二】《制定建國大綱宣言》，《孫中山全集》第十一卷，北京：中華書局，一九八五，第一〇二頁。

【一三】《國民政府建國大綱》，《孫中山全集》第九卷，第一二七頁。

【一四】榮孟源主編：《中國國民黨歷次代表大會及中央全會資料》（上），北京：光明日報出版社，一九八五，第五三四、五四三頁。

【一五】胡漢民：《革命理論與革命工作》，上海民智印刷所，一九三二，第四一六頁。

【一六】《革命文獻》第七六輯，台北：中國國民黨中央黨史會，一九七八，第八二頁。

【一七】《國聞週報》，第六卷第一一期。

【一八】《中國國民黨歷次代表大會及中央全會資料》，第六五四頁。

【一九】《中國國民黨歷次代表大會及中央全會資料》，第六五五頁。

【二〇】《商業請願團請願書》，上海錢業公會檔案，卷六六。

【二一】《胡適文集》（五），北京大學出版社，一九九八，第五二九頁。

【二二】《胡適文集》（五），第五三九頁。

【二三】《胡適文集》（五），第五四八頁。

【二四】《聯名宣言》，《中國國民黨歷次代表大會及中央全會資料》（上），第八三九頁。

【二五】《聯名宣言》，《中國國民黨歷次代表大會及中央全會資料》（上），第八四三、八四四、八四五頁。

【二六】《聯名宣言》，《中國國民黨歷次代表大會及中央全會資料》（上），第八八一頁。

【二七】《胡適的日記》，一九三〇年九月十二日、十月十一日，台北：遠流出版公司影印本。

【二八】《大公報》社評，一九三〇年十一月一日。

【二九】《中國國民黨歷次代表大會及中央全會資料》（上），第八四九頁。

【三〇】《中央日報》，一九三〇年十月三日。

【三一】《中央日報》，一九三〇年十月八日。

【三二】秦孝儀：《總統蔣公大事長編初稿》卷二，台北：中國國民黨中央黨史委員會一九七八年，一九七八，第三三一頁。

【三三】社評《蔣請開國民會議之江電》，胡適存剪報，見《胡適的日記》，一九三一年十月七日。

【三四】程思遠：《政壇回憶》，廣西人民出版社，一九八三，第四三頁。

【三五】國民黨三居四中全會速記錄，轉引自蔣永敬：《胡漢民先生年譜》，台灣：商務印書館，一九八一，第四九三—四九四頁；參見《中國國民黨第三居中央委員會第四次全體會議記錄》，中央執行委員會秘書處編印，第一九頁。

【三六】蔣永敬：《胡漢民先生年譜》，第四九六頁。

【三七】胡漢民：《革命理論與革命工作》，上海民智印刷所，一九三二，第四一一、四〇三頁。

【三八】《中央日報》，一九二九年九月二十四日；參見胡漢民《從黨義研究說到知難行易》，《革命理論與革命工作》，第一三二—一三三頁。

【三九】《胡適的日記》，一九三〇年一月二十九日附存資料。

【四〇】《國家統一與國民會議之召集》，《中央週報》，一二四期。

【四一】《遵依總理遺教開國民會議》，《中央日報》，一九三一年一月十三日。

【四二】《遵依總理遺教開國民會議》，《中央日報》，一九三一年一月二十一日。

【四三】《胡漢民自傳續編》，《近代史資料》一九八三年第二期，第五四頁。

【四四】《胡院長談國民會議意義》，《中央日報》，一九三一年二月二十五日。

【四五】《蔣介石致胡展堂書》，親筆修改本，南京：中國第二歷史檔案館藏。

【四六】《蔣介石關於胡漢民辭職的報告》，南京：中國第二歷史檔案館藏。

【四七】《蔣介石日記》，手稿本，一九三一年二月二十五日。

【四八】《中國國民黨歷次代表大會及中央全會資料》，，第八三九頁。

【四九】《蔣介石日記》，手稿本，一九三一年二月十五日。

【五〇】《監察權意義及其運用》，《中央日報》，一九三一年二月二十日。

【五一】《黨的訓練問題》，《中央日報》，一九三一年二月二十三、二十四日。

【五二】《蔣介石日記類抄》，一九三一年二月二十五日；《蔣介石致胡展堂書》。

【五三】《蔣介石關於胡漢民辭職的報告》。

【五四】《胡漢民自傳續編》，《近代史資料》一九八三年第二期，北京：中華書局，第五六頁。

【五五】《胡漢民自傳續編》，《近代史資料》一九八三年第二期，北京：中華書局，第五六頁。

【五六】《蔣介石致胡展堂書》。

【五七】王鐵崖：《中外舊約章彙編》第三冊，北京：三聯書店，一九八二，第七八九—八〇五頁。

【五八】《胡漢民自傳續編》，《近代史資料》一九八三年第二期，第四九頁。

【五九】《胡漢民自傳續編》，《近代史資料》一九八三年第二期，第四九頁。

【六〇】《蔣介石日記》，手稿本，一九三一年二月二十五日。

【六一】《胡漢民自傳續編》，《近代史資料》一九八三年第二期，第四七頁。

【六二】《蔣介石關於胡漢民辭職的報告》；參見《香翰屏揭破蔣中正挑撥離間電》，《為什麼討伐蔣中正》，國民黨廣東省黨部執行委員會宣傳科編印，第六六頁，一九三一年六月十五日。

【六三】《蔣介石日記》，手稿本，一九三四年六月九日。

【六四】《邵元沖日記》，上海人民出版社，一九九〇，一九三一年二月二十八日。

【六五】《邵元沖日記》，上海人民出版社，一九九〇，一九三一年二月二十八日。

【六六】《陳立夫回憶錄》，台灣：正中書局，一九九四，第一七四頁。

【六七】《國聞週報》，第八卷第九期。

【六八】《蔣主席報告約法問題》，《中央日報》，一九三一年三月四日。

【六九】《國民黨中央執行委員會第一三〇次常務會議記錄》，油印本，台北：中國國民黨黨中央史委員會藏；參見《中央日報》，一九三一年三月三日。

【七〇】《胡展堂先生被扣事件發生之經過》，《為什麼討伐蔣中正》，第一〇〇頁。

【七一】《反蔣運動史》，台灣：李敖出版社，一九九一，第二六〇—二六一頁。

【七二】孫科：《致蔣介石電》，《反蔣運動史》，第三〇〇頁；參見《陳立夫回憶錄》，第一七五頁。
【七三】《華東日報》，一九三一年三月十六日。
【七四】《政治之正軌與常道》，《大公報》，一九三一年三月五日。
【七五】《反蔣運動史》，第二七四頁。
【七六】《反蔣運動史》，第二七三頁。
【七七】《程天固回憶錄》，香港：龍門書局，一九七八，第二二六頁。
【七八】《反蔣運動史》，一九九一，第二八二頁。
【七九】《反蔣運動史》，一九九一，第二九七、三一四頁。
【八〇】《程天固回憶錄》，第二三一頁。
【八一】《反蔣運動史》，第三〇一頁。
【八二】《為什麼討伐蔣中正》，第一〇二頁。

「九一八事變」後的蔣介石

「九一八事變」後，日本帝國主義迅速佔領東北全境，蔣介石的對日政策受到普遍責難。同年十二月十五日，蔣介石被迫第二次下野。這是蔣介石一生中極為困難的時期，也是他開始調整國內外政策的起點。

一　痛憤於日本侵略，但下不了抗戰決心

「九一八事變」發生時，蔣介石正乘艦自南京赴江西「剿共」。他迅速感到了事變的嚴重性。九月十九日日記云：

> 昨晚倭寇無故攻擊我瀋陽兵工廠，並佔領我營房。刻接報已佔領我瀋陽與長春，並有佔領牛莊消息，是其欲乘粵逆叛變之時，內部分裂，而侵略東省矣！內亂不止，叛逆毫無悔禍之心，國民亦無愛國之心，社會無組織，政府不健全，如此民族，以理論，決無存在於今日世界之道，而況天災匪禍相逼而來之時乎！余所恃者，惟一片愛國心。此時明知危亡在即，亦惟有鞠躬盡瘁，死而後已耳。【一】

二十日日記云：

聞瀋陽、長春、營口被倭寇強佔以後，心神哀痛，如喪考妣。苟為我祖我宗之子孫，則不收回東省，永無人格矣！小子勉之！內亂平定不遑，故對外交太不注意。臥薪嚐膽，教養生聚，忍辱負重，是我今日之事也。【二】

這裡，蔣介石除了表示收復失地的決心外，同時也對自己忙於「安內」，「外交太不注意」的狀況作了初步檢討。二十一日，蔣介石回到南京，確定了「團結內部，統一中國，抵禦倭寇，注重外交，振作精神，喚醒國民，還我東省」的方針。這一方針成為蔣介石調整國內外政策的起點。當日召開幹部會議，蔣介石提出，首先提交國際聯盟與一九二八年《非戰公約》簽字國，「以求公理之戰勝，一面則團結國內，共赴國難，忍耐至相當程度，以出自衛最後之行動」。【三】二十二日，南京市國民黨員舉行抗日救國大會，蔣介石在會上發表演說，聲稱「國存與存，國亡與亡」。他並追述一九二八年北伐為日軍所阻的情況：「我在日本炮火之中，不止一次。倭寇在濟南炮擊機射，余實倭炮中遺留不死之身。」日記云：「眾乃益悲憤，因知愛國者多，而（甘心）亡國者少，國事猶可為也。」【四】

同日，國際聯盟決議中日兩國停止戰事行動，雙方軍隊退回原防，聽候聯盟派員調查裁判，蔣介石認為這是外交的轉機，也是對內統一的好機會。二十三日，張學良派萬福麟等到南京，要求蔣介石早日與日本交涉，通過外交解決東北問題，引起蔣的不快。蔣認為張學良「不問國際地位與國際形勢，以及將來單獨講和之喪辱」。當日，蔣介石與萬福麟談話，認為「與其單獨交涉而簽喪土辱國之約，急求速了，不如委之國際仲裁，尚有根本勝利之望，否則亦不惜與倭寇一戰以決存亡也」。【五】

蔣介石依賴國聯，寄希望於「國際仲裁」，但是，日本帝國主義卻不把國聯放在眼裡。二十四日，日本政府覆函國聯，蠻橫地拒絕調查，聲稱「滿洲事件」不容國聯及第三國置喙，主張中日直接交涉，國聯態度因之軟化，轉而贊成日本主張。二十五日，蔣介石獲悉有關訊息後，曾有主戰的念頭。當日日記云：「如果直接交涉或地方交涉，則必無良果。我不能任其梟張，決與之死戰，以定最後之存亡。與其不戰而亡，不如戰而亡，以存我中華民族之人格。」他準備將首都遷到西北，同時集中主力於隴海路。【六】二十八日，蔣介石寫下遺囑：

持此復仇之志，毋暴雪恥之氣。兄弟鬩牆，外侮其禦。願我同胞團結一致，在中國國民黨領導指揮之下，堅忍刻苦，生聚教訓，嚴守秩序，服從紀律，期於十年之內，湔雪今日無上之恥辱，完成國民革命之大業。【七】

十月三日，蔣介石與熊式輝商量備戰計劃。蔣介石認為，無論和與戰，西北實為政府第二根據地。如南京陷落，即遷都洛陽。同日日記云：「倭寇威脅之行未殺，實不知余為何如人耶。可笑！」【八】

日本帝國主義的侵略激起了中國人民的巨大憤怒，各地抗日救國運動迅速高漲。為了對中國人民施加壓力，十月二日，日本軍艦在南京下關示威。五日，日本政府決議對南京國民政府提出嚴重警告，同時揚言將派五十餘艘軍艦到長江舉行大示威。次日，日艦四艘即開入黃浦江。蔣介石估計日軍有「上陸、入城」甚至開戰的可能，準備屆時通告《非戰公約》簽字國各國元首，提請他們注意保守《公約》之責任。日記稱：「余決心與倭寇一戰，此心反覺安定無事也。」【九】十月十一日，英國外交部致電其駐華公使，要他勸中國不要堅持以撤兵為交涉之條件。蔣介石感到非常「駭異」，日記云：「余決心既定，不論各國態度與國際聯會結果如何，為保障國土與公理計，任何犧牲在所不惜，且非與日本決戰，中國斷難完成革命也。」【一〇】十一月十七日，蔣

介石更在日記中明確地寫道：「晚與各同志談話，余決心統師北上抗日。」【一二】

蔣介石早年即具有民族主義思想，同情「五四」和「五卅」愛國運動。「九一八」時期，痛憤於日本侵略，有準備北上抗日的打算，這是他後來之所以能堅持長期抗戰的思想原因。但是，在很長時期內，蔣介石又怯於和日本作戰。十月七日日記云：「國民固有之勇氣、之決心，早已喪失，徒憑一時之奮興，不惟於國無益，而且徒速其亡，故無可恃也。而所恃者，惟在我一己之良心與人格，以及革命之精神與主義而已。」由於日本肆無忌憚的侵略，中國人民中出現了愛國救亡的熱潮，但是，這在蔣介石看來，卻只是「一時之奮興」，「不惟於國無益，而且徒速其亡」。蔣介石靠什麼呢？「惟在我一己之精神與力量」。當然，蔣介石不會認為他個人可以打贏日本，因此，他必然是悲觀論者。日記云：「成敗利鈍，自不能顧，唯有犧牲一己，表示國家之人格與發揚民族之精神，不能不與倭寇決一死戰。明知戰無幸勝，但國家至此，亦無可再弱，決不比諸現在再惡也。」【一三】十一月二十四日日記又云：「余不下野，則必北進與倭寇決戰。雖無戰勝之理，然留民族人格與革命精神於歷史，以期引起太平洋之戰爭，而謀國家之復興。」【一三】

蔣介石愛惜「民族人格」，準備與倭寇決一死戰，並預留遺囑，其抗戰決心可以說是壯烈的，但又是虛弱無力的。

這一時期，蔣介石的主要努力仍然放在外交上。

九月二十五日，蔣介石組織外交顧問會。三十日，組織特種外交委員會，任命施肇基為外交部長。十月三日，先後召見顧維鈞與顏惠慶，預定顧為國際聯盟會代表，派顧赴北平與各國公使接洽。四日，蔣介石在南京北極閣禱告，向中國基督教領袖余日章提出三項要求：一、以國民外交名義，聯絡各國國民，與日本國民主持公道。二、囑各國新聞記者往東三省監察，公平報告。三、囑太平洋協會各國有力者督促其政府注意日本之暴行。【一四】八日，蔣介石與張群談話，表示「備戰不屈之決心」。同日，又與宋美齡談「為國犧牲之決心」。【一五】十二日，蔣介石在軍校、國府紀念週報告，聲稱「以忍耐不屈之精神維護領土，以犧牲無畏之精神維護公理，盡國際一份子之責任」。當日日記云「英美二國對余擁護公理抗禦強權之訓詞皆甚震動。」【一六】當時，日本政府為了掩飾其侵略行為，欺騙國際輿論，擬訂了一份所謂《中日和平基本大綱》，表面上聲稱「尊重中國領土之完整」，同時則赤裸裸地要求「尊重在滿洲之日本既成條約。」【一七】十月十五日，蔣介石決定堅決拒絕日方的這一大綱，他和戴季陶及特種外交委員會商量之後，決定另提《東亞和平基本大綱》以為對抗。《大綱》明確說明東三省是中國領土，但實行「門戶開放，機會均等」政策，企圖利用矛盾，吸引列強反對日本。【一八】十七日，蔣介石與各國公使談話，表示對日抵抗，不簽喪辱條約之決心。十九日，再見各國公使，囑其電告出席日內瓦國聯會議的本國代表及其政府：如國聯失敗，則東方與中國之前途不可預料，請其切實注意。【一九】

國聯會議幾經周折召開。十月二十三日，法國外長白里安向國聯理事會提出解決滿洲問題決議草案，限日軍在十一月十六日以前完全撤兵。二十四日表決，十三票贊成，僅日本一票反對。中國在外交上打了一個勝仗，日本代表芳澤對新聞記者稱：「今日為余有生以來最痛苦之一日。」【二〇】二十五日，蔣介石日記云：「昨日國際聯合會決議，倭寇雖未承認，但公道與正理已經表現。白利（里）安之才能究為可佩，以決議方式甚為得體也。」【二一】

通過國聯，進行外交鬥爭，廣泛團結世界上一切反戰國家，在道義和輿論上最大限度地孤立日本，蔣介石的這一策略並非沒有可取之處，但是，國聯的決議並不能約束日本，對侵略者，必須還之以反侵略戰爭，才能制止兇焰，維護民族利益和世界和平。

國聯。

「九一八事變」後，蔣介石曾稱：「事在自強，而不在人助也。」【二二】但是，他還是過分相信並依賴了

二　與粵方和解

一九三一年二月底，蔣介石軟禁胡漢民。五月，汪精衛、孫科、鄒魯、陳濟棠、李宗仁等在廣州成立國民政府，形成寧粵兩個政權。「九一八事變」後，蔣介石意識到這種分裂的局面必須迅速結束。九月二十日日記云：

日本侵略東省是已成之事，無法補救。如我國內能從此團結一致，未始非轉禍為福之機，故內部當謀統一也。【二三】

二十一日，他在南京幹部會議上即提出：「團結國內，共赴國難」，「對廣東以誠摯求合作」，同時表示：一、令粵方覺悟，速來南京，加入政府；二、南京中央幹部均可退讓，只要粵方能負統一之責，來南京改組政府；三、胡、汪、蔣合作亦可。【二四】當日會議並決定：「抽調部隊北上助防，並將討粵及剿共計劃，悉予停緩。」【二五】二十二日，蔣介石約見吳稚暉、戴季陶等，表示願交出政權，與胡、汪合作。當日，戴季陶即受蔣之命，前往湯山，勸胡漢民重新視事。二十三日，蔣介石又派蔡元培、張繼、陳銘樞到香港與汪精衛、李宗仁、孫科等會談。雙方在二十九日決定：一、廣州國民政府與南京國民政府同時通電取消；二、雙方組織統一會議，產生統一國民政府。【二六】三十日，蔣介石接到汪精衛所擬通電稿，認為「多誣辱之句」，極為惱怒，但

他決定暫時忍耐。日記云：

當此橫逆之來，既要余屈服，又要余負責。而若輩毫無負責勇氣，既不顧大局，一意搗亂，而又無能力來組織政府。既不能令，又不受命，且乘此外侮之機，勾結敵國，動搖國本，能不痛心！此時只有逆來順受，忍辱負重，以求萬一之補救。【二七】

十月一日，蔣介石電覆粵方，表示在港、粵所定條件須斟酌修改，同時表示：隨時可以恢復胡漢民、李濟深的自由；本人去留問題，俟和平會議時討論。他要求粵方到南京召開統一會議。【二八】十月二日，陳銘樞、蔡元培向蔣介石轉達了粵方的意見，要求蔣先行通電表示，準備下野，蔣介石極為惱火，日記云：

是直等於兒戲！國事危急至此，而若輩尚以敵對態度要脅不止。對國內與中央則施壓迫，對倭寇則勾結遷就，是誠無人心矣！【二九】

當年七月，廣州國民政府外交部長陳友仁等赴日活動，企圖在粵派與日本之間建立「中日同盟」。【三〇】據日本外相幣原喜重郎密告南京國民政府駐日公使蔣作賓稱：陳友仁表示，將以「滿洲利權」換取日本對粵方的援助。【三一】因此，蔣介石一直認為，日本出兵東三省，源於粵方「賣國」。本日日記所稱「（粵方）對倭寇則勾結遷就」，即指此。

十月十二日，陳銘樞回到南京，向蔣介石報告赴粵和談經過，聲稱粵方堅持須先恢復胡漢民自由，然後再談和議。十三日，蔣介石、胡漢民在中山陵會見，蔣介石同意胡漢民次日去上海。十四日，蔣介石訪問胡漢民，表示「過去之是非曲直，皆歸一人任之，並自承錯誤」。日記云，胡漢民「亦感動」。【三二】當日，胡漢民赴滬。不過，這以後蔣介石對粵方的態度並未好轉。十六日日記云：「晚，以粵方與展堂阻礙，內憂甚於外患，可歎！」十八日日記云：「晚，商粵方要求事，與胡漢民之態度，可歎、可憐又可笑也。」二十一日，蔡元培、張繼偕同粵方代表汪精衛、孫科、李文範、伍朝樞、鄒魯、陳友仁等六人到達上海。二十二日，蔣介石與宋美齡飛抵上海，與汪精衛、胡漢民等會談，議定外交方面先求得一致，以利共赴國難；黨政軍諸方面問題，留待以後會議詳商。蔣介石當日日記云：

各報所載粵方所謂代表者談話，詆毀譏刺，未改舊態，為之駭異。與各中委相見，乃知對方提推倒中央現有組織，否認根本法紀，是胡漢民有意搗亂，使余進退兩難，而若輩既不敢負此重責，又不願知難而退，更不願置之不問，可痛、可鄙、可惡、可笑、可憐，莫甚於此，而反以為得計，不僅壁上觀火，下井推石，必欲使一切罪惡責任歸之一身，置黨國敗亡於不顧，立待國家紛亂而後快，此種卑劣政客，既陷總理於前，今且毀責黨國，不顧一切，胡賊之罪，是在毀滅黨國於其一人之手也。【三三】

對孫科，蔣介石也很不滿，日記云：「以阿科為最不爭氣，甚為總理歎惜也。」當日，蔣介石回京。

二十三日，粵方託蔡元培、張繼攜帶汪精衛、孫科等聯名函件赴寧，提出七項要求：一、為共赴國難，先謀外交一致行動；二、關於黨國諸疑難問題，請寧方派代表赴滬共商；三、黨國根本問題在於集權於黨，完成民主政治乃根本原則；四、召集一、二、三屆中央委員會議產生健全的第四次全國代表大會；五、國民政府主席擬仿法、德總統制，以年高德劭者任之，現役軍人不宜當選；六、擬廢除陸海空軍總司令一職；七、在統一會議決定以前，彼此應盡之責，雙方應照常擔負。【三四】這七條的矛頭所向是蔣介石已經掌握的權力與地位，因此，蔣介石極為反感，日記云：

（粵方）以為中央已無辦法，故提此苛刻無理之要求。倭寇藉粵方搗亂之機以逼迫中國，粵寇借倭奴之力以倒中國，而且其推出代表全為粵人，是廣東毅然成一粵國，與倭國攻守同盟以攻中央。形勢至此，殊為我中華民族羞。對此叛逆，不可再以理諭，惟有負責堅持，以報黨國，豈有退步之餘地乎！【三五】

根據這一認識，蔣介石一面於覆函中表示：「事關內部，無不可以開誠相見，從容商談」【三六】，一面則決定略加反擊。十月二十七日，寧粵雙方代表在上海舉行預備會議。二十八日，蔣介石覆電粵方各代表，「指明其無誠意之真相」。當日日記云：

胡漢民之搗亂不法，陰謀行動，不特使余個人置於死地，且必欲毀壞黨國，將總理革命至今所有革命之歷史盡毀滅無餘。小人不可與同群，信乎！【三七】

三十日日記云：

粵方全為胡漢民一人所阻礙，而汪、孫則願來合作，以不願與胡破臉，故不敢明白表示，當使之有迂迴餘地。

對粵應決定方針：一、如其願就範，不破裂，則暫維統一之局面，固於對外有益也；一、如其不願就範，必欲破裂，則避免內部糾紛，使之回粵自擾。胡漢民已成過去，而其過去歷史，為阻礙總理，反抗總理，今則欲滅亡本黨，叛亂革命，無足計較也。【三八】

儘管蔣介石對胡漢民滿腔怒火，但是，還是決定忍耐。三十一日日記云：

此時中央實處於內外夾攻之中，各報輿論皆為反動派所蒙蔽，是非不明，人心不定，此國家之所以亂也。吾人唯有忍辱負重，以盡職責，雖舉世非之而不能動搖我堅定之志。【三九】

十一月二日，蔣介石發表演講，聲稱：「只要團結能早日實現，任何委屈痛苦，都能忍受。」【四〇】此後，蔣介石一讓再讓。三日，蔣介石召開幹部會議，決定與粵方「無條件合開」國民黨第四次全國代表大會，解決黨內爭端。當晚再議，決定「京粵兩處分開，或在中央合開，皆隨粵方之便」。【四一】十一月五日，張繼會見蔣介石，傳達粵方意見，要求分別開會，蔣介石雖然不贊成，但決定「順其意遷就」。【四二】七日，上海會議決定，在南京、廣州分別召開第四次全國代表大會，雙方各自選出二十四人，成立統一的中央執行委員會。這樣，分裂、對峙的雙方就找到了團結統一的途徑。

十一月十二日，南京方面以「團結內部，抵禦外侮」為主題，先行召開國民黨第四次全國代表大會。十七日，蔣介石決定帶兵北上抗日，以此表示「對內退讓，又欲使本黨挽救對民眾之信仰，非使代表放棄選舉競爭，誠意與粵方合作，一致對外不可」。【四三】當日，蔣介石派陳銘樞赴上海邀請汪精衛來京主持會議。十一月十九日，蔣介石召集中央幹部會議，決定全部接受粵方所擬中執、中監委員一百三十六人名單，蔣介石的這一意見為四全大會第五次會議通過。二十一日，會議通過「追認恢復黨籍案」，承認在不同時期開除的李宗仁、李濟深、白崇禧、馮玉祥、顧孟餘、汪精衛、閻錫山等三百一十四人的黨籍。【四四】蔣介石作了一個前所未有的高風格的發言。他說：「以前黨員之叛變，皆非為中央與政府，而獨為中正一人之故，自覺愧惶無地，使黨國益陷於艱危。故從前一切錯誤，皆由余一人任之。」【四五】二十二日，會議閉幕，蔣介石自覺度過了對內的一個「難關」，日記云：「增加奮鬥勇氣不少，令人發生對黨國無窮之希望也。」【四六】顯然過於樂觀了。

冰凍三尺，非一日之寒，蔣介石與粵方矛盾已深，緩和與化解都需要時間，蔣介石十一月二十二日的日記

民族利益高於一切。在外敵入侵時，必須拋棄舊日的嫌隙與糾紛，一致對外。「九一八事變」前，蔣介石曾宣稱：「不先剿滅共匪，則不能禦侮」；「不先削平粵逆，則不能攘外」。【四七】「九一八事變」後，蔣介石力謀與粵方和解，後來又進一步發展為與共產黨和解，從而導致全民抗戰局面出現，這是順乎潮流、合乎人心的舉措。

三　學生運動的困擾

中國學生富於愛國傳統，「九一八事變」發生，東北大片國土淪陷，學生們不能不奮起抗爭。這本來是一件好事，但蔣介石卻感到煩惱。九月二十四日，上海各大學抗日救國會代表到南京請願，蔣介石日記中即有「上海學生狂激」之語。二十八日，南京中央大學學生一千餘人到國民黨中央黨部請願，其後，又到外交部請

願。外交部部長王正廷避而不見，引起學生憤怒，衝入王的辦公室，毆傷王的頭部。同日，上海復旦大學學生八百餘人到達南京，會同中央大學、金陵大學等校學生到國民政府請願。當日蔣介石日記云：

今日中央大學學生攻擊外交部，打破其頭部。上海學生來請願者簇隊絡續不絕，必為反動派所主使，顯有政治作用。時局嚴重已極，內憂外患，相逼至此，人心之散墜好亂，國亡無日矣！【四八】

二十九日，蔣介石接見上海第二次進京請願學生五千人，訓話一小時餘。蔣稱：「本席亦抱定與國民共同生死之決心。」又稱：請願分散政府精力，要求學生返校讀書；如願從軍，可編入義勇隊訓練。當日，學生大批返滬。這使蔣介石略感安慰，日記云：「此乃最好現象，青年愛國守法，接受痛訓，是難得之寶也。」【四九】

其後，蔣介石日記中不斷出現關於學生運動的記載：

十一月十七日，南京召開國民黨第四次全國代表大會期間，中央大學學生向會議請願，要求迅速出兵東北，收復失地。蔣介石在對學生訓話後自覺「火氣過甚」。

十一月十八日，蔣介石出席會議途中，見到學生集合請願，「心甚嫌惡」。

十一月二十三日，蔣介石對杭州來京請願學生七百餘人訓話，「以諸葛孔明《出師表》與岳武穆盡忠報國自況」，日記云：「聽者動容。」

十一月二十五日日記云：「下午，各方學生為反動派所鼓惑，來京請願北上，故意搗亂，破壞政府，勾結日本、廣東，人格喪失殆盡，而余處境之悲慘，亦未有如今日之甚者也。胡逆漢民之肉，不足食矣！」

十一月二十六日，蔣介石與上海中學生談話。下午，學生千餘人聚集國府，要求蔣介石親書誓師詞。日記云：「國民程度至此，殊為國家危也。共產與粵派必欲毀滅國府，敗壞國家，滅亡民族而後快，可歎亦可恨也。」

不過，這一時期蔣介石儘管討厭學生運動，並且懷疑背後有人操縱，但總的來說，還是有耐心的。十一月二十七日日記云：「數日以來，對各地來京之學生接見訓話，約二萬人，可謂用盡精力以應之。幸未發生事故，且受〔收〕幾分好影響，是乃對內最難最險之關鍵乃以平順過去，豈非至誠足以動人乎！」日記又云：「對日固難，而對內更難。倭事乃由國內賣國者所發動也，胡展堂、陳友仁之肉，不足食矣！」

國難危急，蔣介石的空言保證自然平息不了學生們的請願熱潮。面對方興未艾的學生運動，蔣介石的憎惡之情日漸增加。十一月三十日，對上海工人代表及北平國民大學生訓話。日記云：「可惜而最可痛者，乃一般盲從幼稚之青年，令之安心求學以盡救國之道則不聽，煽以浮躁曠荒則樂從。國無紀律，人無道義，此國事之所以紛亂，胡、汪、孫肉，不足食矣。」十二月二日，蔣介石接見北平及徐州各校學生請願團，表示接受請願各點，並表示中央全會之後，即當北上抗日。日記云：「（學生）無理取鬧，殊可憐。國事至此，人不成人，未知黨部所為者何事，竟使一般群眾皆為邪說所誘，邪黨所操縱，而與政府為難，此皆余用人不得其任之過疚，而於他人無與也。」【五〇】

儘管蔣介石一再接見學生，表示抗戰決心，但是，由於不見實際行動，學生們對南京國民政府和蔣介石的態度日趨激烈。十二月四日，北平大學生示威團到達南京。蔣介石日記云：「殊為可歎，不向敵國示威，而向政府示威，此中國之所以被辱也，設法制止之。」當日下午，蔣介石對北平各校代表及各處大學生一千二百人作長時間訓話。次日，北大南下示威團在南京遊行示威，呼喊「反對政府出賣東三省」、「打倒賣國政府」等口號，南京國民政府即採取鎮壓措施，蔣介石日記云：「北平大學生示威團在京暴動，毆辱軍警，乃即拘捕百

餘人，惟禁止軍警開槍。」【五一】

南京國民政府的鎮壓措施進一步激起了學生的反對。濟南、北平、上海學生大批在車站候車，準備到南京請願。十二月七日，蔣介石接見武漢大學及南京抗日會學生，日記云：「青年之無智無禮，殊為民族寒心也。」八日日記云：「中大學生梟張已甚，各處學生亦為少數共產黨所操縱。」這時，蔣介石已決定進一步鎮壓，日記云：「於此危急之局，若畏殺戮慘痛，若不準備最大犧牲，何能達此目的。如能倖免流血，則為黨國之福；否則，惟有以菩薩心腸而下雷霆之怒，有何懼哉！」所謂「雷霆之怒」，自然是超乎拘禁以上的手段了。但是，蔣介石的主張受到部分人的反對。十二月九日日記云：「一般書生對萬惡反動盲從之學生仍主放任，不事制裁。嗚呼！天下事皆誤於書生之手也！」同日，上海各校學生五千多人赴市府請願，要求懲辦市公安局長及市黨部工作人員，釋放被綁架學生。下午五時，學生三百餘人到市黨部請願，因無人接見，將市黨部辦公室搗毀。十日，蔣介石與有關人員商量對付辦法，決定「姑以緩和辦法應付之」。當晚，會商鎮壓辦法，何應欽態度猶疑，引起蔣介石不滿。日記云：「敬之到緊要關頭，彼必毫不負責，而且怨恨無權，此最可恨之事也。」【五二】十五日，北平南下抗日救國示威團五百餘人赴外交部示威，將各辦公室搗毀，續赴中央黨部，將蔡元培、陳銘樞毆傷，架出門外。警察鳴槍，奪回蔡、陳二人。日記云：「學生暴橫至此，而先輩猶主寬柔，竟使全國秩序不安。如此無政府放任主義，何以能完成革命立國之責任也？」十七日，南京、上海、北平、江蘇、安徽等地學生萬餘人在南京舉行總示威，砸毀國民黨中央黨部黨徽。下午，因抗議對運動的不真實報導，搗毀《中央日報》。南京國民政府當局出動軍警鎮壓，重傷三十餘人，拘捕六十三人。【五三】日記云：「無法已極，若再不制裁，誠欲敗壞學風，滅亡種族矣！」

不過，蔣介石這時還堅持接見學生。十二日，接見濟南學生三千餘人，在凍天立談二小時。日記稱：「幾受侮辱」，「余挺身和解，至少四分之三以上之學生能受理解感化，而極少數之學生亦可奈何也？」十四日日記云：「對請願學生代表解釋一一。青年有理性者居多數，而少數敗類，橫行無忌，毫無禮義，殊為國家悲痛也。」

學生年輕熱情，有時不免有過激舉動，但是只要南京國民政府改對日妥協為對日抵抗，學生們的愛國熱情就會轉化為愛國的巨大力量，對政府的態度也會隨之相應改變。蔣介石只看到學生運動「分散政府精力」以及反對政府的一面，這就走進了誤區。

十二月四日，蔣介石總結失敗原因，認為其一是「對於學者及知識階級太不接近，各地黨部成為各地學者之敵，所以學生運動全為反動派操縱，而黨部毫無作用，且有害之。」【五四】應該說，蔣介石的這一總結沒有抓到關鍵。

四 下野及其反思

在內外交迫的情況下，蔣介石不得不考慮自己的進退問題。

為了化解與粵方的衝突，蔣介石在「九一八」當晚就有召開四中全會，本人「引咎辭職」的考慮。【五五】「九一八事變」後不久，蔣介石又與吳稚暉、戴季陶談話，表示「要胡、汪合作，余交出政權」之意。【五六】但是，蔣介石內心矛盾，仍猶豫不決。

十月十五日，蔣介石與戴季陶商量，決定電告粵方：「統一會議開始之日，即為中正辭職之時；或粵方委員能既允擔任中央政治，則中正以付託有人，即當引退。」【五七】這是決定退了，然而，十月二十七日日記云：

「當此國難，決心負責到底，任何誹謗，在所不計」。三十一日日記又云：「吾人惟有忍辱負重，以盡職責，雖舉世非之，而亦不能動搖我堅定之志。完成革命，挽救危亡，惟在此一片堅決之心耳。」這就是又決定不退了。

這一時期，蔣介石不斷與李石曾、吳稚暉等人商量，意見不一。十一月二十四日，蔣介石與熊式輝商量，聲稱：「以國家利益為前提，如果余下野之後，國家能統一，外交能解決，則余之下野不失為革命者之立場。」【五八】十二月六日，蔣介石設想了一個解決矛盾的辦法。日記云：「此時對國事只有進退二途。進則積極負責，對內開國民大會，解決國事，對外在國聯公證之下解決交涉，成敗毀譽，皆由余一人任之，以待後世之公論。退則消極負責，以助繼任人之成功。」同月七日，蔣介石與幹部們談話，表示要召開國民大會，「以本黨政權提早奉還國民」，但吳稚暉認為「此着太險，現在只有安定制動」。【五九】

吳稚暉是蔣介石的智囊。蔣介石覺得吳的「安定制動」說很有道理，準備接受。但是，廣東方面卻不讓蔣介石「安定」，始終堅持以其下野為合作條件。不僅孫科等如此，連這時還站在南京方面的陳銘樞也如此。十二月十一日，蔣介石日記云：

> 聞真如之言，乃知哲生等必欲強余辭職始快，真如亦受若輩之迷而未深思國家大計，以余之領袖而堅強之幹部動以退讓為得計，內部之心不一，領袖之志難行。然而余不能用人，而幹部左右又不能容人，此國家之所以不定也。余對於政治哲學近得二語曰：「政者進也，貪者退也。」領袖欲進而幹部欲退，雖有大力，無以推動也！

十二日，蔣介石再次與幹部們商量進退問題。李石曾、吳稚暉、戴季陶、吳鐵城不主張蔣介石下野，何應欽、陳銘樞則希望蔣介石盡快下野。蔣對李石曾等稱：

此時救國，惟有余不退之一法，而欲余不退，唯有改為軍事時期，一切政治皆受軍事支配，而聽命余一人，則國始能救。否則，如現在群言龐雜，主張不一，不許余主持一切，彼此互相牽制，徒以無責任、無意識、無政府之心理，利用領袖為傀儡，則國必愈亂而身敗名裂，個人無論如何犧牲，亦不能救國之危亡也。【六〇】

召開「國民大會」，是以民主的辦法解決矛盾；「改為軍事時期」，「聽命余一人」，是以獨裁的辦法解決矛盾。然而這兩點當時都不可能做到，蔣介石想來想去，只有下野了。

十三日，蔣介石與吳鐵城談話，表示決不能將權力讓給孫科。日記云：

與鐵城談哲生不肖，總理之一生為其所責。彼到結果，不惟賣黨，而且賣國。余為總理情義計，良心上實不敢主張哲生當政，乃愛之也。

同日，蔣介石與陳銘樞談話，聲稱如粵方十六日尚不來，則以後不再與之調和；如十六日以前能來，則自己可早一日退讓。十二月十四日，蔣介石決心辭職，邀請各幹部會商辦法。十五日，蔣介石向中央常務會議提出辭呈，聲稱「國事至此」，必須「從速實現團結」，要求辭去國民政府主席、行政院長、陸海空軍總司令各職。【六一】會上，「群言龐雜」，蔣介石覺得極度淒酸，日記云：

以手造之國家，辛勞八年，死傷部下三十餘萬，猶親生扶長之子，欲使一旦放棄，不能相見。經國赴俄不歸，民國扶持不長，皆欲使我一旦棄去。而今日又為慈母六十八歲誕辰。嗚呼！於國為不義，於黨為不忠，於母為不孝，於子為不慈，能不愧怍，未知以後如何自反，報答親恩與黨國也。

十六日，蔣介石到國民政府辦理交代。十七日，孫科等五代表到蔣介石寓所見面。十八日，蔣介石與汪精衛、陳璧君、陳公博談話。汪精衛要求蔣介石出任監察院長，蔣介石表示同意，他對孫科出任行政院長表示疑問，認為外交部長一職，陳友仁不如伍朝樞。十九日，蔣介石參加中央執行委員會談話會，日記云：

汪派在滬選舉十人，與粵方爭持，始則粵與中央之爭，今則粵又自爭，此種爭權奪利之政客，毫無革命精神。

汪精衛本來與胡漢民合作反蔣，十一月十八日，在廣州共同召開另一個國民黨第四次全國代表大會，但不久即鬧翻，汪派改到上海，舉行又一個國民黨第四次全國代表大會。十二月二十日，蔣介石與陳布雷商量後，決定不參加黨務。【六二】二十一日日記云：「明日開一中全會，腐、惡化分子麇集一堂，誠所謂一丘之貉也。」二十二日，蔣介石出席在南京召開的寧、粵、滬等各方合流的國民黨四屆一中全會，見到了他所憎惡，以及曾被他打倒過的許多人，大受刺激。日記云：

腐惡敗類，凡為余之仇敵，皆被余打倒者，今皆齊集一堂，與之相晤。余對彼等，惟有可憐、可笑、可歎，而毫無芥蒂之嫌。以若輩敗類，皆不足為我仇也。

蔣介石既然認為這幫人都是「腐惡敗類」，自然也就認為不值得與之「同群」。同日，蔣介石不顧出任監察院長的許諾，乘機離寧。

蔣介石返里後，曾進行反思，十二月二十四日日記云：

今次革命失敗，是由於余不能自主。始誤於老者，對俄對左，皆不能貫徹本人主張，一意遷就，以誤大局；再誤於本黨之歷史，允納胡漢民、孫科，一意遷就，乃至於不可收拾；而本人無幹部、無組織、無情報，以致外交派唐紹儀、陳友仁、伍朝樞、孫科勾結倭寇以賣國，而未之預知。陳濟棠勾結左桂各派，古應芬利用陳逆，皆未能信，乃致陷於內外夾攻之境，此皆無人之所致也。

「老者」，應指孫中山。蔣介石這一則日記批評了包括孫中山在內的許多人，而且將「革命失敗」的原因歸結為「余不能自主」，這是一句反映蔣介石個人思想的高度性格化的語言，不過，這並不是他「失敗」的真正原因。前文曾談到，「九一八事變」後，蔣介石有開始調整國內外政策的動向。這一則日記說明，他的思想認識還遠遠落後於現實。真正將國內外政策轉軌到對日抗戰上來，還是幾年以後的事。

註釋：

【一】《蔣介石日記》，手稿本，一九三一年九月十九日，美國：胡佛研究院藏。
【二】《蔣介石日記》，手稿本，一九三一年九月二十日。
【三】《蔣介石日記》，手稿本，一九三一年九月二十一日。
【四】《蔣介石日記》，手稿本，一九三一年九月二十二日。
【五】《蔣介石日記》，手稿本，一九三一年九月二十三日。
【六】《蔣介石日記》，手稿本，一九三一年九月二十五日。
【七】《蔣介石日記》，手稿本，一九三一年九月二十八日。
【八】《蔣介石日記》，手稿本，一九三一年十月三日。
【九】《蔣介石日記》，手稿本，一九三一年十月六日。
【一〇】《蔣介石日記》，手稿本，一九三一年十月十一日。
【一一】《蔣介石日記》，手稿本，一九三一年十一月十七日。
【一二】《蔣介石日記》，手稿本，一九三一年十月七日。
【一三】《蔣介石日記》，手稿本，一九三一年十一月二十四日。
【一四】《蔣介石日記》，手稿本，一九三一年十月四日。
【一五】《蔣介石日記》，手稿本，一九三一年十月八日。
【一六】《蔣介石日記》，手稿本，一九三一年十月十二日。
【一七】《蔣作賓日記》，一九三一年十月二十六日，江蘇古籍出版社，一九九〇，第三六〇頁。
【一八】《蔣介石日記》，手稿本，一九三一年十月十五日。
【一九】《蔣介石日記》，手稿本，一九三一年十月十七、十九日。
【二〇】王芸生：《六十年來的中國與日本》第八卷，北京：三聯書店，一九八二，第二六八頁。
【二一】《蔣介石日記》，手稿本，一九三一年十月二十五日。

【二二】《蔣介石日記》，手稿本，一九三一年十月十四日。
【二三】《蔣介石日記》，手稿本，一九三一年九月二十日。
【二四】《蔣介石日記》，手稿本，一九三一年九月二十一日。
【二五】秦孝儀：《總統蔣公大事長編初稿》卷二，中國國民黨中央黨史委員會，一九七八，第一二九頁。
【二六】《粵事已有解決》，《申報》，一九三一年九月三十日。
【二七】《蔣介石日記》，手稿本，一九三一年九月三十日。
【二八】《京粵和平前途》，《申報》，一九三一年十月一日。
【二九】《蔣介石日記》，手稿本，一九三一年十月二日。
【三〇】幣原喜重郎：《外交五十年》，東京：讀賣新聞社，一九五一，第一四六—一五〇頁。
【三一】《蔣作賓日記》，一九三一年九月三十一日。
【三二】《蔣介石日記》，手稿本，一九三一年十月十四日。
【三三】《蔣介石日記》，手稿本，一九三一年十月二十二日。
【三四】《粵代表致蔣介石函》，《申報》，一九三一年十月二十七日。
【三五】《蔣介石日記》，手稿本，一九三一年十月二十三日。
【三六】《蔣介石覆粵代表函》，《申報》，一九三一年十月二十七日。
【三七】《蔣介石日記》，手稿本，一九三一年十月二十八日。
【三八】《蔣介石日記》，手稿本，一九三一年十月三十日。
【三九】《蔣介石日記》，手稿本，一九三一年九月三十一日。
【四〇】《總統蔣公大事長編初稿》卷二，第一四五頁。
【四一】《蔣介石日記》，手稿本，一九三一年十一月三日。
【四二】《蔣介石日記》，手稿本，一九三一年十一月五日。
【四三】《蔣介石日記》，手稿本，一九三一年十一月十七日。

【四四】榮孟源主編：《中國國民黨歷次代表大會及中央全會資料》，北京：光明日報出版社，一九八五，第四五—四七頁。
【四五】《蔣介石日記》，手稿本，一九三一年十一月二十一日。
【四六】《蔣介石日記》，手稿本，一九三一年十一月二十二日。
【四七】《蔣總統秘錄》，台北：中央日報社，一九七六，第七冊，第一八五頁。
【四八】《蔣介石日記》，手稿本，一九三一年九月二十八日。
【四九】《蔣介石日記》，手稿本，一九三一年九月二十九日。
【五〇】《蔣介石日記》，手稿本，一九三一年十二月二日。
【五一】《蔣介石日記》，手稿本，一九三一年十二月五日。
【五二】《蔣介石日記》，手稿本，一九三一年十二月十日。
【五三】《申報》，一九三一年十二月十八日、十九日。
【五四】《蔣介石日記》，手稿本，一九三一年十二月四日。
【五五】《蔣介石日記》，手稿本，一九三一年九月十八日，
【五六】《蔣介石日記》，手稿本，一九三一年九月二十二日。
【五七】《蔣介石日記》，手稿本，一九三一年十月十五日。
【五八】《蔣介石日記》，手稿本，一九三一年十一月二十四日。
【五九】《蔣介石日記》，手稿本，一九三一年十二月七日。
【六〇】《蔣介石日記》，手稿本，一九三一年十二月十二日。
【六一】《總統蔣公大事長編初稿》卷二，第一六〇頁。
【六二】《蔣介石日記》，手稿本，一九三一年十二月二十日。

蔣介石與一九三七年的淞滬、南京之戰

一九三七年的淞滬之戰是中國抗日戰爭史上規模巨大，作戰最烈的一次戰爭，時間長達三個月，日方動員兵力約二十五萬人，中方動員兵力約七十五萬人，其後的南京之戰實際上是它的尾聲。兩次戰爭時間相連，地區相連，可以看作是一次大戰役的兩個不同階段。

一　蔣介石決定拒和、應戰

「九一八事變」後，蔣介石長期對日本採取妥協退讓政策；「盧溝橋事變」後，蔣介石摸不清日方底細，方針難定，日記云：「彼將乘我準備未完之時，逼我屈服乎？」「將與宋哲元為難乎？使華北獨立化乎？」「決心應戰，此其時乎？」「此時倭無與我開戰之利。」【一】次日，他一面派遣中央軍北上，支持宋哲元部「守土抗戰」，同時電覆北平市長秦德純等，「應先具必戰與犧牲之決心，及繼續準備，積極不懈，而後可以不喪主權之原則與之交涉」【二】。

當時，中日兩國國力、軍力相差懸殊，因此，在國民政府內外，都有一部分人積極主和，或者設法推遲大戰時間。在國民政府內部，以軍事委員會常務委員徐永昌為代表。他認為，中日空軍力量之比尚不足一比三，抗戰準備至少尚須六個月。七月十四日，徐永昌致函軍政部部長何應欽，主張「和平仍須努力求之」。【三】十五日，徐致電閻錫山，「請為和平運動」。【四】十八日，通過魏道明轉告外交部長王寵惠，「在能容忍的情勢下，總向和平途徑為上計」。【五】何應欽同意徐永昌的意見，建議徐向時在廬山的蔣介石陳述。二十一日，徐永昌致函蔣介石稱：「對日如能容忍，總以努力容忍為是。蓋大戰一開，無論有無第三國加入，最好的結果是兩敗俱傷，但其後日本係工業國，容易恢復，我則反是，實有分崩不可收拾之危險。」【六】二十四日，他又向蔣介石建言，「勿忘忍是一件很難捱的事。」【七】

在知識階層中，胡適、蔣夢麟等都主張「忍痛求和」，認為「與其戰敗而求和，不如於大戰發生前為之」。為此，胡適兩次面見蔣介石。七月三十日，他向蔣提出，「外交路線不可斷」。八月五日，他向蔣建議，放棄東三省，承認「滿洲國」，以此解決中日兩國間的一切「懸案」，換取東亞長期和平。【八】六日，他在面交蔣介石的書面建議中提出：一、近衛內閣可以與談，機會不可失；二、日本財政有基本困難，有和平希望；三、國家今日之雛形，實建築在新式中央軍力之上，不可輕易毀壞。將來國家解體，更無和平希望。【九】胡適希望經過努力，能在中日間維持五十年的和平。

和戰是攸關國家命運、前途的大計，蔣介石不能沒有矛盾。七月十日，蔣介石認為，日軍挑釁，意在奪取盧溝橋，「此為存亡關頭，萬不使失守也。」【一〇】十二日，蔣介石得知日本關東軍已到天津，內閣宣言動員全國政界與產業界擁護閣議，感到「勢必擴大，不能避戰矣！」當日下午，與汪精衛商談時局。【一一】同日晚，蔣介石決定在永定河與滄保線作持久戰，嚴令制止與日方的妥協行為。十六日，蔣介石邀集各界人士一百五十八人在廬山舉行談話會，討論「應戰宣言」。該《宣言》空前堅決地聲稱：「如果戰端一開，就是地無分南北，年無分老幼，無論何人，皆有守土抗戰之責任。」【一二】但是，對於這份宣言應否發表，何時發表，眾議不一，蔣介石自己也猶豫不定。十六日日記云：「宣言對倭寇影響為利為害？應再研究」【一三】。十七日日記云：「倭寇使用不戰而屈之慣技暴露無餘，我必以戰而不屈之決心待之，或可制彼兇暴，消弭戰禍乎？」「我表示決心之文書，似已到時間！」【一四】十九日，蔣介石決定排除阻力，公開發表「應戰宣言」，「再不作倭寇迴旋之想，一意應戰矣」。日記云：「人之為危，阻不欲發，而我以為轉危為安，獨在此舉。但此意既定，無論安危成敗，在所不計。」【一五】當日決定核發戰鬥序列。為了減少這份《宣言》的衝擊力，他將之改稱為「談話」。

廬山談話的措辭空前激烈，但是，蔣介石並沒有下決心關閉「和平解決」的大門，所以同時表示：「在和平根本絕望之前一秒鐘，我們還是希望由和平的外交方法，求得盧事的解決。」此後，隨着日本軍事行動的擴展，蔣介石的抗戰決心逐漸堅決。二十七日，日軍全面進攻北平附近的通州等地，蔣介石日記云：「倭寇既正攻北平，則大戰再不能免。」「預備應戰與決戰之責任，願由一身負之。」【一六】二十八日，日本政府下令長江沿岸近三萬日本僑民撤離，顯示出異乎尋常的跡象。同日，北平淪陷。三十日，天津淪陷。蔣介石感覺到，再不抗戰，必將遭致全國反對。其日記云：「平津既陷，人民荼毒，至此雖欲不戰，亦不可得，否則國內必起分崩之禍。與其國內分崩，不如對倭抗戰。」蔣介石認為：中國方面可謂完全沒有組織與準備，弱點很多，「以此應戰，危險實大」，但日本「橫暴」，「虛弱」，「以理度之，不難制勝」，「為民族之人格與振興民族之精神，自有轉危為安，因禍得福之機」。【一七】七日，蔣介石召開國防會議，會上，何應欽報告軍事準備情形，提出第一期擬動員一百萬人投入作戰，其中，冀、魯、豫方面約六十萬人，熱、察、綏方面約十五萬人，閩粵方面約十五萬人，江浙方面約十萬人，可見，當時尚未將上海地區視為主戰場。何應欽陳述的困難有：財政開支擴大，槍械、子彈勉強可供六個月之需，防禦工事未完成，空軍機械不足等。蔣介石在談話中轉述了胡適承認「滿洲國」的主張，頗有譏刺，參謀總長程潛甚至指責胡適為「漢奸」。會議決定「積極抗戰與備戰」。【一八】通過此次會議，抗戰遂被正式確定為國策。

當時，蔣介石估計中日戰爭將是一場「持久」戰，戰期大約一年，而且估計「對外戰爭易於內戰」。【一九】

二 中國軍隊力圖「先發制人」，但缺乏重武器，攻堅戰未能取勝

上海處於東海之濱，距當時的中國首都南京不過三百公里。一九三二年五月的中日《淞滬停戰協定》規定，中國在上海只能由「保安隊」維持秩序，而日軍則可在上海公共租界及吳淞、江灣、閘北等地駐兵，建立據點。為防止日軍自上海入侵，南京國民政府於一九三四年起密令修築上海周邊工事，在吳縣、常熟等地，利用陽澄湖、淀山湖構築主陣地——吳福（蘇州—福山）線，在江陰、無錫之間構築後方陣地——錫澄線，同時在乍浦與嘉興之間興建乍嘉線，以與吳福線相連。其後，又在龍華、徐家滙、江灣、大場等地構築包圍攻擊陣地，並且擬有《掃蕩上海日軍據點計劃》。【二〇】「盧溝橋事變」發生，蔣介石為加強上海防務，接受何應欽推薦，任命張治中為京滬警備司令。張受命後，即命所部化裝為保安隊入駐上海虹橋機場等處。七月三十日，張治中向南京國民政府提出，一旦上海情況異常，「似宜立於主動地位，首先發動」。蔣介石同意張治中的設想，覆電稱：「應由我先發制敵，但時機應待命令。」【二一】

日本海軍積極主張向華中地區擴張。七月十六日，日本海軍第三艦隊司令長谷川清中將向日本海軍軍令部報告：局限戰將有利於中國兵力集中，造成日方作戰困難，「為制中國於死命，須以控制上海、南京為要

着」。【二二】八月七日，米內海軍大臣建議杉山元陸軍大臣向內閣提出，為保護青島和上海日僑，應迅速準備派遣陸軍赴華。【二三】次日，長谷川清得到指示，為因應事態擴大，實施新的兵力部署。九日，上海日本海軍特別陸戰隊西部派遣隊長大山勇夫中尉攜帶士兵齋藤要藏，以汽車衝入虹橋機場，開槍射擊中國保安部隊，中國保安隊當即還擊，將大山等二人擊斃。【二四】日軍乘機在上海集中兵艦，以陸戰隊登陸，要求中國方面撤退保安隊，拆除防禦工事。海軍中央部通知第三艦隊稱，除武力外，別無解決辦法，將在陸軍動員之後二十天開始攻擊。十日，日本內閣會議同意派遣陸軍。長谷川清命在佐世保待命的艦隊開赴上海。十二日，陸軍省決定動員三十萬兵力分赴上海與青島。

保安隊是上海地區僅有的中國部隊。蔣介石認為，撤退保安隊，上海將與北平一樣為日軍佔領，決定拒絕日方要求，同時下令準備作戰。十一日，蔣介石得悉日艦集中滬濱，決定封鎖吳淞口。同日，命張治中將所屬八十七師王敬久部、八十八師孫元良兩師自蘇州等地推進至上海圍攻線，準備掃蕩在吳淞和上海的日軍，拔除其據點。【二五】當時，日本在上海的海軍特別陸戰隊總兵力不超過五千人。【二六】十二日，國民黨中常會秘密決定，自本日起，全國進入戰時狀態。【二七】何應欽在會上表示：「和平已經絕望」，「如果他稍有動作，就要打他，否則，等他兵力集中，更困難了。」【二八】

張治中原定於十三日拂曉前開始攻擊，但蔣介石因英、美、法、意四國駐華使節等方面正在調停，要張「等候命令，並須避免小部隊之衝突」。【二九】同日上午九時十五分，日本陸戰隊水兵衝出租界，射擊守衛橫浜路東寶興路段的中國保安隊，中國軍隊還擊。【三〇】十點半，商務印書館附近的中國軍隊與日軍發生小衝突。【三一】同日黃昏，八字橋附近日軍炮擊中國軍隊，中國軍隊以迫擊炮還擊。【三二】日軍並以坦克掩護步兵攻擊八十七師陣地，日艦連續炮擊上海市中心。【三三】十四日拂曉，張治中奉蔣介石令，發起總攻。同日，中國空軍出動，轟炸日第三艦隊旗艦及在虹口的海軍陸戰隊本部。淞滬之戰爆發，意味着中國在華北之外，又開闢了第二戰場，名副其實地進入「全面抗戰」。很快，淞滬戰場就成了中國對日作戰的主戰場。

戰爭初起，中國方面以優勢兵力進攻日軍在滬各據點，雙方在上海虹口、楊樹浦等處進行巷戰。十五日至十八日之間，中國軍隊進展至閘北、虹口、楊樹浦之線。二十日夜，推進至匯山碼頭，將日軍壓迫至黃浦江左岸狹隘地區，同時包圍日海軍陸戰隊司令部等據點。但是，日軍在上海的據點大都以鋼筋、水泥建成，異常堅固。八月十七日，張治中向蔣介石報告說：「最初目的原求遇隙突入，不在攻堅，但因每一通路，皆為敵軍堅固障礙物阻塞，並以戰車為活動堡壘，終至不得不對各點目標施行強攻。」這種攻堅戰，中國軍隊必須配備相應的重武器。張治中報告說：「本日我炮兵射擊甚為進步，命中頗佳，但因目標堅固，未得預期成果。如對日司令部一帶各目標命中甚多，因無燒夷彈，終不能毀壞。」【三四】僅有的三門榴彈炮，一門因射擊激烈，膛線受損；一門膛炸；一門不能射擊。這種情況，自然無法克敵制勝。

中國軍隊當時是否完全缺乏攻堅武器呢？並非如此。關鍵在於何應欽沒有想到，蔣介石也沒有想到。十一月二十日，蔣介石檢討說：「緒戰第一星期，不能用全力消滅滬上敵軍。何部長未將所有巷戰及攻擊武器發給使用，待余想到戰車與平射炮，催促使用，則已過其時，敵正式陸軍，已在虬江碼頭與吳淞登陸矣。敬之（指何應欽——筆者）誤事誤國，實非淺尠。」【三五】

蔣介石對張治中的指揮不滿意。八月二十日，陳誠向蔣介石提出，華北戰事擴大已無可避免，敵如在華北得勢，必將利用其快速裝備南下直撲武漢，於我不利，不如擴大滬事以牽制之。【三六】蔣介石對陳誠的這一戰略思想沒有表示肯定或否定，僅答以一定要打。同日，軍事委員會將江蘇南部及浙江劃為第三戰區，蔣介石兼任司令長官，顧祝同為副司令長官，陳誠為前敵總司令。張治中被任命為淞滬圍攻區第九集團軍總司令，張發奎被任命為杭州灣北岸守備區第八集團軍總司令，守衛上海左翼浦東。這些舉措，說明蔣介石開始重視上海戰場，但是，蔣當時還沒有在上海長期作戰的思想準備，對這次戰爭的艱難與嚴酷也還缺乏認識。當日日記云：「本日滬戰頗有進展，南口陣地已固，此心略安。對英提案運用其能實現，使倭得轉圜離滬，以恢復我經濟策源地，以今日戰況或有退卻可能也。判斷情報，倭寇陸海軍意見紛歧，政府內部不一致，已陷於進退維谷之勢也。」【三七】次日，日本拒絕英國調停，蔣介石感到事態嚴重，「憂心倍增」。【三八】二十二日，蔣介石下令成立第十五集團軍，以陳誠為總司令，守衛上海右翼長江江岸。

三　日本陸、海、空軍協同，中國反登陸戰失利

日軍在上海的兵力有限，要持續進攻，必須通過海上的遠距離運輸，將軍隊源源不斷地送到中國戰場。中國海軍的軍力本極有限，艦艇在戰爭開始時或被炸沉，或奉令自沉長江，封鎖航道，已經沒有和日艦進行海上作戰的能力；空軍能作戰的飛機不過一百八十餘架，不足以從空中遏制日本運兵艦艇的航行。【三九】中國軍隊所能進行的只有反登陸，在海岸及相關縱深據點佈置軍隊，阻遏日軍，但是，中國方面又未予以足夠重視，守衛江岸、海岸的兵力都很薄弱。

八月十三日夜，日本內閣會議決定出兵。十五日，日本政府發表聲明，「為討伐中國之暴戾，以促使南京政府之反省，如今已到了不得不採取斷然措施之地步。」【四〇】同日，日本政府下令，以松井石根大將為司令官，率領第三、第十一師團組成上海派遣軍，協助海軍，掃蕩、殲滅上海附近的中國軍隊，佔領上海。十七日，日本閣議決定：「放棄以往所採取之不擴大方針，採取戰時態勢上所需要之各種準備對策」。【四一】

二十二日，日本上海派遣軍司令松井石根率第三、第十一師團到達上海東南的馬鞍群島。二十三日，日軍第十一師團在三十餘艘軍艦密集炮火的掩護下，於長江南岸川沙口強行登陸，佔領川沙鎮，第三師團在吳淞鐵路碼頭登陸，進攻上海北部的吳淞、寶山等地。據中國方面第九集團軍司令部作戰科長史說回憶：「在二十三日拂曉以後，日空軍開始猛烈轟炸，使我援軍不能接近，日海軍也以猛烈炮火支援日軍登陸。我沿長江岸守備的第五十六師和沿黃浦江口守備的上海市保安總團，兵力薄弱，日陸軍登陸成功。」【四二】

日軍登陸後，中國方面力圖阻止敵人向縱深發展。張治中在敵機猛炸下騎自行車趕赴前線，一面任命王敬久為淞滬前敵指揮官，指揮部隊固守原陣地，一面抽調第十一師彭善在部、第九十八師夏楚中部北上，拒止登陸之敵。雙方在羅店等地激戰。中國軍隊向日軍發動數次猛攻，雖有進展，但均未奏效。二十八日，守衛羅店的中國軍隊傷亡過半，日軍第十一師團佔領羅店。三十一日，日軍第三師團攻佔吳淞鎮。九月一日，日軍精銳部隊久留米第十二師團等三個師團到達上海，實力大增，向中國軍隊發動全線攻擊。九月五日，日軍以優勢兵力及戰車、炮艦、飛機聯合進攻，中國第十八軍第九十八師姚子青營奮力抗戰，激戰至第二日，全營官兵壯烈犧牲。【四三】 蘊藻浜沿河之戰，「雙方死亡俱奇重，浜水皆赤，所謂流血成河，顯係實在景況。」【四四】據陳誠報告，該部自八月二十二日參戰，至九月七日，僅第十一、第十四、第六十七、第九十八、第五十六五個師即傷亡官兵九千零三十九名，第六師吳淞一役，即傷亡過半。「大部受敵飛機、大炮轟炸，人槍並毀。」其三十六團第二連，守衛火藥庫，「死守不退，致全部轟埋土中。」【四五】

由於江岸地形有利於日本陸海空軍協同作戰，日軍又源源增援，中國軍隊為減少損失，只能主動退守。史說回憶說：「日軍在長江沿岸及黃浦江沿岸繼續登陸，與我軍一個點一個點地爭奪，往往日軍白晝佔去，夜間我又奪回。」「在日軍艦炮火下，傷亡慘重，往往一個部隊，不到幾天就傷亡殆盡地換下來了。我親眼看見教導總隊那個團，整整齊齊地上去，下來時，只剩下幾副伙食擔子。」【四六】九月十日，第十五集團軍右翼陣地被突破。十一日，第九集團軍奉命向北站、江灣等地轉移。

反登陸戰爭失利，日軍後續部隊源源增加。九月十一日，自青島調來的日軍天谷支隊進入月浦鎮。十二日，由華北方面軍轉調的後備步兵十個大隊陸續抵達上海戰場。十四日，自台灣調來的重藤支隊登陸。中國軍隊的處境越來越困難了。

四　為維護中蘇交通線，蔣介石決定吸引日軍改變主戰場；為配合外交鬥爭，蔣介石決定堅守上海

九月十一日以後，中國軍隊轉入頑強的守衛戰。

作為淞滬戰場的最高統帥，蔣介石最先感到了中國軍隊的不利態勢。八月二十八日，羅店失陷，蔣介石日記云：「近日戰局，漸轉劣勢，人心乃動搖矣。」三十一日，吳淞失守，蔣介石再次在日記中表示：「我軍轉入被動地位矣。」在這一形勢下，蔣介石不得不重新思考，仗將如何打下去。九月二日日記云：「戰略應盡其全力貫注一點，使敵進退維谷，以達我持久抗戰之目的。」「敵之弱點，以支戰場為主戰場，故其對華戰爭全在消極，且立於被動地位，故我如處置得策，不難曠日持久，使敵愈進愈窮也。」【四七】這則記述說明，儘管上海戰場形勢不利，但蔣介石決定「全力貫注一點」，在上海長期拖住日軍。其後，副參謀總長白崇禧、作戰組長劉斐等向蔣提出，淞滬會戰應「適可而止」，部隊應及時向吳福線國防工事轉移。蔣介石一度接受這一意見，下令執行，但第二天又決定收回命令。【四八】同月十四日蔣介石記日云：「集中兵力，在上海決戰乎？抑

縱深配備，長期抗戰乎？」【四九】兩種方案，前者意味着在上海和日軍決出勝負，後者意味着向吳福線轉移。這則日記，說明蔣對自己的戰略決定有過猶疑。但是，這一時期，蔣從全國各地抽調的部隊正陸續到達淞滬戰場，因此，蔣仍然決定長期堅守上海。其日記云：「各部死傷大半，已覺筋疲力盡，若不支撐到底，何以懾服倭寇，完成使命也？」【五〇】十六、十七日，日軍發動總攻擊，中方陣地動搖，前線指揮官向蔣要求撤退，蔣嚴令死守，並親往昆山督師。【五一】二十一日，蔣介石調整部署，將中國軍隊分為右翼、中央、左翼三個作戰軍。右翼軍以張發奎為總司令，下轄第八、第十兩個集團軍；中央軍以朱紹良代替張治中為總司令，下轄第九集團軍；左翼軍總司令陳誠，下轄第十五、第十九兩個集團軍。

當時，中蘇之間的槍械、彈藥有兩條運輸線。一條是經外蒙古、內蒙古、山西大同至內地，一條經新疆、甘肅、山西，連接隴海路。九月十一日，大同失陷，蔣介石極為震痛。十四日日記云：「閻之罪惡甚於宋之〔失〕平津，其為無膽識，一至於此，實為夢想所不及也，可痛之至。對於蘇俄之運貨交通更生困難矣。」二十五日，蔣介石得悉平漢線中國軍隊潰退，河北滄州不守，估計日軍將進攻河南鄭州，中俄之間的第二條聯絡線有可能截斷，決定加強上海戰場，吸引日軍主力。【五二】二十七日，蔣介石決定四項抗敵策略：「一、引其在南方戰場為主戰場；二、擊其一點；三、持久；四、由晉出擊。」【五三】十月八日，蔣介石決定調驍勇善戰的桂軍加入上海戰場。十月十五日日記云：「相持半年，遲至明年三月，倭國若無內亂，必有外患，須忍之。」十七日，蔣介石到蘇州督師。次日，中國軍隊在上海戰場發動總反攻。

蔣介石之所以決定堅守上海，一是為了減輕華北戰場的壓力，維護中蘇交通線，同時也是為了配合外交鬥爭，爭取對即將召開的《九國公約》會議有較好的影響。《九國公約》簽署於一九二二年二月，其簽字國為美、英、日、法、意、比、荷、葡、中等九國。該條約表示尊重中國之主權與獨立暨領土與行政之完整，強調各國在華機會均等與中國的門戶開放。「盧溝橋事變」後，南京國民政府即向國聯申訴，要求「譴責日本是侵略者」。國聯沒有採納中國的要求，提議召開《九國公約》簽字國會議討論。十月十六日，比利時向有關十九國發出邀請，初定同月三十日在布魯塞爾召開。蔣介石希望通過該次會議，「使各國怒敵，作經濟制裁，並促使英、美允俄參戰」。【五四】因此，蔣希望在該會召開之前，上海戰場能有較好的戰績，至少，要能堅守上海。據唐生智回憶，蔣介石曾向他表示：「上海這一仗，要打給外國人看看。」【五五】同月二十二日，蔣介石通電全軍將士，說明九國公約會議即將舉行，全體將士「尤當特別努力，加倍奮勵」，「於此時機表示我精神力量，以增加國際地位與友邦同情」。【五六】為此，蔣介石向全國各地普遍調兵。二十四日，蔣致電龍雲，詢問滇軍出發各部到達何處，要龍命令該軍「兼程急進，望能於九國公約會議之初到滬參戰」，急圖在會前有所表現的企圖躍然欲出。【五七】

日本政府採取對應措施，不斷從華北、東北及國內向上海戰場增兵。十月一日，日首相近衛、陸相杉山、海相米內、外相廣田會議，通過《中日戰爭處理綱要》，決定發動十月攻勢，擴大華北和華中戰局，將中國軍隊分別驅逐至河北省及原上海停戰協定規定區域以外，迫使南京政府議和，結束戰爭。此後，上海戰場日軍參戰兵力超過華北，達九個師團，二十萬人以上。十七日，日本陸軍省限令上海作戰部隊在《九國公約》簽字國會前攻克閘北、南翔、嘉定一帶。【五八】

雙方既在國際政治舞台上較量，戰場上的拚殺自然更加激烈。十月二十一日，廣西增援部隊第二十一集團軍廖磊率部到滬，向蘊藻浜沿河之敵發起全線反攻。桂軍作戰勇敢，但武器落後，缺乏與現代化武裝的日軍作戰經驗，未能挽救危局。二十二日，蔣介石日記云：「滬局以桂軍挫敗頓形動搖。滿擬以桂軍加入戰線為持久之計，不料竟以此為敗因也。」【五九】次日，桂軍因傷亡過大，撤至京滬鐵路以南地區整理。【六〇】其他部隊也傷亡慘重，第三十三師打到官兵僅剩十分之一，師長負傷，旅長失蹤。【六一】二十五日，中央軍第七十八軍第十八師朱耀華部防地為日軍突破，朱軍放棄位於上海西北的戰略要地大場。至此，蔣介石才覺得「滬戰不能不變換陣地」，決定命中國軍隊作有限度的撤退，轉移至蘇州河南岸。但是為了給世人留下仍在堅守蘇州河北岸的印象，他決定在閘北「派留一團死守」。【六二】二十七日夜，第八十八師第五二四團團副謝晉元奉命率部留守閘北四行倉庫，演出了八百壯士（實只四百人）孤軍抗敵的悲壯一幕。三十一日，該團退入上海公共租界，堅持至一九四一年十二月十八日。

蔣介石認識到，中國的對日戰爭只能是持久戰、消耗戰，但是，他提出的戰略原則卻是防守戰。八月十八日，他發表《告抗戰將士第二書》，主張「敵攻我守，待其氣衰力竭，我即乘勝出擊。」「要固守陣地，堅忍不退，以深溝高壘厚壁，粉碎敵人進攻。」【六三】九月十三日，蔣介石手擬《告各戰區全軍將士文》，再次強調固守，「雖至最後之一兵一彈，亦必在陣中抗戰到底」。【六四】十月二十八日，他在松江召開軍事會議，仍然表示：「要嚴密縱深配備，強固陣地工事」，「要不怕陣地毀滅，不怕犧牲一切」，「我們已移至滬戰最後一線，大家應抱定犧牲的決心，抵死固守，誓與上海共存亡。」【六五】

要殺敵衛國，自然需要強調犧牲精神，但敵人擁有海、空優勢，配備重武器，獃板的防守戰必然帶來巨大的傷亡，最終也難以守住陣地。當時，日方有各種飛機一千五百架，而中國僅有戰鬥機、轟炸機三百架。【六六】八月二十四日，張治中致蔣介石、何應欽密電云：「連日敵機甚為活躍，全日在各處轟炸，毫無間斷，我軍日間幾無活動餘地，威脅甚大。」【六七】白崇禧也表示：「無制空權，仗無法打。我官兵日間因飛機不能動，夜間因探照燈亦不能動。長期抵抗，須另有打算。」【六八】淞滬之戰，中國軍隊士氣旺盛，英勇抗敵，但蔣介石單純防禦，將幾十萬精銳密集於長江南岸狹長地區內，層層設防，硬打死拚，大量消耗中國軍隊的有生力量，是很愚蠢的作戰方法。後來，蔣介石回顧淞滬戰役，就曾自我檢討，認為自己沒有在九國公約會議之前，及早退兵於吳福線、乍嘉線陣地，「而於精疲力盡時，反再增兵堅持，竟使一敗塗地，不可收拾」，「此余太堅強之過也」。【六九】

「堅強」是好事，但不顧條件，「堅強」太過，沒有任何靈活性，就是執拗了。

五 蔣介石的大失誤，忽視杭州灣防務

日軍最初制訂的作戰計劃是：在上海西北的白茆口和西南的杭州灣登陸，佔有上海、南京、杭州三角地帶。為此，日軍早就對杭州灣實施偵察，收集地志資料。【七〇】金山衛水深，可停艦艇，又有利於登陸的沙灘，明代倭寇擾浙時，即在此登陸。八月二十日，蔣介石得報，金山衛有日本水兵登陸偵察，指令「嚴防」。【七一】十月十八日，軍事委員會第一部作戰組情報提出，日軍有在杭州灣登陸企圖，但估計登陸部隊最多一個師，不會對上海戰局有什麼影響。【七二】倒是張發奎有警覺，親到當地巡察，並配置了兵力：以第六十三師擔任乍浦、澉浦防務，以第六十二師擔任全公亭、金山嘴防務。十月二十六日，中央軍撤到蘇州河南岸後，浦東防務緊張，張發奎遂將第六十二師主力調防浦東，當地僅餘該師少數兵員，實力空虛。【七三】

十一月五日，日軍第十軍司令官柳川平助以三個半師團的兵力，在艦炮掩護下，於杭州灣北岸的金山衛登陸。中國軍隊因兵力懸殊，無法阻擋。中國統帥部急令已調浦東第六十二師的主力回兵，會同新到楓涇的第七十九師合力反擊，並令從河南調來、新到青浦的第六十七軍向松江推進。蔣介石希望借此穩住陣地。六日，蔣介石日記云：「如我軍能站穩現有陣地，三日以後當無危險矣。」【七四】但是，由於天雨泥濘，加上日機轟

炸，中國部隊行動遲緩，日軍後續部隊源源登陸。第六十七軍從河南調來，尚未集中，即遭敵各個擊破。八日，松江失陷，這樣，退守蘇州河南岸的中國軍隊側背受敵，有被圍殲危險。

日軍在金山衛登陸，上海戰場中國軍隊的側背受到嚴重威脅，有可能陷入包圍，使退卻無路，全軍覆沒。有鑒於此，白崇禧再次向蔣介石提議，中國軍隊向吳福線後撤。十一月七日，朱紹良、何應欽等也提出，「已到不能不後撤之時會」【七五】。蔣介石權衡利害，這才認識到保存有生力量的重要，日記云：「保持戰鬥力持久抗戰，與消失戰鬥力維持一時體面相較，當以前者為重也。」【七六】同日，蔣下令中國軍隊自上海蘇州河南岸撤退。【七七】但是，他仍然擔心此舉會對《九國公約》會議造成不良影響，痛苦地寫道：「蘇州河南岸以兵力用盡不能不令撤退，但並非為金山衛登陸之敵所牽動耳，惟藉此戰略關係退，使敵知我非為力盡而退，不敢窮追與再攻，是於將來之戰局有利，然於九國公約會議之影響必甚大也。」【七八】

忽視杭州灣北岸防務是重大的戰略錯誤。後來蔣介石總結說：「由大場撤退至蘇州河南岸以後，易朱紹良，以張發奎為指揮官，使金山衛、乍浦一帶，負責無人，而且不注重側背之重要，只注意浦東之兵力不足，調金山大部移防浦東，乃使敵軍乘虛直入，此余戰略最大之失敗也。」【七九】

一個優秀的軍事家必須既善於組織進攻，又善於組織撤退。蔣介石下令在蘇州河南岸撤退後，中國軍隊爭相奪路，秩序混亂，作戰能力喪失殆盡。郭汝瑰說：「淞滬戰役我始終在第一線，深知三個月硬頂硬拼，傷亡雖大，士氣並不低落，戰鬥紀律良好，只要撤下來稍事整理補充，即可再戰。唯有大潰退，數日之間精銳喪盡，軍紀蕩然。如在敵攻佔大場時，就有計劃地撤退，必不致數十萬大軍一潰千里。」【八〇】十一月十一日，中國軍隊撤出上海南市，上海市長發表告市民書，沉痛宣告上海淪陷。

據日方統計，至十一月八日止，日軍在上海戰場陣亡九千一百一十五名，負傷三萬一千二百五十七名，合計四萬零六百七十二名。【八一】但是，中國方面損失更大。據何應欽十一月五日報告，淞滬戰場中國軍隊死傷十八萬七千二百人，約為日軍的四倍半。【八二】更加嚴重的是，潰退後的軍隊雖然仍有龐大數量，但缺乏武器、彈藥、糧食，士氣低落，喪失鬥志，不經整頓，已經很難再次投入戰鬥了。

六　南京：守乎？棄乎？

日軍攻佔上海後，軍方出現兩種意見，一種認為軍隊已經非常疲勞，必須休整，一種意見認為，軍隊雖然疲勞，但仍應攻佔南京。十一月七日，日軍編組華中方面軍，以松井石根兼任司令官，規定以蘇州、嘉興連結線為「統制線」，在此以東作戰。但是，第二天，日軍就兵分兩路。一路以上海派遣軍為主力，沿滬寧鐵路線西進，一路以第十軍和國崎支隊為主力，沿太湖南岸向湖州集結。十三日，日軍一部在常熟白茆口登陸，聲勢更盛。十五日，第十軍幕僚會議認為，中國軍隊已處於潰散狀態，如果把握戰機，斷然實施追擊，二十天即可佔領南京。華中方面軍贊同佔領南京的意見，認為「現在敵軍的抵抗，各陣地均極微弱」，如不繼續進攻，「不僅錯失戰機，且令敵軍恢復其士氣，造成重整其軍備的結果，恐難於徹底挫折其戰鬥意志」。【八三】

日軍自太湖南北同時西進，威脅南京。十一月十三日，蔣介石決計遷都，長期抗戰，粉碎日寇迫訂城下之盟的妄念。日記云：「抗倭最後地區與基本線在粵漢、平漢兩路以西。」「抗倭之最大困難，當在最後五分鐘。」「決心遷都於重慶。」【八四】但是，南京是戰是守，意見不一。高級將領中普遍反對「固守」。有人明確表示，不應在南京作沒有「軍略價值之犧牲」，白崇禧主張改取游擊戰，劉斐主張適當抵抗之後主動撤退，只作象徵性防守。【八五】蔣介石一時也拿不定主意。十一月十七日，他曾經考慮過請美、德兩國出面調停，也曾考慮請英美促進蘇聯參戰，在南京固守或放棄之間「躊躇再四」。【八六】不過，蔣介石和唐生智都認為，南京為首都所在，總理陵墓所在，不可不作重大犧牲。蔣並表示，願自負死守之責。將領們認為統帥不宜守城，時在病中的唐生智遂自動請纓。【八七】十九日，蔣介石任命唐生智為南京衛戍司令長官，劉興為副司令長官，負責守衛南京，時間為三個月至一年。【八八】不過，蔣介石也確知南京難守。十一月二十六日，蔣介石拜謁中山陵及將士公墓，歎惜道：「南京城不能守，然不能不守，對上、對下，對國、對民無以為懷矣。」【八九】這正是蔣內心矛盾的表現。

淞滬之戰打響後，主和之議一直未歇。九月八日，蔣介石日記云：「主和意見派應竭力制止。」「時至今日，只有抗戰到底之一法。」【九〇】次日日記云：「除犧牲到底外，再無他路。主和之見，書生誤國之尤者，此時尚能議和乎！」【九一】及至淞滬戰敗，主和之議再盛。居正原來堅決反對和議，力主逮捕胡適，此時轉而力主向日方求和，並稱：「如無人敢簽字，彼願為之！」【九二】十一月三十日，蔣介石處理南京戰守事畢，慨歎道：「文人老朽，以軍事失利，皆倡和議，高級將領皆多落魄望和，投機取巧者更甚。若輩毫無革命精神，究不知其昔時倡言抗戰如斯之易為何所據也。」【九三】

為了守衛南京，中國統帥部的第三期作戰計劃規定：京滬線方面，以最小限之兵力，利用既設工事，節節抵抗，同時抽調兵力，以一部轉入滬杭線，抵禦向太湖南岸進軍的日軍，一部增強南京防禦能力。計劃稱，在後續援軍到達時，將以皖南的廣德為中心，與敵決戰，在錢塘江附近殲滅日軍。【九四】當時，中國軍隊已退至第一道國防線——吳福線，但是，這道被譽為中國興登堡防線的國防工程卻「無圖可按，無鑰開門，無人指示」。【九五】十九日，日軍進佔蘇州。俗話云：「兵敗如山倒。」吳福線不守，中國軍隊主力繼續向錫澄線及太湖西南的安吉（浙江）、甯國（安徽）等地潰退，蔣介石原來以為「有良好地形，堅固陣地，可資扼守」的錫澄線同樣沒有發揮作用。十一月二十日，蔣介石調集第二十三集團軍川軍劉湘部五個師、兩個獨立旅，由四川趕到皖南廣德、浙西北的泗安、長興一線。不過，川軍作戰能力很差，紀律很壞，「聞敵即走」，並未發揮多大作用。【九六】十一月二十三日，蔣介石到常州，召集前方將領訓話，局勢也並無改變。十一月二十五日，無錫失守。二十六日，位於太湖南岸的吳興失陷。蔣介石得悉錫澄線守軍撤退秩序不良，日記云：「不分步驟，全線盡撤，亦未得呈報，痛心盍極！」【九七】二十九日，日軍侵佔宜興。三十日，日軍攻陷廣德，從東南、西南兩個方面對南京形成包圍之勢。十二月一日，江防要塞江陰失守。同日，日方下達「華中方面軍司令官應與海軍聯合進攻中國首都南京」的皇命，日軍分三路進攻南京。

蔣介石反對與日本議和，但不反對國際調停。早在日軍金山衛登陸之際，德國大使陶德曼即受日方委託，向蔣轉達日方媾和條件，「防共協定為主」，蔣介石「嚴詞拒絕之」。【九八】二十四日，蔣介石曾經寄以希望的九國公約會議閉會，沒有取得任何積極性成果。十二月二日，蔣介石為行「緩兵計」，再次會見陶德曼，表示願以日方所提條件為談判基礎，但要求先停戰後談判。六日，蔣介石得悉句容危急，決定離開南京，他在日記「雪恥」條下寫道：「十年生聚，十年教訓。三年組織，三年準備。」【九九】七日，蔣介石飛離南京。日記云：「人民受戰禍之痛苦，使之流離失所，生死莫卜，而軍隊又不肯稍加體恤愛護，慘目傷心，無過於此。」又寫道：「對倭政策，惟有抗戰到底，此外並無其他辦法。」【一〇〇】到廬山後，蔣介石即研究、制訂全國總動員計劃，準備在「全國被敵佔領」的最壞情況下仍然堅持奮鬥。【一〇一】他勉勵自己：「寧為戰敗而亡，毋為降敵而存。」【一〇二】

南京的防禦工事分「外圍陣地」與以城牆為主要依託的「複廓陣地」兩種。十二月五日，日軍進攻「外圍陣地」。八日，湯山失守，唐生智下令中國軍隊進入「複廓陣地」。九日，日軍逼近南京城牆，兩軍在光華門、雨花台、紫金山、中山門等處激戰，光華門幾度被突破。松井石根限令唐生智在十日午前交出南京城，遭到唐的堅決拒絕。十二月十一日，松井石根下令總攻。

淞滬戰後，中國軍隊消耗過大，蔣介石百般拼湊，守城兵力僅得十二個師，約十二萬人，而且士氣極端低落，其中新補士兵約三萬人，未受訓練，匆促上陣，官兵間尚不相識。這種情況，本已不能再用守衛戰、陣地戰一類的作戰形式。蔣介石之所以堅守南京，一是如上述，南京輕易失守，攸關體面；二是對蘇聯出兵有所期待。

當時在國際列強中，蘇聯是唯一表示願積極支持中國的國家。八月二十一日，中國與蘇聯簽訂久議未決的互不侵犯條約，蘇方允諾中國可不以現款購買蘇聯軍火。九月一日，蔣介石就在國防最高會議上預言，蘇聯終將加入對日戰爭。【一〇三】二十八日，蘇聯駐華大使鮑格莫洛夫奉召返國，曾和中國外交部長王寵惠談及蘇聯參戰的必要條件。【一〇四】十月二十二日，蔣致電時在莫斯科的中國軍事代表團團長楊杰，詢問如《九國公約》簽字國會議失敗，中國決心軍事抵抗到底，蘇俄是否有參戰之決心與其日期。十一月十日，伏羅希洛夫在宴別中國代表張沖時，要張歸國轉告：在中國抗戰到達生死關頭時，蘇俄當出兵，決不坐視。三十日，蔣介石致電伏羅希洛夫及斯大林表示感謝，電稱：「中國今為民族生存與國際義務已竭盡其最後、最大之力量矣，且已至不得已退守南京，惟待友邦蘇俄實力之應援，甚望先生當機立斷，仗義興師。」【一〇五】當時，蔣介石將蘇聯出兵看成挽救危局的唯一希望。十二月五日，斯大林、伏羅希洛夫回電稱，必須在九國公約簽字國或其中大部份國家同意「共同應付日本侵略時」，蘇聯才可以出兵，同時還必須經過最高蘇維埃會議批准，該會議將在一個半月或兩個月後舉行。【一〇六】此電與楊杰、張沖的報告不同，蔣介石內心感到，蘇俄「出兵已絕望」【一〇七】，但他仍然再次致電斯大林，表示「尚望貴國蘇維埃能予中國以實力援助」。【一〇八】不僅如此，他還繼續以之鼓舞身邊的高級將領，聲稱「俟之兩個月，必有變動」。【一〇九】十二月六日，蔣致電李宗仁、閻錫山稱：「南京決守城抗戰，圖挽戰局。一月以後，國際形勢必大變，中國必可轉危為安。」【二一〇】這裡所說的「國際形勢必大變」，仍指蘇聯出兵。十二月十一日，蔣已經指示唐生智等，「如情勢不能久持時，可相機撤退，以圖整理而期反攻」。【二一一】但第二天卻又改變主意，致電唐生智等稱：「經此激戰後，若敵不敢猛攻，則只要我城中無恙，我軍仍以在京持久堅守為要。當不惜任何犧牲，以提高我國家與軍隊之地位與聲譽，亦惟我革命轉敗為勝唯一之樞紐。」蔣指示：「如能多守一日，即民族多加一層光彩。如能再守半月以上，則內外形勢必一大變，而我野戰軍亦可如期來應，不患敵軍之合圍矣！」【二一二】不難看出，蔣所說所的「內外形勢必一大變」的「外」，仍然包含蘇聯出兵在內。「蘇俄無望而又不能絕望」【二一三】，這正是蔣介石當時的無奈心理。蘇聯與中國同受日本侵略威脅，因此，支持中國抗戰，但是，蘇聯更擔心德國入侵，日蘇之間的矛盾又尚未發展到必須干戈相見地步，蘇聯自然不可能輕易在遠東有所動作。

十二月十二日，日軍繼續猛攻，中華門、中山門、雨花門、光華門等多處城門被突破，南京衛戍司令長官部決定大部突圍，一部渡江撤退。但是，由於情況混亂，撤退命令無法正常下達。除少數部隊突圍外，大部分軍隊湧至長江邊，形成極度混亂的局面。挹江門外，「被踏死者堆積如山」。【二一四】「僅有之少數船舶，至此人人爭渡，任意鳴槍。船至中流被岸上未渡部隊以槍擊毀，沉沒者有之，裝運過重沉沒者亦有之。」【二一五】十二月十三日，日軍攻陷南京。

在淞滬戰敗之後，南京失陷有其必然性，但是，突圍與撤退時的嚴重混亂及其損失仍然是可以避免的。

七　在極端困難的狀況下堅持抗戰國策

首都失陷，常常和國家淪亡相聯繫，在中國歷史上是很少有的現象。一時間，日軍驕橫氣焰達於極點，中國政府、中國軍隊、蔣介石個人都處於極端困難的境地。怎麼辦？中國的路應該怎樣走下去？

十二月十五日，蔣介石召集高級幹部會議討論，當時的情況是：「主和主戰，意見雜出，而主和者尤多。」【二一六】汪精衛本來對抗戰就信心不足，這時更加缺乏信心。次日，他向蔣介石提出，「想以第三者出而組織掩護」。【二一七】顯然，汪企圖拋棄抗戰國策，在國民政府之外另樹一幟。孔祥熙這時也從「傾向和議」發展為「主和至力」。【二一八】十八日，蔣介石日記云：「近日各方人士與重要同志皆以為軍事失敗，非速求和不可，幾乎眾口一詞。」【二一九】當時，陶德曼的調停還在繼續，蔣介石擔心日方有可能提出比較「和緩」的條件，誘使中國內部發生爭執與動搖。二十六日，蔣介石得悉日方提出的新議和條件，發現較前「苛刻」，認為「我國無從考慮，亦無從接受」，內部不致糾紛，心頭為之一安，決心「置之不理」。【二二〇】二十七日，蔣介石召集國防最高會議常務會議討論，主和意見仍佔多數，于右任等甚至當面批評蔣介石「優柔而非英明」。【二二一】會上，蔣介石堅持拒和。二十八日，蔣與汪精衛、孔祥熙、張群談話，聲稱「國民黨革命精神與三民主義，只有為中國求自由與平等，而不能降服於敵，訂立各種不堪忍受之條件，以增加我國家、民族永遠之束縛。」【二二二】次日，再與于右任、居正談話，表示「抗戰方針，不可變更。此種大難大節所關，必須以主義與本黨立場為前提也。」【二二三】蔣介石認為，與日本議和，外戰可停，而內戰必起，國家定將出現大亂局面。次日日記云：「今日最危之點在停戰言和。」【二二四】一九三八年一月二日，蔣介石下定破釜沉舟的決心：「與其屈服而亡，不如戰敗而亡。」【二二五】他最終決定，拒絕德國方面的斡旋，堅持既定的抗戰國策。

從八月十三日至十二月十三日，蔣介石在長江三角洲地區指揮抗戰四個月，戰略、戰術呆板，對國際力量共同制裁存有不切實際的幻想和期待，未能及時組織戰略撤退，造成中國軍隊空前巨大的損失，但是，淞滬、南京之戰顯示了中國軍隊、中國政府、中國人民的堅強不屈的精神，打擊了日本的侵略氣焰和在短時期內速勝的美夢。此後，日本侵略者在中國廣大戰場上就愈陷愈深，終致不能自拔。

從戰爭學習戰爭。淞滬和南京之戰期間，蔣介石和部分國民黨高級將領認識到，中國對日抗戰是持久戰，必須以空間換時間，必須懂得保存自己的有生力量，而不能在局部地區拚消耗；必須懂得運用陣地戰、守衛戰以外的其他作戰形式。九月十六日，蔣介石日記云：「上海之得失不關最後之成敗，不必拘泥於此也。」【一二六】十一月七日，日記再云：「此時各戰區以發動游擊戰爭，使敵所佔領各地不能安定，且分散其兵力，使之防不勝防也。」【一二七】十一月三十日日記云：「戰敗敵軍制服倭寇之道，今日除在時間上作長期抗戰，以消耗敵力；在空間上謀國際之干涉，與使敵軍在廣大區域駐多數兵力，使之欲罷不能，進退維谷，方能制敵之死命，貫徹我基本主張，此旨萬不可稍有動搖。」【一二八】同月十六日，南京失守後的第三日，蔣介石發表《告全國國民書》稱：「中國持久抗戰，其最後決勝之中心，不但不在南京，抑且不在各大都市，而實寄於全國之鄉村與廣大強固之民心；我全國同胞誠能曉然於敵人之鯨吞無可倖免，父告其子，兄勉其弟，人人敵愾，步步設防，則四千萬方里國土以內，到處皆可造成有形、無形之堅強堡壘，以制敵之死命。」【一二九】這些地方都說明，通過挫折和失敗，蔣介石的戰略思想有了長進。

還在淞滬之戰的緊張關頭，蔣介石曾經在日記中寫道：「凡我中國之寸土失地皆灑滿吾中華民族黃帝子孫之血跡，使我世世子孫皆踏此血跡而前進，永久不忘倭寇侵佔與慘殺之歷史，必使倭寇侵略之武力摧毀滅絕，期達我民族鬥爭最後勝利之目的。」【一三〇】淞滬之戰雖然失敗了，但是，中國軍人所表現出來的浴血苦戰、視死如歸的愛國精神與犧牲精神必將長留在中華民族的史冊上。

原載《中國社會科學院學術委員會集刊》第一輯，社會科學文獻出版社二〇〇五年三月版，略有增補

附記：

當華北戰場危急之際，蔣介石主動開闢淞滬戰場。舊說之一以為，這是蔣介石為了將日軍的進攻矛頭由自北而南引向由東而西，以免日軍過早地攻佔武漢，截斷國民政府自南京西遷的道路，是一項很高明的戰略決策云云。此說曾引起激烈爭論。一派主張蔣在事前即有明確意識，一派主張蔣在事前並無明確意識。兩說長期相持不下。

關於開闢淞滬戰場的原因，蔣一九三八年五月五日曾在《雜錄》中寫道：「敵軍戰略本以黃河北岸為限，如不能逼其過河，則不能打破其戰略，果爾，則其固守北岸之兵力綽綽有餘，是其先侵華北之毒計乃得完成，此於我最大之不利。我欲打破其安佔華北之戰略，一則逼其軍隊不得不用於江南，二則欲其軍隊分略黃河南岸，使其兵力不敷分配，更不能使其集中兵力安駐華北。中倭之戰必先打破其侵佔華北之政策，而後乃可毀滅其侵略全華之野心。總之，倭寇進佔京滬，其外交政策已陷於不可自拔之境，而其進佔魯南，則其整個軍略亦陷於不可收拾之地也。」【三二】據此可知，當時蔣介石開闢淞滬戰場的目的，在於分散日軍兵力，粉碎其首先佔領華北的侵略計劃。

註釋：

【一】《蔣介石日記》，手稿本，一九三七年七月八日，美國：胡佛研究院藏。

【二】秦孝儀：《總統蔣公大事長編初稿》卷四（上），台北：中國國民黨中央黨史委員會編印，一九七八，總第一一二頁。

【三】《徐永昌日記》，一九三七年七月十四日。台北：中央研究院近代史研究所編印，一九九一。

【四】《徐永昌日記》，一九三七年七月十五日。

【五】《徐永昌日記》，一九三七年七月十八日。

【六】《徐永昌日記》，一九三七年七月二十日。本函所述，徐已在十九日的會上作過口頭陳說。

【七】《徐永昌日記》，一九三七年七月二十四日。

【八】參見拙作《胡適曾提議放棄東三省承認「滿洲國」》，《抗戰與戰後中國》，中國人民大學出版社，二○○七，第三○—四二頁。

【九】胡頌平編：《胡適之先生年譜長編初稿》，台北：聯經出版事業公司，一九八四，第五冊，第一五九八—一六一二頁。

【一○】《蔣介石日記》，手稿本，一九三七年七月十日。

【一一】《蔣介石日記》，手稿本，一九三七年七月十二日。

【一二】《對盧溝橋事件之嚴正表示》，《總統蔣公大事長編初稿》卷四（上），台北：中國國民黨中央黨史委員會編印，一九七八，總第一一三一頁。

【一三】《蔣介石日記》，手稿本，一九三七年七月十六日。

【一四】《蔣介石日記》，手稿本，一九三七年七月十七日。

【一五】《蔣介石日記》，手稿本，一九三七年七月十九日。

【一六】《蔣介石日記》，手稿本，一九三七年七月二十七日。

【一七】《本月反省錄》，《蔣介石日記》，手稿本，一九三七年八月三十一日；《困勉記》繫此於一九三七年八月四日。

【一八】《蔣介石日記》，手稿本，一九三七年八月七日；參見同日《王世杰日記》，台北：中央研究院近代史研究所，一九九○。

【一九】《蔣介石日記》，手稿本，一九三七年八月十三日。

【二○】《八一三淞滬抗戰》，北京：中國文史出版社，一九八七，第四○頁。

【二一】張治中：《揭開八一三淞滬抗戰的序幕》，《八一三淞滬抗戰》，第一七頁。參見余湛邦《張治中——張治中機要秘書的回憶》，吉林文史出版社，一九九二，第二七頁。
【二二】《蔣介石秘錄》，湖南人民出版社，一九八八，第四卷第二四頁。
【二三】日本防衛廳防衛研究所戰史室：《中國事變陸軍作戰史》，北京：中華書局，一九八一，第一卷第二分冊，第一頁。
【二四】《中央日報》，一九三七年八月十日。
【二五】《上海作戰日記》，《抗日戰爭正面戰場》，江蘇古籍出版社，一九八七，第二六三頁。
【二六】當時日本在上海的兵力說法不一，此據《中國事變陸軍作戰史》，第一卷第二分冊，第四頁。
【二七】《王世杰日記》，一九三七年八月十二日。
【二八】《中常會第五十次會議速記錄》，一九三七年八月十二日。台北：中國國民黨黨史館藏，一九八七。
【二九】《抗日戰爭正面戰場》，江蘇古籍出版社，一九八七，第二六五頁。
【三〇】《抗日戰爭正面戰場》，第三三五頁。
【三一】《抗日戰爭正面戰場》，第三三五頁。
【三二】《抗日戰爭正面戰場》，第三三五—三三六頁。參見《日軍對華作戰紀要》。
【三三】《抗日戰爭正面戰場》，第三三六頁。
【三四】《抗日戰爭正面戰場》，第三四二頁。
【三五】《本週反省錄》，《蔣介石日記》，手稿本，一九三七年十一月二十日。
【三六】《陳誠私人回憶資料》，《民國檔案》一九八七年第一期。
【三七】《蔣介石日記》，手稿本，一九三七年八月二十日。
【三八】《困勉記》，台北：國史館藏，一九三七年八月二十一日。
【三九】《王世杰日記》，一九三七年十月十二日。
【四〇】林石江譯：《從盧溝橋事變到南京戰役》，台北：國防部史政編譯局，一九八七，第三七三頁。
【四一】林石江譯：《從盧溝橋事變到南京戰役》，第三七四頁。

【四二】《八一三淞滬抗戰》，第九五頁。
【四三】《抗日戰爭正面戰場》，第三五四頁。
【四四】《王世杰日記》，一九三七年九月六日。
【四五】《抗日戰爭正面戰場》，第三五六頁。
【四六】《八一三淞滬抗戰》，第九六頁。
【四七】《本月反省錄》，《蔣介石日記》，手稿本，一九三七年九月。《困勉記》係此條於九月二日。
【四八】劉斐：《抗戰初期的南京保衛戰》，全國政協編：《文史資料選輯》第十二輯，第三—四頁。
【四九】《蔣介石日記》，手稿本，一九三七年九月十四日。
【五〇】《蔣介石日記》，手稿本，一九三七年九月十日。
【五一】《王世杰日記》，一九三七年九月二十一日。此際，李宗仁也曾勸蔣，「淞滬不設防三角地帶，不宜死守；為避免不必要的犧牲，我軍在滬作戰應適可而止」。見《李宗仁回憶錄》（下），第六九二—六九三頁。廣西政協文史資料研究委員會內部發行，一九八〇。
【五二】《蔣介石日記》，手稿本，一九三七年九月二十五日。
【五三】《蔣介石日記》，手稿本，一九三七年九月二十七日。
【五四】《蔣介石日記》，手稿本，一九三七年十月二十三日。
【五五】劉斐：《抗戰初期的南京保衛戰》，《文史資料選輯》第十二輯，第四頁。
【五六】《中華民國重要史料初編》第二編，《作戰經過》（一），台北，一九八一，第五五頁。
【五七】《蔣委員長致龍雲十月敬電》，《革命文獻．淞滬會戰與南京撤守》，「蔣檔」，台北：國史館藏。
【五八】《抗日戰爭正面戰場》，第二八一頁。
【五九】《蔣介石日記》，手稿本，一九三七年十月二十二日。
【六〇】《陳誠致蔣介石密電》，《抗日戰爭正面戰場》，第三七二頁。
【六一】《顧祝同致何應欽密電》，《抗日戰爭正面戰場》，第三七三—三七四頁。

【六二】《蔣介石日記》，手稿本，一九三七年十月二十六日。
【六三】秦孝儀：《總統蔣公大事長編初稿》卷四（上），總第一一四八頁。
【六四】秦孝儀：《總統蔣公大事長編初稿》卷四（上），總第一一六七頁。
【六五】秦孝儀：《總統蔣公大事長編初稿》卷四（上），總第一一七九頁。
【六六】《蔣介石秘錄》第四卷，第二八頁。
【六七】《抗日戰爭正面戰場》，第二九四頁。
【六八】《徐永昌日記》，一九三七年十一月十二日。
【六九】《困勉記》，一九三八年二月二日。
【七〇】《從盧溝橋事變到南京戰役》，第五五四—五五五頁。
【七一】《困勉記》，一九三七年八月二十日。
【七二】《抗日戰爭正面戰場》，第二八二頁。
【七三】《第三戰區淞滬會戰經過概要》，《抗日戰爭正面戰場》，第三八一頁。
【七四】《蔣介石日記》，手稿本，一九三七年十一月六日。
【七五】《徐永昌日記》，一九三七年十一月七日。
【七六】《蔣介石日記》，手稿本，一九三七年十一月七日。
【七七】《徐永昌日記》，一九三七年十一月六日。
【七八】《蔣介石日記》，手稿本，一九三七年十一月八日。
【七九】《蔣介石日記》，手稿本，一九三七年十一月二十日。
【八〇】《八一三淞滬抗戰》，第二五二頁。
【八一】《從盧溝橋事變到南京戰役》，第五五五頁。
【八二】《徐永昌日記》，一九三七年十一月五日。
【八三】《從盧溝橋事變到南京戰役》，第六〇一頁。

【八四】《蔣介石日記》，手稿本，一九三七年十一月十三日。
【八五】《王世杰日記》，一九三七年十一月十九日；參見劉斐：《抗戰初期的南京保衛戰》，《南京保衛戰》，《文史資料選輯》第十二輯，第八—九頁。
【八六】《蔣介石日記》，手稿本，一九三七年十一月十七日。
【八七】《王世杰日記》，一九三七年十一月十九日；參見唐生智：《衛戍南京之經過》，《南京保衛戰》，《文史資料選輯》第十二輯，第三—四頁。
【八八】《徐永昌日記》，一九三七年十一月六日。
【八九】《蔣介石日記》，手稿本，一九三七年十一月二十六日。
【九〇】《蔣介石日記》，手稿本，一九三七年九月八日。
【九一】《蔣介石日記》，手稿本，一九三七年九月九日。
【九二】《王世杰日記》，一九三七年十一月二十一日。
【九三】《本月反省錄》，《蔣介石日記》，手稿本，一九三七年十一月三十日。
【九四】《淞滬作戰第三期作戰計劃》，《抗日戰爭正面戰場》，第三三一頁。
【九五】《抗日戰爭正面戰場》，第三三三—三三四頁。
【九六】《徐永昌日記》，一九三七年十二月三日。
【九七】《蔣介石日記》，手稿本，一九三七年十一月二十六日。
【九八】《蔣介石日記》，手稿本，一九三七年十一月五日。
【九九】《蔣介石日記》，手稿本，一九三七年十二月六日。
【一〇〇】《蔣介石日記》，手稿本，一九三七年十二月七日。
【一〇一】《困勉記》，一九三七年十二月九日記，蔣介石稱：「此次抗戰，即使全國被敵佔領，只可視為革命第二期一時之失敗，而不能視為國家被敵征服，更不能視為滅亡，當動員全國精神力自圖之。」
【一〇二】《蔣介石日記》，手稿本，一九三七年十二月九日。

【一〇三】《王世杰日記》，一九三七年九月一日。
【一〇四】《王世杰日記》，一九三七年九月二十八日。
【一〇五】《蔣委員長致蔣廷黻、楊杰（請伏元帥轉斯大林先生）電》，《革命文獻·對蘇外交》，「蔣檔」。
【一〇六】《斯達林、伏羅希洛夫致蔣委員長十二月電》，《革命文獻·對蘇外交》，「蔣檔」。原電無日期，此據《徐永昌日記》考訂。
【一〇七】《蔣介石日記》，手稿本，一九三七年十二月五日。
【一〇八】《中華民國重要史料初編》，第三編（二），第三四〇頁。
【一〇九】《徐永昌日記》，一九三七年十二月六日。
【一一〇】《蔣委員長致李宗仁、閻錫山等魚電》，《革命文獻·淞滬會戰與南京撤守》，「蔣檔」。
【一一一】《南京保衛戰戰鬥詳報》，《抗日戰爭正面戰場》，第四一三頁。
【一一二】《蔣委員長致唐生智、劉興、羅卓英電》，《革命文獻·淞滬會戰與南京撤守》，「蔣檔」。
【一一三】《困勉記》，一九三七年十二月六日。
【一一四】《憲兵司令部戰鬥詳報》，《抗日戰爭正面戰場》，第四三三頁。
【一一五】《陸軍第七十八軍南京會戰詳報》，《抗日戰爭正面戰場》，第四二四—四二五頁。
【一一六】《困勉記》，一九三七年十二月十五日。
【一一七】《蔣介石日記》，手稿本，一九三七年十二月十六日。
【一一八】《王世杰日記》，一九三七年十二月二日、二十七日。
【一一九】《本週反省錄》，《蔣介石日記》，手稿本，一九三七年十二月十八日。
【一二〇】《蔣介石日記》，手稿本，一九三七年十二月二十六日。
【一二一】《蔣介石日記》，手稿本，一九三七年十二月二十七日。
【一二二】《蔣介石日記》，手稿本，一九三七年十二月二十八日。
【一二三】《蔣介石日記》，手稿本，一九三七年十二月二十九日。

【一二四】《蔣介石日記》，手稿本，一九三七年十二月三十日。
【一二五】《蔣介石日記》，手稿本，一九三八年一月二日。
【一二六】《蔣介石日記》，手稿本，一九三七年九月十六日。
【一二七】《蔣介石日記》，手稿本，一九三七年十一月七日。
【一二八】《本月反省錄》，《蔣介石日記》，手稿本，一九三七年十一月三十日。
【一二九】秦孝儀：《總統蔣公大事長編初稿》卷四（上），總第一二〇〇頁。
【一三〇】《本週反省錄》，《蔣介石日記》，手稿本，一九三七年九月十一日。
【一三一】《蔣介石日記》，手稿本，一九三八年末。

蔣介石親自掌控的對日秘密談判

中日秘密談判可以說是抗日戰爭期間最詭異的事件。這不僅表現在中日雙方，而且也表現在中國內部。一方面，蔣介石屢屢對孔祥熙的謀和活動加以阻遏，但是，蔣介石本人又親自掌控過幾次對日秘密談判。不將這些情況研究清楚，就無法真正瞭解談判全局，也無法瞭解蔣介石對日的真實意圖。

一　精心指導蕭振瀛與和知鷹二之間的談判

南京陷落後，國民黨和國民政府內部主和派一度抬頭，但蔣介石堅決拒和，力主堅持抗戰國策。一九三八年三月十三日，蔣介石專門在日記本中寫了一段話：「中國對倭抗戰，決非爭一時之勝負與得失，而為東亞千百世之禍福有關，故不惜任何犧牲，非達到此目的，終無戰亂終止之期。」【一】但是，同年四月，中國軍隊在山東台兒莊取得勝利，蔣介石覺得中國有了和日本侵略者談判的籌碼，思想的天平開始傾向「和平」一端。四月九日日記云：「此時可戰可和，應注重和局與準備。」【二】此後，日方有希望英國出面充當調人之意，而蔣介石也曾決定派張群使英，在當地與日本進行和平交涉，以便於英國從中斡旋並擔保。【三】五月下旬，日本內閣局部改組，近衛首相以陸軍前輩宇垣一成大將出任外相，企圖借助他來抑制陸軍少壯派。蔣介石看出宇垣將對華主和，準備利用宇垣，壓制日本陸軍中的少壯派。但是，蔣介石也提醒自己，防備宇垣對中國內部實行「挑撥離間」。【四】日記云：「敵國陰狠，講和時更增危機也。」【五】果然，宇垣上台後，即不斷向中國搖撼橄欖枝。蔣介石則以「剛柔得宜」的政策相對應。【六】一面抵抗日本侵略軍對武漢的進攻，一面也和日方代表在談判桌上周旋。八月下旬，蔣介石開始指導蕭振瀛和日本軍部特務和知鷹二進行談判。

蕭振瀛（一八八六—一九四七），字仙閣，號彥超，吉林扶餘人；曾任西安市長；一九三〇年任第二十九軍宋哲元部總參議；一九三五年任天津市市長；次年任冀察政務委員會經濟委員會主席。其間，曾多次與日軍駐華北將領多田駿等人談判。一九三七年抗戰爆發，蕭振瀛任第一戰區長官部總參議。一九三八年七月下旬或八月初，日本軍部特務、「蘭工作」負責人和知鷹二到達香港，蕭振瀛與和知是「舊友」，因此受命與和知談判。談判中，和知提出總原則六條，其中有誘餌，也有新的侵略要求：一、停戰協定成立之時，兩國政府正式命令，停止一切陸、海、空軍軍事敵對行動，中國政府以新的姿態，恢復七七盧溝橋事變以前狀況。二、日本政府絕對尊重中國主權、領土、行政之完整。三、兩國軍事完全恢復戰前原有狀況後，以平等互助為原則，商訂經濟協定，以謀東亞經濟全面的合作。四、兩國謀國防上之聯繫，在共同防止共產主義目標下，商訂軍事協定。五、兩國政府努力恢復兩國人民情感上之親善與諒解，取締一切互相排侮之言論。六、兩國在此次事變中所發生之一切損失，以互不賠償為原則。和知提出的《經濟協定基本原則》共四條：一、本平等互助原則，盡先歡迎日本投資，如日本財力不逮，可向歐、美各國商借資本。二、資源與市場之緊密調整與提攜。三、兩國互惠關稅之協定。四、戰後復興之合作。其《軍事協定基本原則》共三條：一、中日兩國共同防衛，共同作戰。二、平時訓練，得聘請日本軍事顧問及教官，向日方訂購及補充器材。三、國防之聯繫。軍事內容與情報

之交換。【七】

當時，日軍正節節向武漢逼進，和知「求和」，使國民黨內部的部分「主和」派覺得是個機會，但蔣介石對此卻不抱希望。八月二十六日，蔣介石與智囊、《大公報》主筆張季鸞商談，對張表示：「觀察倭寇在華之權益與設施，豈能隨便放手還我乎？若無重大變化與打擊，彼決不罷手。一般以為和知來求和抱樂觀者，實未究其極也。」【八】他在日記中明確寫道：「對和知應拒絕。」「倭寇軍閥不倒，決無和平可言。惟有中國持久抗戰，不與言和，乃可使倭閥失敗，中國獨立，方有和平之道也。」【九】九月二十三日，蔣介石返回漢口，主持彙報會議，決定對策。由於和知的條件首先就是「恢復盧溝橋事變前原狀」，這是蔣介石求之不得的夢想，自然勾起蔣的興趣。會議決定：「倭必先尊重中國領土、行政、主權之完整，與恢復七七事變前之原狀，然後方允停戰。」【一〇】此前，國民政府一直要求，在與日本談判時必須有第三國保證，但是，就在幾天前，英、法為了自身的利益，不惜犧牲捷克主權以綏靖納粹德國，因此，彙報會議決定，可直接與日方談判。九月二十六日，蔣介石增派曾任北平社會局長、有對日交涉經驗的雷嗣尚到港，加強談判力量。這一時期，蔣介石正在觀察歐戰的狀況，認為如歐戰不能即起，有機即和；如歐戰果起，「則對倭更須作戰到底」。【一一】

九月二十七日，蕭振瀛、雷嗣尚與和知鷹二第一次會談，首先告以軍事協定不能簽訂。和知答稱，軍事協定與經濟協定，均在恢復「七七」以前原狀後再辦。事後，蕭電蔣報告。蔣覆電指示：「一、與對方談話，切不可稍有一點增減，必須依照所面述之範圍，萬不可有所出入。二、不可抱有成就之望，要知我方全處被動地位，遷就不但無益，必受大害。如主動方面有誠意，我方不遷就，亦能成就也。三、每日在途中住宿地，能通長途電話時，請通電話一次，以便隨時接洽，恐逐日局勢有變化，俾可隨時洽商也。四、對於無商量餘地之事，如彼方再三試探，必須堅強拒絕，以我方本不望有所成就，而所欲望成者，實在對方也。此意須特別認識，並知我國至此，實毫無其他希望，只有死中求生之一途也。五、一切言語態度，須十分穩重從容，萬不可帶有急忙之色。緩急先後，皆由其便。我方必須以無所為〔謂〕之態度處之，更不必要求其必答，有所期待也。須知我方除此之外，並無再可商洽之事，即以此為最後之辦法也。六、所寫具體各件，切不可以書面明示彼方，且須對彼言明，無具體成文之件攜來，一切皆以口頭商洽，作為臨時相商之事可也。」【一二】

當日午後，蕭振瀛等與和知第二次會談。蕭等向和知說明：一、中國方面，自孫總理至蔣委員長，對於日本之強盛，均有深刻之認識與敬意，企求自存、共存，與日本共定東亞大計。日方苟有和平誠意，中國必以誠意應之。二、日方嘗強調東亞主義，以「東亞之事，東亞之人自了之」為內容，中國亦甚同情，但因弱國恐受強國欺凌之故，始終不願直接交涉，必須有第三國介入並保證，方能重建和平，但如日方確有誠意，尊重中國行政、主權及領土之完整，則中國自當以最大誠意，與日方直接談判，不要第三國介入。此事如能實現，即東亞主義之大成功，即日方之大勝利、大收穫，其重要性尤在一切之上。三、現在日軍進攻武漢，大戰方酣，中國方面不能作城下之盟，故目前最要之着，為停止軍事，恢復「七七」前之狀態。四、如果軍事停止，一切恢復七七前狀態後，中日兩國誠意展開兩國、兩民族之全面合作，將來定可做到經濟合作，外交一致。五、中國自十六年清黨以來，即站在堅決剿共立場，日方必有正確認識，共產主義斷乎與中國國情不能相容。中國國內之防共，中國自能為之。六、日方尊重中國行政、主權、領土之完整，對於中國內政絕不干涉。中國人最恨者，為日、鮮浪人之販毒，認為是滅種政策，必須切實取締；中國最疑畏者，為日方所設在華特務機關，認為是亡國政策，必須加以取消。七、中國不騙人，作敵徹底，作友也徹底，將來必做到中國人愛日本如愛中國，同時日本人愛中國亦應如愛日本。八、如果日方能以強國大國風度，照此做去，不問國際形勢如何演變，即在日本極不利之環境下，中國亦必以最大誠意直接談判，重建和平。【一三】

和知認為蕭振瀛的談話在原則上、精神上與日方認識相同，雙方取得初步結論：一、停戰協定中不涉及軍事協定字樣。二、俟恢復「七七事變」前狀態後即訂經濟協定。三、對中方提出的不訂軍事協定問題，和知本人認為可以商量，但恐東京方面堅持，故對此點表示保留。四、和知同意，由日本先發和平宣言，中方以和平宣言響應，即停止進攻若干日，作為雙方正式代表簽訂停戰協定的時間，其簽訂地點可在香港。五、雙方和平宣言須以電報事前商定原稿，方得發表。六、和知定二十八日晚回東京，作最後決定，於十月十日前電告，和知本人隨後即來香港。七、和知離港後請雷嗣尚飛漢，面陳詳情。【一四】

同日，蔣介石致電蕭振瀛，要求向對方堅決表示：「原狀未復，誠信未孚，即未有以平等待我中國之事實證明以前，決不允商談任何協定。不僅軍事協定之字樣不得涉及於停戰協定之中，即經濟協定，在原狀未復以前，亦不能商談。」關於「經濟協定」，電稱：「兄等攜來經濟協定之原稿，無異亡國條件，更無討論餘地。」關於「停戰協定」，電稱：「只可訂明停戰之時間、地點與日本撤兵及恢復七七以前原狀之手續與月日，此外不能附有任何其他事項。」關於「停戰日期」，電稱：「停戰之日，即為停戰協定同時發表之日，決不可以停止進攻若干日為簽訂協定之時間。換言之，中國於停戰協定未簽訂之前，絕不願停戰。」蔣介石並要蕭振瀛鄭重聲明：「原狀未復，且未有以平等待我之事實證明以前，決不能再提軍事協定，且絕無保留之餘地，否則請明告對方，無從再約續談也。」【一五】蕭振瀛收到蔣的電報後，於當日與和知進行第四、第五次會談，反覆討論，和知表示願作讓步：一、對停戰協定中不出現軍事、經濟協定字樣一條，認為可以商量。二、對中方要求日方以事實表示誠意，非恢復「七七」前原狀後，不商談任何協定一條，表示「頗諒解」。但是，和知也表示，關於將來中日合作的具體內容，事前須取得一種「無文字的諒解」，「否則，日方無以自圓其立場」，證明中方「毫無誠意，日本斷難相信」。【一六】二十八日晚十二時，和知離港回國，行前向蕭振瀛透露：日方此舉的國際根本原因是，希特勒最近多次電請日方與中國謀和，共同對蘇；其次要原因則為日本國內困難重重，不堪應付長期戰爭，擬在軍事優勢下，以較大讓步取得和平。和知稱：近衛文麿、板垣征四郎、多田駿等雖有遠識，但日本朝野各方，尚無普遍認識。此次回東京，遭遇困難必多，將拚死努力，於十月十日前以日方最後態度相告。【一七】

九月二十九日，蕭振瀛致電蔣介石，報告二十八日與和知會談情況，聲稱前後談話，均以恢復「七七事變」前狀態為唯一前提，與蔣的指示並無出入。在轉述和知臨行前密告的日方謀和原因後，蕭稱：和知此次奉近衛、板垣、多田之密令而來，態度確甚誠懇、坦白，條件亦較以前多次提出者為合理。最近東京將舉行重要會議，決定武漢會戰之後的對策，但日方亦有主張「硬幹到底」者，南京偽組織、北平偽組織又多方破壞和局，故前途定多周折。【一八】他要蔣介石表態，「若雙方意見，距離尚不甚遠，而和知再度來港，我方應如何應付，應請預籌」。【一九】

蕭振瀛與和知在香港的談判以日方承認恢復「盧溝橋事變」前原狀為前提，符合蔣介石的要求，談判也似乎進展順利，蔣介石甚至開始研究和談成功時的停戰、撤兵要點。十月一日，蔣介石日記云：「甲、分區交代。乙、交接與衝突時之地方治安維持辦法。丙、交接時防制（止）誤會。丁、預防察綏與冀東及偽組織之處置。」又云：「停戰、撤兵後，先訂不侵犯條約，後商互助協定。」【二〇】十月二日，蔣介石從孔祥熙處讀到香港情報一件，其中談到日人百武末義回國活動中日議和情形，百武希望瞭解，如果日本發表和平聲明，中國是否能夠發表聲明響應。蔣介石當即電詢孔祥熙，「其言是否可信」。他指示：「總要前途先擬整個確實辦法，再談雙方宣言也。」【二一】此後，中國方面即開始草擬《和平宣言》。

中方草擬的《和平宣言》稱：

中國所求者，惟為領土、主權、行政之完整與民族自由、平等之實現。日方誠能如其宣言所聲明，對中國無領土野心，且願尊重主權、行政之完整，恢復盧溝橋事變前之原狀，並能在事實上表現即日停止軍事行動，則中國亦願與日本共謀東亞永久之和平。內求自存，外求共存，此為中國立國唯一之政策，亦為世界各友邦所深信，況與日本為同文同種之國家，誠能共存共榮，何忍相仇相殺！苟日本能以誠意相與，中國亦以誠意應之。倘使能以此次戰爭之終結為樞紐，一掃荊棘，開拓坦途，共奠東亞永久之和平，是不僅為中日兩大民族之幸，亦為世界全人類和平之福也。

蔣介石特別在「中國亦願與日本共謀東亞永久之和平」一句下以紅筆加寫了一段話：「我政府對於和戰之方針與其限度，早已屢次聲明，即和戰之標準全以能否恢復七七以前之原狀為斷。蓋始終以和平為主，認定武力不能解決問題也。」【二二】中方也草擬了《停戰協定》草案等有關文件。《停戰協定》草案共五條：一、停戰協定成立之同時，兩國政府即命令各該國陸、海、空軍停止一切敵對行動，日本並即撤兵，在本協定簽字後三個月內恢復「七七盧溝橋事變」以前之原狀。二、日本政府絕對尊重中國領土、主權、行政之完整。三、兩國政府努力恢復兩國人民情感上之親善與諒解，取締一切互相排侮之言論行動。四、兩國在此次事變所發生之一切損失，以互不賠償為原則。五、本協定自發佈日起發生效力。草案提出：該協定可在福州或九龍簽字，在中國方面發表《和平宣言》後一日公佈。日軍撤兵分三個時期，每期一個月，至第三期時，日軍完全撤出黃河以北及黃河、長江以南，恢復「盧溝橋事變」前狀態。考慮到清末庚子條約規定外國軍軍隊在平津一帶有駐兵權，蔣介石特別以紅筆加添了一句：「日本在平、津一帶之駐軍人數務須與庚子條約相符，勿多駐兵。」【二三】關於當時存在於華北、華中的兩個偽政權，草案提出：一、自停戰協定簽訂之日起兩星期內，南北兩偽組織即行取消。二、國民政府對於偽組織之參加者，寬大處理，但絕不能有任何條件。關於中日兩國合作問題，中方提出：「必須在恢復盧溝橋事變前原狀後，方能商訂協定，事前只能交換意見，成立精神上的無文字的諒解。」關於《經濟協定》，草案提出：「絕對以平等互惠為原則」，日方「所提原則，尚須修改」，「將來舉行經濟會議，決定具體內容」。在此，蔣介石以紅筆批示：「此時絕對不得商討內容與具體辦法。」【二四】關於《軍事協定》，草案提出：「在恢復原狀後，可先商訂互不侵犯條約。」蔣介石批示稱：「此可研究。」【二五】關於「滿洲國」問題，草案擬訂了「相機應付」的三條談判意見：一、日方自行考慮，以最妥方式及時機，自動取消「滿洲國」，日本保留在東北四省一切新舊特權，但承認中國之宗主權。二、中國承認東四省之自治，而以日本取消在華一切特權為交換條件（如租界、領事裁判權、駐兵、內河航行等等）。三、暫仍保留。蔣介石在第三條後加了一句：「待商訂互不侵犯條約時再談。」【二六】

十月八日，雷嗣尚到漢口向蔣介石請訓，蔣當面指示：一、對方如確有誠意，應在十月十八日以前完成一切手續，否則不再續談。二、我方絕對不要停戰，更不害怕漢口失守，盡有力量支持長期抗戰，此層應使對方徹底認識。三、直接談判係指此次事件之解決而言，並非永久受此限制，但對方如不質詢此點，我方自不必自動說明。四、此次談判，係對方主動，我方誠意與之商洽，對方不得故意歪曲事實，散播不利於我方之宣傳，否則認為對方毫無誠意。五、停戰協定係兩國政府間之協定，不可作為前線軍隊與軍隊間之協定。六、談判重點應集中於恢復「七七事變」前原狀，若對方能做到此層，以後雙方定能開誠合作。【二七】蔣特別強調：「絕對拒絕之事，寧死勿允。」「凡將來之事，不可先提限期，自處束縛。」「破裂則不怪，越範則不可。」【二八】

和知於九月二十八日離港返回日本後，於十月十五日再到香港。十六日，與蕭振瀛會晤稱：回國後向近衛、多田、板垣等人彙報，都認為蔣介石「有誠意」，願意放棄此前歷次宣言，以誠意商談。日方並經最高會議決定，中日停戰協定可以不涉及任何其他協定，但恢復「七七事變」前原狀後必須有七項諒解。甲、防共軍事協作及駐兵；乙、中國政府之調整；丙、偽組織之收容；丁、滿洲國之承認；戊、中國領土主權之尊重；己、日、華、滿經濟提攜；庚、戰費互不賠償。這七項「諒解」表明，日方雖然聲稱尊重中國領土主權，但頑固地要求中國簽訂「防共軍事協定」，在中國國土上駐兵，承認「滿洲國」，並且狂妄地要求中國政府改組。和知深知這些條件不可能為中國政府接收，因此有意作了「弱化」，其「解釋」是：甲、如中國政府自動實行反共，則可秘密約定。所謂駐兵，指將來在內外蒙邊防，雙方作軍事佈置之意。乙、所謂「中國政府之調整」，指「酌令接近日本之人員參加，以便促進中日兩國親善之關係」。丙、所謂「偽組織之收容」指對其主要人物酌予安置。丁、滿洲國問題暫可不談，待合作二、三年後再商解決。戊、日、華、滿經濟提攜，滿字可不涉及，軍事協定亦可不再訂。和知稱：前次所談原則，只有軍、參兩部最高首腦同意，此次則已取得內閣全體之同意。表面雖近煩苛，實際已經讓步。如防共問題，倘使中國自有辦法，則協定之有無，仍可從長商討。又稱：自天皇以下對於此事均盼速決，只須雙方誠意努力，當可順利解決。關於日軍當時仍在向華南進兵問題，和知解釋說，此係以前預定計劃。如和談有眉目，即可停止。和知並表示，可致電日本軍部，通知前方，對於夜間飛機，不加襲擊，以便代表在香港、漢口之間往來。對於和知提出的上述條件，蕭振瀛稱：「超出前談範圍，不能答覆。」十七日夜，蕭振瀛致電何應欽，請示「究應如何」。【二九】

十月十八日，何應欽覆電指示：日方所提「諒解」，甲、乙、丙、丁四項，都是「干涉中國內政」。「若行政不能獨立，無異等於亡國，萬不能承認。如其再提此等事，可知其毫無誠意，不必續談」。關於戊項，何應欽認為，日方僅提「中國領土、主權之尊重」，而未提尊重「中國行政之完整」，「是其居心仍欲亡我中國。如其有誠意，則其宣言必須言明尊重中國領土、行政、主權之完整，決不能將行政二字刪而不提也」。

關於己項，何應欽稱：中日經濟提攜，必須在恢復原狀後方可商討。他表示，「我方除此以外，再無其他可言」。日方有無誠意，以十月二十日為期，過此即作罷論。何應欽提醒蕭振瀛說：「須知侵粵以後，內外情勢大異，不容有從容商酌餘暇也」。【三〇】該電在當時的談判文件中被稱為「巧未電」。

何應欽發出「巧未電」後，又迅速發出「巧酉電」，補充說明：關於日方所提甲項，歷年以來，委員長及中央所發宣言一再聲明，除三民主義外，不容有共產主義存在，此為我方堅決立場。如對方不提甲、乙、丙、丁四項，則將來恢復「七七事變」前原狀後，在內外蒙邊境軍事佈置一層「或可情商」。電稱：「若對方果有誠意，弟可向委座懇切進言，但不能作為軍事協作或防共之諒解事項。又互不侵犯協定，我方願在恢復事變前之原狀後，即行商訂，然後再商經濟協定也。」【三一】不過，「巧酉電」發出後，何應欽覺得其中有不妥之處，又於十九日發電糾正：「該電末句『然後再商經濟協定也』，應改為『再商經濟合作也』」。當時，中方《和平宣言》已經起草完畢。何應欽在電中特別指示：「在日方宣言稿未提出之前，不可先將我方宣言稿示之。」【三二】該電稱為「皓卯」電。發出此電後，何應欽仍不放心，又於同日發出「皓午電」，電稱：

密。奉諭：昨日各電，關於經濟合作與軍事佈置等事，必須待恢復原狀後，以能否先訂互不侵犯協定為先決問題。又無論何項合作，必以不失我獨立自主之立場而不受拘束為法則，請於此特別注意。【三三】

兩日之內，連發四電，可見何應欽的重視。「巧酉電」中，何應欽在「或可情商」四字後加註說明「係遵電話諭所改」；在「懇切進言」四字後，何應欽加注說明，「係遵電話諭所增」；本電一開始就是「奉諭」二字，這些地方都說明，上述各電，反映的都是蔣介石的主張。

十月十九日，蕭振瀛與回漢請示又於十八日趕回香港的雷嗣尚繼續與和知談判。在長談七小時之後，雙方在六個方面取得「大體接近」的意見。一、雙方《和平宣言》原稿，須互相同意，宣言在停戰協定簽訂後再發表，作為協定之解釋而發。二、《停戰協定》內容只載以下三項：（一）規定停戰日期及地點。（二）日本尊重中國領土、主權、行政之完整。（三）在恢復戰前和平狀態後【三四】，中國政府誠意與日本謀兩國間之全面的親善合作【三五】。三、日軍撤退問題，中方要求規定撤退期限，和知表示，日本天皇詔令班師，約須一年方能撤完。四、經濟合作問題：（一）以絕對平等互惠為原則；（二）在恢復戰前和平原狀後召集中日經濟會議，決定具體內容。五、滿洲國問題，保留二年，中國再考慮日方所關心之滿洲問題，誠意謀合理解決。六、雙方因戰爭所發生之一切損失，互不賠償。【三六】

蕭振瀛在電報中稱：上述六點，「均接近我方腹案」。此外尚有三點，和知極端為難，研究費時甚久，即：一、和知欲將撤兵及其將來諒解留交正式代表團談判，我方則堅持須先商定一切內容，方能成立停戰協定。此點經討論，和知表示同意。二、關於防共軍事協定及駐兵問題，蕭等恐其別有打算，堅請說明具體辦法。和知稱，防共可不要協定，只要中國自行鏟共，問題即可解決。所謂軍事協作及駐兵問題，係指內外蒙一帶之軍事共同佈置而言。對此，蕭等表示：一、中國自行清共，日方不必提及。二、在恢復戰前和平原狀後，內外蒙邊軍事共同佈置可商，但其他區域必須完全恢復戰前原狀。【三七】蕭稱：此點和知已電東京請示，尚未得覆。三、關於收容偽組織，和知閃爍其詞，若有難言之隱。蕭等稱：取消南北偽組織，係和議一切前提，否則，恢復原狀一語，毫無意義，且此問題，前已完全解決，此次應不再談，否則，無從再談和議。對此，和知及參預談判的何以之均稱：土肥原一派仍支撐偽組織，王揖堂、梁鴻志聽說和知赴港，已聚集滬上，問題趨於複雜化，須去電請示，得覆後尚須再聽取北平、上海現地意見，方能定案。蕭等遂聲明：一、南北兩偽組織及戰區內一切偽組織，必須即刻取消；二、中國方面可表示，凡參加戰區維持治安者，一律寬大處置。和知最後表示，個人同意，仍須電東京請示。【三八】

蔣介石在收到蕭振瀛與和知十九日的長談資料後，立即研究並以紅藍鉛筆作了修改。其一，在「大體接近」的第三條上以紅筆眉批：一、撤兵日期必須在停戰協定詳細載明；二、必須載明恢復七七前原狀。三、此「全面的」三字不能加入。其二，在「為難」問題的第二條上以藍筆眉批：「必須先行撤兵，恢復七七原狀，然後再商駐兵問題。內外蒙交界之線最多以張北、沽源與大青山以北之線，對於興和、陶林、武川、固陽、安北，必須駐紮華軍。其三，在蕭等堅決表示的第二點「其他區域」四字下，以紅筆加了問號，在「必須完全恢復戰前原狀」句上以紅筆眉批：「區域二字，應改為事項，否則對方將解釋為察、綏二省全境矣。」【三九】以上情況表明，為了換取日方承認恢復「盧溝橋事變」前原狀，在停戰協定簽訂後即行撤兵，蔣介石考慮過：同意日軍在長城以外某些地區駐兵的要求。

十月二十一日清晨，和知離港，返回東京。行前，與蕭振瀛密談，聲稱因防共軍事協定、駐兵及偽組織問題，形頗煩難。上海方面，梗阻尤大。土肥原曾來電，請其返滬，故決定先回東京，向中央部陳述，擬在十月二十五日以定案電告中方。蕭振瀛稱：如和局可成，必須在十月三十日前完成手續，十一月十日前在福州簽訂停戰協定，否則即作罷論，不再續談。【四〇】同時約定，由和知通知日軍，自二十三日至二十七日午後九時至午前三時之間，停止攻擊香港至漢口的夜間航班，以便往來。關於中方全權代表，和知要求由何應欽出任；日方全權代表，何以之暗示，土肥原偏見頗深，以多田駿代替土肥原最佳。【四一】

蕭振瀛在寫給蔣介石、何應欽的報告中稱：和知態度，確甚懇摯，一切問題，有研究而少爭執，但是，日方動員六十個師團，耗財百億，死傷數十萬，必須求得代價，方能自圓立場，因此，我方「惟有善用內外形

勢，示以不可克服之力量，又餌以將來可以合作之誠意，似可就我範圍，實現和局」。【四二】

蕭振瀛對和談前途有某種樂觀，蔣介石卻一直心情矛盾，舉棋不定。九月二十七日，蔣介石萌生「歐戰如不能即起，對倭有機即和」的想法，但他又擔心和議達成後可能出現的三種狀況，一是停戰後日方不撤兵或不繳還華北；二是共黨擾亂，不從命令；三是英美不悅。【四三】十月三日，蔣介石繼續研究和議，日記云：「媾和險矣。敵軍對支院與特務總監之既經設立，豈肯輕易放棄？」他除繼續擔心日軍停戰後拒不從華北、上海、察、綏等地撤退外，還擔心「對內宣言」以及「死傷軍民之撫慰」等問題。【四四】五日日記云：「敵既欲求和而又稽延不決，以探我軍虛實緩急之情。小鬼可鄙，何能施其伎倆也？余惟有以拙制巧，以靜制動而已。」【四五】七日，蔣在日記中提醒自己，「敵來求和是否為緩兵消耗我主力之計」，決定確定限期，不許日方拖延時日，同時絕對拒絕軍事協定與經濟協定。【四六】十月十二日，日軍在廣東大鵬灣（應為大亞灣——筆者）登陸。十三日，攻佔河南信陽。日軍的這兩次軍事行動使蔣介石強烈懷疑日方的和平誠意，決心堅持抗戰。日記云：「倭既在粵登陸，我應決心持久抗戰，使之不能撤兵。」「勿以國際外交之關係而影響作戰方針。」「勿忘三年前以四川為抗戰根據地之準備，況平漢粵路以東地區抗戰至今十五月之久，而敵猶不能佔領武漢，則以後抗戰必更易為力。敵軍侵粵，實已達成余第三步之計劃矣。」【四七】此前，蔣介石早有利用太平洋各國和平會議解決中日一切問題的打算，日軍侵粵，戰區擴大，不僅讓蔣看到了日軍陷入被動，會出現更多的「滅寇良機」，而且讓他感到，英國與日本妥協的可能將會減少，召開太平洋各國和平會議，共同對付日本的希望已經大為增加。十月十四日，蔣介石致電蕭振瀛稱：「敵既在粵登陸，可知其毫無誠意，不可與之多談。」【四八】他隨即決定將前此準備的「諒解」方案作廢。此時，進行多時的武漢會戰已近尾聲，預定打擊日軍的計劃已經完成，為保存有生力量，蔣介石決定自武漢撤退，正在草擬《為國軍退出武漢告全國國民書》。十月二十一日，蔣自思云：「敵方答覆延緩，並無誠意之表示，余當考慮發表宣言以示決絕。語云：寧為玉碎，毋為瓦全。非下此決心，無以救國。」【四九】二十四日，蔣介石接受各將領要求，離開武漢。次日，下令對武漢若干要害地區，進行爆破，以免為日軍所用。

和知鷹二返日密商後，旋即來華，十月二十五日到達上海，立即致電蕭振瀛，盼何應欽急赴福州，同時聲稱將派人攜函赴港，二十八日可到。蕭振瀛認為「和局當已有望」，於二十六日致電何應欽及蔣介石，聲稱待和知所派之人到港，即詢明詳情，如與在港所談沒有大出入，即請和知到福州商定，同時請何應欽前往。電稱：「何部長應即準備，待電即行。」【五〇】二十九日，和知所派之人到港，聲稱「中華民國臨時政府」與「中華民國維新政府」兩方「爭持甚烈」，正在上海會談。如果難以作出決定，和知仍擬返回東京，請「最高幹部」決定。【五一】同日，蕭振瀛致電孔祥熙，報告上述消息，聲稱此外各問題，仍與在港所定腹案大體無出入，統由雷嗣尚帶到重慶進呈。【五二】

前文已經指出，蔣介石對和知的活動本不抱希望。十月二十七日，蔣介石得悉日本同盟社宣傳電及板垣征四郎於二十六、二十七兩日先後發表的好戰談話，認為「敵寇野心並未減殺，而且有緩兵與誘惑之狡計」，決定發表早就在草擬中的《告全國國民書》，以示決心。【五三】二十八日，蔣介石又接到重慶行營主任張群來電，認為日本外相宇垣辭職，求和空氣已淡，必須我方持久抗戰，使敵益感疲乏之後，由英美聯合，形成國際中心力量，着手調停，才能實現「差強人意之和平」。他說：「抗戰至現階段，決無拋棄立場、根本改變國策之理。」【五四】三十日，蔣介石命何應欽轉令蕭振瀛，停止和談，返回重慶。【五五】同日，蔣介石致電孔祥熙、汪精衛、王寵惠，要他們考慮對日宣戰的利害問題。電稱：「今後沿海各口既全被封鎖，故我對於海外交通，不再有所顧慮。若我宣戰，則美國必實行中立法，可斷絕敵人鋼鐵、煤油之來源，實於敵有害也。又我如宣戰，對於國聯及各國關係，均應精密研究，切實探明，望即令我駐外各大使全力進行。如何？請核。」【五六】三十一日，蔣介石在南嶽致電張群，要他立即發表《為國軍退出武漢告全國國民書》，不可再緩。日記云：「發表告國民書後，敵必又受一不測之打擊，使其以後之威脅失效，更使其進退維谷。」【五七】同日，《告全國國民書》正式公佈。該文說明抗戰根據，不在沿江沿海，而在廣大、深長之西部諸省。武漢會戰予敵重大打擊，任務已畢，目的已達，現決定放棄武漢，轉入主動有利之地。文稱：

我國在抗戰之始，即決定持久抗戰，故一時之進退變化，絕不能動搖我抗戰之決心。惟其為全面戰爭，故戰區之擴大，早為我國人所預料，任何城市之得失，絕不能影響於抗戰之全局；亦正唯我之抗戰為全面長期之戰爭，故必須力取主動而避免被動。敵我之利害與短長，正相懸殊；我惟能處處立主動地位，然後可以打擊其速決之企圖，消滅其宰割之妄念。

文末，蔣介石號召國人「自今伊始，必須更哀戚、更悲壯、更刻苦、更勇猛奮進，以致力於全面之戰爭與抗戰根據地之充實，而造成最後之勝利」。【五八】文告發表後，蔣介石很滿意。十一月一日日記云：「《告全國國民書》自讀之，覺為最近第一篇之文字，必使國民知感，且使敵國知畏也。」【五九】大概當時主和派對發表此文有意見，同月二日，蔣介石又在日記中寫道：「既知持久抗戰是民族唯一出路，為何復有徘徊遲疑？此心既決，毋再為群議所惑。」【六〇】十二月十七日，日本特務土肥原到香港，邀蕭振瀛見面，蔣介石指示：「不准蕭赴港」，「應堅拒不理。」【六一】

蕭振瀛與和知的談判因蔣介石的剎車而中止，但日方對這一線索仍存有期待。一九三八年十二月，汪精衛自重慶逃到越南河內，加緊與日方勾結，日本對華政工人員中出現兩派。一派將希望寄託在汪精衛身上，一派仍以蔣介石為談判對象。一九三九年三月，何以之及和知鷹二相繼抵港。十二日，何以之致電在重慶的蕭振瀛說：日方正在實行「擁汪倒蔣」毒謀，為國家大局，「在內必先除汪，在外必多聯美」。土肥原與和知二人均以「收拾時局自負」，希望蕭到港一談。【六二】蕭振瀛在香港的孫、施兩位助手也向蕭報告，認為土肥原與和知「與聯汪派主張不同，暗鬥甚烈，實為我方利用、以敵制敵之良好機會」。報告稱：「此時如能利用土、和，繼成前議，固屬圓滿，即難完成，至少可以牽制聯汪政策不能決定，亦於我有利而無害。」孫、施二人要求蕭振瀛將有關函電密呈蔣介石，從長考慮。同時建議蕭本人速來香港一談，「在國際情形好轉之下，奸黨勾結未成之前」，找出一條解決問題的「新途徑」。【六三】蕭振瀛接獲上述電報後，於十三日致函蔣介石稱：「伏查汪日關係，乃由日本軍部影佐等從中斡旋，不僅土肥原等極為憤慨，皆抱收功在我之願，板垣近於議會中亦鄭重聲明，汪既不能號召國內，而與日本尤無歷史關係，欲求中日永久之合作，絕非汪輩之所能為力者，言外之意，當係仍欲與鈞座間取得諒解。」蕭向蔣請示：「對方既極端欲賡續前議進行，和知又將來港，究應如何應付之處，恭請鑒核示遵。」【六四】對蕭振瀛此函，蔣介石未作答覆。一九三九年九月，和知鷹二通過其助手轉告蕭振瀛，汪精衛將於本年十一月在南京成立政府，要求蕭來港重開談判，在汪組府之前與日本簽訂停戰協定，阻礙汪的計劃實現。十月六日，孔祥熙致函蔣介石，要求允許蕭振瀛再次赴港談判。十月九日，蔣介石覆函孔祥熙稱：「兄與蕭函均悉。以後凡有以汪逆偽組織為詞而主與敵從速接洽者，應以漢奸論罪，殺無赦。希以此意轉蕭可也。」【六五】這是蔣阻遏與日方和談的最嚴厲的一次指示。【六六】至此，蕭振瀛與和知鷹二的關係遂告結束。

二 面對特殊的日方代表

在秘密談判中，日本方面出面者大多係軍部或政府人員，但是，也有個別談判，其出面者係「民間人士」。例如萱野長知與小川平吉。萱野在辛亥革命前曾參加中國同盟會，與孫中山、黃興友善，多次支持或直接參加中國革命。小川平吉也曾支持辛亥革命，組織有鄰會，提倡日中友好。一九二七年任鐵道大臣，是已經退出日本政壇的元老級人物。二人在頭山滿的推動下，得到近衛首相等政要支持，出面在中日間斡旋和平。【六七】

一九三八年七月，萱野長知首次到港活動，其談判對手為孔祥熙系統的賈存德與被孔派到香港的馬伯援。同年十月初，萱野再次到港，近衛首相及頭山滿均派人到港協助，其談判對手改為軍統局在香港的工作人員鄭東山。萱野向鄭表示：一、目前形勢甚迫，但日本政府及人民均不願戰，軍部方面，僅少壯軍人主戰，高級將領則不盡然。如雙方能開誠相見，仍不難覓取和平辦法。二、宇垣外相去職後，萱野曾向近衛首相請示，和平談判應否進行，嗣接近衛覆電，聲稱方針不變，仍照前約進行，政府當負全責。談話中，萱野並以近衛原電相示。和萱野同時來港的外務省政務次官松本忠雄則稱：萱野年高德重，中國各院院長均為其友輩，必須派能代表中央，並與彼有交誼之大員，如孔祥熙、張群、居正等前來談判，且須軍統局鄭介民陪同。經鄭東山解釋，萱野同意由鄭介民來港商談。十月十五日，戴笠向蔣介石請示：「茲事關係重大，該員所請先派鄭介民秘密赴港試與商談一節，是否可行，理合轉呈鑒核。」【六八】蔣介石沒有批准鄭介民赴港，戴笠遂決定由杜石山與日方聯繫。杜石山，亦作杜石珊，廣東興寧人，早年留學日本，為士官生，娶一日女為妾。民國初年曾出任統領，後長期息影香港。抗戰爆發後經曾政忠【六九】介紹，參加軍統局工作。杜石山與萱野長知等人的談判由戴笠領導，目的在收集情報，因此，與日方交談中的許多言詞均虛假不實。但是，戴笠曾多次書面向蔣介石彙報，因此，我們可以從留存檔案中窺知談判的真實情況。

據萱野向杜石山稱，近衛首相曾屢次致電萱野催促，萱野則仍堅持要求鄭介民迅速到港。他說：「中日事件，如久延不決，於日本固有重大禍害，而中國之不利，則尤甚於日本。」「現日本當局，灼見及此，深願和平解決。其整個決策，為積極求和，不得則繼續軍事行動，並從事第二偽中央政府之產生。中國似應趁機派員來港接洽，以無條件、無理由之和平解決。」【七〇】其後，萱野又直接打電話給杜石山【七一】，聲稱擬與鄭介民先生進行之事，已與近衛首相、頭山滿、宇垣大將、有田外相、荒木大將等疏通妥當，近衛並已奏准天皇，定期停戰，請迅速督促鄭介民來港晤商。十二月九日，戴笠再次將上述情況向蔣介石報告，蔣仍無批示。一九三九年一月六日，萱野回日活動。

蔣介石不能長期不理萱野長知這樣和中國革命有過密切關係的日本友人。一九三九年三月四日，蔣介石致電杜石山稱：「歷次來電暨萱野翁前日來電，均已誦悉。中日事變誠為兩國之不幸，萱野翁不辭奔勞，至深感佩。惟和平之基礎，必須建立於平等與互讓之基礎上，尤不能忽視盧溝橋事變前後之中國現實狀態。日本方面，究竟有無和平誠意，並其和平基案如何，盼向萱野翁切實詢明，佇候詳覆。」【七二】杜石山收到此電後，即電邀萱野返港。三月十日，萱野返港，告訴杜石山，他回日後遍訪朝野要人，新上任的平沼首相、有田外相都瞭解蔣的「偉大」，頭山滿準備親自來華與蔣會晤。中日之間應當「平等言和，恢復盧溝橋事變前狀態」，和平的基本原則為：甲、中日兩國同時發表和平宣言。乙、由中日兩國政府各派遣大員會議於約定地點，議明逐步退兵、接防之日期。丙、至於防共與經濟提攜問題，重在實事求是，以便互相遵守，而奠中日共存共榮之大計。【七三】十二日，萱野提出，雙方政府代表可在軍艦上見面。【七四】三月十六日，宋美齡到港指導談判。【七五】

十七日，萱野、柳雲龍、杜石山商討條件，最初為九條，後經修改，定為七條：一、平等互讓；二、領土（完整）主權（獨立）；三、恢復盧溝橋事變前狀態；四、撤兵；五、防共協定；六、經濟提攜；七、不追究維新政府、臨時政府人員的責任。關於滿洲，另議協定。【七六】宋美齡對七條、九條都有意見，批評說：「此種條件，何能提出於國防會議耶！如能辦到領土完整、主權獨立八字，便符政府累次宣言。此事當時時記住。蔣先生可以提出國防會議者，即可成功。」【七七】十八日杜石山等將七條電告蔣介石。【七八】杜在電文中勸蔣在汪精衛「所欲謀者未成熟之前」作出決定。【七九】十九日，蔣覆電命繼續進行，同時稱，得「領土完整，主權獨立」八字便可，餘請商量改刪。【八〇】關於「防共協定」，宋美齡及蔣介石都表示，可以密約辦理。

三月二十九日，小川平吉到港參加談判，行前致函萱野，說明此行得到首相平沼、外相有田、陸相板垣及近衛、頭山滿等人支持，受命來華情況，要求蔣介石派遣「有權威之代表」到港談判。【八一】小川到港後，命萱野轉交杜石山親筆函一件，內稱，日本政府尚未確認蔣介石有和平誠意，「最良之方法則為代表的要人之派遣」，又稱，日本要求國民政府改組，而國民政府認為不可能，他本人有一打破僵局的方案，但該案「內容極微妙，而須秘密，非親見蔣委員長或其心腹的要人不能盡其委曲」。【八二】四月初，戴笠到港，向軍統局在港人員指示：「此時我與日本絕無和平可言」，「必須以熱衷和平姿態為餌，以遂行吾人之謀略，首要之圖，為阻滯汪偽組織，不使於短期內成立。」【八三】同月二日，戴笠致電蔣介石云：

> 中央於此次小川來港之機會，可否密派一絕對可靠而與小川認識，且在現政治上不甚重要之人員來港，與小川晤談，藉以刺探對和平之真實態度。如此事鈞座認為絕不可行，則生處可設法令杜石珊置之不理。是否如何，謹乞鑒核示遵。【八四】

四月三日，杜石山也電蔣催促。這以後，蔣的日記中連續出現對戰和問題的思考。

四日日記云：「吾人必須苦撐一年，必待倭寇筋疲力盡，方得有和可言，此時決非其時也。」【八五】

五日日記云：「如有以近衛建立東亞新秩序之聲明為和平根據者，即為賣國之漢奸。」

六日日記云：「敵求和之急與其對俄屈服之情狀，可知其圖窮匕見，應付之方應特別審慎。」「對敵宣傳：甲、須由倭王下令撤兵；乙、恢復七七前原狀後談判。丙、取消東亞新秩序聲明；丁、太平洋會議。」

四月八日日記云：「對記者發表，在東亞新秩序之下，絕無和平之可言。」

四月十四日日記云：「倭派小川探和，以平等互讓、領土完整、主權獨立三點為原則，而不言行政完整，可笑。」【八六】

以上日記足證，蔣介石當時並無與日方議和的想法。不過，這時候，蔣尚未決定如何對待小川。四月九日日記云：「對敵探小川應否回覆？」十日日記云：「對小川策略應速定。」可見，這時候，蔣尚在研究思考中。

小川在向蔣發出第一函後，又於四月十日再次致函蔣介石，聲稱「為東亞前途以及中日兩國百年大計而來，幸有以教之」。【八七】十三日，蔣介石覆電稱：「小川先生本為余等生平所敬慕，但在此兩國戰爭之中，不能派代表來港致敬。惟託其在港友人馬伯援君致意也。」【八八】馬伯援早年留學日本，曾任中華留日基督教學生青年會總幹事，雖是日本通，但在國民黨和國民政府內部從未擔任過重要職務，順便委託這樣一個時在香港的「政治上不甚重要之人」與小川周旋，說明蔣意在敷衍。

對與馬伯援接談，小川尚未來得及表態，馬即於四月十四日突然去世。二十一日，萱野、小川二人與杜石山見面，嚴厲批評杜向蔣報告不夠詳盡，聲稱馬即使不死，也非討論「秘密大計」之人，如居正、孔祥熙不能來港，則應與蔣先生直接晤談。萱野、小川稱：與中國方面約定大計之後，即可趕程歸東，報請政府，懇請天皇召開御前會議決定，藉天皇之諭旨，壓服一般軍人。現在王克敏、陳中孚、溫宗堯、吳佩孚、汪精衛等均與日方已有聯繫，力量不弱，如不從速約定，乘機解決，則在王、汪等人的謀劃根深蒂固之後，吾人雖欲愛護國民黨，亦恐難以為力。二人不無情緒地埋怨說：「待命日久，仍無消息，似已成騎虎難下之勢，此應請蔣先生乾綱立斷，速下決心。想多年相知，必不致難為老朽也。」【八九】同時，日方則積極宣揚，如在五月十日前不能得到和議的覆函，即在江漢地區成立偽組織。【九〇】

軍統人員面對萱野與小川這兩個自稱與蔣「多年相知」的「老朽」，不敢怠慢，立即將情況轉報蔣介石，聲稱「小川翁既以垂暮之年，奉命前來，其誠意可嘉，其愛我尤切」，要求蔣指示馬伯援去世之後的繼任人選及應付小川等人的辦法【九一】。四月二十四日，蔣在日記中明確寫道：「拒絕小川等之求和。」【九二】五月十一日，蔣介石制訂「和平前提三原則」，其內容為：甲、以九國公約為依據。乙、以英、美、蘇、法共同調解下，尤須以英、美二國為保證，恢復和平。丙、必先恢復七七戰爭之前狀況後再談和平條件。【九三】十五日，蔣介石繼續研究歐洲局勢，認為如國際民主陣線勝利，則中國亦可獲最後勝利，「故我國之決勝時期，仍取決於國際戰爭之結局，而抗戰到底，不與倭敵中途妥協，是為獨一無二之主旨」。【九四】這就說明，蔣在思想上再次堅定了抗戰路線。這以後，國民黨人員雖仍和小川等繼續接觸，但屬於虛應其事了。

五月十一日，小川通過杜石山再次致函蔣介石，敘述自己多次「援助」中國，「盧溝橋事變」後與近衛首相商量收拾時局辦法，以及與頭山滿組織主和團體等經過，要求蔣介石「當此難關，毅然不惑，如揮快刀而斬亂麻」。函稱：「如蒙幸領鄙意，願派遣要員來港商議，倘足下以僕之赴渝為便，僕應偕萱挺身赴渝，面聆大教。若不然者，則僕即去港歸國，一任局面如何惡化。」【九五】十六日，重慶方面派專機取走該函。二十一日，蔣介石指示：「杜石山絕不准與小川來往」，同時命將小川原函退回。【九六】二十七日，杜石山遵命辦理。其情況，據戴笠報告：萱野除歎息外，默不一言，小川則莞爾而笑，並調侃說：「僕此行，誠不出板垣將軍之所料矣。」他告訴杜石山：板垣認為，蔣先生自「西安事變」後，受共產黨之計，實行抗日政策，日本雖欲和，而蔣先生不能和，因此不希望自己以老耄之年，徒勞往返，自己曾十二次提出意見書，才得到板垣批准，現在「所提條件，不蒙明察，辜負余心，是板垣將軍誠有先見之明。烏呼，豈非天乎！」【九七】二人決定於六月二日離港。

萱野、小川都是曾對中國革命作過貢獻的人，背後又有頭山滿及日本政要支持，因此，蔣一度對談判有興趣，宋美齡到香港指導即是明證。蔣介石之所以在關鍵時刻下令中止談判，其原因在於歐戰爆發，蔣介石由此看到了世界大戰爆發的可能和中國抗戰勝利的希望，因此積極調整國際戰略。一九三九年四月二十九日，蔣介石日記云：「必使歐洲戰局擴大至遠東，且使包括全球，則英在遠東勢力勿使為倭或俄乘歐戰之機，取得漁利。」【九八】同時，他也看到了日本經濟能力的嚴重不足。日記云：「余已催英與俄速訂軍事同盟，使俄、倭對歐戰不能旁觀坐大，而倭連日五相會議，對歐外交政策舉棋不定，然其最後必實行與德、意訂立軍事同盟，以其軍閥之囂張，如倭王不准，則有革命之可能也。至其對我國，一面恫嚇，一面求和，猶想從中取巧，未知其經濟尚有支撐二年之力否？此次小川等求和，余拒絕之宜矣！」【九九】

萱野、小川在香港除與杜石山等談判外，還曾於五月六日約見在香港的《大公報》主筆張季鸞。小川表示：日政界多數人願「和」，但少壯軍人有領土野心，如果「和」不了，日本可能會以重兵駐紮華北及沿海，永久佔領半個中國。張季鸞答稱：中國純以保衛國家為目的，只求日本承認中國為對等的獨立國家，達到此目的，一定「和」；否則，一定拚命打。關於日本要求與中國訂立反共協定一事，張表示：這就等於讓中國「無端拋棄抗戰以來同情中國之英、法、美、蘇諸朋友，與中蘇（互）不侵犯條約在精神上亦有抵觸也」。關於中共，張稱：「蔣公看此問題很輕。戰後之中國完全根據三民主義及法律處理一切，即凡不違法之人與事，皆可承認。」【一〇〇】對張季鸞所言，小川不能反駁，只能苦笑。

小川決定離港後，於五月二十七日約曾任駐日領事的羅集誼談話，表示願在行前與張季鸞一晤，張拒絕不見。五月三十日，張季鸞致函蔣介石稱：「小川個人未必無誠，但在敵方並無正式好的表示以前，政府斷不可派人來談。熾雖在局外，亦當拒不與見。」【一〇一】不過，重慶方面並未對小川等採取決絕態度，雙方始終保持着藕斷絲連的關係，直到一九四一年六月。有關情況，我在《抗戰前期日本「民間人士」和蔣介石集團的秘密談判》一文中已有論述，茲不贅述。【一〇二】

三　「和平」底牌與張季鸞香港談判的夭折

張季鸞是報人，但是，從一九三八年一月起，張季鸞即受蔣介石派遣，到上海從事「對敵運用」，後來又參加蔣介石的外交謀劃、國際宣傳和對日秘密談判，成為蔣的高級智囊。一九四〇年七月二日，蔣介石收到張季鸞的報告，當日日記提醒自己注意研究「敵閥求和之誠偽」。【一〇三】幾天後，蔣覆函張季鸞，指示談判機宜，日記云：「敵方間接求和之心雖切，然其方法與政策，仍毫無變更。我應囑季鸞以最低限度轉示之：甲、談政策，不談條件。乙、談情感與利害而不談權利、得失；丙、對於中國人心之得失，應令特別注意蘇俄對華之宣言（放棄在華特權）；丁、放棄北平至山海關駐兵權；戊、漢口租界提前取消。己、內河航權應取消。庚、青島與海南島完全交還。辛、熱河先行交還。壬、東三省問題、借用港口問題、東亞聯盟問題，待和平完全恢復，撤兵完全實行後再談。癸、天津與上海租界定期交還。子、保障問題。丑、撤兵手續，平綏路、張家口與歸綏一帶，必須在第一期撤完。」【二〇四】前文已述，日軍自山海關至北平的駐兵權，為清末《庚子條約》所規定，一九三八年蕭振瀛與和知鷹二談判時，蔣曾同意保留。但是，這裡蔣卻明確要求日方放棄。此事表現出，在與日方談判中，蔣的妥協性逐漸減弱。此後，蔣介石在與張季鸞會面時又不斷指示，其七月十九日日記云：「季鸞來談，敵閥野心如昔，毫未改變。」【二〇五】二十五日，張季鸞再來，談東北問題以及與日本簽訂互不侵犯條約事。【二〇六】蔣日記云：「敵在華之工廠與營業，各項商民之處置，敵非萬不得已，決不願撤退也。」【二〇七】顯然，這是蔣與張討論中的議題。

一九三八年十月，和知與蕭振瀛的談判因蔣的剎車停止後，和知繼續尋找和重慶方面聯繫的線索。一九四〇年八月，和知動員一位希臘商人，到重慶上書蔣介石，「其內容無異乞降，此為從來所未有」，蔣介石由此推斷，日本急於向東南亞發展，向中國求和已到了迫不及待的地步。【二〇八】他與張季鸞討論，認為可以利用這一形勢，謀求在於我有利的條件下，與日本媾和。【二〇九】但是，他很快就認為，「敵寇求和益急，而其方法越幼稚毒劣，應即切戒嚴防之」。【二一〇】十三日，蔣介石發表《「八一三」三週年紀念告淪陷區民眾書》，盛讚淞滬之戰中國軍民的英勇表現，中云：

> 我們中華民族有悠久偉大的歷史，有堅韌不拔的民族精神，有至大至剛的民族正氣；我們在淪陷區的同胞們，要知道我們中華民國的版圖，決不會放棄寸地尺土的，要知道敵人有必然失敗的道理，更要知道我們前方後方的軍民，都在加緊努力來迎接這最後的勝利。【二一一】

蔣介石將這篇文告的發表看成是對日本的沉重打擊和對自己的警策。日記云：「余於八一三紀念日告民眾書，仍以光明正大態度痛斥敵軍之兇暴，激發同胞敵愾之精神，發揮殆盡，此為對敵當頭一棒，冀其有所覺悟，勿敢輕來嘗試也。自後對余之認識或能更進一步乎？否則，不僅不能使之醒悟，而且反中其軟化利誘之計，更不可為計矣！」【一一二】這段日記表明，蔣已經意識到，自己既要抵擋日本的軍事進攻，又要謹防日本的「和平」誘惑。

這一時期，蔣介石大概每個月都會收到日本方面的一條求和消息。為了確定談判「底牌」，蔣介石命張群等人開始起草一份文件，參加者有張季鸞、陳布雷等人。至八月下旬，文件定稿，題稱《處理敵我關係之基本綱領》，該文包括《建國原則》、《對敵策略》、《和平條件》等內容，其《對敵策略》總原則為：保衛國家獨立、民族自由，而作戰媾和之實際策略以度德量力為依歸。下分五條：

一、領土之完整，主權之神聖不可侵，政治的、軍事的、經濟的自由之確保，為國家民族存亡、主權所關，故必須犧牲一切，長期抗戰，以求其貫徹。

二、利於長期抗戰，而不利於迅速反攻，此量力之義也……確保長期抗戰之實力，鞏固全民族救亡自衛之精神，由軍事上、經濟上、外交上疲困敵人，逐漸減少其「力」的方面之優勢，而增加其「德」的方面之弱點，以期敵我間之形勢逐漸於我有利，以終達作戰目的之成功。

三、不論時間如何長久，環境如何困難，必須貫徹成功，不容中途自餒。惟作戰為現實的問題，必須自定最大限與最小限之成功條件，衡量彼我，根據事實以為運用。

四、最大之成功為完全戰勝，收回被佔領、掠奪之一切，不惟廓清關內，並收復東北失土。最小限之成功，則為收復七七事變以來被佔領之土地，完全規復東北失地以外全國行政之完整，而東北問題另案解決之。

以上兩義，前者戰勝之表現，後者則為勝敗不分，以媾和為利益時之絕對要求。

五、我國為被侵略國家，故和議之發起，必須出自敵方……應深切考查，其條件是否無背於我建國原則，而足以達到我最小限之成功，必須在確認為我作戰目的已得最小限之貫徹之時，始允其開始和平之交涉。

以上五條，其最重要之點在於將抗戰成功分為「最大限」和「最小限」兩種。必須在保證「最小限」，即恢復盧溝橋事變以前原狀時才能開始與日本進行和平交涉。

關於《和平條件》，《綱領》分《理論原則》與《具體條件》兩方面。其《理論原則》規定：一、日本必須真實承認中國為絕對平等的獨立國家。二、此次議和之後，期成立平等互尊之新關係。三、日本須放棄過去戰前及戰時對華不友善之政策及宣傳。四、除東北懸案另作專案解決外，其餘一切有損中國主權之事實，皆須徹底糾正。

《綱領》中有一部分為《堅持之件》，共八條，其中關係重大者為一——四條及第七條。

一、凡作戰而來之軍隊，應限期完全撤退。河北及華北部隊，應撤離河北及察哈爾省境以外。

二、凡所佔長城以內及察綏之土地，與沿海及海上各島嶼，應完全定期交還。

三、凡佔領地內之偽組織，均應自戰鬥終止之日，由日本負責撤銷，不能作為中國內政問題。所有偽組織之法令與契約，一概不能承認，並不能要求任何佔領地內行政上之特殊化。中國行政完整必須完全恢復，不容有任何干涉內政之舉。

四、東北問題，須待和平完全恢復後另案交涉，現在不能提議（但熱河不在東北範圍之內）。

七、不平等條約之廢除，須於和約發表時，同時自動聲明且有定期之實行。【一二】

在上述各條旁，有注稱：「八月三十一日張攜港之件」，可見，這份文件是為張季鸞赴香港談判準備的。

八月二十五日，蔣介石與張季鸞談話，日記云：「和戰要點：一、打破敵國侵略滅華政策；二、消滅敵人優越奴華心理；三、恢復中國獨立自由地位。和戰方針：甲、以基本條件為標準；乙、以不失時機為要旨；丙、國際期待為下策。」二十六日日記再云：「一、我有實力可恃，不患其違約。二、我有根據地存在，不患其和議決裂。三、敵人有求於我，國際上、地理上、經濟上、軍事上，皆非我合作不可。四、敵有懼於我。甲、領袖權威。乙、革命精神。丙、三民主義。」【一一四】二十九日，再次與張季鸞、陳布雷會晤，擬定「最低限度」條件，指示交涉時，應持堅決態度，「對條件不可遷就」。【一一五】三十一日，張季鸞飛港。但是，也就在這一天，蔣介石又改變主意，日記云：「敵寇時時以日、滿、支名詞為對象，如何而望其徹悟與和平？我國損害傷亡如此重大，如何而可輕易言和？」【一一六】九月一日，蔣介石命陳布雷起草致張季鸞函，有所指示。陳因當日沒有飛港班機，改發短電。【一一七】陳電今不可見，但九月二日張季鸞覆函云：「在未得尊電前，即決定不與和某見面」，可見，陳電內容為，要張不與和知會晤。七日，蔣介石乾脆命陳布雷致函張季鸞，要他從香港回來。【一一八】

張季鸞八月三十一日抵港後，即得悉「桐工作」的有關情況，感到日方「愚昧凌亂」，「可決其今後無大的作為」。【一一九】此前，和知曾告訴張季鸞，日本政府將收回軍方的對華談判權，另作準備，又託人帶話，東京只主張內蒙暫駐少數兵員，其他無大問題。九月一日，張季鸞召見和知的助手何以之，要何轉告和知：一、日本政府如準備自辦對華交涉，「須徹底覺悟，重新檢討」，「必須互相承認為絕對平等的獨立國家」，「凡不合此義者，概不必來嘗試，勸彼亦不必奔走，更不必找我見面」。二、「中國是不許任何地方駐兵，不許任何地方特殊化的。」【一二〇】此後，張季鸞即利用和知，以「桐工作」中的問題反對板垣，製造日本內部矛盾，同時則抬高身價，拒不與和知見面。九月三日，張季鸞致函陳布雷表示：「弟意非和氏有東京敵總部之新意見，決不與之見面。」【二二一】次日，和知離港，返回東京，張季鸞命何以之電告和知：「不是日政府誠意委託不必再來；不是日本誠意改變對華政策，誠意謀真正之和平，則不可接受委託。要之，與弟何時見面並不重要，日政府苟無真正誠意，見我何用！」【二二二】

儘管張季鸞拒絕與和知見面，但是，他內心還是希望繼續維持與日方的秘密談判的。九月十七日，何以之面見張季鸞，告以和知來電稱：已於九月十日在福岡會見東京要員，偕飛南京，與板垣協商，決定以和知、板垣為核心，辦理對華交涉，將再飛東京，取得正式委託，然後南來。同日，張致函陳布雷，要求代為向蔣請示，「是否在港逗留一見？」十七日，蔣指示可「在港靜候」。【二二三】但是，蔣介石很快就失去耐心。二十日日記云：「和知求和遷延之原因，其必待敵軍侵越時來見有所要脅。」【二二四】二十二日，蔣介石在日記中寫下了對張季鸞等「無方而好事」的批評。【二二五】同日，陳布雷即致函張季鸞，要他結束在港工作，立即回渝。不過，張季鸞仍然有自己的想法。日本方面一直宣傳願與中國政府謀和，他要「試驗」其真偽。二十三日，張季鸞致陳布雷函云：「對今後看法，弟微有不同。弟以為判斷局勢之第一關鍵，在看是否以敵大本營之名義來開正式交涉，果來交涉，即當認定其有若干誠意……蓋既來交涉，則為承認是國家與國家間之正式議和，一也；漢奸當然取消，二也。」【二二六】可以看出，張季鸞與陳布雷的「微有不同」在於，張相信日本可能有「若干誠意」而陳相反，顯然，陳的態度反映蔣的觀點。

九月二十四日，張季鸞致函陳布雷，表示遵囑結束在港工作。二十五日，張季鸞與何以之「最後晤面」，告以一兩月之內，如東京確有正式講和誠意，許可和知通信一次，本人亦當「拚其最後之信用」，轉達一次。談話中，張季鸞並按照陳布雷來函指示，通知日方，如欲講和，須有與中國建立平等「新國交」的決心，承認偽滿、中日聯盟等要求萬不可向中方提出，本人也不能轉達。九月二十七日，張季鸞致函陳布雷，承認蔣介石比自己高明：「前年以來之懸案一宗，至此完全告一段落。弟此次判斷有誤，幸行動上未演成錯誤，一切處理尚近於明快，此則近年特受委員長之訓練，得不至拖泥帶水，就弟個人論，誠幸事也。」【一二七】十月四日，張季鸞回到重慶，其精心準備的與和知的談判計劃終於成為廢案。

四　企圖以「和談」阻撓日本承認汪偽政權

一九四〇年七月，近衛文麿第二次組閣，松岡洋右出任外相。松岡對軍部和中國派遣軍司令部所做的「誘和」工作不滿，決定收歸外務省掌握和領導。他將這一工作委託給自己的門生西義顯和松本重治等人。西義顯將希望寄託在交通銀行董事長家錢永銘身上。錢是江浙財團的重要成員，與蔣介石關係密切，一度擔國民政府財政部次長。松岡對錢永銘這一人選很滿意，誇口說很快就會成功。當時，日軍計劃南進，從英國和荷蘭手上奪取東南亞，急於和重慶國民政府達成妥協，以便拔出深陷於中國戰場的泥足。

同年八月，西義顯到香港訪問正寄寓在那裡的錢永銘，動員他投入對重慶的「和平工作」。錢提出：如果恢復到「盧溝橋事變」發生以前的狀態，日軍能夠全面撤兵，或許能同重慶進行談判。【一二八】他表示，自己可以負責促成寧渝合作，但須請上海金城銀行經理周作民出面與日方接洽。【一二九】據西義顯回憶，錢當時提出三項條件：一、重慶、南京兩政府合併，建立一個名副其實的中國統一政府。二、日本政府以中國的新統一政府為談判對象，從中國全面撤退為推行日華戰爭所派遣的全部兵力。三、日本政府與新中國政府締結防守同盟。九月十八日，西義顯偕錢永銘的代表張競立等到東京訪問松岡洋右外相。十月，松岡簽字同意錢永銘提出的條件。【一三〇】不過，後來松岡實際向重慶提出的是外務省東亞局第一課課長太田一郎所擬六條：一、承認滿洲國

（必要時以秘密文書約定）。二、共同防共。三、撤兵。四、經濟提攜（作若干讓步）。五、治安駐兵（長安三角地帶不駐兵）。六、不要求蔣介石下台。【一三一】

松岡洋右除委託西義顯外，又親自致函時在上海，與錢永銘、周作民關係深厚的船津辰一郎，拜託他協助進行。【一三二】船津曾任日本駐天津、上海、奉天總領事，有和國民黨人員打交道的豐富經驗。十月十七日，西義顯攜帶松岡的親函訪問船津。同日，船津訪問周作民，說明本人應松岡要求，將去香港活動，周表示恢復兩國間的和平也為本人所希望。十月十九日，松本重治會見周佛海，面交日方所擬「和平」條件，託周作民轉交錢永銘。周佛海的印象是：「與在京所談判者大致相同，惟完成撤兵由二年減為一年，蒙疆及特定地點駐兵，雖形式略異，實質完全相同。」【一三三】二十一日，船津與周作民同船赴港。在港期間，周作民與錢永銘以日方提出的方案為核心，草擬報告與意見書，託因事來港的金城重慶分行經理戴自牧帶回重慶。【一三四】

十一月七日，蔣介石研究錢永銘、周作民轉來的「和平」條件，大為不滿，日記云：「周作民受敵方請託條件轉達者，商人不察，以為較倭汪之條件減輕，其實文字變換而內容無異也」【一三五】不過，當時蔣介石正在向美、英兩方提出「合作方案」，建立同盟，尚未得到答覆，【一三六】日本方面又準備在十一月三十日承認汪偽南京國民政府，這使蔣介石感到憂慮。他擔心德國、意大利會跟踵承認，擔心正在和德國拉關係的蘇聯會對華冷淡，也擔心國內民心、軍心的動搖。十七日日記云：「英美未與我確實合作以前，對倭不使其承認汪偽為宜，此亟應設法運用者也。」【一三七】十八日，蔣決定派張季鸞赴香港，日記云：「派季鸞赴港，作錢、周之答。」【一三八】

松岡洋右除利用錢永銘等與重慶談判外，又通過德國出面，對重慶政府施加壓力。十一月十一日，德國外交部長里賓特洛甫約中國駐德大使陳介談話，聲稱：「近聞日自新內閣成立後，亟圖解決中日問題，已擬於近日內承認南京政府。日如實現，義、德因與同盟關係，亦必隨之，他國或尚有繼起者。此於中國抗戰，或益加困難……倘閣下認為有和解可能，則請轉達蔣委員長及貴政府加以考慮，以免誤此最後時機。」【一三九】十四日，蔣介石接到陳介來電，認為這是「倭求和進一步之表示」，於十八、十九兩日分別接見英、美駐華大使，告以陳介來電情況，說明日本承認汪偽之舉，將動搖中國民眾抗戰信心，進而影響中國國內日趨嚴重的經濟與軍事問題。【一四〇】二十一日，蔣介石電覆陳介：「日本果欲言和，自應將其侵入我國領土之陸、海、空軍全部撤退。」「若日方以承認偽組織為詞，使我與其議和，則彼既無恢復和平之誠意，我方亦決不以此有所措意也。」【一四一】這通電文，表面上致陳介，實際上是說給日本人聽的。同日，日方宣稱，重慶方面如不在十二月一日之前與日方言和，將承認汪政權。蔣介石不受威脅，日記云：「此種宣傳，只有增加我對英美合作提議之效。蓋倭寇宣傳，以此為恫嚇吾人之計，實拙劣無比也。」【一四二】二十四日，蔣介石得到蘇聯通知，繼續援助中國武器，感到寬慰。二十六日日記云：「如何能使俄與英美合作，此為今日唯一之要務也。」【一四三】這則日記表明，蔣介石當時所孜孜以求的是與俄、美、英等國結成抗日聯盟，與日本談判不過是為了阻撓其承認汪偽政權，並非根本之計。二十七日，汪精衛致電蔣介石，聲稱已與日方完成「調整國交條約」，與「友邦」內定，只須「恢復和平，確立治安，則撤兵期限，仍踐前諾，無所改變」，要求重慶方面「立下決定，宣佈停戰」。二十八日，蔣介石得知有此電文，在日記中斥以「為敵寇作倀」。【一四四】

張季鸞到達香港後，即向錢永銘提出：國民政府對於日方誠意仍有懷疑，因為日方宣稱，如重慶方面在一定期間內沒有肯定答覆，就要承認南京政府。對於此類威脅，國民政府「非常不滿」。張向日方提出兩項條件：一、無限延期承認汪政權；二、無條件全面撤兵。【一四五】張稱：倘若日本政府答應履行上述條件，中國政府準備同日本政府進行和平交涉。十一月二十三日，在松岡外相的力促下，日本五相會議決定接受張季鸞提出的條件，要求中國政府迅速任命正式代表來日，日本政府將延期承認汪精衛政府。其後，錢永銘即將有關情況電告重慶，並請杜月笙攜帶詳函飛渝，要求指派前駐日大使許世英為首席正式代表。【一四六】二十七日，重慶擬派許世英赴港。至此，談判似乎頗有進展，但第二天就發生變化。

日本內部的擁汪勢力一直很頑強。二十八日，日本內閣會議由於受到軍方和日本派駐南京的阿部信行特使的壓力，決定按原定日期承認汪偽政府。同日深夜，日本駐香港總領事田尻愛義得到東京電告，力謀挽救已成局面，改變日本政府的決定。他立即要求錢永銘電告重慶，必須迅速同意日本的「和平原則」，任命正式談判代表。【一四七】同日夜，蔣介石接到錢永銘來電，得知日方變卦，非常憤怒，日記云：「觀察敵倭與錢新之所談及其態度，仍以威脅為主。其松岡外長尤為荒唐。無論文武人員皆不可理，若一交手，即以卑污惡劣猙獰之形態畢露。無禮無信之國，不可再理，焉能不敗哉。」【一四八】他決定通知錢新之，對日「決絕不理」。三十日，日本正式承認汪偽政權，蔣介石的第一反應是：「東亞戰爭不知延長到何時方能結束」，第二反應是：「我促英、美、俄更進一步之表示與助我，此其時乎！」【一四九】同日，松岡洋右致電錢永銘，表示願繼續與重慶議和。十二月一日，錢永銘和張季鸞分別將有關情況轉報陳布雷，陳的強烈感覺是：「敵之狼狽失態，可謂無所不至。」「松岡之可笑，洵無以復加也。」【一五〇】十二月三日，蔣介石讀到陳布雷摘錄的錢、張報告，憤怒地在日記中對松岡寫下了「仍想繼續欺詐，惡劣極矣」的考語。【一五一】

日本承認汪偽政權一事使蔣介石憂心忡忡。一九四〇年十二月一日，蔣與其宣傳幹部研究「如何能安定民心」，夜不能寐，自稱當夜只熟睡了三個小時。【一五二】次日，他在「國父紀念週」上報告，說明這是近衛內閣的「自殺」行為，自感「頗費心力」。【一五三】其實，日本承認汪偽政權一事對當時的政局、戰局並無多大影響，蔣介石過於緊張了。

一九四一年之後，還有個別日本人士企圖在中日間斡旋和平，但蔣介石已了無興趣。一九四二年四月，和知鷹二的機關總務部長黑木清行，受頭山滿及萱野長知鼓動，攜帶萱野名片到桂林，要求到重慶面見蔣介石，調解中日戰爭，恢復兩國邦交，否則自殺。賀耀組、陳布雷二人認為「不可任其自由往返，擬令扣押，密解息峰，留交王芃生訊問。如果不能利用為反間，則應拘留，不許釋放。」蔣介石批示：「應即拘押監禁。」【一五四】

五　結束語

日本侵華，採取的是以戰為主、以誘和為輔的兩手策略。同樣，蔣介石也用這兩手策略對付日本。一方面，蔣介石堅持以武力抵抗日軍進攻，同時，在某些時候、某些方面，也不排斥與日本進行秘密談判。

如前述，蔣介石雖對蕭振瀛與和知鷹二之間的談判不抱希望，但是，由於和知以「恢復盧溝橋事變前原狀」為誘餌，這使蔣覺得不妨一試。談判中，蔣細心研究情況，指導起草並親自修改有關文件，除將東北問題擱置另議外，蔣曾準備以同意日本在長城以外某些地區駐兵為條件，換取日軍自中國關內地區撤兵。但是，當蔣發現日方拖延不決，並無誠意之外，立刻下令終止談判，後來並以「殺無赦」警誡孔祥熙、蕭振瀛與和知重開談判的企圖。一九三九年，萱野長知、小川平吉在香港與中國軍統人員談判，力圖面見蔣介石。這是兩位和中國有過特殊關係的日本人，在他們後面，又有日本「主和」人士頭山滿和近衛等政要的支持。最初，蔣介石對談判持有興趣，宋美齡、戴笠都先後到港指導。但是，歐戰的爆發使蔣介石看到了中國抗戰勝利的前途和希望，因此毅然採取決絕態度，禁止軍統談判人員再與小川等來往。一九四〇年八月，蔣介石為了應付日本方面頻繁的談判要求，指導張群、張季鸞、陳布雷等制訂《處理敵我關係之基本綱領》，作為對日談判的原則和準繩。該文件的最大特點是將抗戰結果分為「最大之成功」與「最小限之成功」兩種，但是，當張季鸞於同月底帶着這份文件赴港，企圖首先爭取「最小限之成功」時，蔣介石卻阻止張與和知鷹二見面，並且迅速命他回渝，使這次經過鄭重準備的談判還沒有開始就夭折了。同年七月，近衛第二次組閣後，為了抽出兵力，侵略東南亞地區，一面緊鑼密鼓地準備給予汪偽政權以外交承認，一面通過外相松岡洋右推進「錢永銘工作」，繼續誘惑重慶國民政府和談。蔣介石擔心日本承認汪偽會在外交和內政兩方面嚴重影響中國抗戰，派出張季鸞赴港談判，企圖加以阻撓。日本政府雖曾一度接受中方的「全面撤兵」等條件，但是，最終還是在軍方的壓力下承認了汪偽政權。

「盧溝橋事變」前，蔣介石長期對日妥協，力圖延緩對日全面作戰時間；「盧溝橋事變」後，蔣介石被逼抗戰，但是，他仍長期為戰與和的矛盾所糾纏。蔣介石親自掌控的幾次談判說明，他在堅持抗戰的同時，也還在某些時候對和平解決中日戰爭懷有期待。談判中，他雖不肯承認「滿洲國」，不肯立約放棄中國對東北的主權，但在一段時期內，他卻只將抗戰目標定在「恢復盧溝橋事變前原狀」這一「最小限之成功」上。這些，都反映出蔣在對日抗戰中的軟弱一面。不過，應該指出的是，所有他掌控的談判，都是日方求「和」，蔣只是被動應對而且都由蔣主動剎車。在談判中，他的態度逐漸堅決，條件逐漸提高，是日漸強硬而非不斷軟化的。

蔣介石思想中的戰、和矛盾存在過很長時期。就在蔣介石受松岡洋右欺騙，憤而斥責日本為「無禮無信之國」後不久，他又在日記中寫道：「對敵宣傳，使知非由美國或蘇、德出而保證，決不能解決戰事之意。」「敵次任內閣，如果為海軍系聯美派出任，使美得調停中倭戰事，則和平有望矣！」【一五五】一九四一年二月，美國總統羅斯福的代表居里訪問重慶。居里向蔣提出：本人來渝，常聞傳言，某某等秘密對日進行和議，請直率相告。蔣答：

自由中國絕對無一人願與日本言和。倘英、美能繼續予以援助，亦決無人表示不滿。此間人士皆決意除最後勝利外，他無所求，何言隔〔個〕別之和平！我人已作此最大之犧牲，日本已陷無援助、無希望之絕境，英、美已在精神上、物質上予我以一切援助，故不論日本以任何動人之條件向我求和，而此未成熟之對日和平，余將一律視為中國之失敗。余可向閣下保證，對日和議必在英、美參加之和平會議席上談判之，此外無中國可以接受之可能。余願時機成熟之時，此項會議由美國召集之，一如召集九國公約之華盛頓會議。惟華盛頓會議時，無蘇聯參加，深盼此會議亦有蘇聯一席耳。【一五六】

這個時候，中國雖還在孤軍奮戰，但已得到英、美、蘇三國的援助，因此，蔣介石說話底氣足、腰板硬，但是，字裡行間，我們仍然可以看到其「和平」幻想的陰影。徹底拋棄「和平」幻想，轉過來勸止英、美對日妥協，爭取抗日戰爭的全面、徹底勝利，蔣介石的面前還有一段路程。

原載《中國社會科學院學術諮詢委員會集刊》第二輯，社科文獻出版社二〇〇六年二月版

註釋：

【一】《民國二十七年雜感》，《蔣介石日記》（手稿本），美國：胡佛研究院藏，一九三八年三月十三日。
【二】《蔣介石日記》，手稿本，一九三八年四月九日。
【三】《蔣介石日記》，手稿本，一九三八年四月十八日。
【四】《蔣介石日記》，手稿本，一九三八年五月二十七日、三十日。
【五】《蔣介石日記》，手稿本，一九三八年六月七日。
【六】《蔣介石日記》，手稿本，一九三八年六月二十八日。
【七】《對方特提稿》，一九三八年十月，「蔣檔」，台北：國史館藏。
【八】《困勉記》，一九三八年八月二十六日，台北：國史館藏。
【九】《蔣介石日記》，手稿本，一九三八年八月二十六日、九月三日。
【一〇】《蔣介石日記》，手稿本，一九三八年九月二十三日。
【一一】《蔣介石日記》，手稿本，一九三八年九月二十六日、二十八日。
【一二】《無題》，見「蔣檔」，但據台北國史館所藏《（蔣中正）事略稿本》一九三八年九月二十七日條，該文係蔣介石覆蕭振瀛「感辰電」的後一部分。
【一三】《此次談判經過》，一九三八年九月三十日，「蔣檔」。
【一四】《蕭仙閣（振瀛）感亥電》，見《困勉記》，一九三八年九月二十八日。
【一五】《九月二十八日覆蕭仙閣電》，「蔣檔」。據《困勉記》，一九三八年九月二十八日記載，知此電為蔣介石所發。
【一六】《蕭仙閣豔辰電》，一九三八年九月二十九日收，「蔣檔」；又見《困勉記》。
【一七】《此次談判經過》，「蔣檔」。
【一八】《蕭仙閣豔辰電》，「蔣檔」。
【一九】《此次談判經過》，「蔣檔」；《事略稿本》，未刊，一九三八年九月三十日。
【二〇】《困勉記》，一九三八年十月一日，參見同日《蔣介石日記》手稿本。

【二一】《事略稿本》，參見《蔣介石日記》手稿本，一九三八年十月二日。

【二二】《中國宣言原文》，「蔣檔」。

【二三】《停戰協定原文》，「蔣檔」。

【二四】《關於將來雙方合作之諒解部分》，「蔣檔」。

【二五】《關於軍事協定者》，「蔣檔」。

【二六】《關於滿洲國問題之考慮》，「蔣檔」。

【二七】《面訓要點》，一九三八年十月八日。參見《事略稿本》同日條。

【二八】上述指示，無題，且時間不明。「蔣檔」整理者置於《十月十四日電蕭》之後，但其中有「以十八日為限期，防其緩兵」之句，可知必與《面訓要點》同時。

【二九】蕭振瀛：《致漢口何部長》，「蔣檔」。

【三〇】何應欽十月十八日電，「蔣檔」。此電無題，未署名。據內容考證，知為何致蕭振瀛電。

【三一】何應欽：《致九龍森麻賓道十八號蕭彥超》，「蔣檔」。

【三二】何應欽：《致九龍森麻賓道十八號蕭彥超》。

【三三】何應欽：《致九龍森麻賓道十八號蕭彥超》。

【三四】蕭振瀛原注：「原為『恢復七七前原狀後』，和支（知）堅請改如上文。」

【三五】「全面的」，蕭振瀛原注：「三字亦和支（知）所加。」

【三六】《和知第二次到港會談經過》，一九三八年十月二十一日，「蔣檔」。

【三七】蕭振瀛原注：「以上表示，係遵巧西電訓。」

【三八】《和知第二次到港會談經過》，參見《限即刻到漢口何部長》，一九三八年十月二十一日，均見「蔣檔」。

【三九】《和知第二次到港會談經過》。

【四〇】《蕭仙閣皓亥電》，一九三八年十月十九日；《和知第二次到港會談經過》，「蔣檔」。《經過》在「十一月十日前簽訂停戰協定」句下有蕭振瀛原注：「上約時期，因事實需要，故與巧西電訓，略有出入。」

【四一】《和知第二次到港會談經過》，一九三八年十月二十一日。
【四二】《和知第二次到港會談經過》，一九三八年十月二十一日。
【四三】《和知第二次到港會談經過》，一九三八年九月二十七日。
【四四】《和知第二次到港會談經過》，一九三八年十月三日。
【四五】《和知第二次到港會談經過》，一九三八年十月五日。
【四六】《和知第二次到港會談經過》，一九三八年十月七日，參見同日之《事略稿本》與《困勉記》。
【四七】《和知第二次到港會談經過》，一九三八年十月十三日。
【四八】《十月十四日電蕭》，「蔣檔」。
【四九】《事略稿本》，一九三八年十月二十一日。
【五〇】蕭振瀛：《致長沙何部長》，一九三八年十月二十六日，「蔣檔」。
【五一】蕭振瀛：《院長鈞鑒》，一九三八年十月二十八日，「蔣檔」。
【五二】蕭振瀛：《院長鈞鑒》。
【五三】《蔣介石日記》，手稿本，一九三八年十月二十七日。
【五四】《困勉記》，一九三八年十月二十八日。
【五五】《事略稿本》，一九三八年十月二十八日。
【五六】《事略稿本》，一九一八年十月三十日。
【五七】《蔣介石日記》，手稿本，一九三八年十月三十一日。
【五八】《先總統蔣公思想言論總集》，《書告》，台北：中國國民黨中央黨史委員會編印，一九八四，第三〇五—三〇六頁。
【五九】《蔣介石日記》，手稿本，一九三八年十一月一日。
【六〇】《蔣介石日記》，手稿本，一九三八年十一月二日。
【六一】《蔣介石日記》，手稿本，一九三八年十二月十八日。
【六二】《仙閣兄綏密》，「蔣檔」。

【六三】棟（孫維棟）、驥（施驥生）：《中央銀行速轉蕭總參議》，「蔣檔」。

【六四】蕭振瀛：《委座鈞鑒》，「蔣檔」。

【六五】蔣介石：《致孔院長》，《革命文獻》，未刊，台北：國史館藏。

【六六】詳情另見本書：《蔣介石對孔祥熙謀和活動的阻遏》。

【六七】參見拙作：《抗戰前期蔣介石集團和日本「民間人士」的秘密談判》，原載《歷史研究》一九九〇年第一期，後收入拙著：《蔣氏秘檔與蔣介石真相》，社科文獻出版社，二〇〇二。

【六八】《戴笠呈》，一九三八年十月十五日，「蔣檔」。

【六九】曾政忠，廣東台山人，美裔華僑，先後肄業於嶺南大學與美國加州大學。一九三八年十月加入軍統。一九四〇年曾冒充宋子良與日方談判。

【七〇】戴笠：《報告》，一九三八年十二月九日，「蔣檔」。

【七一】戴笠：《報告》。

【七二】小川平吉文書，日本國會圖書館憲政資料室藏，抄件。

【七三】《戴笠呈》，一九三九年三月二十日。

【七四】《萱野長知電報》，《小川平吉關係文書》（二），日本みすず書房，一九七三，第六一二頁。

【七五】《蔣介石日記》（手稿本）一九三九年三月十七日云：「送妻登機飛赴香港。」

【七六】《萱野長知電報》，一九三九年三月十八日，《小川平吉關係文書》（二），日本みすず書房，一九七三，第六一四頁。

【七七】《宋美齡對條件的意見》，《小川平吉關係文書》，第六一五頁。

【七八】戴笠：《呈校座》，「蔣檔」。

【七九】《杜氏筆記》，《小川平吉關係文書》（二），第六一五頁。

【八〇】《小川平吉關係文書》（二），第六一四—六一五頁。

【八一】《小川致萱野函譯稿》，轉引自戴笠：《即呈校座》，一九三八年四月三日。其日文原本見《小川平吉關係文書》

（二），第六一三頁。

【八二】《小川之親筆書》，戴笠：《即呈校座》，一九三八年四月二日。

【八三】劉方雄口述：《抗日戰爭中軍統局謀略戰一例》，台北：《傳記文學》第三九卷第二期，第九八頁。

【八四】戴笠：《即呈校座》，一九三九年四月二日。

【八五】《蔣介石日記》，手稿本，一九三九年四月四日。

【八六】《雜錄》，《蔣介石日記》，手稿本，一九三九年末。

【八七】《小川平吉關係文書》（二），第六一九頁。

【八八】《籌筆》一三六七八號；又見《小川平吉關係文書》（二），第六二十頁。此前一天，蔣日記有「問馬伯援地址」的記載。

【八九】之光：《致重慶鍾先生》，特急電，一九三九年四月二十二日，「蔣檔」。

【九〇】《蔣介石日記》，手稿本，一九三九年四月二十二日。

【九一】之光：《致重慶鍾先生》，特急電，一九三九年四月二十二日，「蔣檔」。

【九二】《蔣介石日記》，手稿本，一九三九年四月二十四日。

【九三】《雜錄》，《蔣介石日記》，手稿本，一九三九年末。

【九四】《雜錄》，《蔣介石日記》，手稿本。

【九五】戴笠：《報告》，一九三九年五月二十二日。

【九六】戴笠：《報告》；又《報告》，一九三九年五月三十一日，「蔣檔」。

【九七】戴笠：《報告》，一九三九年五月三十一日。

【九八】《本月反省錄》，《蔣介石日記》，手稿本，一九三九年四月三十日。

【九九】《困勉記》，一九三九年四月三十日。

【一〇〇】《萱野、小川約見談話要點》，一九三九年五月六日，「蔣檔」。

【一〇一】熾章（張季鸞）：《致委員長》，一九三九年五月三十日，「蔣檔」。

【一〇二】《歷史研究》一九九〇年第一期，後收入拙著：《蔣氏秘檔與蔣介石真相》，社會科學文獻出版社，二〇〇二。

【一〇三】《蔣介石日記》，手稿本，一九四〇年七月二日。

【一〇四】《蔣介石日記》，手稿本，一九四〇年七月七日。

【一〇五】《蔣介石日記》，手稿本，一九四〇年七月十九日。

【一〇六】《困勉記》，一九四〇年七月二十五日。

【一〇七】《蔣介石日記》，手稿本，一九四〇年七月二十五日。

【一〇八】《蔣介石日記》，手稿本，一九四〇年八月六日、十日。

【一〇九】《蔣介石日記》，手稿本，一九四〇年八月四日。

【一一〇】《上星期反省錄》，《蔣介石日記》，手稿本，一九四〇年八月十日。

【一一一】《先總統蔣公思想言論總集》，《書告》，第二〇一頁。

【一一二】《蔣介石日記》，手稿本，一九四〇年八月十五日。

【一一三】「蔣檔」。

【一一四】《蔣介石日記》，手稿本，一九四〇年八月二十六日。

【一一五】《蔣介石日記》，手稿本，一九四〇年八月二十九日。

【一一六】《蔣介石日記》，手稿本，一九四〇年八月三十一日。

【一一七】《陳布雷日記》，一九四〇年九月一日，內部排印本，台北：國史館藏。

【一一八】《陳布雷日記》，一九四〇年九月七日。

【一一九】熾章（張季鸞）：《致布雷先生》，一九四〇年九月二日，「蔣檔」。關於「桐工作」，請參閱拙文：《「桐工作」辨析》，《歷史研究》，二〇〇五年第二期；收入拙著：《楊天石文集》，上海辭書出版社，二〇〇五年版。據《今井武夫回憶錄》記載：「桐工作」過程中，宋美齡曾於一九四〇年三月五日到港，「從側面協助中國的代表」，「宋美齡抵港的消息，經報紙作了報道，因此，我們相信了中國方面的言詞」。有些歷史學家據此懷疑宋美齡此行大有文章。其實，宋此次到港，完全是為了休養。蔣介石一九三九年十二月七日日記云：「今日吾妻以療鼻疾割治，甚憂。」

一九四〇年二月十二日日記云：「送夫人到珊瑚壩機場，往香港休養。」可見，宋美齡此行與「桐工作」無涉。中方「代表」所云，與冒充「宋子良」一樣，同為對日方的哄騙。我在《「桐工作」辨析》一文中對此未作分析，今補述於此。

【一二〇】熾章（張季鸞）：《致布雷先生》，一九四〇年九月二日。

【一二一】熾章（張季鸞）：《致布雷先生》，一九四〇年九月三日（原文作九月十二號，當係誤書——筆者）。

【一二二】熾章（張季鸞）：《致布雷先生》，一九四〇年九月六日午前。

【一二三】《陳布雷日記》，一九四〇年九月十九日。

【一二四】《蔣介石日記》，手稿本，一九四〇年九月二十日。

【一二五】《蔣介石日記》，手稿本，一九四〇年九月二十二日。

【一二六】熾章（張季鸞）：《致布雷先生》，一九四〇年九月二十三日下午。

【一二七】熾章（張季鸞）：《致布雷先生》，一九四〇年九月二十七日午。

【一二八】船津辰一郎：《華南談判失敗日記》，《近代史資料》總第六九號，第二五四頁。

【一二九】《周佛海日記》，北京：中國文聯出版社，二〇〇三，第三四六頁。

【一三〇】西義顯：《日華「和平工作」秘史》，江蘇古籍出版社，一九九二，第二四一、二六一——二六二頁。

【一三一】《走向太平洋戰爭的道路》，第四卷，第二四一頁。

【一三二】日本防衛廳防衛研修所：《大東亞戰爭開戰經緯》（三），此據台灣譯本《對中俄政略之策定》，國防部史政局印行，第一五四頁。

【一三三】《周佛海日記》，第三六七頁。

【一三四】《周佛海日記》，第三八四頁。

【一三五】《蔣介石日記》，手稿本，一九四〇年十一月七日。《困勉記》同日所引文字為：「此條件，不過文字變換，而內容實無少異。錢新之不察，以為較汪奸之條件減輕矣，希望政府採納，是真只知私利而不顧國家者也，可痛！」

【一三六】《總統蔣公大事長編初稿》，中國國民黨中央黨史委員會，一九七八，總一六四二頁。

【一三七】《蔣介石日記》，手稿本，一九四〇年十月十七日。

【一三八】《蔣介石日記》，手稿本，一九四〇年十一月十八日。

【一三九】《陳大使自柏林來真電》，「蔣檔」。

【一四〇】《蔣委員長在重慶接見美國駐華大使詹森談話》，《戰時外交》（一），中國國民黨中央黨史委員會編印，一九八一，第一一六—一一七頁。又《困勉記》（一九四〇年十一月二十一日）：「與美大使談已，曰：『今以陳介來電，德願保證中倭將來和平條件之履行者告之，期美於月內對我合作之提議有一決定也。』」

【一四一】《事略稿本》。

【一四二】《蔣介石日記》，手稿本，一九四〇年十一月二十二日。

【一四三】《蔣介石日記》，手稿本，一九四〇年十一月二十六日。

【一四四】《蔣介石日記》，手稿本，一九四〇年十一月二十八日。

【一四五】關於張季鸞向日方提出的兩項條件，各書記載稍有差異。西義顯：《日華「和平工作」秘史》的記載為：「（一）原則上承認在華日軍的全部撤兵；（二）取消承認南京傀儡政權。」見該書第二七八頁。《今井武夫回憶錄》的記載為：「日軍的全面撤兵與日方是否可以不承認汪政權問題」，見該書中國文史出版社版，第一七五頁。此據船津辰一郎的《華南談判失敗日記》，見《近代史資料》中華書局，總六九號，第二五七頁。

【一四六】西義顯：《日華「和平工作」秘史》，第二八八頁。

【一四七】《田尻愛義回想錄》，東京原書房，一九七七，第八六頁。

【一四八】《蔣介石日記》，手稿本，一九四〇年十一月二十八日。

【一四九】《困勉記》，一九四〇年十一月三十日。

【一五〇】《陳布雷日記》，一九四〇年十二月一日、三日。

【一五一】《蔣介石日記》，手稿本，一九四〇年十二月三日。

【一五二】《困勉記》，一九四〇年十一月三十日。

【一五三】《蔣介石日記》，手稿本，一九四〇年十二月二日。

【一五四】「蔣檔」。

【一五五】《蔣介石日記》，手稿本，一九四〇年十二月十日。

【一五六】《戰時外交》（一），《中華民國重要史料初編》，國民黨中央黨史委員會，一九八一，第五八八—五八九頁。

蔣介石對孔祥熙謀和活動的阻遏

「盧溝橋事變」後，國民黨和國民政府內部有不少人認為中國和日本之間，國力、軍力都相距很大，因此，還不能立即與日本展開大規模的戰爭。他們主張，仍應以妥協方式與日本達成「和議」。淞滬抗戰爆發，中國軍隊主動向日軍進攻，標誌着抗戰國策的確立和全面抗戰的展開，但是，國民黨和國民政府內部都仍有部分人主張「和平」。淞滬之戰失利後，主和之議更盛，孔祥熙是這一部分人中的重要代表。現存檔案表明，中日之間的許多秘密談判雖由日方主動，但中方的掌控者則是時任行政院副院長、後於一九三八年初升任院長的孔祥熙。多年以來，人們普遍認為這些活動是國民黨和國民政府真實態度的反映，代表蔣介石的意志。然而，事實出人意料，蔣介石對孔祥熙掌控的這些談判大都持反對態度，曾多次批評，甚至以極為嚴厲的口吻加以阻遏。這種情況，與我們的傳統認識大相徑庭，值得鄭重討論，以求推進中國抗日戰爭史的研究，加深對蔣介石其人的全面認識。

一 拒絕被孔祥熙視為「天賜良機」的陶德曼調停

一九三七年十一月，上海失陷，南京危急，德國駐華大使陶德曼接受日本政府委託，向蔣介石提出停戰議和條件：一、內蒙古自治，一切體制類似外蒙古。二、華北非武裝區擴大至平津鐵路以南。三、擴大上海的停戰區，由國際警察管制。四、停止排日。五、共同防共。六、降低日本貨的進口稅。七、尊重外國人在華權利。同月九日，陶德曼通過蔣介石身邊的德國顧問法肯豪森威脅孔祥熙：「如果戰事拖延下去，中國的經濟崩潰，共產主義就會在中國發生。」【一】二十八日，陶德曼在漢口會見孔祥熙，重申上述條件。二十九日，孔祥熙致電在南京的蔣介石，告以他本人多次和在漢「重要同志」會晤，都認為「長此以往，恐非善策。既有人出任調停，時機似不可錯。」電稱：「復查近來黨政軍各方及民間輿論，漸形厭戰。弟意此次戰爭，我已犧牲甚鉅，除非軍事確有勝利把握，不若就此休止，保全國力，再圖來茲。」【二】三十日，孔祥熙再次致函蔣介石，認為陶德曼出面調停，這是「天賜良機，絕不可失」，建議蔣「乘風轉舵」，改變抗戰國策，函稱：「前方戰事既已如此，後方組織又未充實，國際形勢，實遠水不救近渴。而財政經濟現已達於困難之境，且現在各方面尚未完全覺悟，猶多保存實力之想。若至寄人籬下之日，勢將四分五裂，此時若不乘風轉舵，深恐遷延日久，萬一後方再生變化，必致國內大亂，更將無法收拾。」【三】他認為日方所提條件「尚非十分苛酷，多係舊案重提，亦非迫我必須一一接受，盡可作為討論之範圍」，建議蔣介石在接見陶德曼時原則表態，至於具體條件，可由行政院「趁此先行停戰，稍事整理」。可見，孔祥熙對抗戰形勢極為悲觀，陶德曼出面調停，對他說來，可謂喜出望外。

蔣介石與孔祥熙不同，這一時期，蔣的抗戰意志相當堅決。十一月二十日，蔣介石發佈遷都重慶命令，決心持久抗戰。日記云：「老派與文人動搖，主張求和。彼不知此時求和，乃為降服，而非和議也。」【四】他對武將也很失望，感歎道：「高級將領皆多落魄望和，投機取巧者更甚！若輩竟無革命精神，究不知其昔日倡言抗戰如是之易為何所據也！」【五】但是，蔣介石不能不考慮前方軍事失利的嚴重情況。二十九日，蔣介石得悉日本委託陶德曼調停的消息，立即決定加以利用，約其來京面談。日記云：「為緩兵計，亦不得不如此耳！」【六】十二月二日，蔣介石與陶德曼談話後，一度對日本有過幻想，希冀其能有所「覺悟」。日記云：「聯俄本為威脅倭寇。如倭果有覺悟，則幾矣。」【七】但不久，日軍即以加緊進攻南京粉碎了蔣的幻想。十二月七日，蔣介石離開南京，到達江西星子，日記云：「對倭政策，惟有抗戰到底，此外並無其他辦法。」【八】九日，研究全國總動員計劃，日記云：「團結內部，為國相忍。」「統一抗戰指使（揮），使共黨歸服，消除矛盾行動。」【九】二十六日，日方由於軍事上已經取得巨大勝利，通過陶德曼提出四項新的強硬條件：一、中國政府放棄親共、抗日、反滿政策而與日、滿共同防共。二、必要地區劃不駐兵區，並成立特殊組織。三、中國與日、滿成立經濟合作。四、相當賠款。四條之外，另附兩項條件：一、談判進行時不停戰。二、須由蔣委員長派員到日方指定地點直接交涉。蔣介石認為「其條件與方式之苛刻至此，我國無從考慮，亦無從接受，決置之不理。」【一〇】二十七日，召開最高國防會議討論，參加者多數主和，蔣介石堅持不可，受到于右任等人的譏笑。【一一】二十八日，蔣介石與汪精衛、孔祥熙、張群等談話，聲稱「國民黨革命精神與三民主義，只有為中國求自由、平等，而不能降服於敵，訂立各種不堪忍受之條件，以增加我國家與民族永遠之束縛。」【一二】二十九日，蔣介石與于右任及另一位主和的國民黨元老居正談話，表示「抗戰方針不可變更」。他說：「此種大難大節所關之事，必須以主義與本黨立場為前提也。」【一三】一月二日，蔣介石再次見到陶德曼轉達的日方條件，決心「與其屈服而亡，不如戰敗而亡」，決定嚴詞拒絕。【一四】但是，當時日軍攻勢銳利，中國軍隊需要休整與備戰的時間，國民政府不得不虛與委蛇地敷衍日方。一月十二日，在孔祥熙和張群指導下，外交部擬具口頭答覆稿，認為日方所提四項條件，「太屬空泛，願明晰其性質與內容後，予以詳細考慮與決定」。【一五】這一口頭答覆稿的目的在於「拖」，以便既不明確拒絕日方條件，又為中國軍隊爭取時間。但是，口頭答覆稿所提出的要求日方答覆的四個問題卻被蔣介石否定。這四個問題是：

一、所謂中國放棄親共政策而與日、「滿」合作，實行排共政策，日本政府意，中國究應採取何項步驟？

二、所謂非武裝區與特殊制度，究擬設在何處？特殊制度之性質如何？

三、經濟合作一層，其範圍如何？

四、日方是否堅持賠償一點，是否對於中國方面所受之巨大損失，可予考慮？【一六】

蔣介石當時正在河南開封佈置防務，見到此件後，認為這將使談判具體化，立即以「限一小時到漢口」的特急電通知孔祥熙與張群，表示「最後四項問句切不可提」。【一七】十五日，孔祥熙會見陶德曼，面交英文答覆，委婉地表示：「為以真誠的努力尋求在中、日兩國間重建和平的可能性，我們已經表示，熱誠希望得知日方所提『基本條件』的性質與內容。以便更好地表達我們對日本所提條件的看法。」【一八】十六日，蔣介石決定，通知陶德曼：「如倭再提苛刻原則，則拒絕其轉達。」【一九】十七日，蔣介石日記云：「拒絕倭寇媾和之條件，使主和者斷念，穩定內部矣。」【二〇】

陶德曼調停失敗後，日本政府極為惱怒，將蔣視為對華「誘和」或「誘降」的最大障礙，必欲去之而後快。一月十五日，日本大本營、政府聯席會議，決定否認「蔣政權」。次日，近衛首相發表聲明，聲稱「日本政府今後不以國民政府為（談判）對手，而期望與帝國合作的中國新政權的建立與發展」。【二一】蔣介石對此的反映是：「此乃敵人無法之法，但有一笑而已。」【二二】此後，日本政府即決定，以蔣介石「下野」作為中日

「和平」的必要條件。

二　制裁唐紹儀謀和

日軍佔領上海後，即企圖物色在中國政壇上有過重要地位和聲望的人，與重慶國民政府談判，或直接出面組建傀儡政權，其中之一就是唐紹儀。唐紹儀，字少川，清末任外務部右侍郎、奉天巡撫、郵傳部尚書，武昌起義後任袁世凱內閣的全權代表，與革命黨人在上海議和。民國建立，臨時政府北遷，唐紹儀任第一任內閣總理。此後，唐紹儀歷任要職，其地位和聲望都符合日本人的要求。上海淪陷後，唐紹儀留居法租界，日本船津辰一郎等人便多方設法，企圖拉唐下水。唐的住處，不斷有各色人物登門。重慶國民政府為防止唐為敵所用，也不斷與唐聯繫，許以國民參政會主席、國防最高委員會外交委員長或駐德大使等職，任其擇一。據說，蔣介石還曾致函唐紹儀，擬聘請其為「高等顧問」。【二三】一九三八年五月，法學家羅家衡到武漢，會見汪精衛、孔祥熙等人。汪稱：「現在的局面，只有少川先生出來與日本談判才是辦法。現在日本不是較以前對華主張緩了一步麼？從前日本是不以蔣政府為對象的，現在日本僅主張不以蔣個人為對象了。只要少川先生出來與日本談判，蔣的下野是不成問題的。我只要國家有救，甚麼犧牲都可以的。」孔祥熙則表示，最好由唐個人與日本方面試談條件。【二四】

唐紹儀接受汪精衛和孔祥熙委託後，即於五月底或六月初在上海與日方談判，其條件大略如下：一、取消以前一切不平等條約，如二十一條、塘沽、何梅等協定。二、日本軍隊完全撤退。萬一拘於庚子條約，其所駐軍隊亦不得超過歐美各國所駐軍隊數目之上。三、（中國方面）絕對不賠款，因自動停戰議和，非戰敗和議可比。

四、中、日、滿經濟合作。唐並表示，中國方面如必欲取消滿洲獨立，可在今後和議中由唐出面交涉。【二五】唐紹儀的計劃是：在兩個月後日軍到達河南雞公山時，或由中國「最高領袖」授意前方將士自動停戰，或由孔祥熙邀同戴季陶、汪精衛等與日本素有關係的「老同志」，代表政府或人民團體赴香港談判，他本人屆時當前往參加，但決不單獨負責。【二六】六月十七日，日本大本營陸軍部決定「鳥工作」計劃，準備起用唐紹儀及吳佩孚等「一流人物」，「建立強有力的政權」。【二七】二十七日，唐紹儀託大女兒（諸昌年夫人）持函，到武漢會見孔祥熙，聲稱「以國難為慮，渴望於國事有所襄助」，「欲得公正和平，須中日公開談判」。【二八】七月五日，諸夫人回滬，攜回孔祥熙致唐紹儀函，函云：「戰爭初期，我方別無選擇；時至今日，或有公正和平之望。」孔要求唐憑藉自己的有利地位，試探日方和平意向，同時，聯絡中日有名望的民間人士，呼籲雙方當局進行和平談判。【二九】八月上旬，孔祥熙在香港的親信訪問諸夫人。諸稱：有日本東京陸軍最高長官的全權代表向唐紹儀提出三項條件：一、停止反日運動；二、反共；三、經濟合作。該代表稱，日方沒有領土野心，願保障中國領土、主權完整，無賠款。諸夫人向孔在香港的親信表示：「此次因係院座（指孔祥熙——筆者）再三勸慰，少老始肯與日人見面，探詢條件。該日軍代表之來，亦極不易，所持條件，可作基本談判之初步原則。」「如我方認為可商，當再與進行詳洽。」諸夫人並稱：該代表定八月五日返滬，如有所命，請在八月十五日前示下，免過時機，在日人前反露我求和之意。【三〇】八月九日，孔祥熙致電蔣介石，彙報上述情況。

蔣介石這一時期仍然不贊成孔祥熙的謀和活動。六月二十三日，蔣介石與孔祥熙談話稱：「敵人至今滅亡我國之野心，固已為我粉碎，即其對粵漢速戰、速決之信心，亦已為我消滅。最後勝利於我確定矣。」他囑咐孔祥熙「不可另自接洽。」【三一】七月十二日，日機大炸武漢，警報解除後，蔣介石再次與孔祥熙談話，勸止他的謀和活動。談畢，蔣介石慨歎道：「庸之對敵行同求和，彼猶不知誤事，可歎！」【三二】蔣在接到孔祥熙關於諸夫人的活動情況報告後，立即於八月十日覆電孔祥熙，電稱：「關於少川接洽和議事，弟極端反對。請其於政府未決定整個政策與具體辦法以前，切勿再與敵人談話，以免為敵藉口。」【三三】當時，蔣介石對於孔祥熙秘密與日本談判的情況已經有所察覺，蘇聯駐華外交官也為此向中方瞭解情況，因此蔣在電報中特別提醒孔祥熙：「日人近時特放一種空氣，甚傳兄屢提條件交敵人，皆為日敵所拒。此種空氣，影響於我內部心理甚大，而且俄人亦以此相談。務請兄注意為禱。」【三四】

八月十一日，孔祥熙電覆蔣介石，首先表示尊重蔣的意見，「承囑一節，自應注意。」接着，為自己轉報唐紹儀女兒談話一事解釋，向蔣道歉：「此次諸夫人談話，顯係買好，原電轉陳，藉供參考，不意增兄煩慮，殊覺不安。」關於他本人和唐紹儀發生關係的原因，孔聲稱目的在於爭取唐，阻止唐為敵所用。電稱：「少川為人秉性及過去在粵經過，為我兄所深悉。前因首都淪陷後，日方對少川多方誘惑，時思利用。且聞伊不甘寂寞，曾發牢騷，恐其萬一為敵利用，影響大局，同志中屢為弟言，囑早設法，故利用其親友盡力勸慰，使其為中央用。」關於蔣電所稱向日方提交和平條件問題，孔堅決否認：「和議問題，完全彼方自動，時有報告前來，所以未曾拒絕者，原欲藉以觀察敵情，供我參考，並未提及任何條件。日人放造空氣，原屬慣技。與弟絕無關係。」【三五】

在歷史上，唐紹儀反對過孫中山。一九二〇年，孫中山在廣州恢復軍政府，唐不願支持，退居家鄉。一九三一年，汪精衛、孫科等在廣州成立政府，與蔣介石對抗，唐是常務委員之一，後來胡漢民與蔣介石對立，領導「西南派」從事公開的與秘密的反蔣活動，唐又曾出任西南政務委員會常委。因此，蔣介石不喜歡唐紹儀，更反對唐出面和日本進行秘密談判。當時，日本方面正在動員唐紹儀出面，在南京組織偽政權，一九三八年一月，蔣介石即得知有關情報，日記云：「其急欲造成唐紹儀為南京之傀儡者，亦無法中之一法也。」【三六】七月九日，蔣介石分析日本對華強硬的原因，其第三條就是：唐紹儀「希冀拆散我政府」。【三七】九月十一日，蔣介石再次分析日本陸軍大臣板垣征四郎的對華政策，認為當年六月至七月之間，板垣之所以強硬，其原因在於，「錯認我內部有分裂及強逼余下野之可能」，同時，也由於「我內部文人態度曖昧與唐紹儀老奸之施弄陰謀。」【三八】同月下旬，日本特務土肥原到上海訪問唐紹儀，說服唐起草了《和平救國宣言》。【三九】九月三十日，唐紹儀即在家中被軍統特務刺殺。第二天，蔣介石在日記中寫道：「實為革命黨除一大奸。此賊不除，漢奸更多，偽組織與倭寇更無忌憚矣。總理一生在政治上之大敵，我黨革命之障礙，以唐奸為最也。」【四〇】唐紹儀被刺一事，撲朔迷離，多年來成為疑案。蔣介石的這一則日記表明，此事當出於蔣的決定。

三 制止賈存德、馬伯援與萱野長知等人的談判

日本侵華，採取的是「和戰兩用」政策，即一面武力進攻，一面政治誘「和」。一九三八年二月，日本將在長江下游的侵華部隊改編為華中派遣軍，以畑俊六大將為司令官。畑俊六接任後，即一面籌劃進攻武漢，一面通過萱野長知、松本藏次等人與中方聯繫。萱野在辛亥革命前即與孫中山、黃興結識，參加中國同盟會，曾多次參預援助中國革命的活動。抗戰爆發後受頭山滿及松本石根大將之命來華，找尋與重慶方面談判的機會。畑俊六對萱野說：「戰事無論延長至何時，總有和平之一日，希望有一瞭解日本者出而負責收拾善後局面，締兩國共存共榮之同盟。」【四一】又當面召見孔祥熙在上海的親信賈存德【四二】說：「現在日本的對象已不是蔣委員長了，而是南京新成立的維新政府，但是，蔣委員長、孔院長想到同盟會時日本人好意的援助而有覺悟，亦未嘗不可談判和平。」【四三】他指示萱野直接致函孔祥熙。當年五月，賈存德密攜萱野致孔親

筆函，自滬至漢。函稱：「現在中日戰爭，無異箕豆相煎，勢將兩敗俱傷，絕非東亞之福，希望捐棄小嫌，維持大局。」【四四】賈並向孔轉述萱野意見：現在日軍對和平要價過高，實難談商，必須設法使國內和平派抬頭。如中方暗示同意，本人極願回國為和平奔走，並已派人與頭山滿接洽云云。【四五】萱野所言，符合孔祥熙心意，覆函稱：「中日接壤最近，唇齒相依，在歷史上地理上關係極為密切，互助則能共存，相殘必致偕亡。」「究修百年之好，抑種百年之仇，似全在貴國少數軍人之一念。」孔要求萱野聯絡日本的「忠君愛國之士」，「責以正義，曉以利害」，促使少壯軍人早日醒悟。孔本人則聲稱：「為奠定中日真正共存共榮之百年大計起見，亦當竭盡綿薄，以從事焉。」【四六】同時，孔祥熙還準備了一封致頭山滿的信件，也交賈帶回。六月初，賈回到上海，與松本藏次見面，代表孔祥熙表示：「中日相持，仇者快，親者痛，利害詳如來函，如能保領土完整，修萬代之好，兩國幸甚。現以院長地位，亦樂與公等挽救兩國之危局，不知公等有無善策？」【四七】六日，萱野詢問有無孔祥熙覆電，賈當時尚未接到孔的新信息，只好編造了一通假電報出示萱野。七日，萱野偕松本飛返東京。【四八】十三日，偽中華民國維新政府實業總長王子惠告訴賈存德：日本軍部訓令，如蔣介石不表示休戰時，決定三路進攻漢口。【四九】二十一日，萱野回到上海，與賈存德討論與孔祥熙會面地點。【五〇】二十三日，孔祥熙向蔣彙報此事，聲稱「在此時期，似不妨虛與委蛇，以分化其國內主戰派與反戰派之勢力。」【五一】

此函發後，蔣介石迅速回電批評。蔣電未見，但其基本精神從孔祥熙六月二十五日覆蔣電可以窺知。孔電云：「頃奉手示，至佩卓見。弟前接賈生來電，當即覆電切戒。茲承尊囑，已又去電嚴諭。」孔特別向蔣表白，為避免發生意外情況，已預留地步，本人所有致賈存德之電，均係秘書具名；前致萱野函，也是採取另附名片的辦法，並未簽字蓋章，希望蔣寬心。孔同時向蔣彙報，剛剛接到賈存德來電一件，「已答以現尚無暇，

囑將切實辦法先行探明電覆，備作參考，此外，僅對萱野奔走辛勞略表慰勉而已。」【五二】

當時日方認為，與中國「和平」的最大障礙是蔣介石，因此堅決要求蔣下野。七月一日，孔祥熙致電賈存德，表示本人可代替蔣介石下野，電稱：「苟有利真正共存共榮，為彼方轉圜面子，不惜敝屣個人地位。」【五三】萱野對孔祥熙的態度表示敬佩，聲稱對蔣下野一事，可不堅持。七月四日，萱野表示，以人格擔保無欺詐，日本的軍事行為最近暫可「不積極」，但完全停止，須待會見孔祥熙之後。【五四】七月五日，賈存德偕同萱野赴港，繼續談判。行前致電孔祥熙表示：將親自攜帶「切實大略條件」到武漢，詳細面稟。【五五】七月六日，日本駐香港總領事中村豐一宣稱，日本政府擬在八月以前奪取武漢，兩國談和，最好在此時期。日方條件仍如陶德曼轉達的「訂立防共協定」等四條，希望瞭解中方條件，再行商洽。中村要求孔祥熙直接致電外相宇垣一成商洽，同時表示，希望七月七日蔣介石發表廣播講話時，「演詞不致過分激烈，以免引起彼方民眾反感」。【五六】同日，孔祥熙將賈存德的上述電報及中村談話一併報告蔣介石：請示「所陳各節，是否可行」。【五七】七月十五日，孔祥熙又將萱野的老朋友馬伯援以及和萱野有乾親關係的居正夫人派到香港，參加談判。【五八】

七月二十日，馬伯援偕同賈存德會見萱野及松本。馬伯援表示：一、日本軍閥，不協助東亞民族，使之獨立，為九億有色人種之領袖，乃恃強奴隸中華民族，迫中國抗戰，自相殘殺，未免自壞長城。二、日本不知中華民族之團結，由於日閥之迫逼與凌辱，反欲分化中國，利用漢奸，這種手段，已不適用於現代之中國。三、中日戰爭結果，必陷日本於污泥中，更陷東亞於污泥中。四、可惜日本無大政治家，無遠見軍人，理解孫總理的大亞細亞主張，促其實現，致有今日之悲劇，受到白色人種輕視。談話中，馬伯援警告萱野：中日戰爭的最後勝利將是共產黨。他盛讚延安青年人所表現出來的艱苦奮鬥精神，說是「膚施之青年男女，日食小米飯兩餐，工作十四小時不倦，精神方面，勝過今日之大和魂」。

萱野和松本表示同意馬伯援的意見，陳述其觀點說：一、犬養毅臨終時表示，日閥利用大亞細亞主義，強霸東亞，必惹大禍，擬改大亞細主義為亞細亞和平協會，使各國各民族樂於參加。二、頭山滿最近常說：中日戰爭，起於日本不敬，輕視中國軍人及中華民族；應當止於「誠」。倘中日以「誠」相見，各種問題均可解決。三、現在中日軍人，愈打愈對立，愈仇視。吾輩工作，以休戰、恢復理性為先。四、日本軍人，最要假面子，倘蔣先生能理解，一時下野，即可停戰，中日雙方，同時派出代表，和平立刻實現，屆時蔣先生東山再起，亦無不可。馬伯援反駁萱野二人的意見，聲稱「蔣公為現在中國唯一的領袖，假使下野，無論何人，對於這個局面，不敢負責，不配負責，中國依然混亂，仍是抗戰到底為是。」【五九】萱野表示，願回東京傳達上述意見。馬伯援即鼓勵萱野，倘能建議日本取消近衛宣言，不要求蔣下野，伯援可以個人資格，報告孔祥熙或其他黨中舊友，請其轉陳蔣公，促進和平實現。會談後，萱野、松本等於七月二十三日前先後回日，向近衛首相、宇垣外相等人彙報。

蔣介石對宇垣一成的「和平」政策懷有戒心【六〇】自然，他對馬伯援、賈存德與日方的談判仍然持反對態度。八月四日，孔祥熙致蔣介石電稱：「前奉尊諭，已切囑馬伯援、賈存德勿再活動，完全作為彼等私人接洽，藉以探取消息，備我參考，絕不能談及任何條件。」【六一】十一日，他在回答蔣關於唐紹儀的批評時再次作了同樣表示。【六二】八月下旬，已經返回上海的賈存德多次致電孔祥熙，聲稱畑俊六與第三艦隊長官及川古志郎託人邀賈會面，表示日方已不再要求蔣介石「下野」，近衛聲明亦可由天皇出面表示取消；現在日方的條件僅為「防共」與「親善」兩條，如中方採納，希望派負責代表到滬商談。賈並稱，日方已暗中成立休戰特別委員會，畑俊六、及川古志郎為委員，土肥原等為進行委員。【六三】九月一日，孔祥熙再次將上述情況向蔣介石彙報。六日，蔣介石覆電，命孔祥熙轉告賈存德，向日方表示拒絕。【六四】十日，蔣介石決定迅速制訂五年抗戰計劃，實行經濟、政治、黨、軍隊、教育、社會各方面的改造，以期自力更生與獨立作戰。【六五】十一日，蔣介石再次致電孔祥熙，口吻空前嚴厲：

> 賈某事，應嚴令停止活動，否則即作漢奸通敵論罪。敵想復訂停戰協定，以亡我國，其計劃極毒，請兄負責制止，免誤大政方針。千萬注意是荷！【六六】

蔣介石既甩出狠話，孔祥熙不敢再轉呈賈存德的情報，於是，採取其他辦法。

四　不理睬孔祥熙與日方首腦會面的要求

萱野長知等於七月二十三日返日後，聯絡頭山滿、小川平吉等人，在政界上層活動。至九月上旬，宇垣外相表示，不再堅持蔣介石必須下野，但蔣須「預先作出準備下野的表示，而在和平之後自動實行」。【六七】九月十七日，萱野再到香港，與馬伯援、賈存德會談，萱野稱：宇垣「酷愛和平」，願意仿效一九三八年英國首相張伯倫訪問德國的故事，在大海洋的軍艦上與孔祥熙見面，不講條件，僅以「和平」與「防共」兩原則為談話基礎。【六八】馬伯援將兩原則略加修飾，改為：一、東亞永久和平；二、中日精神防共。對「精神」二字，萱野深表同意。二十三日，日本五相會議議決，同意宇垣與孔祥熙的會談計劃。二十五日，馬伯援離港赴渝，向孔祥熙彙報。但是，宇垣因其主張遭到日本軍方的強烈反對，於二十九日辭職。十月八日，馬伯援寫出報告，交孔祥熙轉呈蔣介石。報告稱：萱野等對和平運動，具有決心，正在運動頭山滿組閣。宇垣雖已去職，但近衛仍有決心，日本厭戰心理，已遍全國，因此，中國應該利用這一時機。他說：「頭山滿為日本右派之典型人物，與總理有舊，現以八十四歲，老而且病之軀，熱心和平，並派六十六歲之萱野，兩來香港，設法溝通，此種精神，吾政府宜利用之。再中日戰爭，孰勝孰敗，總有結束之一日，我政府縱不輕與之和，亦當與之周旋。」他建議重慶國民政府「通盤打算，本乎歷史，鑒於大勢，派得力人員與之接洽，鼓其勇氣，或進而同去東京，察其虛實，宣傳我政府主義。」【六九】

孔祥熙覺得馬伯援的報告很有用，於十月十五日上呈蔣介石，同時致函說明國際沒有援助中國可能，而中國國內的財政又已極為困難，無法維持。函稱：

> 茲據顧大使報告及各方事實觀察，國際援助既不可能，則此後對於內政外交均有切實檢討之必要。最近有西友自日來言，就其國內表面觀察，似無大戰狀態，一切經濟財政尚能勉維現狀。至於我國，在我兄領導之下，雖將士用命，民眾動員，抗戰年餘，已博各國之彩聲，只以戰場盡在我國境內，雖不免土地日促〔蹙〕，交通困難，工廠既遭摧毀，貨物亦難出口，所有人民生命財產之損失，實不可以數計。非惟我兄多年來苦心孤詣之種種建設，付諸東流，而今後財政上之維持，更將難乎為繼。【七〇】

該函進一步渲染財政危機和武漢失守後中國的困境，聲稱：「後方情形，為我兄所深悉，長此以往，武力固屬重要，而國內物質及人民團結如何，均應顧及。如果軍事方面確有把握，不僅武漢可保，且能繼續支持，日本方面不出三數月即有變化可能，自屬不成問題，萬一無甚把握，恐武漢一經退出，則人心不免因厭戰而動搖，各省態度有無變化，亦難預料，且敵機現已屢向我後方擾亂，將來大多數軍隊究宜退至何處，倘使拘於一隅，補充與給養似皆成為問題。加以目前我之現金及外匯已撥用殆盡，而以貨易貨又因交通困難運輸亦極不易。弟忝負行政責任，對於軍事實不甚諳，對於財政外交，則不能不悉心研究。近來多病，杞憂尤甚。」他建議蔣介石抓住機會，乘時進行。函稱：「如外援方面不能再求進展，而軍事方面亦無十分把握，則此後遇有解決機會，即應乘時進行，否則機會至時，我無應付之策，稍縱即逝，更難再得，心所謂危，不敢緘默。」

同函附呈孔本人撰寫的《最近國際情勢》及《日本最近情勢》報告。前一報告對蔣「攻心」，歷述各國情況，聲稱寄希望於國際援助，無異畫餅充飢，中云：

我以開罪於日本，故英國對我各項借款，非完全拒絕即多所顧慮，而法國對我所購之器械，現亦多方為難。俄雖對我極表同情，然因德、義、英等國對俄均甚歧視，俄內部情形複雜，故斯大林不敢言戰……至美國因鑒於歐洲形勢，雖心理上為我不平，實際上亦難積極助我……若望其為我出力，仍恐等於望梅止渴。【七一】

後一報告說明日本國內和平派的活動，內稱：「日本元老重臣文治派，現在希望和平者頗不乏人，如頭山滿、近衛、宇垣已合組秘密委員會，暗中活動，設法制止軍閥跋扈……萱野為頭山之代表，現在香港，仍思盡力奔走。」接着，孔祥熙着重說明，宇垣雖已去職，但日本國內的和平派仍在活動，報告稱：

昨接港電云，松本最近由東京抵港，據言，對和平大綱，近衛與宇垣一致，方針未變。現矢田回國，擬請近衛親自出馬，以效張伯倫。頃又聞知萱野接東京來電，謂海、陸相急盼與弟及居覺生兄會面。【七二】

還在宇垣一成剛剛出任外相時，蔣介石就得悉日方曾要求中方派員赴日談判，對此，斥之為「想入非非」、「可笑之至」。【七三】自然，對於「近衛親自出馬」以及陸軍大臣、海軍大臣要與與孔祥熙、居正等見面的說法也不感興趣。對孔祥熙此函，蔣介石未加理睬。同年十一月，褚民誼、樊光致電汪精衛、孔祥熙，再次聲稱「近衛甚願效張伯倫赴德故事，赴華晉謁委座」。【七四】同月七日，孔祥熙將此電轉呈蔣介石，蔣仍然未加理睬。

五　阻止孔祥熙答覆近衛第二次對華聲明

近衛的第一次對華聲明發表後，遭到日本許多人士的批評。十一月三日，近衛以《建設東亞新秩序》為題發表第二次對華聲明，改變此前「不以國民政府為對手」的方針，聲稱「如果國民政府拋棄以前的一貫政策，更換人事組織，取得新生的結果，參加新秩序的建設，我方並不予以拒絕」，企圖以此誘使重慶國民政府上鉤。【七五】果然，孔祥熙覺得是個機會，準備在十一月七日的行政院「國父紀念週」上發表講話，給予「非正式答覆」。擬稿稱：「我人所注意者，僅彼對我態度，以平等待我者，即我之友，以暴力侵我或武力亂我者，即我之敵。」擬稿批評日本政府「好用定義不明之詞句以淆惑視聽，如彼所謂安定東亞，是否獨霸東亞之別名？所謂求中國之合作，是否剝奪我經濟之獨立自由之變相？我人於此亟願得知其真意。」【七六】這裡，貌似對日本提出批評、譴責，而實際上將為日本政府提供答辯、粉飾其侵略政策的機會。擬稿並稱：「解決中日之關鍵，全在日本，日人果能尊重我主權，而拋棄其侵略政策，則東亞之安定一舉手耳，即世界之和平亦易如反掌也。」十一月六日，孔祥熙將擬稿電送蔣介石審閱。同日，蔣介石以「限卅分鐘到」的「特急電」通知孔祥熙：「此文應慎重斟酌，切不可發表。」【七七】十一月九日，孔祥熙覆電蔣介石稱：「電發之後，弟覺似仍未盡妥，經再修改，原文另電陳聞，頃奉尊電囑為緩發，經已遵辦。」【七八】這樣，蔣介石就阻止了孔祥熙與近衛文麿之間的一次遠距離對話。

六　用「殺無赦」警告蕭振瀛與日人重開談判

蔣介石對日本軍國主義者不放心，有過一條不成文的規定，沒有第三國的保證，決不與日本直接談判。日本軍部的「蘭機關」負責人和知鷹二懂得蔣介石的心理，以「恢復盧溝橋事變前原狀」為餌，誘使蔣介石破例。一九三八年九月，蔣介石派原天津市長蕭振瀛到香港談判，由何應欽具體指導。孔祥熙未參預此項工作，但他對談判非常關心，惟恐其不能成功。同年十月，他耳聞談判因第三國保證問題陷入僵局，功敗垂成，於二十一日致電蔣介石稱：「弟意最重要關鍵，乃在對方之條件如何。至於方式，不難覓得合意途徑。現在國內外狀況，兄所深悉，倘軍事確有把握，自無洽商必要，否則如條件相當，直接、間接無非形式問題，條件如能密商妥貼，則運用第三國出面，不致有何困難。」【七九】這封信再次表現出孔祥熙因國內困難而急於與日本妥協的心理，但是，蕭振瀛與和知談判的主要困難在於日方一面談判，一面進攻，毫無誠意，因此，蔣回函稱：「蕭事與兄所談者內容完全相反，我方並未爭執形式問題也。此事我處被動地位，在我限度之內，能否接受，實在於對方也。」蔣並告訴他：「此事於武漢之得失無關，請勿慮。」【八〇】不久，蔣介石察覺日方談判的虛偽，決心堅持抗戰，下令停止談判，召回蕭振瀛。

第一次談判失敗，和知鷹二繼續在東京政要之間活動。當時，日本正準備扶持從重慶逃出的汪精衛成立政權，和知覺得是個機會，決定利用此事再次迫使蔣介石派人坐到談判桌前來。一九三九年八月。汪精衛在上海召開偽國民黨第六次代表大會。次月，成立「中央黨部」。十七日，汪精衛致電重慶國民黨中央，要他們毅然改圖，努力與日本實現和平。同月，和知鷹二到香港，要其助手何以之轉告重慶方面：汪精衛之事，經近衛、平沼兩屆內閣決定，又經阿部信行特使承認，奏明天皇，勢難中止，但日本對汪之信念已經搖動，認為其人大言不實，貪索無厭。影佐禎昭本是汪之主謀，現在亦已失望，引為歉憾。目前日方之所以仍然支持汪精衛，在於無別路可走，不能不就既定政策，聽其一試。何以之稱：大約十一月初，汪即可組織政府。意大利已勸日本促成此事，應允即日承認，德國則勸日本與重慶謀和。綜觀內外情形，尚在徘徊之際，最好乘汪精衛政府成立之前，斷然成立全面停戰協定，而將汪之問題包括於取消偽組織之中。中國如有和平決心，日本定以誠意直接談判。軍部方面，和知可與板垣征四郎負責；政府方面，可由政界元老松井石根、山之輔等出面商談原則。和知要求何以之轉告蕭振瀛，或派專使來港商談，或仍由蕭先來，以資進行。【八一】三十一日，何以之致電時在重慶的蕭振瀛，告以上述各點。十月四日，何以之兩電蕭振瀛，聲稱和知認定汪精衛為「東亞和平之障，極願剪除」，催蕭即速來港。【八二】十月六日，孔祥熙將何以之各電轉呈蔣介石，同時致函，要求允許蕭振瀛再次赴港，以私人資格與和知「慎密試談」，同時「藉以刺探他方消息，備我參考」，函稱：「弟意此次和支〔知〕奔走各方，對於去汪事頗為努力，似可令仙閣前往一行，略與周旋，使其對我信仰益趨堅定。如能達到吾人之目的，不妨加以利用。否則仙閣不去，彼必感覺失望，甚或老羞變怒，反又趨於助汪之一途，則前途更多障礙。」【八三】函上，不料卻引發了蔣介石的雷霆之怒。十月八日，蔣介石日記云：「蕭、孔見解之庸，幾何不為敵方所輕！國人心理之卑陋，殊堪悲痛！」【八四】九日，蔣介石覆函孔祥熙稱：

兄與蕭函均悉。以後凡有以汪逆偽組織為詞而主與敵從速接洽者，應以漢奸論罪，殺無赦。希以此意轉蕭可也。【八五】

這封信，表面上對蕭，實際上斷然批駁孔祥熙的意見，語氣嚴峻，沒有給孔留一點面子。蔣在這一天的日記中說：「蕭、孔求和之心理應痛斥。」【八六】可見，蔣的這封信明確針對孔祥熙。蔣介石此次之所以如此堅決、激昂，一是蕭振瀛曾將去年在香港與和知談判的部分情況透露給秦德純，秦又秘密轉告馮玉祥，其間訛傳嚴重，馮據此向蔣及國防會議揭發，使蔣很憤怒。【八七】二是自汪精衛在上海召開偽國民黨第六次代表大會之後，蔣即加強了對汪的批判火力，聲稱「汪逆賣身降敵，罪惡昭著」，「人人得起而誅之」，正處在和「汪逆」不共戴天的情緒中。【八八】

同年十一月，何以之在香港與孔令侃會談，何稱：倘中方確有接受和平可能，則和知願赴重慶面洽。【八九】次年一月，何以之向孔祥熙的親信盛升頤轉達板垣征四郎的議和條件，並稱：只要中方派大員前來，板垣可以親自出馬，甚至飛往內地亦可。【九〇】對於這些情報，孔祥熙就不敢再報呈蔣介石了。

一九四〇年六月二十八日，蔣介石在日記「預定」欄中寫道，蕭振瀛「應監禁」。【九一】

七　查究受日方之命到重慶接洽的蔡森、賈存德

自蔣介石嚴令賈存德停止活動後，孔祥熙雖不敢再向蔣轉呈賈的情報，但仍命其在上海繼續聯繫日方。

早在一九三八年，賈存德即與偽維新政府官員王子惠相識。王為留日學生，早期同盟會會員，與畑俊六、

及川古志郎等日軍頭目都有聯繫。偽維新政府成立時，任實業部長。當年夏，王向賈等表示，如能給以自新之路，可隨時脫離偽組織，犧牲一切，專誠為中央效力。賈存德等曾將王氏情形電告孔祥熙，孔即覆電勉勵，命其辭去偽職，伺機去東京團結日本主和派，抵制主戰派。王奉令照辦。一九四〇年四月，王子惠自東京返滬，聲稱已將主和派人物閑院宮津子伯爵、頭山滿等聯成一氣，主張和談以重慶國民政府為對手，反對汪精衛在南京成立政權。王並透露，板垣征四郎想從速結束對華戰爭。五月間，板垣在面談時口頭提出五項條件：一、聲明恢復七七事變前狀態。二、中日以平等互惠之原則，經濟合作。三、共同防共。四、撤兵。五、取消一切偽組織。【九二】在談到第四條時，板垣表示，希望孔祥熙指定地點，以極秘密的方式與板垣等會面；如孔允許，約定會面日期後，可通知板垣，即由板垣等請求天皇下密詔，實行全面秘密休戰。王子惠並稱，板垣親口表示，如孔祥熙同意，將親自簽名發出正式公文，望孔在六月六日天皇承認汪政權前對上述條件表態。【九三】

六月二十六日，賈存德化名吳復光到達重慶，孔祥熙表示可以接受板垣的五項條件。但是，七月四日、八日、九日、十日，日機連續轟炸重慶，這使孔祥熙很不滿，對賈存德大發牢騷，責問「日本人搞的什麼鬼」，埋怨因此妨礙了向蔣的「進言之機」。【九四】不久，板垣應允，自十六日至二十二日止，停止轟炸一周。這一時期，孔祥熙情緒低落，告訴賈存德「事不好辦」，要他「不要着急」。七月底，王子惠再派蔡森抵渝，會見孔祥熙，聲稱「如有談判可能，彼方即行統一軍、政、黨意見，取消一切枝節活動，決定專責，以資進行」。【九五】其後，日方急於得知蔡、賈談判消息，致電稱，將派專機到廣州迎接蔡、賈。孔祥熙覺得這又是一次好機會，於八月二十四日致函蔣介石，摘抄蔡、賈報告及有關電報，函稱：「敵思結束對華戰事，以便南進，可以想見。弟意值此抗戰嚴重、外交詭變時期，對於各方消息，似應互相印證，以冀把握機會，決定大計。」函末，孔祥熙特別要求蔣介石「閱後付丙，不必交存」。又附言稱：「就最近國際情勢觀察，友邦對我實力援助甚少，我應設法別尋機會，以謀自立自主，蔡、賈所述各節，亦有可以供我利用之處。弟已告其設法各方鼓動，促成敵之南進。一則使其主戰、主和意見分歧，分化團結力量；二則使其侵略政策轉移方向，減少對我力量；三則證明敵人野心甚大，歐美列強亦必與之發生摩察，於抗戰前途，或不無裨益也。」【九六】

板垣曾向王子惠表示，可以發出親自簽名的公文。孔祥熙向蔣介石上書後，要求蔡森回滬，取到板垣正式公文。又命賈回滬，暗中監視王、蔡二人。其後，二人即陸續離渝，經香港回滬。八月下旬，蔡、賈的行蹤被軍統在香港的特務發現，戴笠親自向蔣報告，蔣即命戴笠向孔祥熙查詢。九月上旬，孔祥熙覆函戴笠，謊稱吳復光係中央銀行某職員別名，因受敵偽注意，調令來渝。蔡係靳雲鵬舊部，受靳之命來渝報告北方情形，二人均係「普通人員」，敵人不會相信，更不會贈以鉅款。【九七】其後，軍統打入日方的特務毛豐又向戴笠報告，蔡森已於二十七日偕同日本支那派遣軍總司令部的東條佑鈴專機飛滬，此事係日本實業家背後策動，曾撥款二百萬圓作為活動經費云云。【九八】九月十日，戴笠將有關情況再次報告蔣介石。同月十九日，張季鸞致函陳布雷稱：「敵人曾賄買山西人蔡某等二人赴渝，攜孔先生假信而歸滬。現由敵人特許設電台通電，尚在烏煙瘴氣中，此事尊處想早已聞及矣。」【九九】二十日，蔣將有關檢舉報告轉給孔祥熙，要他回答。二十二日，孔祥熙覆函，首稱檢舉報告「所載各節，恐多揣測誤會，以訛傳訛，原報告人有意邀功，遂不免捕風捉影，或另有作用者希圖對弟中傷。」接着，孔向蔣辯白：一是孔祥熙致函板垣及頭山滿問題，孔稱，蔡、賈來渝時，攜有日本老友名片，向弟問候，弟因多年故交，在情理上不能不理，因此在蔡、賈臨行之時，以名片回報，所謂寄板垣與頭山滿等人的親筆函件，絕無其事。二是蔡、賈與王子惠、板垣的關係與接受巨額資助問題，孔稱，王子惠派人赴港迎接蔡某，或有其事，但蔡、賈到滬後，是否赴南京，已否晤見板垣，均不得知。孔承認，蔡、賈來重慶之前，確曾與板垣會面，也承認，二人可能得到日方資助，但他說：「敵方實業家因反對軍閥厭惡戰事，渴望真正和平早日實現者甚多，既派其來，或有贈送旅費之事。若謂撥款二百萬元，恐未必有此巨額。」他認為這些情況，「真偽無從證明」，屬於敵人「內部互相猜忌，設詞譭謗」。三是關於蔡、賈的身份與賈存德往來滬、渝之間的目的。孔在重申「調回」說之外，又加了一個「遷移眷屬」說。函稱：「上海淪陷業已三載，敵偽方面無時不思毀我法幣，俾我財政不能接濟軍事，對中行人員極力壓迫，彼等既無寸鐵，政府亦難為保障，故不能不有一熟悉敵情者為我刺探消息，藉便戒備。賈在過去，雖曾任此項工作，因其參加倒汪運動，為汪方特務隊所注意，前已將其調回。此次赴滬，即擬設法遷移眷屬。至蔡本非弟之屬員，亦無任何名義，在無所謂調回矣。」【一〇〇】

蔣介石下令戴笠調查之後，陳布雷又於二十二日接到香港張季鸞的檢舉信，中云：「王子惠所賄買之蔡、賈二人之事，其情形甚堪髮指。蓋敵人以專機送至廣州，而公然入渝，其歸也，亦由敵人由港接至廣州，而專機送往上海。此輩宵小，本無足深論，然敵人賄買之人而能公然出入重慶，且能帶孔先生之假信而來，再不能以小事看矣。」【一〇一】陳閱後「甚感離奇」，立即轉呈蔣介石。【一〇二】蔣閱後再致孔祥熙一函，嚴厲批評孔祥熙等人的行為「搖撼軍心、人心」，顯示「政府零亂」。【一〇三】同日，蔣在日記中寫道：「倭寇軍人之愚拙無才，比我國尤甚，其行動幼稚欺詐，實非常情所能想像，幾乎令人倭寇有不可交手之感。若理會者，必受無妄之禍也。」又稱：「為庸之與季鸞等無方而好事為歎也。」【一〇四】這裡批評到了兩個人。「無方」，指孔祥熙；「好事」，指張季鸞。

蔣介石的批評很嚴厲，顯然，孔祥熙要認真想想對策了。九月三十日，孔祥熙於八天之後才覆函蔣介石，函稱：「今細繹手示，對蔡、賈事實際情形，似尚有未盡明瞭之處，恐係根據一方面之情報所致。既承諄諄相誥，弟不忍不略陳衷曲，期解疑慮。」

孔函除說明蔡、賈的身份及離渝情況外，指責情報提供者「以訛傳訛，竟至張大其詞，駭人聽聞。」孔函特別說明，在接待蔡、賈的整個活動中，自己對蔣既無隱瞞，又持慎重態度，沒有文字貽敵，更未假借蔣的名義，函稱：「一言喪邦，古有明訓。事關國家興亡，何敢擅自主張！當蔡來見時即本我兄素來之主張，曉以日本如不撤兵，不恢復七七事變以前之狀態，決不與之談判。此外絕無文字表示貽人手中，更何能涉及我兄名義？又何來我兄名片？蔡、賈兩人諒亦無此巨膽敢事偽造。」接着，孔函強調掌握敵情，善於利用反間的重要：「惟知己知彼，百戰百勝，偵探重要，無人不知……今如有人，本其愛國熱忱，窺得敵偽隱情，甘冒危險，不遠千里而來，向我告密。若不假以顏色，使其樂為我用，勢必為淵驅魚，反被敵偽利用。弟雖愚，竊期期以為不可。故蔡之來謁，不能不見，惟所告之言，皆係勉以大義，並未派以任務，且暗示種種，使其有機會時，於不知不覺間言於敵方，以期於我有百利而無一害。」孔函還強調，從事這方面的活動難免遭人誤解，甚至遭到攻擊，但自己完全出於忠誠：「弟亦深知接見此種人物，難免物議，小則受人攻擊，大則自招巨禍，然為效忠黨國，使我兄抗建大業早日成功，故不惜利用各種機會，各方力量，期達目的，從未對自己本身之安危着想。」【一〇五】

孔函接着分析日本少壯軍人中的兩派。甲派主張先用全副武力，解決中國事件，然後再行南進，此種主張對於中國最危險，非極力破壞不可。乙派主張用溫和手段，得到中方諒解之後，再行南進。孔函由此論證利用乙派的必要及利用蔡森的正當。函稱：「至乙派今日之肯降階表示尋求和平者，確因千載不易得到之南進政策，今可不費力拾得之，故不容輕輕放過。弟既認定此時如能誘其南進，確屬於我有益，前曾向兄言及，兄謂恐做不到，弟亦深知其難，不容強求，然苟有時機，弟以為不應放過，必隨機設法暗示，希接近敵方者，於無形中促助其乙派之主張，故蔡來見時，弟亦曉以此意，暗示其促成。於上次報告中最後一頁，業向我兄陳明。」

針對蔣函所批評的「搖撼軍心、人心」之說，孔祥熙辯解道：「蔡此來，原出敵方之意。據情報所載，敵既派其前來，又復鉅款運動，自係敵方力竭，敵方情急，適足以暴露敵人之弱點，足可搖撼敵人之軍心、人心，而我之軍心、人心，更當因此而益振，其理自明」。接着，孔祥熙又反駁蔣的「政府零亂」說。聲稱「蔡既來渝傳達敵人之意，是時至今日，敵已深知欲謀全面之和、真正之和，非向我兄請求不可，亦非聽由我兄裁決不可，似無零亂之可言」。

孔祥熙在逐一反駁蔣對謀和活動的批評後，着重說明自己對蔣的耿耿忠心：「在過去二年中，弟對於敵偽或其他方面，凡有利於我兄之抗建大業者，均不惜任勞任怨以謀利用者，一則因承我兄重託，付以行政責任，不能推諉，一則因我兄為最高領袖，身任統帥，意欲保護其威望，故決志為國為兄，自甘犧牲，決不願使我兄因一言一動，受有半點懷疑，致被奸人藉口攻擊。」【一〇六】函末，孔祥熙表示，將遵蔣之囑命人查究此事。函稱：「現蔡、賈事，既蒙尊囑，遵即飭查，如有假冒招搖情事，賈當撤職嚴辦，蔡已託人設法予以警告。」自然，這是孔祥熙對蔣的敷衍之詞。

孔祥熙這封信寫得很用心。在正函之外，還附有《情報摘要》兩份。其內容之一是，褚民誼曾在南京宴會席間對人說：「先從倒孔入手，使重慶內政發生糾紛。」孔祥熙附呈這一情報，意在告訴蔣介石，所有反對他本人的行為，均有汪偽背景。其二是，張季鸞對人表示，銜蔣之命到港與日方談判和平，到港前曾見蔣十一次，等等。孔要求蔣閱讀這些情報後「仍乞准予賜還，以便存查」，並稱：「弟向不道人長短，在過去更不欲以此種複雜瑣碎之報告，煩擾我兄心神。現在事既牽涉及弟，恐其中別有作用，不能不請兄注意，但仍不願使他人知之，以為弟亦有所攻擊，或影響人心也。」張之赴港，確係受蔣之命。【一〇七】孔向蔣呈送有關張的情報，其潛台詞是：你蔣介石不也在和日本人發生關係嗎？孔祥熙這一手很厲害，蔣自然無話可說，追查蔡、賈一事不了了之。

蔡、賈回到上海後，即列席王子惠與板垣代表岩奇清七所舉行的會談。岩奇稱：「中國的維新大業必須由蔣委員長領導才能成功」，「要共同防共，中國方面就需要邀請日本在華北邊區樞紐地留兵協助」。會議記錄提出，察哈爾、綏遠鐵路線及北平、奉天線各樞紐地均由日本駐兵。至此，賈存德才發現上了王子惠與日方的當，拒絕簽字。會議不歡而散。一九四四年九月，賈存德在上海會晤日本「蘭工作」負責人和知鷹二，得知和知與板垣之間存在矛盾，深感變化難測，打電報給孔祥熙，聲稱才識不足，難以勝任，自此退出與日方的謀和活動。【一〇八】可見，此前孔祥熙並未對賈採取「飭查」、「撤職嚴辦」等舉動。

八　孔祥熙對蔣介石的彙報有重大隱瞞

孔祥熙在一九四〇年九月二十日函中向蔣介石表白：「弟在過去，凡有所聞，均曾擇要抄陳，後因奉命，亦即停止。」似乎他在與日方謀和中，所有重要事情都曾向蔣彙報，而且奉命即止，沒有違背過蔣的意志。讀者從上文中已可發現，事實並非如此。下文我們將進一步提供新的論證。

根據日文檔案，早在一九三八年六月，孔祥熙即派遣秘書喬輔三赴香港與日本駐香港總領事中村豐一談判。二人先後在六月二十三日、二十八日、七月一日、十三日、十八日、十九日多次會談。在七月十八日的會談中，喬曾轉述孔祥熙起草的和平條件：

一、中國政府積極實現對日好感，停止一切反日行為，希望日本也要為遠東永久和平積極為日華關係好轉而努力。

二、滿洲國以簽訂日、滿、華三國條約而間接承認。其次深切希望滿洲國自發地成為滿洲自由國，給中國人民以好感。

三、承認內蒙的自治。

四、決定華北特殊地區非常困難，但是中國承認互惠平等的經濟開發。

五、非武裝地帶的問題，有待日本的具體要求提出後解決，中國軍隊不駐防，希望由保安隊維持治安。

六、雖然還未充分討論，但清算與共產黨的關係，或簽訂加入防共協定的特別協定等，必須再加研究。

七、中國現在非常荒蕪而且窮困，因而對中國政府說來，（日方）雖有賠償的要求，亦無力支付。【一〇九】

以上七條，包括實際上承認偽滿，承認內蒙「自治」，設立非武裝地帶等問題，都是地地道道的喪權辱國條約，談判中，喬輔三向中村豐一稱：「孔曾和蔣見面，除了蔣介石本身下野問題外，其他全部都和蔣商酌過的。」一直到今天，也還有學者堅信喬輔三的這一表白。其實，檔案資料證明，這些條件和蔣在對日秘密談判中一貫堅持的條件完全相反；檔案資料也證明，孔祥熙從未向蔣彙報過上述條件。上引八月十一日孔祥熙致蔣函稱，他之所以不拒絕和日方談判，「原欲藉以觀察敵情，供我參考，並未提及任何條件」。在其他函件中，孔也一再作過類似保證。可見，孔祥熙的上述條件是背着蔣擅自向日方提出的。不僅如此，連派喬輔三赴港談判一事對蔣都是完全封鎖的。現存蔣檔中，孔有許多關於秘密談判的彙報，但是，沒有一件提到喬輔三。在必須提到的地方，也竭力掩飾。如一九三八年七月六日孔令侃致孔祥熙，又由孔轉蔣的電報說：「據所派與駐港日領事密洽者報告：該領事稱：『鈞座在位，各事總有辦法。』言下似有議和須以委座下野為條件之意。當以此種觀念決不能任其繫懷，故照鈞座在漢面諭，對該領事表示，目下政府係鈞座負責主持，如確有必要時，鈞座當可辭卸。」該電所稱駐港日領事，指中村豐一；鈞座，指孔祥熙；委座，指蔣介石。其中所稱「所派與駐港日領事密洽者」，顯然就是喬輔三。之所以不稱其名，說明孔祥熙父子不願意讓蔣瞭解喬赴港談判的真情。

在對日秘密談判中，孔祥熙對蔣介石所作的隱瞞非止一端。例如，前文已述，蔣一再囑咐，令賈存德停止活動，孔也屢稱「遵囑」，但實際上一直在支持和指揮賈的活動。又如馬伯援赴港談判，明明是孔祥熙所派，但馬伯援所寫，經孔祥熙轉蔣的報告卻說成事出偶然：「伯援因事赴香港，適日友萱野長知亦在該地，時相過從。」之所以這樣寫，完全因為此前蔣介石已不只一次與孔談話，要他停止謀和。此外，孔祥熙還長期利用曾是共產黨員，後向國民黨自首的胡鄂公【二〇】在上海與日方談判，次數頻繁，接觸面很廣，但是，孔祥熙也從未向蔣彙報過。

孔祥熙長期追隨蔣介石，和蔣利益相共，榮辱與俱。但是，他卻背着蔣一再向日方謀和，甚至在個別談判中向日方提出喪權辱國的條件，其主要原因在於他對長期抗戰喪失信心。從本文前引他寫給蔣的多通信件看。他認為國內財政極端困難，國際援助又毫無希望，因此才一意主和，謀求妥協。

不過，也應該看到，孔祥熙與日方的秘密談判除謀求妥協外，也還具有若干策略目的。例如：掌握敵情，擴大日本國內的主和派與主戰派的分歧；阻撓、延緩汪偽政權的成立；引導日軍南進，減弱中國戰場壓力等多種原因在內。因此，孔的謀和活動與汪精衛有別。一九四〇年以後，孔的謀和活動基本停止。他在協助蔣介石掌控戰時經濟，保證抗戰資源方面還是做了若干有益的工作的。

九　蔣介石阻遏孔祥熙謀和活動的思想原因

如上文所述，蔣介石對孔祥熙的謀和活動屢加批評、阻遏，而孔祥熙則一再堅持，多方聯繫，並且背着蔣向日方提出嚴重的妥協條件，這種情況說明，蔣、孔二人雖公私關係均極為密切，但二人之間在對日態度上仍存在相當大的差異。「盧溝橋事變」後，孔祥熙在倫敦致電蔣介石，分析美、英、蘇三國的對華態度，反對立即抗戰，電稱：「中日事件，如非確有把握，似宜從長考慮。」「應付日本，仍須以自身能力為標準」。【一二一】二十一日，蔣覆電稱：「情勢日急，戰不能免。」三十日，孔祥熙再次致電蔣介石，詢問「中央今日作何主張」，蔣電覆稱：「中央必決心抗戰，再無迴旋之餘地矣」。八月三日，孔再次電蔣，以「我軍處處失利」為憂，蔣則覆電表示：「戰事果起，弟確有把握，請勿念，一時之得失不足計較也。」這些地方，說明二人間在對日抗戰問題上確有分歧。一九九五年，我在《孔祥熙與抗戰期間的中日秘密交涉》一文中，曾判斷「蔣介石思想中，抗戰成分較孔祥熙為多」。現在看來，這一看法還是可以成立，但是，當時我認為孔的議和活動「顯然得到蔣的默認和支持」，這一看法需要修正。【一二二】

蔣早年追隨孫中山革命，是一個民族主義者。二十世紀二十年代，蔣強烈反對英國對中國的侵略，後來又反對日本侵略。一九二八年的濟南慘案，不僅是日本帝國主義者對中國國家主權的侵犯，也是對蔣介石個人威權的羞辱。當年五月，蔣日記云：「倭軍入城後，將我徒手兵及傷兵盡行射死，發炮二千餘顆，人民死傷二千餘，有一家盡死於一彈者，城內延火甚慘。嗚呼！濟南七日記之恥辱慘痛，甚於《揚州十日記》。凡我華人，能忘此仇乎？」【一二三】又云：「倭寇第一要求為總司令謝罪。嗚呼！國恥身辱，其可忘乎！」【一二四】因此，蔣有抗日的思想基礎。但是，他又患有恐日症，認為中國不是日本的對手，因而長期對日採取妥協政策，總想盡可能推延對日作戰時間。「盧溝橋事變」爆發，平津接着淪陷，這就將蔣逼到了「最後關頭」。他深知，如果他再不抗戰，必將受到人民的強烈反對，南京國民政府會處於全民的對立面。他也深知，如果他與日本議和，簽訂新的喪權辱國條約，他也必將遭到全民反對。一九三七年十一月五日，蔣介石曾經「很機密地」告訴德國駐華大使陶德曼：「假如他同意那些要求，中國政府是會被輿論的浪潮沖倒的，中國會發生革命。」【一一五】這確是蔣的肺腑之言。他在同年十二月二十九日的日記中寫道：「外戰可停，則內戰必起。與其國內大亂，不如抗戰大敗。」「除抗戰以外，再無其他辦法。」【一一六】，所謂「外戰」指的是日本帝國主義者的侵華戰爭；所謂「內戰」，即指包括中共在內的各愛國力量會起而推翻他的統治。顯然，蔣對這一問題是經過深思熟慮的。

在長期和日本打交道的過程中，蔣介石認識到：日本帝國主義者完全不講信義，日本政府和軍部之間存在矛盾，政府完全缺乏控制軍部強硬派的能力，因而與日本雖可達成協議，但都時時有被撕毀的危險。一九三八年八月，蔣自記稱：「倭非待其崩潰與國際壓迫至不得已時，決不肯放棄其華北之特權，而中倭和平非待至國際干涉，共同會議則不能解決，故對倭不可望其退讓求和，如其果有誠意，則必須其無條件自動撤兵之後方能相信也。」【一一七】「盧溝橋事變」前，蔣介石雖有恐日症，但「盧溝橋事變」後，他在對日作戰的實踐中卻逐漸認識到，日本是個資源小國，其國力、軍力與其不斷鼓脹起來的野心之間存在着不可克服的矛盾，外雖強而中乾，有其的虛弱一面。此外，蔣介石也看到了日本的野心終將驅使其和英美衝突，世界大戰必將爆發，只要中國「苦撐待變」，抗戰的勝利終將屬於中國。一九三七年九月，他在日記中表示：「主和意見派應竭力制止。」「時至今日，只有抗戰到底之一法。」【一一八】次月三十一日，他總結十年來與日本打交道的經驗，認為「與其坐以待亡，致辱招侮，何如死中求生，保全國格，留待後人之起而復興。」【一一九】他本人也有「盡忠竭智，死而後已」的想法。【一二〇】一九三八年一月，正是南京失陷，中國抗戰最艱苦，最難以看到希望的時候，蔣在日記中寫道：「不患國際形勢不生變化，而患我國無持久抗戰之決心。」【一二一】所謂「國際形勢」，指的就是英、美、蘇聯合，國際共同干涉，以至出兵對日作戰。以上，都是蔣介石阻遏孔祥熙謀和活動的思想原因，也是促使蔣在「盧溝橋事變」後的八年中，沒有和日方達成任何妥協協議，將抗戰堅持到最後勝利的思想原因。

一切戰爭都有兩種解決辦法。一種是作戰到底，直至敵方完全被消滅或投降，一種是雙方談判，達成「和平」協議，適可而止。至於「和平」協議，又有兩種情況，一種是有利於敵，喪權辱國，一種是有利於己，無損或基本上無損國家主權。以上種種，都需要具體分析，不可一概而論。一九四一年之前，蔣介石長期陷在戰與和的矛盾中，舉棋不定。蔣曾寄希望於國際共同干涉或第三國調停，以和平方式解決中日戰爭，也有過直接和日方秘密談判，在相對有利的條件下結束戰事的幻想。這就是蔣雖對孔的謀和活動有所阻遏，但又顯得力度不足的原因，也是蔣雖批評孔謀和，但又長期付以國家行政重任的原因之一。檔案資料證明，蔣本人也親自掌控過幾次對日談判，有關情況，本書《蔣介石親自掌控的對日秘密談判》一文已有論述。

原載《歷史研究》二〇〇六年第五期

註釋：

【一】《陶德曼致德外交部》，《德國外交文件》，第四輯第一卷，第七八四頁；轉引自中國史學會編：《抗日戰爭》，《外交》（上），四川大學出版社，一九九七，第一六五頁。

【二】台北：國史館藏光碟，07A，00085。

【三】孔祥熙：《致介兄》，一九三八年十一月三十日，「蔣檔」。

【四】《蔣介石日記》，手稿本，一九三七年十一月二十日。

【五】《蔣介石日記》，手稿本，一九三七年十一月三十日。

【六】《蔣介石日記》，手稿本，一九三七年十一月二十九日。
【七】《蔣介石日記》，手稿本，一九三七年十二月二日。
【八】《蔣介石日記》，手稿本，一九三七年十二月七日。
【九】《蔣介石日記》，手稿本，一九三七年十二月九日。
【一〇】《蔣介石日記》，手稿本，一九三七年十二月二十六日。
【一一】《蔣介石日記》，手稿本，一九三七年十二月二十七日。
【一二】《蔣介石日記》，手稿本，一九三七年十二月二十八日。
【一三】《蔣介石日記》，手稿本，一九三七年十二月二十九日。
【一四】《蔣介石日記》，手稿本，一九三八年一月二日。
【一五】《口頭答覆稿》，一九三八年一月十二日，《德國調停案》，見台北國史館藏檔《外交部案卷》，00062A，第六五頁。
【一六】《口頭答覆稿》，一九三八年一月十二日。
【一七】《蔣委員長致孔院長》，一九三八年一月十二日，《外交部案卷》，00062A，第六四頁。
【一八】《孔院長接見陶大使口述英文稿》，一九三八年一月十五日，《德國調停案》，《外交部案卷》，00062A，第七六頁。
【一九】《蔣介石日記》，手稿本，一九三八年一月十六日。
【二〇】《蔣介石日記》，手稿本，一九三八年一月十七日。
【二一】《日本外交年表並主要文書》下卷，《文書》，東京原書房，一九七八，第三八六—三八七頁。
【二二】《蔣介石日記》，手稿本，一九三八年一月十七日。
【二三】《南湖致剛父電》（胡鄂公致孔令侃），一九三八年六月十一日，「蔣檔」。
【二四】《南湖致剛父電》。
【二五】克克：《致孔院長轉居覺生先生》，一九三八年六月九日，「蔣檔」。
【二六】克克：《致孔院長轉居覺生先生》。
【二七】《中國事變陸軍作戰史》，第二卷第一分冊，中華書局，一九七九，第九八頁。

【二八】轉引自《孔祥熙致唐紹儀密函》，《近代史資料》第七四號，中國社會科學出版社，一九八九，第二七八—二七九頁。

【二九】《孔祥熙致唐紹儀密函》。

【三〇】孔祥熙：《致武昌蔣委員長》，一九三八年八月九日，「蔣檔」。

【三一】《蔣介石日記》，手稿本，一九三八年六月二十三日，參見同日《困勉記》。

【三二】《蔣介石日記》，手稿本，一九三八年七月十二日；參見同日《困勉記》及《事略稿本》。

【三三】蔣介石：《致重慶孔院長》，一九三八年八月十日，「蔣檔」。

【三四】蔣介石：《致重慶孔院長》。

【三五】《致武昌蔣委員長》，一九三八年八月十一日，「蔣檔」，台北：國史館藏。

【三六】《蔣介石日記》，手稿本，一九三八年一月二十三日。

【三七】《蔣介石日記》，手稿本，一九三八年七月九日；《事略稿本》作「企圖以唐紹儀領導偽政府」。

【三八】《蔣介石日記》，手稿本，一九三八年九月十二日。

【三九】《今井武夫的證詞》，《土肥原秘錄》，北京：中華書局，一九八〇，第五四頁。

【四〇】《蔣介石日記》，手稿本，一九三八年十月一日。

【四一】轉引自孔祥熙：《致介兄函》，一九三八年六月二十三日，「蔣檔」。

【四二】賈存德，字辛人，孔祥熙的同鄉、學生，長期在中央銀行工作，負責收集日本經濟情報。

【四三】伯良（胡鄂公）：《致王主任（良甫）虞電》，中國第二歷史檔案館編：《中華民國史檔案資料彙編》第二編，《政治》（一），江蘇古籍出版社，一九九八，第二二六頁。

【四四】轉引自孔祥熙：《致介兄函》，一九三八年六月二十三日。

【四五】轉引自孔祥熙：《致介兄函》，一九三八年六月三日。

【四六】孔祥熙：《致萱野先生函》，一九三八年五月二十二日，孔祥熙檔案，美國：哥倫比亞大學珍本和手稿圖書館藏；參見《日蔣談判的重要資料》，拙著：《近代中國史事鉤沉——海外訪史錄》，北京：社會科學文獻出版社，二〇〇一，第五二四—五二五頁。

【四七】賈存德：《孔秘書（令侃）轉呈孔院長》，一九三八年六月十二日，「蔣檔」。

【四八】賈存德：《致孔秘書（令侃）轉呈院座》，一九三八年六月十二日。

【四九】賈存德：《致孔秘書（令侃）轉呈院座》，一九三八年六月十三日。

【五〇】《上海賈君來電》，一九三八年六月二十一日，「蔣檔」。

【五一】孔祥熙：《致介兄函》，一九三八年六月二十三日。

【五二】孔祥熙：《致介兄函》，一九三八年六月二十五日。

【五三】轉引自《上海賈存德來電》，一九三八年七月一日，「蔣檔」。

【五四】轉引自《上海賈存德來電》，一九三八年七月四日。

【五五】轉引自《上海賈存德來電》，一九三八年七月五日。

【五六】《香港情報》，一九三八年七月六日，「蔣檔」。

【五七】孔祥熙：《致介兄》，一九三八年七月六日。

【五八】居正的女兒是萱野的養女。據賈存德回憶，賈到武漢後，孔邀馬伯援與賈相見，對馬說：「你明天就和賈存德一同到香港去。」又致函萱野長知：「關於和談之事，特派馬伯援先到香港候教。」見《孔祥熙其人其事》，北京：中國文史出版社，一九八七，第一二六頁。

【五九】《馬伯援呈》，一八三八年十月八日，「蔣檔」。

【六〇】《蔣介石日記》，手稿本，一九三八年五月二十七日。

【六一】孔祥熙：《致介兄》，一九三八年八月四日。

【六二】孔祥熙：《致武昌蔣委員長》：「至前馬、賈兩君與萱野等之接洽，亦係藉私人關係刺探消息，作為情報，更未提及任何條件，不過不能不有所指示，免應付失言。」一九三八年八月十一日，「蔣檔」。

【六三】《抄上海賈生來電》。一九三八年八月二十八日，「蔣檔」。

【六四】孔祥熙：《致介兄》（一九三八年九月七日）：「頃奉魚（六日）機鄂電，遵即轉告賈生，令其拒絕。惟前數日尚接有賈生來電三件，雖係過去情報，姑仍照抄奉閱，以備參考。」。

【六五】《蔣介石日記》，手稿本，一九三八年九月十日；參見同日《事略稿本》。

【六六】蔣介石：《致重慶孔院長》，一九三八年九月十一日，「蔣檔」。

【六七】《小川平吉關係文書》（二），第五九八頁；參閱拙作：《抗戰前期日本『民間人士』和蔣介石集團的秘密談判》，《歷史研究》一九九〇年第一期，收入拙著：《蔣氏秘檔與蔣介石真相》，北京：社會科學文獻出版社，二〇〇二，第四一〇—四一一頁。

【六八】《馬伯援呈》，一九三八年十月八日。

【六九】《馬伯援呈》。

【七〇】孔祥熙：《致介兄》，一九三八年十月十五日。

【七一】孔祥熙：《最近國際形勢》，一九三八年十月十五日，「蔣檔」。

【七二】孔祥熙：《最近日本形勢》，一九三八年十月十五日，「蔣檔」。

【七三】《蔣介石日記》，手稿本，一九三八年五月三十日。

【七四】《褚民誼、樊光致汪精衛、孔祥熙電》，一九三八年十一月七日，「蔣檔」。

【七五】《日本外交年表並主要文書》下卷，《文書》，東京原書房，一九七八，第四〇〇—四〇一頁。

【七六】孔祥熙：《致重慶蔣委員長》，一九三八年十一月六日。

【七七】蔣介石《致重慶孔院長》，一九三八年十一月七日。

【七八】孔祥熙：《致重慶蔣委員長》，一九三八年十一月九日。

【七九】《事略稿本》，一九三八年十月二十三日，台北：國史館藏。

【八〇】《事略稿本》，一九三八年十月二十三日。

【八一】何以之：《致彥超》，一九三九年九月三十一日，「蔣檔」。

【八二】何以之：《致彥超》，一九三九年十月四日。

【八三】孔祥熙：《致介兄》，一九三九年十月六日。

【八四】《蔣介石日記》，手稿本，一九三九年十月八日。

【八五】《革命文獻》，一九三九年十月九日，「蔣檔」。
【八六】《蔣介石日記》，手稿本，一九三九年十月九日。
【八七】《馮玉祥日記》（五），一九三九年五月二十九日，江蘇古籍出版社，一九九二，第六六〇頁。參見高興亞：《馮玉祥將軍》，北京出版社，一九八二，第一八七頁；施樂渠：《蔣介石在抗戰期間的一件投降陰謀活動》，《文史資料選輯》第一輯，北京：中華書局，一九六〇，第六七頁。
【八八】《嚴斥汪逆賣國降敵》，《先總統蔣公思想言論總集》，台北：中國國民黨黨史委員會：一九八四，第一二六頁。
【八九】《孔令侃為呈再晤何一之給孔祥熙的密電》，《歷史檔案》，一九九二年第三期，第七五頁。
【九〇】《盛升頤為呈評述日方和談條件由給孔祥熙的密電》，《歷史檔案》，一九九二年第三期，第七七頁。
【九一】《蔣介石日記》（手稿本），一九四〇年六月二十八日。又八月十二日日記云：「約蕭交存件。」據此，蔣並未監禁蕭，而是要求他交出保存在手中的中日秘密談判文件。
【九二】《敵情報告錄呈參考》，「蔣檔」。據賈存德回憶，以上五條由板垣以鉛筆親自書寫，交王子惠轉賈。見《孔祥熙與日本「和談」的片斷》，《孔祥熙其人其事》，北京：中國文史出版社，一九八七，第一二八頁。
【九三】賈存德：《孔祥熙與日本「和談」的片斷》，《孔祥熙其人其事》，第一二八頁。
【九四】《孔祥熙其人其事》，第一二九頁，參見孔祥熙：《致介兄書》，一九四〇年八月二十四日，「蔣檔」。
【九五】《敵情報告錄呈參考》，一九四〇年七月，「蔣檔」。
【九六】孔祥熙：《致介兄》，一九四〇年八月二十四日。
【九七】轉引自戴笠：《報告》，一九四〇年九月十日，「蔣檔」。
【九八】戴笠：《報告》，一九四〇年九月十日。
【九九】熾章（張季鸞）：《致布雷先生》，一九四〇年九月十九日，「蔣檔」。
【一〇〇】孔祥熙：《致介兄》，一九四〇年九月二十二日。
【一〇一】熾章（張季鸞）：《致布雷先生》，一九四〇年九月二十一日晨，「蔣檔」。
【一〇二】《陳布雷日記》，一九四〇年九月二十二日，台北：國史館藏。

【一〇三】轉引自孔祥熙：《致介兄》，一九四〇年九月二十二日。

【一〇四】《蔣介石日記》，手稿本，一九四〇年九月二十二日。

【一〇五】孔祥熙：《致介兄》，一九四〇年九月三十日。

【一〇六】孔祥熙：《致介兄》，一九四〇年九月三十日。

【一〇七】參見拙作：《蔣介石親自掌控的對日秘密談判》，《中國社會科學院學術咨詢委員會集刊》第二輯。

【一〇八】賈存德：《孔祥熙與日本「和談」片斷》，《孔祥熙其人其事》。

【一〇九】日本外務省檔案，第S487號，中譯文見《孔祥熙其人其事》，第一三五—一三六頁。

【一一〇】戴笠：《報告》（一九四〇年八月十二日）：「有胡鄂公者，籍隸鄂省，曩為國會議員，嗣與李大釗等加入共黨。民國廿三年間，經生處在漢破獲拘禁，旋奉經准予自首，並交由生處運用。」見「蔣檔」。

【一一一】本電及以下各電，均見「蔣檔」，台北：國史館藏光碟，07A—00085。

【一一二】《近代史研究》一九九五年第五期，收入拙著：《蔣氏秘檔與蔣介石真相》，第四五〇—四五二頁。

【一一三】《蔣介石日記》，手稿本，一九二八年五月十二日。

【一一四】《蔣介石日記》，手稿本，一九二八年五月十八日。

【一一五】《陶德曼致德外交部》，《德國外交文件》第一卷，第七八〇頁，中譯文見中國史學會編：《抗日戰爭》，《外交》（上），第一六四頁。

【一一六】《蔣介石日記》，手稿本，一九三七年十二月二十九日。

【一一七】《事略稿本》，一九三八年八月十八日。

【一一八】《蔣介石日記》，手稿本，一九三七年九月八日。

【一一九】《本月反省錄》，《蔣介石日記》，手稿本，一九三七年十月三十一日。

【一二〇】《蔣介石日記》，手稿本，一九三七年十一月二日。

【一二一】《蔣介石日記》，手稿本，一九三八年一月十日。

論「恢復盧溝橋事變前原狀」與蔣介石「抗戰到底」之「底」

抗戰時期，蔣介石在公開談話或與日方的秘密談判中，曾以「恢復盧溝橋事變前原狀」作為條件或「抗戰到底」之「底」。部分學者對此的解讀是，蔣準備放棄、出賣東三省，因此他們對蔣在抗日戰爭中的作用持嚴厲批判態度。但是，批判者實際上並不瞭解這一問題提出的過程及其來龍去脈，往往好從既定觀念出發，對之加以解讀、引申，因此，有關批判也就很難準確。

歷史學應該是一把最公平的秤。人們對某一個歷史人物的好惡可能因種種原因而不同，但是歷史科學應該力求還原歷史本相，並給予正確解釋，不離開歷史真實去有意拔高或貶低任何人，要做到愛之不增其善，憎之不益其惡，是其所是，非其所非。「恢復盧溝橋事變前原狀」是關涉蔣介石和當時國民政府對日抗戰的大問題，要重建科學的、真實的中國抗日戰爭史，必須研究清楚。

一　為《九國公約》布魯塞爾會議準備的預案

提出「恢復盧溝橋事變前原狀」這一問題，有其特殊的歷史環境，也有較長時期的發展過程。

一九三七年七月，日軍製造「盧溝橋事變」，中國軍隊奮起抗戰。此後，中國政府一面堅決抵抗日本的軍事進攻，一面仍對和平解決抱有希望。七月十日，國民政府外交部照會日本駐華大使館，要求該館迅速轉電華北日軍當局，「嚴令肇事日軍撤回原防，恢復該處事變以前狀態，靜候合理解決。」【一】十二日，中國外交部長王寵惠接見日本駐華使館參事日高信六郎，要求：一、雙方出動部隊各回原防；二、雙方立即停止調兵。【二】十五日，外交部再次照會日本使館，重申十二日照會內容，要求日方「將此次增派來華之日軍悉數撤回，並將本案肇事日軍撤回原防，恢復事件以前之狀態，靜候合法解決。」【三】至此，恢復「事變以前狀態」只是解決「盧溝橋事變」中雙方軍事衝突的方法，尚非解決中日兩國戰爭的外交原則。

七月十七日，蔣介石在盧山談話中提出：在和平根本絕望之前一秒，我們還是希望和平的，希望由和平外交方法，求得盧事的解決。但是，我們的立場有明顯的四點：（一）任何解決，不得侵害中國主權與領土完整。（二）冀察行政組織，不容任何不合法之改變。（三）中央政府所派地方官吏，如冀察政務委員會委員長，不能要求任人撤換。（四）第二十九軍現在所駐領土，不能受任何約束。蔣稱：這四點立場，是弱國外交的最低限度。蔣的這些主張，已經超出「盧溝橋」這一具體事件的範圍，發展為解決中日兩國間衝突的一般原則，成為後來提出「恢復盧溝橋事變前原狀」的思想基礎。

「盧溝橋事變」後，蔣介石和國民政府一如既往，將問題提交國聯，以爭取國際的支持和援助。九月十三日，國聯在日內瓦開會。會議將問題交給國聯遠東諮詢委員會。遠東諮詢委員會指責日本「訴諸武力」的行為，但拒絕宣佈日本為侵略者，建議在比利時的布魯塞爾召開《九國公約》簽字國會議討論。會前，列強的設想是：通過有關國家的共同幫助，「在中國和日本之間，以斡旋或調停的方法達成一項和平解決的辦法」。為此，列強希望在中日兩國軍隊之間達成停戰或停火，同時邀請日本參加會議，直接對話，勸導日本接受調解。當時，中國駐法大使顧維鈞通過其駐倫敦和華盛頓的同僚們已經瞭解到，有關國家「把重點放在先實現停止敵對行動，然後通過斡旋或調解取得迅速解決」。【四】但是，現地「停戰或停火」對中國並不利。盧溝橋事變發生以後，日軍已經迅速佔領北平、天津以及河北省的廣大地區，上海也正處於日軍的包圍中。現地「停戰或停火」將意味着首先承認日本侵略者的這些「戰果」。

為準備參加《九國公約》會議，爭取對中國最有利的結果，中國政府曾在國內外的少數智囊人士中徵求意見，從而形成了一份文件，題為《關於九國公約會議之初步研究》。該文件提出，無條件的「先行停戰」對中國不利。文件稱：

> 會議之時，或先提出一要求雙方停戰，留出時間以便接洽……日本方面若不允停戰，應付極易，但慮日本方面軍事或到利於停戰之時，未嘗不可允許，果爾，中國方面地位極感困難，因中國方面立足在自衛二字，無拒絕停戰之理由……但先行停戰，除軍事上或有作準備之利益外，皆有害無益。

因此，智囊人士建議，中國外交人員應提早與英、美、法、蘇等國暗中接洽：「聲明如有先行停戰之要求，至少須附有『日本軍隊應迅速退還盧溝橋事變前原狀』一條件，否則事實上無異幫助日本壓迫中國也。此點為會議前應暗中請英、美等國諒解之一重要點。」【五】智囊人士的意見是正確的。如果「恢復盧溝橋事變前原狀」作為中日兩國軍隊之間「停戰或停火」的條件，那就意味着剝奪日軍在「盧溝橋事變」以來所取得的各種「戰果」（包括已經佔領的土地），是一個有利中國而且易於為國際社會理解和接受的方案。

當時，中日之間的最大問題是日本已經佔領了中國東北廣大土地，並且建立了一個傀儡政權——滿洲國。怎樣面對這一現實呢？智囊人士在另一份文件中提出：

吾人共同最後之希望，固在收復東三省暨其他一切失地，及廢除一切不平等條約，但若不先在一強有力中央政府統治之下，完成經濟、社會、軍事上之新建設，似尚不足以言此，故吾人認為：一、在此會議，不必堅持收復東三省失地及修訂條約兩問題；二、於日本要求，應慎重考慮，不必一概予以拒絕，且須以具體對策應付之。[六]

智囊人士認為，收回東北三省及其他一切失地，廢除一切不平等條約是中國的奮鬥目標，但這兩個問題的解決有賴於中國的強大，《九國公約》會議作用有限，因此，不應在會上提出它所無法解決的問題。

智囊人士的意見顯然得到蔣介石的肯定。十月二十一日，陳布雷代表蔣介石致電顧維鈞，對出席《九國公約》會議的中國代表作出指示：一、促動蘇俄參戰決心，並設法減免其未能決心之憂慮。二、繼續運動各參加國政府及社會，加緊對日一致之經濟壓迫，務使國聯譴責日本之決議事實化。三、向參加各大國請求戰費借款及軍械貸款。同時，陳布雷要求代表們於會前先向英、美、法、蘇等國說明「最要各點」：

一、調解方案未妥協前，無條件之先行停戰，於中國大不利，至少必須有「日本軍隊應退還盧溝橋事變前原狀」一條件。

二、華北已成為中國國家最後生命線，……不能容任日本所謂「特殊化」之組織存在。

三、必須設法令日本將在中國之駐兵及軍事特務機關完全撤退。【七】

這樣，「恢復盧溝橋事變前原狀」就成為中國代表參加《九國公約》會議的預案。《九國公約》簽字國會議於十一月三十日在布魯塞爾會議召開。中國代表不僅會前做了相應的工作，而且也在會上提出了這一問題。十一月六日，顧維鈞偕中國駐德大使程天放會見美國首席代表戴維斯。此前，日本政府已經向德國駐日大使狄克遜提出，要求德國政府出面斡旋，因此。戴維斯詢問程天放：如果德國真想提出願意為中國調停，中國是否接受調停？什麼樣的條件中國方面可以接受？程天放當即回答：「任何調停應有先決條件，即須恢復七月七日以前之狀態。」【八】

根據以上敘述可見，在提出「恢復盧溝橋事變前原狀」方案的同時，蔣介石及其智囊人士並未準備放棄東北，而是準備將這一「老大難」的問題留待適當時機，以免干擾當前較易解決問題的解決。此後，蔣介石和國民政府在很長時期內一直採取這一策略。

二　在陶德曼「調停」過程中的運用與蘇聯政府的支持

一九三七年十月，日本四相會議決定，以軍事和外交雙管齊下的辦法，迫使中國政府取消抗日政策，放棄抵抗。【九】二十二日，日本參謀本部派馬奈木敬信上校到上海，邀請德國駐華大使出面「調停」中日戰爭。十一月二日，陶德曼會見蔣介石，威脅蔣接受德國在第一次世界大戰期間的教訓，及時結束戰爭，不要落到「無條件投降」的悲慘下場。十一月三日，德國駐日大使狄克遜致電陶德曼，轉述日本外務省提出的七項和平條件：內蒙建立自治政府，與外蒙國際地位相等；沿「滿洲國」邊境至平津以南一線設立非武裝區；擴大上海的非武裝地帶；停止排日政策；共同反共；降低日華關稅稅率；尊重外國權益。日方同時聲明：如日本被迫延長戰事，則條件必數倍苛刻。【一〇】同日，德國外長牛賴特訓示陶德曼，將上述條件轉告蔣介石並勸其接受。

十一月五日，陶德曼會見蔣介石及孔祥熙，轉告日本條件，再次警告蔣：「千萬不可到了精疲力竭的時候再想主意」。蔣介石當即提出恢復「盧溝橋事變」前原狀問題。他說：「只要日本不恢復原狀，他就不會接受日本任何條件。至於具體條件當然可以討論，但首先必須恢復原狀。」【一一】可見，蔣提出這一問題，目的仍在剝奪日本「盧溝橋事變」以來的「戰果」，抵制日方以其武力勝利為基礎所提出的新的侵略要求。蔣自感當天的談話很強硬，在當日日記中自述云：「敵託德使傳達媾和條件，試探防共協定為主，余嚴詞拒絕。」【一二】十二月二日，蔣介石在會見陶德曼時重申：「中國在華北之主權與行政必須不變，並須保持其完整。」「如德國元首向中日兩方建議停戰，作為恢復和平之初步辦法，則中國準備接受此項建議。」【一三】當日，蔣介石決定將談判情況通知英、美、法、蘇四國。【一四】十二月二十一日，日本內閣會議提出「基本條件」（新四條），要求中國放棄容共和反抗日、滿政策，在必要地區設置非武裝地帶，在日、滿、華三國間，簽訂密切的經濟協定，對日本賠款。【一五】中國政府認為「上項條件無考慮之餘地」。二十八日，蔣介石密囑楊杰，將上項條件密告蘇聯政府並聽取意見。【一六】

當時，中國和蘇聯在反對日本侵略上有共同利益。十月二十二日，蔣介石致電正在莫斯科訪問的中國軍事代表團團長楊杰，命其向蘇方詢問，如《九國公約》會議失敗，中國用軍事抵抗到底，蘇俄「是否有參戰之決心與其時期」。【一七】十一月，伏羅希洛夫、斯大林在會見楊杰和張沖時都表示，在緊急關頭，蘇聯將參戰。【一八】但是，蘇方的答覆不過是一種表態。因此，當南京危急，蔣介石要蘇聯「仗義興師」時，蘇聯卻借詞推託了。十二月五日，斯大林、伏羅希洛夫致電蔣介石，聲稱「假使蘇聯不因日方挑釁而即刻對日出兵，恐將被認為是侵略行動，日本在國際輿論的地位將馬上改善。」斯大林等開出的「參戰」條件是：《九國公約》簽字國全部或其中主要國家的允許和最高蘇維埃會議的批准。電中，斯大林等表示，在上述條件未能滿足時，蘇聯將用種種途徑及方法，極力增加對中華民族及其國民政府的技術援助，同時，支持蔣介石在和陶德曼談判中的立場。電稱：「日本如撤回其侵華中及華北之軍隊，並恢復『盧溝橋事變』以前的狀態時，中國為和平利益計，不拒絕與日本實行和平談判。」【一九】

這樣，將「恢復盧溝橋事變以前原狀」作為中日談判的前提，就不僅是蔣介石和中國政府的主張，而且也成了蘇聯政府的意見。

三　蔣介石在對日談判中一貫堅持的先決條件

陶德曼「調停」因中國政府的婉拒而失敗，但是，日本政府和軍方都仍然「戰和並用」，一面軍事進攻，一面暗中談判，蔣介石對日本，事實上也採用同樣的對策。在公開的聲明和演講中，蔣介石多次批判與日本的談和、妥協活動，他對孔祥熙通過多種渠道和日方的聯繫也常持嚴厲的批評、阻遏態度，但是，在日本多次伸出「和平」觸角時，蔣介石也曾「姑妄試之」，小心翼翼地親自掌控過和日方的幾次秘密談判。在這些談判中，蔣介石始終堅持非「恢復盧溝橋事變前原狀」不可。它既是與日方的談判條件，也是談判的前提。

一九三八年九月，蕭振瀛與和知鷹二在香港談判。九月二十三日，蔣介石在漢口主持彙報會，決定「倭必先尊重中國領土、行政、主權之完整，與恢復七七事變前之原狀，然後方允停戰。」【二〇】二十七日，蕭振瀛在談判中強調：「現在日軍進攻武漢，大戰方酣，中國方面不能作城下之盟，故目前最要之着，為停止軍事，恢復七七前之狀態。」【二一】當時，和知鷹二以同意「恢復盧溝橋事變前原狀」為餌，要求與中國簽訂軍事與經濟協定。二十八日，蔣介石致電蕭振瀛，要求蕭向日方堅決表明：「原狀未復，誠信未孚，即未有以平等待我中國之事實證明以前，決不允商談任何協定」。【二二】十月八日，蔣介石在對參加談判的另一人員雷嗣尚「面訓」時再次指示：「談判重點應集中於恢復七七事變前原狀。」【二三】十九日，何應欽又向蕭轉達蔣介石指示：「關於經濟合作與軍事佈置等事，必須待恢復原狀後，以能否先訂互不侵犯協定為先決問題。又無論何項合作，必以不失我獨立自主之立場而不受拘束為法則，請於此特別注意。」【二四】

蕭與和知的香港談判中，中國方面曾準備了一份宣言，中稱：「中國所求者，惟為領土、主權、行政之完整，與民族自由平等之實現。日方誠能如其宣言所聲明，對中國無領土野心，且願尊重主權、行政之完整，恢復盧溝橋事變前之原狀，並能在事實上表現即日停止軍事行動，則中國亦願與日本共謀東亞永久之和平。」【二五】在這段文字下面，蔣介石曾經以紅筆加寫了一段：

> 我政府對於和戰之方針與其限度，早已屢次聲明，即和戰之標準全以能否恢復七七以前之原狀為斷。蓋始終以和平為主，認定武力不能解決問題也。

中方草擬的《停戰協定》規定：「停戰協定成立之同時，兩國政府即命令各該國陸、海、空軍停止一切敵對行動，日本並即撤兵，在本協定簽字後三個月內（恢復）七七盧溝橋事變以前之原狀。」【二六】

關於「滿洲國」問題，中方認為，此為「中日間之瘤」，此問題若不能成立諒解，預示未來解決之趨向，以後各項合作協定，均難簽訂成立，因此，蕭振瀛等提出「相機應付」的三條原則：（一）日方自行考慮，以最妥方式及時機，自動取消「滿洲國」，日本保留在東北四省一切新舊特權，但承認中國之宗主權。（二）中國承認東四省之自治，而以日本取消在華一切特權為交換條件（如租界、領事裁判權、駐兵、內河航行等等）。（三）暫仍保留，待商訂互不侵犯條約時再談。[二七] 其中「待商訂互不侵犯條約時」為蔣介石親筆所加，可見，蔣介石主張先為其易，後為其難，將東北問題留待未來解決。

一九三九年一月九日 蔣介石研究「和平原則」，確定：「甲、領土、行政、主權之完整。乙、以《九國公約》與國際聯盟為保證有效。丙、非先恢復七七以前原狀無恢復和平之可言。（以恢復七七戰前原狀為恢復和平之先決條件）」[二八] 同年，在軍統局人員杜石山與萱野長知、小川平吉等人的談判中，蔣介石仍然堅持「恢復盧溝橋事變前原狀」這一原則。當年三月四日，蔣介石致杜石山電云：「萱野翁不辭奔勞，至深感佩。惟和平之基礎，必須建立於平等與互讓之基礎之上，尤不能忽視盧溝橋事變前後之中國現實狀態。」[二九] 十七日，柳雲龍、杜石山在與萱野長知的會談中提出七項條件，其中第三條即為「恢復盧溝橋事變前狀態」。同年五月，小川平吉通過杜石山致函蔣介石，要求蔣「快刀斬亂麻」，迅速解決中日談判問題。二十七日，蔣未拆閱即將原函退回，並且禁止杜石山等與小川往來。小川從辛亥革命時期即和中國革命關係密切，蔣的舉動使小川極為生氣，宣稱將於六月二日回國，但蔣仍不加理會。六月二日，陳布雷致張季鸞函云：「如彼果延期回國，可知其前所稱欲回國者，全為裝腔。請注意。兄函中有休戰二字，以後如有接談時，應特改變，以我方於未恢復七七戰前原狀之先，決不允其休戰也，亦請注意。」[三〇] 陳布雷當時是蔣介石的侍從室第二處主任，代表蔣指導張季鸞的工作，此函當然代表蔣的主張。

在秘密談判中，蔣介石雖然提出以「恢復盧溝橋事變前原狀」作為先決條件，不過，蔣介石並未對此抱有過大期望。一九三八年九月，武漢會戰正酣，蔣介石分析形勢，於三日自述云：「倭寇軍閥不倒決無和平可言。惟有中國持久抗戰，不與言和，乃可使倭閥失敗，中國獨立，方有和平之道也。」【三二】五日又自述云：「敵將於武漢未陷以前，求得一停戰協定而罷兵乎？此則無異城下之盟也，應嚴防。」【三三】

四 從談判先決條件變化為「抗戰到底」之「底」

對如何解決東北問題，蔣介石有一個漫長的搖擺、矛盾、反覆的過程。

一九二九年，日本曾向蔣介石提出，希望取得在中國東北的「商租權」，即為了商業和農業需要，日本人可以在東北購買土地。蔣介石覺得可以借此暫時緩和其侵略野心，擬予同意，但受到國民黨其他大員反對，未成。一九三一年十二月，蔣介石因丟失東北，在內外各方指責聲中下野。次年一月，日本陸相荒木貞夫以支持蔣介石復出為誘餌，要求蔣贊同日本在東三省的「商租權」，並且假意表示中國可以駐兵。蔣介石即明確表示拒絕。日記云：

> 荒木甚畏共黨，亟願余主持國事，共同防共，而其商租權，是不欲明訂駐軍，以有限數，不致不能駐兵也等語誘余。倭奴卑劣，亦視余為可欺也，誠不知中國尚有人也。【三三】

同年五月十六日，蔣勉勵自己：「對俄外交，當不能放棄外蒙；對日外交，不能放棄東三省。」【三四】隨後，他並制訂對朝鮮和東北的工作計劃，指派齊世英聯絡東北，滕傑、黃紹美聯絡朝鮮。【三五】六月，蔣決定迅速派定東北義勇軍指導員，並致函張學良，囑其出兵熱河，一面與東三省各義勇軍打成一片，一面威脅山海關日軍。【三六】同月，他在牯嶺聽翁文灝談，東北三省煤礦，幾佔全國百分之六十以上，鐵礦佔百分之八十二以上，自悔此前決策錯誤，日記稱：「驚駭莫名！東北煤鐵如此豐富，倭寇安得不欲強佔。中正夢夢，今日始醒，甚恨研究之晚，而對內、對外之政策錯誤也。」【三七】同年九月十三日，他自記稱：「預期十年以內恢復東三省。凡為中華人民血氣之倫，當以此奮勉。」十八日，蔣介石在漢口，聽到日本人在租界鳴炮奏樂，慶祝佔領東北，蔣介石受到極大刺激，在日記中表示，期望能於一九四二年以前，「在中正手中報復國仇，湔雪此無上之恥辱。」【三八】這些，都反映了蔣介石思想中確有捍衛東北主權的一面。但是，日本軍國主義者一施壓，中日兩國形勢一緊張，他又軟弱、動搖。一九三三年四月三日，他回憶一九二九年的舊事時寫道：

民國十八年，明知應與俄復交，而老朽阻礙。倭寇欲東三省之商租權，余欲以此而暫緩其侵略野心，老朽目短，無識如番人，強持反對。及至蘇俄進攻吉林，張氏屈服，則倭寇野心益熾，致成今日內外交迫之局。及至胡朽事出，宋子文弄權，國益紛亂，是皆余自無主宰之所致也，何怨何尤，惟自承當耳。【三九】

從這頁日記看，蔣在一九三一年一月拒絕荒木提出的在東三省的「商租權」後，至一九三三年四月，又有所動搖。不過，應該指出的是，這次動搖為時短暫。蔣介石寫下上述日記之後的第二十二天，他就又「研究對倭戰略」，認為「與倭決最後之勝負，惟在時間之持久耳」。【四〇】

日本侵佔東北，特別是扶植溥儀成立所謂滿洲國後，曾多次向中國政府提出，希望通過談判解決有關問題，但蔣介石大都拒絕不談。其原因，在於蔣認為這種談判只能使中國「喪權辱國」，不如不談；即使談判成功了，日本政府並沒有控制、約束其軍方的能力，談了也等於白談。【四一】一九三七年七月，「盧溝橋事變」

爆發，蔣介石認為「犧牲已到最後關頭」，決心應戰。他預估：再有兩年時間，將可恢復「盧溝橋事變」前原狀；十年後，不只收復東北全境，而且可以收回台灣，扶持朝鮮獨立，自信必「由我而完成」！【四二】八月五日，胡適和陶希聖聯名給蔣介石上條陳，主張放棄東三省，承認「滿洲國」，以此換得日本讓步，從根本上調整兩國關係。蔣介石即表示：日本沒有信義，「以為局部的解決，就可以永久平安無事，是絕不可能，絕對做不到的」。【四三】次年二月二日，他在日記本中寫道：「如去年乘國內統一，對倭形勢較優之時，急謀解決東北問題，或割讓，或策封保留宗主權，而不出於承認形式，非特勢所不能，即使解決一時，以彼倭少壯派軍人之侵略思想，與其政府之不能控制，不能守信，則一二年間仍必向關內侵佔，絕非根本解決之道也。」【四四】此後，蔣介石在三月二十二日、二十三日的日記中都寫過類似的話。一言之不足而反覆言之，這就說明，在國民黨內部，持此說者非止一人。當時，蔣介石正籌備召開臨時全國代表大會，蔣在提前寫作的演講要旨中寫道：「和戰問題。降不如戰，敗不如亡。若我不降，則我無義務，而責任在敵，否則敵得全權，而我全責。民不成民，國不成國，則存不如亡也。」並說：「敵國政府，無權失信。若我放棄東北，徒長敵寇侵略之野心，永無和平之一日。」【四五】當年九月十八日是東北淪陷的第七個年頭，蔣介石自我反省云：「收復失土，痛雪國恥，全在一身，能不自強乎？」【四六】

不過，蔣介石雖然希望收復東北，但在相當長的一段時期內，他又不準備，甚至反對採用戰爭的手段。在國民黨臨時全國代表大會的演說中，他說：「『兵凶戰危』，古人常說『不得已而用之』。凡是真正懂得軍事的人，一定不願輕於作戰，尤其自本黨當政以來，一向以和平為職志，決不願輕啟戰爭，這是一定的道理。」話題轉回現實之後，蔣介石表示：「我們這幾年，一方面抱定保持我獨立生存的決心，同時對於和平，始終為最大的努力，也不但是東北問題，就是其他中日之間的懸案，我也常常表示，只要經過正當、合法的外交方式，只要無害於中國國家的獨立生存，我都可以負責解決。其理由就是保持和平為我們固有的理想，所以百事應着眼於民族久遠的利害，而不在乎計較一時的恩怨得失。」【四七】國民黨臨時全國代表大會是一次標示國民黨轉變政策，確立抗戰建國方針的會議，但是，即使在這時，蔣介石對解決東北問題的底牌也仍然是「經過正當、合法的外交方式」。

一九三九年一月十六日，蔣介石在國民黨五屆五中全會發表演講《外交趨勢與抗戰前途》，將這一解決東北問題的「底牌」表達得更明確：一方面，他堅決表示：「外蒙有自治之可能，而滿洲完全是中國人，絕對不能獨立。」接着，他解釋「抗戰到底」之「底」時說：

> 我們要解釋「到底」兩字的意義，先要檢討這回抗戰起頭是在什麼地方，才可以得到結論。我們這次抗戰是起於盧溝橋事變。凡是一種戰爭，要有目的，要有限度的。如果隨便瞎撞，會使國家民族自趨滅亡。我們這次抗戰的目的，當然是要恢復盧溝橋事變以前的狀態，如果不能達到這個目的，就不能和日本開始談判，假使能夠恢復盧溝橋事變以前的狀態，可以開始談判，以外交的方法，解決東北問題……若在盧溝橋事變以前的狀態沒有恢復，即與日本談判，便是我們最大的失敗。……這是我抵抗的機會，也是我們不能不抵抗的時候。這時候我們無論如何只有和他拚命。……若恢復了平津，我門再不以外交政治的方法與日本談判，也是自趨滅亡之道。【四八】

在這一段演講中，「恢復盧溝橋事變前原狀」仍然是與日本談判的條件和前提。如前述，在特定條件下，這一主張有其正確的、策略性的一面，是一個有利於中國而不利於日本的方案。但是，蔣介石將收回東北的希望只寄託在「外交的方法」，說什麼「若恢復了平津，我們再不以外交的方法與日本談判，也是自趨滅亡之道」，這就有問題了。外交的方法，談判的方法，可以是方法之一，但是，要讓日本侵略者將已經進口的肥肉吐出來，在一般的狀況下，「外交的辦法」難於濟事。因此，還必須準備另一手，即武力收復，將日本侵略者趕出東北。然而，在蔣介石看來，這就是「自取滅亡之道」。顯然，這是危言聳聽。此事說明，自盧溝橋事變起，全面抗戰爆發已經一年半，但蔣介石的對日恐懼症仍然很嚴重，對將抗日武裝鬥爭進行到底，既缺乏信心，也缺乏決心，反映出蔣介石在對日鬥爭中特殊的軟弱性。

五　蔣介石對「抗戰到底」之「底」所作的新解釋

如前述，將「恢復盧溝橋事變前原狀」作為中日談判的先決條件是可以的，但是，作為「抗戰到底」之「底」則不妥。蔣介石不久改正了這一錯誤。

一九三九年七月七日，蔣介石發表《抗戰建國二週年紀念告日本民眾書》，指責日本侵略中國，搶奪中國東北領土，建立偽滿洲國等行為：「把一大群人看成奴隸了，反要說是給了自由；把中國一部分領土佔據了，反要說是建立了獨立國。」【四九】同日，蔣介石發表《告世界友邦書》，指出「今日國際間一切無法律、無秩序之無政府狀態，實由一九三一年之九一八，日本強佔我東北四省始作之俑所造成」。文告表示：「在敵人未徹底放棄其侵略政策以前，我國抗戰，無論遭受如何犧牲與痛苦，決不有所反顧或中止也。」【五〇】這裡「抗戰到底」之「底」就被說成日本「徹底放棄其侵略政策」，較之「恢復盧溝橋事變前原狀」前進了。

當年十一月十八日，蔣介石在國民黨五屆六中全會上發表講話，批判國民黨內要求變更抗戰建國方針，及早結束對日戰爭的錯誤思想。他說：「如果我們國家民族一天沒有得到獨立自由平等，抗戰就一天不能停止，而我們的犧牲奮鬥和努力，也就一刻不容鬆懈，更絲毫不容有徘徊觀望、半途而廢的心理，幻想苟且和平！否則抗戰失敗，國家滅亡，我們就作了中華民族千古的罪人！所以現在如有人以為敵人已無法進犯，他的侵略之技已窮，我們可以乘此機會與他講和，或者以為友邦都不可靠，不如自己早些設法和平，這就是陷入與汪精衛同樣錯誤危險的心理。」蔣介石主張：「一面堅持抗戰，一面抓緊建國，再要埋頭苦幹三五年，非獲得徹底的勝利和成功，使敵人根本放棄其侵略政策，決不能停戰言和。」

講話中，蔣介石對對抗戰到底之「底」作了新的解釋。他說：

所謂「抗戰到底」究竟是怎麼講呢？我們抗戰的目的，如何乃能達成？我們抗戰的目的，率而言之，就是要與歐洲戰爭──世界戰爭同時結束，亦即是中日問題要與世界問題同時解決。我在五中全會說明抗戰到底，要恢復七七事變以前的原狀，是根據以中國為基準的說法。若以整個國際範圍來論斷中日戰爭的歸趨，就一定要堅持到世界戰爭同時結束，乃有真正的解決。

他強調：「如果那一個國家想單獨調停或想藉此謀他一國的利益，不論出於何種方式，結果都必然失敗。」【五一】這裡，蔣介石所說中國「抗戰到底」的「底」就和世界反法西斯戰爭結合起來，擴大了視野，提升了要求，因而糾正了前說的錯誤。

蔣介石的這一變化和國際形勢的發展密切相關。蔣介石早就認為，中日戰爭是國際問題，它的解決也有賴於國際形勢的變化。一九三八年五月二十六日日記云：「不能引起世界大戰，恐不易使倭國失敗也。」【五二】七月二十七日自記云：「中倭戰事問題，實為國際問題，非有國際干涉，共同解決，則決不能了結。否則，直接講和，則中國危矣。」【五三】當時，蔣介石已在研究，如歐洲戰爭爆發，則中國將與英、法、俄共同作戰。日記云：「速謀與英、法、俄進行共同作戰之計劃，以期中倭問題得到根本解決。」又云：「向英、法政府懇切商談，使國際盟約中之制裁條款為有效條款，藉以號召多數國家共同制裁，且須同樣運用於歐亞三洲之戰爭。」【五四】一九三九年九月一日，德軍進攻波蘭。同月三日，英、法對德宣戰，第二次世界大戰全面爆發。這一形勢使蘊藏於蔣介石心中的期待成為現實，因此，他才能在五屆六中全會的報告中，將中國的抗日戰爭和世界戰爭聯繫起來，並對中國抗戰目標作了修正和提升。

六 「最大之成功」與「最小限度之成功」

歐戰的爆發燃起了蔣介石的希望，使他敢於公開倡言，中國「抗戰到底」之「底」與世界戰爭之「底」同步，但是，歐戰最初並不順利，法軍和英軍相繼戰敗。一九四〇年六月，法國向德國投降，英軍撤出歐洲大陸。同月，法國宣佈封閉滇越鐵路。七月，英日之間達成妥協，宣佈封鎖滇緬路。中國最重要的對外通道先後斷絕。蘇俄則因準備對德國作戰，拒絕對中國的進一步援助。在此情況下，蔣介石不得不繼續對日本採取戰與和的兩手策略，同時相應地將抗戰目標區分為「最大之成功」與「最小限度之成功」兩種類型。

當年八月，日軍積極謀劃南侵，向東南亞進軍，力圖結束對華戰事。在這一形勢下，蔣介石曾準備利用時機，爭取與日本實現於中國相對有利的談判。同月，在蔣介石指導下，張群、張季鸞與陳布雷等起草過一份《處理敵我關係之基本綱領》，中云：

最大之成功為完全戰勝，收回被佔領掠奪之一切，不惟廓清關內，並收復東北失土；最小限之成功，則為收復七七事變以來被佔領之土地，完全規復東北失地以外全國行政之完整，而東北問題，另案解決之。以上兩義，前者戰勝之表現，後者則為勝敗不分，以媾和為利益時之絕對的要求。

關於「最小限度之成功」，《綱領》說：

滿洲偽國與蒙、藏不同，其地本為普通行省，其人民最大多數本與各省人民完全屬於同一之民族系統，故其解決之方法，應不同於外蒙、西藏。惟該地被日本侵佔已久，在我國不能用兵力收回之過渡期間，應視為與外蒙、西藏相類之懸案。扶助溥儀之偽政府，第一步使取得滿洲內政上自治之政權，使該地漢、滿、蒙人民先脫離被佔領地人民之境遇，第二步，與溥儀直接協商，先求得一過渡的解決之辦法，而最後與外蒙、西藏同為聯邦之一，完全復歸於中國。

這一方案的核心是，將希望寄託在溥儀身上：扶助其「自治」，使東北與外蒙古、西藏作為「聯邦」之一回歸中國。

《綱領》又將東北問題的解決分為甲案與乙案：

東北問題：一、甲案，現在不提，戰後另作交涉。二、乙案。現時先取得一種諒解，約期交涉。關於此點，我方又分兩案：（一）要求日本承認我國在東北之主權，而中國承認東北之自治。我中央派駐滿指導長官一人，常駐長春，代表中央，但不干預其通常施政。（二）要求日本先行改革滿洲制度，使溥儀之政府確有施政用人之自由，廢除日籍官吏制度，還政東北人民。此項改革完成之後，我中央得與溥儀之政府直接協商以求東北懸案之解決。

在此項協商開始以前，中日可訂臨時辦法，以便利關內外人民之交通與經商。我方尤當注意要求日本善遇我東北同胞，廢棄九一八以來仇視、賤視我人民之政策。

蔣介石等估計，和日本談判時，日本可能提出承認「滿洲國」時，《綱領》強調：「我國應聲明不能承認。」「東北問題，須待和平完全恢復後另案交涉，現在不能提議（但熱河不在東北範圍之內）。」《綱領》規定：「我國為被侵略國家，故和議之發起，必須出自敵方……應深切考查，其條件是否無背於我建國原則，而足以達到我最小限之成功，必須在確認為我作戰目的已得最小限之貫徹之時，始允其開始和平之交涉。」張季鸞等還在起草的初稿中提出召開停戰會議的原則：一、（日本）凡作戰而來之軍隊，完全撤退；二、凡所佔領長城以內及察綏之土地完全交還；三、不平等條約定期取消。」【五五】上述原則表明，「恢復盧溝橋事變前原狀」仍然是中日談判的一項前提條件。

該方案先後有幾種稿子，名稱和內容都不盡相同。《中日恢復和平基本辦法》規定：「日本政府保證永不將東北各省劃入日本領土，或採取其他行動使各該省在名義上或事實上成為日本之保護國。」《中日恢復和平協定要點》規定：「東北問題即滿洲問題之懸案，於恢復和平後一年以內特開會議，另案解決。」《對敵策略的幾個疑點》規定：「我國既不能收回（東北），又不容放棄，故利在延擱不決。」又稱：「實質的收回，在將來為可能，此當在我國防完成，而敵人有求於我之時，或敵人在國際戰敗之時，因此，我又決不可自棄東北，以失去將來實質收回之根據。」上述資料表明，蔣的抗戰方案有「最大之成功」和「最小限度之成功」、

「軍事」和「外交」兩種。當他着眼於「最小限度」時，也沒有放棄爭取「最大成功」的希望。

九月十八日，蔣介石發表《「九一八」九週年紀念告全國同胞書》，明確宣告，將收回東北列為「抗戰到底」之「底」。文稱：「我們到今天，還不能解放我們東北的同胞，收復我們的失土和主權，這就是沒有達到我們抗戰的目的，無以安慰已死的英靈。」他明確宣佈：「我們九年來忍苦奮鬥，三年來奮勇抗戰的目的，就為要恢復我們國家的主權和領土，要解救我們三千餘萬的東北同胞。」又稱：「我們四萬萬同胞和東北三千餘萬的同胞是一脈相承的黃帝子孫，是手足同氣、呼吸相通的兄弟。為了拯救國家，我們大家都負有相同的責任；為要解救我們水深火熱中三千餘萬的東北同胞，我們在關內四萬萬同胞更覺得犧牲奮鬥是自己的責任。」「我們今天多抗戰一天，就是恢復我們國家獨立自由和達到我們雪恥復仇目的的日子更接近一天，也就是收回東北和解救東北同胞的日子更接近一天。」【五六】 九月二十九日，蔣介石在日記中寫道：「東北被侵已足九年，但願為收回東北開始之日也。」【五七】 次日，蔣介石檢閱舊日記中預期收回東北、台灣等地的文字時寫道：「以天意與最近時局之發展及上帝護祐中華，不負苦心人之意與力測之，自有可能。」【五八】

七　反對蘇、美兩國的妥協、錯誤主張，力保東北主權

歐戰爆發，英、法作戰不利，原為西方殖民地的東南亞成為「真空地帶」。日本眼紅該地的富饒資源，叫嚷「不要誤了公共汽車」，力謀冒險南進。這種情況，使英、美更多地關心中國戰場。一九四一年三月，美國羅斯福總統發表廣播演說，聲明一定要「援華到最後勝利為止」。在此情況下，蔣介石的抗戰信心日漸增強。日記云：「此後只要我能自強奮勉，則十年困難，四年苦鬥，……不惟恢復失土已得有把握，而太平洋之和

平，亦從此奠定，要在我之自力更生耳。」【五九】但是，國際風雲變幻莫測，一個月之後，就發生蘇聯與日本簽訂《中立條約》事件。

當時，德軍進攻蘇聯在即，蘇聯為全力對德，避免兩面作戰，力圖穩住在東方的日本。一九四一年四月，蘇聯與日本在莫斯科締結《中立條約》。蘇聯保證尊重「滿洲國」的領土完整和不可侵犯性，日本保證尊重「蒙古人民共和國」之領土完整。十四日，蔣介石自我檢討云：「竟未想到其互認滿蒙之領土，此乃余對事理未能究其至極之過也。」【六〇】十五日，國民政府外交部長王寵惠發表聲明：「東北四省及外蒙之為中華民國之一部，而為中華民國之領土，無待言贅。中國政府與人民對於第三國所為妨害中國領土行政權完整之任何約定，決不能承認。」【六一】二十四日，蔣介石密電各戰區將領及各省黨部、省政府稱：「只要我能獨立自強，戰勝暴敵，則收回失土，恢復主權，勢所必至，理亦當然。區區蘇、日一紙不法之聲明，豈能永為我領土與主權完整之障礙！」【六二】同年九月一日，重慶國民政府在被日機炸毀的禮堂廢墟上舉行「紀念周」，蔣介石自勵云：「此乃余前年所謂即在瓦礫中，亦在重慶國府原址作紀念周之決心也。安知吾於廿一年立志，欲於卅一年收復東北之志不能貫徹乎？」【六三】

這以後接踵而來的消息有如噩夢連連。九月十二日，蔣介石得到情報，美日達成妥協，美國已同意日本佔領中國的華北與滿洲。蔣介石日記云：「今日問題，權操在我，非美國默認所能解決。今日中國政府絕非甲午戰爭時之政府可比，在此不惟美國之自殺政策，乃為美國之不利，而於我抗戰政策根本不變之下，顧無損也。」【六四】十八日，蔣借東北淪陷十周年之機，發表《告全國軍民書》，文稱：「我們非完全驅逐寇軍於我們的國境以外，徹底消滅他侵略的野心，我們的抗戰，是決不能停止的。我們若非使東北同胞獲得真正的自由，東北的失地完全恢復，我們神聖的抗戰，亦決不會停止的。」「我們東北同胞與全國同胞的生命是整個的，東北四省的土地與全國的土地，也是完全整個不容有寸土分割的。我們整個民族和整個領土，是存則俱存，亡則俱亡，生則同生，死則同死，這是我們天經地義的道理。」【六五】蔣介石的這篇文章，名為「告全國軍民」，實為對國際的宣告。同年十二月六日，蔣介石與拉鐵摩爾顧問談話，囑其轉告羅斯福總統：「中國決不能放棄東北，否則新疆、西藏皆將不保，外蒙亦難收復。」【六六】此後，拉鐵摩爾即成為蔣介石這一主張在美國的積極宣傳者。【六七】

一九四一年十二月，日本偷襲珍珠港，太平洋戰爭爆發，英、美對日宣戰，中國由單獨抗戰進入與同盟國聯合作戰階段，國際形勢對中國越來越有利，蔣介石保護東北主權的意識也就越來越強烈。

還在太平洋戰爭初起時，蔣介石就積極研究同盟條約，確定對英、對俄、對各國要求：「東四省、旅順、大連、南滿，要求各國承認為中國領土之一部分。」【六八】一九四二年三月，蔣介石設想，在日本「北進」，進攻蘇聯之時，中國軍隊乘機與日本決戰，「收回失地，恢復舊有領土與民族固有地位，以為解放亞洲各民族之張本。」【六九】十五日，他甚至樂觀地設想，將於一九六一年之前完成自蒙古庫侖至東北滿洲里之間的北疆鐵路。同年八月三日，蔣介石與羅斯福總統代表居里談話，得知美國方面有人主張東北由國際共管，作為日本與蘇聯之間的「緩衝國」。這對蔣介石說來，宛如「青天霹靂」，感到「國際誠無公道與是非可言，實足寒心」，【七〇】但他立即聲明：「中國東北為中國領土之一部分，絕無討論之餘地。此實為中國抗戰之基本意義。蓋我抗戰若非為收復東北失地，早可結束矣。」蔣要求居里盡一切可能糾正美國人的上述包含極大危險的錯誤觀念，讓他們明白，中國民眾之所以甘於忍受重大犧牲與各種困苦，支持抗戰，其原因就在於要收復東北。他並進一步向居里透露中日談判中的許多機密：日本曾表示，只要中國允許日本保留東北，可以接受中方的一切條件；又曾提出，中日共管東北亦可商量。蔣稱：這些，都遭到中國政府的堅決拒絕。為了讓居里記憶明晰，蔣用三句話概括說：一、我等已作一切犧牲抵抗日本侵略，唯一目的在收復東北。二、我等之所以尚須繼續抗戰，因尚未收復東北。三、東北四省就歷史、法律、人種、事實各方面言，五百年來皆為中國不可分之一部。蔣要求居里轉請羅斯福發表聲明，重申東北是中國的一部分。蔣強硬表示：「倘此問題不解決，則平等、自由以及其他一切悅耳之名詞，皆無意義可言。」【七一】次日，蔣再次與居里談話，態度更為強硬，他說：「倘和平會議席間，不能返我東北失地，仍為我不可分割領土之一部分，我人仍將繼續抗戰，即招致國家之毀滅，亦在所不惜。凡不承認東北為我領土之一部分者，皆為我仇。」【七二】五日，蔣介石再與居里談話，仍然表示「整個東北為中國之一部，望羅總統早日聲明。」【七三】在蔣介石的一再堅持下，美國政府於九月十八日發表聲明，承認東三省為中國領土，蔣介石感到欣慰，日記云：「此乃由余對居里所提問題之一也。」【七四】

同年九月，羅斯福派威爾基作為總統特使訪華。三十日，蔣介石研究與威爾基談話要點，其第二條即為：「東北為中國領土之一部分，必須完全歸還中國。」【七五】十一月九日，因宋美齡赴美在即，蔣介石研究須與美國商討事項，有長期同盟；東三省與旅大完全歸還中國；台灣歸還中國；外蒙歸還中國，予以自治等。【七六】這以後，蔣介石日記中頻繁地出現關於東北問題的記載。一九四三年三月一日，蔣介石日記云：「偽滿傀儡組織，至今恰九年矣。」【七七】五月四日日記云：「溥儀昨日到安東州，汪奸本日六十一歲生日，皆為國家之羞恥也。」【七八】二十五日，蔣介石研究美國訪蘇代表戴維斯談話，日記云：「其提及旅順為自由港一點，是越出余之主張矣。」【七九】

八　在開羅會議上與英國爭論，要求明確聲明，將東北、台灣等地歸還中國

太平洋戰爭爆發後，形勢急轉直下。一九四二年十一月，蘇軍在斯大林格勒戰區組織反攻，英、美軍隊在北非登陸。一九四三年九月，意大利投降，世界反法西斯戰爭取得重大勝利。十一月二十二日至二十六日，美、英、中三國首腦在開羅會議，商討聯合對日作戰計劃及戰後如何處置日本等問題。

為準備參加開羅會議，蔣介石於一九四三年七月起草擬各項文件。當月九日，蔣介石研究與羅斯福會談後的共同宣言要旨，提出「必須獲得無條件之勝利」，這就將中國抗日戰爭和世界反法西斯戰爭目標提到了一個前所未有的高度。【八〇】八月九日，蔣研究與羅斯福談話要點，其中第一個問題就是「東北問題」。十五日，蔣介石研究戰後中國國防建設，自記云：「東北收回後則維持其原有之工業與國防，以其餘力充實我本部之建設。」【八一】二十四日，研究對美策略，認為「戰後在台灣與旅順之海、空軍根據地應准與美國共同使用。」【八二】十一月九日，蔣介石研究與羅斯福、邱吉爾談話要點，問題之一為「東北」。十四日，研究與羅斯福商討日本無條件投降後的處理方案，確定「日本在九一八以來所侵佔中國地區所有之公私產業應完全由中國政府接受」。十八日，確定會談應注意之重大問題，其內容之一為「東北與台灣應歸還我國」。【八三】二十二日，再次研究會談要旨，「東北與台灣、澎湖應歸還中國」仍為重點之一。

在蔣介石指導下，軍事委員會為開羅會議所準備的文件提出：日本應自其在「九一八」起所佔領之中國及其他聯合國之地區撤退；將旅順、大連兩地一切公有財產及建設，以及南滿鐵路與中東鐵路無償交還中國；將台灣與澎湖列島交還中國；承認朝鮮獨立；賠償中國自九一八起一切公私損失。國防委員會所準備的文件提出：「收復一八九四年以來日本所取得及侵佔之領土。」十一月二十三日，國防最高委員會秘書長王寵惠在預

擬的政府方面提案中提出：日本自「九一八」事變後自侵佔之中國領土，包括旅大租界地及台灣、澎湖，應歸還中國。

開羅會議開幕後，蔣介石在與羅斯福總統討論中提出：「東北四省、台灣、澎湖群島應皆歸還中國。」【八四】討論確定的原則為：日本攫取中國之土地應歸還中國，應使朝鮮獲得自由與獨立，戰後日本在華公私產業完全由中國政府接受等。十一月二十四日，開羅會議公報草案提出，日本由中國攫取之土地，例如滿洲、台灣等，當然應歸還中國。討論中，英國代表賈次幹企圖將中國主權模糊化，提出將草案改為：「日本由中國攫去之土地，例如滿洲、台灣與澎湖列島，當然必須由日本放棄」。王寵惠認為，英國的這一修改，「不但中國不贊成，世界各國亦將發生懷疑」。他說：「世界人士均知此次大戰，由於日本侵略我東北而起，而吾人作戰之目的，亦即在貫徹反侵略主義。苟其如此含糊，則中國人民乃至世界人民皆將疑惑不解。故中國方面對此段修改文字，礙難接受。」他表示：「如不明言歸還中國，則吾聯合國共同作戰，反對侵略之目標，太不明顯。」美國代表支持王寵惠的意見，英國草案被否決。二十六日，草案送請正在討論的羅斯福、邱吉爾和蔣介石審閱，得到一致贊成。會議定稿的公報宣稱：「三國之宗旨，在剝奪日本在一九一四年第一次世界大戰開始後在太平洋上所奪得或佔領之一切島嶼，在使日本所竊取於中國之領土，例如東北四省、台灣、澎湖列島等，歸還中國。」公報稱：「我三大盟國將堅韌進行其重大而長期之戰爭，以獲得日本之無條件投降。」

這樣，中國對日作戰的目標就進一步提升，遠遠超出「恢復盧溝橋事變以前原狀」了。

一九三八年四月一日，國民黨召開臨時全國代表大會，蔣介石曾傳達孫中山的遺志：「恢復高台，鞏固中華。」蔣解釋說：「中國要講求真正的國防，斷不能讓高麗和台灣掌握在日本帝國主義者之手。中國幾千年來是領袖東亞的國家，保障東亞民族、樹立東亞和平是中國義不容辭的責任。為要達成我們國民革命的使命，遏止野心國家擾亂東亞的企圖，必須針對着日本積極侵略的陰謀，以解放高麗、台灣的人民為我們的職志。」【八五】現在，這些理想都已納入開羅會議宣言，實現在即，蔣介石很興奮。於一九四四年元旦發表《告全國軍民同胞書》，內稱：「在這次開羅會議中，英、美兩國和我們中國一致同意，要剝奪日本第一次大戰後所奪得或佔領的太平洋上一切島嶼，要將日寇逐出於其以武力貪欲所攫取的土地，要歸還東北四省和台灣、澎湖等島嶼與我們中華民國，要使朝鮮自由獨立……這不但使熱望歸還祖國懷抱的台灣、澎湖同胞聞而興奮，使我們淪亡十二年以上的東北同胞鼓舞奮發，使不堪日寇奴辱的朝鮮國民聞風興起，而且也是亞洲所有被日寇欺凌壓迫的海上、陸上一切民族，都感到解放之有期，共同為消滅敵人而奮鬥。這樣一個重大而有力的共同決議，可以說在十年以前我們只是一個志願，而到了今天已成為事實了。」【八六】

九　國民政府為完全收回東北主權所作的鬥爭、讓步與代價

《開羅宣言》雖然明確宣佈，將東北、台灣、澎湖列島歸還中國，但是要將紙上的宣言轉化為現實並不是容易的事。其關鍵的關鍵是要擊潰日本的強大軍事力量。

依靠國民黨的軍隊嗎？一九四四年三月至一九四五年一月，中國駐印軍和中國遠征軍雖然在緬北等地的戰鬥中取得勝利，挫敗日軍精銳師團，但是，卻在豫湘桂戰役中潰敗。自一九四四年四月日軍渡過黃河，進攻河南始，至當年十二月佔領貴州獨山止，八個月之內，日軍長驅兩千餘公里，佔領中國二十多萬平方公里土地。這一切，使羅斯福感到，國民黨的軍隊當時還不具備擊潰日軍的力量。倚靠美國人嗎？在太平洋戰爭中，美國軍隊和日軍實行逐島爭奪與越島作戰，已經付出了慘重的犧牲，羅斯福不願付出更大的犧牲。為了爭取世界反

法西斯戰爭的徹底勝利，羅斯福企圖利用蘇聯紅軍的力量。一九四五年二月，羅斯福、邱吉爾、斯大林在雅爾塔秘密決定，蘇聯在德國投降和歐洲戰事結束時，協助中國對日宣戰。但是斯大林提出，必須滿足蘇方下列要求：一、外蒙古人民共和國之現狀應加以保存；二、蘇聯應恢復以前俄羅斯帝國之權利，此權利因一九〇四年日本之詭譎攻擊而受破壞者：（一）南庫頁島及其毗連各島應歸還蘇聯。（二）大連商港應闢為國際港，蘇聯在該港之優越權利應獲保障，旅順仍復為蘇聯所租用之海軍基地。（三）中東鐵路以及通往大連之南滿鐵路，應由中蘇雙方共組之公司聯合經營，蘇聯之優越權利應獲保障，中國對滿洲應保持全部主權。三、千島群島應割於蘇聯。以上各條，除南庫頁島及千島群島的有關規定外，均嚴重損害當時中國的主權。蔣介石對斯大林所提條件強烈不滿，四月五日日記云：

關於旅順問題，寧可被俄國強權佔領，而決不能以租借名義承認其權利。此不僅旅順如此，無論外蒙、新疆、或東三省被其武力佔領不退，則我亦惟有以不承認、不簽字以應之。蓋弱國革命之過程中，既無實力，又無外援，不得不以信義與法紀為基礎，而不能稍予以法律之根據。如此則我民族之大，憑藉之厚，今日雖不能由余手而收復，深信將來後世之子孫亦必有完成其領土、行政、主權之一日。要在吾人此時堅定革命信心，勿為外物脅誘，簽訂喪辱賣身契約，以貽害於民族，而得保留我國家獨立、自主之光榮也。【八七】

對於與斯大林達成交易的美國總統羅斯福，蔣介石也指斥其「賣華」、「侮華」，「畏強欺弱，以我中國為犧牲品之政策，實為其一生政治難滌之污點」。【八八】他擔心羅逝世後，「美國對華政策恐將比現在更壞」，於五月二十三日致電時在美國的代理行政院長宋子文，轉告美國新任總統杜魯門，要求其向斯大林說明：「美國必堅持其對遠東一貫政策，使中國之領土、主權與行政完整不受損害，凡在華領土之內，不能有任何特權之設置也。」【八九】六月三日，蔣介石在重慶接見蘇聯駐華大使彼得洛夫，說明「本人希望蘇聯早日參加對日作戰」，「希望蘇聯能幫助中國的獨立、行政與領土之完整，希望恢復東三省領土主權完整與行政獨立」。他一方面表示，如蘇聯幫助中國恢復東三省領土，中國將在東三省的鐵路、商港等方面，給予蘇聯便利，蘇方如有軍港需要，亦可與蘇方共同使用。但是，蔣又以委婉語氣表示：「我全國人民咸認不平等條約、領事裁判權及租界等事為國家的恥辱，一致痛恨，吾人為革命黨人，自應注意人民之心理與要求，而期其要求之實現。」【九〇】這實際上又在提醒蘇聯，不要將新的不平等條約強加給中方。六月六日，蔣介石指示宋子文，旅順至少限度必須中俄共同使用，「若俄提歸其獨佔，則我必須反對到底，決不許可也。」【九一】十一日，蔣介石兩電宋子文，表示可以同意與蘇聯共同使用旅順，但「租界」地名稱「為我國之歷史恥辱」，「今後不能再有此污點之發現」，「此點非堅持不可」，「否則所謂東北領土主權與行政仍不完整，仍非獨立也」。【九二】十二日，彼得洛夫向蔣介石提出締結中蘇友誼互助條約的五項先決條件，其第一條即是「恢復旅順港之租借」，他表示，蘇聯是一個太平洋沿岸國家，需要有不凍港。蔣介石堅決反對，他從歷史角度說明，此例不可開，蘇聯不應使中國成為「不平等的國家」【九三】

六月三十日，蔣介石派宋子文訪蘇，會見斯大林，斯大林表示旅順可不用「租借方式」，但堅持中國必須承認「外蒙獨立」。宋子文根據蔣介石的指示，企圖將這一問題「擱置」。但是，斯大林的態度極為強硬，毫不讓步。七月六日，蔣介石指示宋子文：「若蘇聯能協助我對日抗戰勝利，對內切實統一，則為蘇聯與外蒙以及我國之共同利益與永久和平計，我政府或可忍此犧牲。」【九四】七月七日，蔣介石兩次指示宋子文，在蘇聯保證中國東三省領土、主權及行政之完整，今後不再支持中共與新疆「匪亂」的條件下，可以同意蘇聯要求。七月十日，蔣介石接到宋子文轉來的蘇聯方面所提大連、旅順、中東鐵路、南滿鐵路等多項條件，認為比一八九八年（光緒二十四年）清政府與沙俄所訂條約還要「苛刻」，日記云：「明知其為討價，而寸衷刺激不堪，所受侮辱亦云極矣。」【九五】七月十九日，蔣介石接見蘇聯駐華大使彼得洛夫時再次強調：「外蒙獨立，則於我國犧牲極大」，蘇聯必須同時「協助我東三省領土、主權與行政權的完整，及解決國內共產黨的問題，和新疆變亂的解決。必須這三點做到，我才可排除一切，解決外蒙問題。」【九六】他堅持：「兩條鐵路和兩個海港的中國主權，一定要完整的。」八月六日，美國向日本廣島投下第一顆原子彈，八月八日，蘇聯對日宣戰，數十萬蘇軍攻入中國東北。八月十四日，國民政府外交部長王世杰與蘇聯外交部長莫洛托夫在莫斯科簽訂《中蘇友好同盟條約》：中國政府承認外蒙古獨立、中東鐵路及南滿鐵路改名為中國長春鐵路，主權屬於中國，由中蘇兩國共同經營；大連闢為自由港，行政權屬於中國；旅順口由「兩國共同使用」，民事、行政權屬於中國旅順政府。在《條約》所附照會中，蘇聯政府承認「東三省為中國之一部分，對中國在東三省之充分主權重申尊重，並對其領土與行政之完整重申承認。」【九七】同日，日本正式宣佈投降。

蔣介石並非不懂得，中國的抗日戰爭必須首先建立在自力更生基礎上。一九三八年八月十五日，他就表示過：「戰事只有自力為可恃耳。」【九八】但是，蔣介石在事實上無法做到，他還是只能將希望建立在外力上。當蔣介石決定接受斯大林的條件時，中國雖已躋身「四強」，但是，名強而實不強，外強而內不強。國民政府自身無力全部殲滅日寇，收回東北，爭取抗日戰爭的徹底勝利，不得不仰仗外力，而其結果是付出了巨大代價。

綜觀抗戰八年的歷史，蔣介石兌現了自己「抗戰到底」的諾言，他為此確定的「底」也逐漸變化，從「恢復盧溝橋事變前原狀」，發展為收復包括東北、台灣在內的所有失地，解放朝鮮等東亞被侵略民族，再發展為與盟國共同作戰，爭取世界反法西斯戰爭的「無條件之勝利」。這種情況，當然有蔣的個人作用在內。對於這種作用，人們應該承認而不應該抹煞，但是，我們又要看到，這種情況的發生，主要是中國抗戰國內外環境的變化，特別是世界反法西斯戰爭勝利形勢日益明朗的結果。

原載《中國文化》第二三期，北京三聯書店二〇〇六年五月版，略有修訂

註釋：

【一】《外交部致日本駐華大使館》，中華民國外交問題研究會編：《盧溝橋事變前後的中日外交關係》，台北：中華民國外交問題研究會印行，第二一一頁。

【二】《王寵惠與日高信六郎談話記錄》，《盧溝橋事變前後的中日外交關係》，第二二三頁。

【三】《外交部致日本駐華大使館》，《盧溝橋事變前後的中日外交關係》，第二一二頁。

【四】《顧維鈞回憶錄》第二卷，北京：中華書局，一九八五，第五八九頁。

【五】「蔣檔」。

【六】《中日兩國在九國公約會議所採取之態度及應取之辦法》，「蔣檔」。

【七】《應令顧大使等注意要點》，「蔣檔」。

【八】《顧維鈞等致外交部》，一九三七年十一月六日，《盧溝橋事變前後的中日外交關係》，第三九六—三九七頁。參見《顧維鈞回憶錄》第二卷，第六一七頁。

【九】《日本四相會議關於處理中國事變的綱要》，《年表及文書》下卷，東京：原書房，一九七八，第三七〇頁。

【一〇】《德國調停案》，《外交部案卷》，東京：原書房，一九七八，00062A，0556。

【一一】ADAP, Serie D（1937-1941），Bd.1,No.516，中譯文參見中國史學會編：《抗日戰爭》，《外交》（上），四川大學出版社，一九九七，第一六四頁。

【一二】《蔣介石日記》，手稿本，一九三七年十一月五日。

【一三】《陶德曼十二月二日電》，《德國調停案》，《外交部案卷》，台北：國史館藏。

【一四】《困勉記》，一九三七年十二月二日，台北：國史館藏。

【一五】《日本內閣會議議決的日本外務大臣致德國駐日大使覆文》，《年表及文書》下卷，，東京：原書房，一九七八，第三八〇頁。

【一六】《王寵惠致楊杰電》，《德國調停案》，《外交部案卷》。

【一七】《蔣委員長致蔣廷黻轉楊杰電》，《對蘇外交》，第四六頁，「蔣檔」。

【一八】《蘇中關係（一九三七—一九四五）》俄文版，第一冊，第一一一號、一二一號文件，莫斯科：二〇〇〇，第一三八、一五六頁。

【一九】《對蘇外交》，「蔣檔」。

【二〇】《蔣介石日記》，手稿本。參見《事略稿本》，未刊稿，台北：國史館藏。本稿正陸續刊行中。本文所引，凡註明冊數者為已刊，反之為未刊。

【二一】《此次談判經過》，一九三八年九月三十日，「蔣檔」。

【二二】《九月二十八日覆蕭仙閣電》，「蔣檔」。

【二三】《面訓要點》，「蔣檔」。

【二四】何應欽：《致蕭振瀛皓午電》，「蔣檔」。

【二五】《中國宣言原文》，「蔣檔」。

【二六】《停戰協定原文》，「蔣檔」。

【二七】《關於「滿洲國」問題之考慮》，「蔣檔」。

【二八】《蔣介石日記》，手稿本，一九三九年一月九日。

【二九】小川平吉文書，抄件，日本國會圖書館憲政資料室藏。

【三〇】《陳布雷致張季鸞函》，「蔣檔」。

【三一】《蔣介石日記》，手稿本，一九三八年九月三日。

【三二】《蔣介石日記》，手稿本，一九三八年九月五日。《事略稿本》引用本日日記時多出數語：「如無國際變化或英美向倭壓迫，則中倭決無和議可言。即使敵國承允恢復盧溝橋事變以前狀態，亦決無實現之可能。國家存亡，革命成敗，皆在於我之能否堅忍不拔，勿為和議之說所搖撼耳。」

【三三】《蔣介石日記》，手稿本，一九三二年一月七日。

【三四】《困勉記》，一九三二年五月十六日。

【三五】《蔣介石日記》，手稿本，一九三二年五月二十九日、三一日。參見《事略稿本》第一四冊，第五一七—五二〇頁。

【三六】《蔣介石日記》，手稿本，一九三二年六月四日、六月十五日。參見《事略稿本》第一五冊，第九五頁。

【三七】《蔣介石日記》，手稿本，一九三二年六月十七日。

【三八】《蔣介石日記》，手稿本，一九三二年九月十三日、十六日。

【三九】《蔣介石日記》，手稿本，一九三三年四月三日。

【四〇】《蔣介石日記》，手稿本，一九三三年四月二十五日。

【四一】《對日抗戰與本黨前途》，《先總統蔣公思想言論總集》，台北：中國國民黨黨史委員會，一九八四，卷一五，第一九三頁。

【四二】《蔣介石日記》，手稿本，一九三七年七月二十五日。

【四三】參見拙著：《楊天石文集》，上海辭書出版社，二〇〇五，第四六七—四六八頁。

【四四】《民國二十七年雜感》，《蔣介石日記》，手稿本，一九三八年。

【四五】《蔣介石日記》，手稿本，一九三八年三月二十三日。

【四六】《省克記》，一九三八年九月十八日，台北：國史館藏。

【四七】《先總統蔣公思想言論總集》卷一五，第一九八—一九九頁。

【四八】《國民黨五屆五中全會速記錄》，台北：中國國民黨黨史館藏。

【四九】《先總統蔣公思想言論總集》卷三十，第八〇頁。

【五〇】《先總統蔣公思想言論總集》卷三〇，第一〇二—一〇三頁。
【五一】《先總統蔣公思想言論總集》卷三〇，第四七四—四七九頁。
【五二】《蔣介石日記》，手稿本，一九三八年五月二十六日。
【五三】《困勉記》，一九三八年七月二十七日。《事略稿本》係於一九三八年七月二十八日條下。
【五四】《蔣介石日記》，手稿本，一九三八年九月十八日。
【五五】有旁線的文字為蔣介石所加。
【五六】《先總統蔣公思想言論總集》，卷三一，第二二〇—二二八頁。
【五七】《蔣介石日記》，手稿本，一九四〇年九月二十九日。
【五八】《蔣介石日記》，手稿本，一九四〇年九月三十日。
【五九】《蔣介石日記》，手稿本，一九四一年三月三十一日。
【六〇】《蔣介石日記》，手稿本，一九四一年四月十四日。《省克記》引本日日記時尚有二語：「此過不改，必致誤國。」
【六一】《新華日報》，一九四一年四月十五日。
【六二】蔣介石：《蘇日中立條約之檢討》，國防最高委員會檔案，003/2081，台北：中國國民黨黨史館藏。
【六三】《蔣介石日記》，手稿本，一九四一年九月一日。
【六四】《困勉記》，一九四一年九月十二日。此後，蔣介石也曾反對英國的類似態度。其一九四二年十二月二十一日日記云：「（英國）不僅明示日本在東三省保有其經濟權，而且以鄰國二字使俄國對我東三省有同等權利。嗚呼！其用心之險惡可謂極矣！」
【六五】《先總統蔣公思想言論總集》，卷三一，第二六八頁。。
【六六】《民國三十年雜錄》，《蔣介石日記》，手稿本，一九四一。
【六七】《中華民國重要史料初編——對日抗戰時期》，第三編，《戰時外交》（一），中國國民黨黨史委員會，一九八一，第六八〇頁。
【六八】《困勉記》，一九四一年十二月十八日。

【六九】《困勉記》，一九四二年三月十四日。
【七〇】《蔣介石日記》，手稿本，一九四二年八月三日。
【七一】《戰時外交》（一），第六八〇—六八二頁。
【七二】《戰時外交》（一），第七〇一頁。
【七三】《蔣介石日記》，手稿本，一九四二年八月五日。
【七四】《蔣介石日記》，手稿本，一九四二年九月十八日。
【七五】《蔣介石日記》，手稿本，一九四二年九月三十日。
【七六】《蔣介石日記》，手稿本，一九四二年十一月九日。
【七七】《蔣介石日記》，手稿本，一九四三年三月一日。
【七八】《蔣介石日記》，手稿本，一九四三年五月四日。
【七九】《蔣介石日記》，手稿本，一九四三年五月二十五日。
【八〇】《蔣介石日記》，手稿本，一九四三年七月九日。
【八一】《困勉記》，一九四三年八月十五日。
【八二】《困勉記》，一九四三年八月二十四日，參見《蔣介石日記》，手稿本，一九四三年八月十五日。
【八三】《蔣介石日記》，手稿本，一九四三年十一月十八日。
【八四】《蔣介石日記》，手稿本，一九四三年十一月二十三日。
【八五】《對日抗戰與本黨前途》，《先總統蔣公思想言論總集》卷一五，第一八七頁。
【八六】《先總統蔣公思想言論總集》卷三二，第五〇—五一頁。
【八七】《蔣介石日記》，手稿本，一九四五年四月五日。
【八八】《蔣介石日記》，手稿本，一九四五年三月十五日、四月十三日、三十日；參見《困勉記》相關記載。
【八九】《戰時外交》（三），第五四七頁。
【九〇】《戰時外交》（三），第五四九—五五〇頁。

【九一】《戰時外交》（三），第五五四頁。
【九二】《戰時外交》（三），第五五八頁。
【九三】《戰時外交》（三），第五六一頁。
【九四】《戰時外交》（三），第五九四頁。
【九五】《蔣介石日記》，手稿本，一九四五年七月十日。
【九六】《戰時外交》（三），第六三七頁。
【九七】《戰時外交》（三），第六五六頁。
【九八】《事略稿本》，一九三八年八月十五日。

蔣介石與史迪威事件

史迪威事件是抗戰期間中美關係上的大事，自梁敬錞的《史迪威事件》一書出版以來，研究已多。但是，由於此前的研究者都未能利用蔣介石日記和宋子文檔案，甚至未能充分利用史迪威本人的日記，因此，就給我們留下了仍可開闢、耕耘的廣大空間。今天通過解讀蔣介石與史迪威日記，可以進一步瞭解這一事件的全貌、實質、由之激起的中美關係的巨大波瀾以及蔣宋關係的曲折變化。

一 蔣在日記中批史「無作戰經驗」，史在日記中稱蔣為「固執的傢伙」

太平洋戰爭爆發後，蔣介石即謀求與美、英、蘇等國結盟，組建國際反法西斯戰線。一九四一年末，美國總統羅斯福致電蔣介石，建議建立中國戰區盟軍最高統帥部，以蔣介石為最高統帥。當時，中國抗戰正處於艱難時期，蔣介石對盟軍的合作自然期望甚殷，但是，美國此後並無重要動作，引起蔣介石嚴重不滿。一九四二年一月三十日，蔣介石自記說：「美英對於整個戰局與太平洋戰局，仍無具體整個之組織。」「彼輕蔑我國，可謂異甚，應嚴加責問。」【一】三月，史迪威來華，擔任中國戰區統帥部參謀長，兼美國總統代表、駐華美軍司令及美國援華物資監理人。最初，蔣介石持歡迎態度，其後，二人間逐漸發生矛盾，並且不斷發展、激化。

日軍於一九四二年初攻入緬甸，英軍不堪一擊，一再潰敗。二月二十六日，蔣介石命令中國第五、第六兩軍緊急開進緬甸，協助英軍固守緬南海口城市仰光，確保當時中國僅存的滇緬路這一國際通道。三月四日，蔣介石面諭中國遠征軍副司令長官兼第五軍軍長杜聿明，要他在史迪威到任之後「絕對服從」其指揮。杜問：如果史的命令不符合你的決策時怎麼辦？蔣稱：可打電報請示。但蔣回重慶後，又以手書告訴杜聿明，強調「絕對服從史迪威的重要性」。【二】六日，蔣介石在重慶與史迪威第一次見面，就向他表示，準備將緬甸戰場的指揮權交給他。【三】同月八日，英軍放棄仰光，中國入緬部隊失去目標。蔣擔心日軍乘中國軍隊入緬之際，自越南進攻中國雲南，有調回入緬軍、加強雲南及長江流域各省防務的念頭。日記云：「英軍之怯弱，殊為可恥。以後我軍入緬部隊之戰略，應特加審慎，重新研討也。此時必須自固根基為第一，不可以外物（鶩）國際不可靠之事物而自誤也。」【四】三月十日，在史迪威赴緬指揮前夕，蔣介石又與史談話，聲稱「我軍此次入緬作戰能勝不能敗」，「苟遭失敗，不但在緬甸無反攻之望，即在中國全線再發動反攻，滇省與長江流域後備不堅，亦將勢不可能」。【五】他主張保衛當時距離中國後方據點較近的緬甸的首都曼德勒（瓦城），待日軍深入，予以痛擊後再行反攻。

仰光是美國援華物資的轉運站。史迪威視之為「生命線」，認為「一旦失去仰光，供應線將被切斷」，因此，他在入緬後不久，即雄心勃勃地迅速擬定計劃，準備推動中國遠征軍儘快南下，收復仰光。三月十八日，史迪威飛返重慶，向蔣提出此項建議，但蔣介石認為，仰光瀕海，日軍具備海陸空三方面的優勢，中國軍隊如無空軍和炮兵掩護，很難克復該地。史蔣二人進行了激烈的辯論。蔣每提一個論點，史迪威即加以反駁。【六】當日，蔣在日記中批評史迪威「無作戰經驗，徒尚情感」，「不顧基本與原則」。【七】三月十九日，蔣介石再次與史迪威談話，分析緬甸戰場形勢，提出「目前應取守勢，切勿輕進以求僥倖」。【八】蔣稱：如果再過一個月，防線平安無事，他將考慮進攻的問題。談話中，蔣要求史迪威保證不要讓第五、第六軍吃敗仗，但史則表示無法辦到，要蔣「另外找一個能保證這一點的人來，因為我無法保證做到這一點」。【九】這次談話，史迪威大為不滿，當日即在日記中指責蔣為「固執的傢伙」。【一〇】在此期間，美方發表消息，聲稱中國第五、第六兩軍歸史迪威指揮，入緬作戰，蔣介石認為此屬洩密行為，日記云：「美國又發表我入緬軍之番號，無異詳報於敵軍，其可慮可危，未有如此事之甚者。故寢為之不安。」【一一】

二 中國遠征軍初戰失利，蔣介石憤恨交加

為了保衛曼德勒，中國遠征軍第五軍第二百師戴安瀾部在緬甸南部的同古（東籲）設防。自三月十八日起，與日軍血戰十二天，殲敵五千餘人。其間，史迪威堅主進攻，杜聿明則認為兵力不足，反對進攻，二人發生爭執，以致鬧翻。史迪威要求杜「服從命令」，並派人監督杜執行，但杜認為此舉關係遠征軍存亡，中國軍隊既未能適時集中兵力與敵決戰，即應在予敵一定打擊之後及時轉移，以保存戰力。【一二】二十九日晚，戴部奉令突圍，安全轉移。蔣介石與杜聿明的想法一致，日記云：「我第二百師已放棄同古，自動轉進至葉蓮西之東南地區，與新二師取得聯繫，心竊自慰。敵軍遭此重大打擊，而我軍並無多大損失，自動撤退，更足寒敵軍之膽，彼倭必不敢向緬北輕進。」日記中批評史迪威：「以為應在同古全力決戰，此不知敵軍心理與戰地實情之談也。故此次放棄同古，乃達成余一貫之意圖也。」【一三】

史迪威也對杜聿明的抗命不滿，在日記中斥責杜聿明和新編第二十二師師長廖耀湘為「卑怯的雜種」和

「十足的懦夫」。【一四】三月三十一日，史迪威憤而返渝，向蔣介石提出：對指揮中國第五、第六軍，「深感所得權限未足，未能令出必行，致有三次可以發動反攻之機會，皆蹉跎坐失。」【一五】他要求蔣介石免去其本人職務。對史迪威的態度，蔣介石自然感到不快，日記云：「（史迪威）以我軍師長不聽其進攻同古敵軍之命令，嘔氣回渝辭職，殊出意外。我出國作戰，對敵對友，對當地民心，皆多困難。客卿指揮我軍，又不熟悉各方內情，皆須面面顧到，較之國內作戰之單純者，其難易相去有天壤之別，殊為可慮。而史氏受英方宣傳與運動，更可顧慮。於緬戰英軍無力，而必欲掌握指揮權，圖保其虛名，殊為可羞。明知我雖犧牲而無益，而為全局與美國關係計，又不能不撐持到底，惟有照預定方針進行以待時局之推移而已。」【一六】同樣，史迪威也感到不快，日記稱：「由於愚蠢、恐懼和態度消極，我們失去了一個在東籲打退敵人的絕好機會，根本原因在於蔣介石的插手。」「他身處距前線一千六百英里的地方，寫下一道接一道的指令，要我們去做這做那，其根據是零散不全的情報和一種荒謬的戰術概念。他自認為懂得心理，事實上，他自認懂得一切，他反覆無常，隨着行動中的每一個微小變化而不斷改變主意。」「其結果是使我本來就很小的權威消失得無影無蹤。我沒有軍隊，沒有警衛，沒有槍斃任何人的權力。」【一七】

四月一日的談話，史迪威有意向蔣「攤牌」，自稱「發作了一番，言辭激烈」，「投下的那些炸彈發出了巨大的轟響」。【一八】但是，蔣介石仍然極力忍耐。四月二日，蔣介石與史迪威談話，告以杜聿明「少年氣盛」、「過分固執」，決定以年事較高、經驗豐富的羅卓英為中國遠征軍司令長官，在史迪威指揮下統率中國入緬部隊作戰。蔣並決定親自陪同史迪威回緬。【一九】蔣介石《反省錄》云：「一、對緬戰事，思慮異甚。既憂部下在國外過於犧牲，補充為難。又憂失敗時喪失國威與軍譽。二、史迪威乃動氣請辭，此乃於中美邦交有關。故決定約之同回緬甸，予以全權，表示對彼誠意，使之勿加懷疑也。」【二〇】

四月五日，蔣介石與史迪威、羅卓英同機飛赴緬甸北部城市臘戍。六日，到美苗（眔謬），與史迪威及英軍司令亞歷山大商談。七日，蔣與史討論後，又與羅卓英、杜聿明、戴安瀾各將領談話，宣稱史迪威是「老闆」，「有提升、撤職、懲罰中國遠征軍中任何一名軍官的權力」，「他們應無條件服從命令」。【二一】蔣的這些做法，可以說給足了史迪威面子，但是，蔣很快又因事對史不滿。八日，蔣介石向孫立人師長授以曼德勒五萬分之一地圖，面示防守要略，並與史迪威、羅卓英同往實地設防。蔣在視察新築機場工程時，發覺進度緩慢，日記云：「史氏稱美苗機場十三天可以完工，是彼受英方之欺負，而又欺騙我者也。可痛極矣。」【二二】

當時，英國的戰略重點在歐洲戰場；在亞洲，其戰略是「棄緬保印，保存實力」。在緬英軍或聽任中國遠征軍獨立作戰，或利用中國部隊掩護自己撤退。四月二十四日，蔣介石指示：「國軍今後在緬甸之作戰指導，應以不離開緬境，而又不與敵主力決戰為原則。依此原則，以機動作戰，極力阻止並遲滯敵之發展。」【二三】同時，指示遠征軍守衛臘戍、密支那、八莫等鄰近中緬邊境的城市。但是，史迪威和羅卓英都還醉心於組織曼德勒會戰。五月一日，曼德勒失陷。五日，日軍攻佔八莫，威脅中國遠征軍的歸國通道。六日，英軍決定放棄緬甸，史迪威下令中國遠征軍向印度撤退，史本人拒絕美方派來接他的飛機，親率少數人員徒步西行。蔣介石對史迪威未經請示就下令向印度撤退大為不滿，日記云：史迪威「擅自令我華軍赴印度而彼且離開隊伍，先自赴印，並無一電請示。此種軍人，殊非預想所及。然此乃余考察無能與信人太過之罪，而於人何咎！」【二四】十八日，蔣介石要美國駐華軍事代表團團長馬格魯德轉告史迪威，「中國軍隊無退入印度之意」。【二五】在撤退過程中，遠征軍一度糧盡藥絕，飢病交迫，犧牲慘重，直至七月二十五日，杜聿明所部直屬隊等才到達印度。入緬時，遠征軍兵員約十萬人，至此，僅餘四萬人左右。【二六】

六月四日，史迪威自印度德里回到重慶，向蔣介石彙報，嚴厲批評中國遠征軍的高級將領：「殊令人失望」，「或缺能力，或缺膽略」，聲稱「彼等居處離前線太遠，且無意親上前線。」「因循遷延為各高級將領之通病」。他甚至點名批評杜聿明「個性剛愎，不易應付」。他自稱這次彙報為「開門見山，指名道姓」，「那情形就如同在踢一位老婦人的肚子一樣」。【二七】蔣對這些批評大不以為然，認為史對此次撤退負有重大責任，但卻「不知自反，而專事毀人利己」。【二八】六月五日日記云：「我軍在緬如此重大犧牲，其責任全在史氏之指揮無方，而彼乃毫不自承過失，反詆毀我高級將領至此。當失敗之初，彼乃手足無措，只顧向印度逃命，而置我軍於不顧，以致我第五軍至今尚未脫險。烏呼！史迪威誠不知恥者也。」【二九】由此，蔣介石更進一步指責美國軍事代表團，「大部皆自私自大之流」。【三〇】六月十六日，蔣研究對史迪威的處理辦法，產生「軍法審判」的念頭。日記云：史迪威「推諉責任，掩埋罪過，故不得不毀壞他人名譽，誣衊我國將領。此應提議開軍法審判，使美國政府能知史之不法與無禮也！」【三一】至此，蔣介石對史迪威的印象可謂惡劣至極，而史迪威對蔣的印象也同樣很糟糕，日記稱：「中國政府是一個建立在威恩兼施基礎上的機構，掌握在一個無知、專橫、頑固的人手中。」【三二】

三　蔣介石要求對史迪威實行軍事審判

為了援助被侵略國家，一九四一年三月，美國國會通過《進一步促進美國國防和其他目的法案》（租借法案），授權美國總統以出售、轉讓、交換或租借等方法向對美國國防至關重要的國家提供國防物資。先後受援的國家有英國、蘇聯、中國、自由法國等。但是，其間的條件並不平等，給英國、蘇聯的援助物資可直接撥交，而對中國的援助物資，則必須通過監理人史迪威分配。此外，在華盛頓成立的的聯合參謀長會議（參謀團），也將中國拒之門外。

蔣介石企圖改變上述情況。一九四二年四月十九日，蔣致電時在美國爭取援助的宋子文，要求宋與羅斯福總統作「肺腑深談」。電稱：「在聯合參謀會議及軍用品供應之主要事項中，中國並非受有英、蘇之同等待遇，不過類似一受保護人而已。」「將來英美聯合參謀會議，如不擴大包括中國，或將中國置於軍用品分配董事會之外，則中國勢必成為棋中之末卒。」他指示宋子文：「須堅執予等有予等本身之立場，予等須維持本身獨立之地位。」【三三】五月十八日，蔣介石在重慶接見美國軍事代表團團長馬格魯德時直率表示：「今日之參謀團，惟有英美參加，擁五百萬大軍與日本作殊死戰之中國反不能廁及，實非中國所願見。」「中國軍民對此措置，刺激實深。深感中國名為同盟國，實被歧視。戰時之待遇已暴露不平等之痕跡如此，戰後如何，未敢想像矣。」【三四】六月十八日，蔣介石致函中國駐美軍事代表團團長熊式輝及宋子文，批評美國方面對中國戰區的組織與籌備工作進行不力，電稱：「中國戰區至今並未有何組織與籌備進行，對於維持中國戰區至少限度與其可能之方案，亦尚未着手，空軍建立與補充以及空運按月之總量，陸空軍作戰與反攻時期之整個方案，彼等皆視為無足輕重，一若中國戰區之成敗存亡皆無關其痛癢。」電報不指名批評史迪威：「不重視組織與具體方案及整個實施計劃」，「仍以十五年以前之目光視我國家與軍人，故事多格格不入。」在緬戰失敗撤退過程中，羅卓英與史迪威一度失去聯繫，史向美國軍部報告，羅離開軍隊，逃往雲南保山。【三五】蔣介石事後查明，並無其事。對此，蔣極為反感，批評史迪威「謊報」，「完全歸罪於我高級將領」，「彼竟自赴印度，並擅令我軍入印，而彼亦並未對我有一請示或直接報告（中與史本約有特用密本，平時皆直接通電），於情於理，皆出意外」。他表示：從未見過像史迪威這種「推諉罪過，逃避責任以圖自保」的人，提出應按照國際慣例，實行軍事審判，查明功過。如果美國政府有意，中國政府可將有關高級將領解送華盛頓接受審判。但是，蔣又表示：中國哲學的原則是厚於責己而薄於責人，為維護中美國交及友邦榮譽計，要嚴格保密，切不可向外人「略露一點」，使人對中國政府有「以怨報德」之想。可以看出，蔣對史迪威已經不能忍耐，但是顧慮中美關係，因此，在要求宋子文等向羅斯福彙報的時候，顯得特別小心、謹慎。電中，蔣介石也表述了中國作為「弱國」參加「國際戰爭」的心情：「不僅利未見而害先入而已，即將來戰後是否能獲得我所犧牲者相當之代價，實成問題。然而此時我國尚有一塊立足之乾淨土地，而我政府幸亦未托足於外國以寄人籬下，且亦有自立之道耳！」【三六】

宋子文對史迪威本具好感。當年四月二十八日，宋子文曾致電蔣介石，擔心緬戰不利，將降低中國國際地位，影響美援爭取，要求與史迪威合作，聯合如實向美方提出報告，電稱：「史迪威親歷其境，利害相關，所知當更透徹，此事必能與我合作，設法使聯合國間明瞭真相。」【三七】五月六日，宋子文再次致電蔣介石，報告所聞史迪威在撤退過程中拒坐飛機，率領副官步行的表現，稱讚史迪威「不失軍人本色」。電報提出，史迪威身負如空軍援華、中印空運、軍貨接濟等多重任務，要求蔣介石命其自印回渝。【三八】但是，宋子文也親身感受到史迪威掌握美援物資分配大權所帶來的困難。五月十九日，宋子文致電蔣介石稱：「美軍部以史梯威有全權，每有所商請，輒以史梯威並未要求，為不負責任推諉之詞」。宋子文再次要求蔣將史迪威調到重慶，「常依左右，遇事隨時飭報，勿使遠駐印度，否則種種計劃進行愈感延滯」。【三九】

宋子文接到蔣介石向美方提出史迪威問題的指示後，感到相當為難。當時，德國正傾全力進攻蘇聯南部，蘇軍情況危急，英美無暇東顧。同年六月，宋子文致電蔣介石提出，應盡力於以下工作：（一）中印空運；（二）美空軍多派數大隊來華助戰；（三）美根據史迪威要求，派陸軍二、三師赴印，助我克復緬甸，以利我陸運。根據上述情況，宋子文要求蔣介石「對史迪威萬分忍耐」。【四〇】

滇緬路封閉後，中國對外通道被堵。美方不得已，將已經撥給中國的十餘萬噸機械大部分收回。此後，美國援華物資只能依賴中國、印度之間的空運。根據中國抗戰需要和美國援華計劃，最低限度每月必須向中國運輸三千五百噸軍械，而中印之間的空運當時實際上只能運輸五百噸。這種情況，將導致有關援華計劃的取消。為此，宋子文多次致電蔣介石，要求蔣與史迪威切實商談：（甲）中印空運計劃；（乙）中美在華空軍計劃；（丙）國內及赴印陸軍計劃及附帶軍械問題等等。但是，始終得不到蔣的回答。宋子文詢問美國空軍參謀長，美國空軍參謀長答稱此為史迪威責任；宋子文向羅斯福總統彙報，羅答以史迪威為蔣的參謀長，諸事可由蔣向史下達命令。六月十二日，宋子文致電蔣介石，要求蔣明白示知：「文追隨鈞座二十年，必知其素性憨直，絕非意存推諉，更不願敷衍因循，事實如此，不得不一再曉瀆，即請鈞座明白示知，鈞座對史梯威感想如何？文各電所列問題，是否已與其商洽？有何困難？美方認定，接濟中國必須史梯威商承鈞座之後來電證實，始克有濟，是以文必須明瞭鈞座對史之感想及史對我之態度，始可設法相機應付也。」【四一】

這時，美國陸軍部長史汀生已經感到，蔣對史迪威「無十分信任之表示」，二人關係中出現了不和諧的因素。六月十二日，史汀生約宋子文專談史迪威問題。宋稱：如美國將本國陸軍交給蘇俄軍官指揮，將非常困難，而蔣介石卻將中國入緬部隊交給史迪威指揮，這是歷史上的「空前之舉」。史汀生則表示：史為「第一流戰將，美軍官中無出其右，故特派充蔣公參謀長，但余等崇拜蔣委員長及愛護中國之熱切，不能以對史個人感情為比例，如蔣公以為史不適當，務請直言無隱，俾得更換其他將領，決不因此發生絲毫意見。」【四二】六月十六日，宋子文致電蔣介石，建議蔣將對史的意見向美方和盤托出，同時大膽對史迪威進行指揮，電稱：「文意鈞座顧全大局之苦心，為中外所共見，但如史梯威確不能共事，不妨此時乘機直說。」「鈞座似可表示，對史梯威固至信任，但對其見解當然不能事事俯從。如此一方面不傷感情，一方面可留他日地步。陸長等既自動有另調之意，且自總統以次，均認史為鈞座部屬地位，鈞座盡可照部屬指揮命令之，不必以上賓相待，但善為利用其地位，以推動美軍部充量之接濟。」【四三】可見，宋子文關心的是利用史迪威的地位，推動美援，並不希望蔣、史矛盾激化。然後，一件意想不到的風波發生了。

四　史迪威聲稱自己是美國總統代表，暗示不能完全聽命於蔣；蔣認為史「以殖民地之總督自居」

六月下旬，德國加強了對非洲的攻勢。為解救危機，美國軍方將全部重型轟炸機和所需運輸機調往埃及，其中包括駐紮在印度的第十航空隊。二十六日，史迪威將這一「壞消息」告知蔣介石。蔣認為這是美方「置我中國危急於不顧，心殊憤激」，他在「強忍」之下，仍然責問道：「羅斯福總統來電明言已令將美國空軍第十軍由印度調來中國作戰，想令出必行，豈容擅改！」「倘英、美以為中國抗戰實力尚有保持之必要，絕不應一再無視中國之利益如此。蓋中國最近所受之待遇，不啻在英美心目中已失其存在矣。」【四四】事後，宋美齡、宋子文都提出質問，史迪威「狠狠地反駁了他們」。同日，史迪威秘密致電美國軍部，聲稱「蔣公極為激動，囑予電呈總統，其大意為：同盟國家未認中國戰場為同盟國家戰場之一部」，「中國全力抗戰已有五年，而同盟國家並未以全力援華。利比亞戰事固緊張，但中國戰場狀況亦屬緊張。」【四五】

六月二十九日，蔣介石向史迪威面交「手諭」一件，提出保持中國戰區的最低限度的需要三項：一、八、九月間美國派三個師去印度，與中國軍隊合作，恢復中緬交通；二、自八月份起應經常保持第一線飛機五百架；三、每月經過駝峰運送五千噸物資。蔣批評自美國軍事代表團抵華以來，在建設中國空軍方面，尚無特殊成就；羅斯福對中國戰區，尚有未能完全明瞭之處；太無視中國戰區。【四六】七月一日，宋美齡與周至柔、陳納德、史迪威會議。宋美齡要求史迪威將蔣的「手諭」轉交羅斯福總統，並附上史本人的推薦信。史當場拒絕，對宋稱：「這是大元帥給總統的最後通牒，超出了我的職權範圍。我借此機會闡明自己的身份，一是大元帥的參謀長，二是中緬印戰區美軍總司令，其職權超出中國之外，三是戰爭委員會的美方代表，代表和維護美國的政策，四是總統負責租借事務的代表，五是一名宣誓要維護美國利益的美國軍官。」史並在當日的日記中寫道：「如果她不懂得這一點，那她就比我想像的還要愚蠢。」【四七】

七月二日，蔣介石擬從美國已經撥給中國航空公司的飛機中轉撥兩架運輸機給中國空軍，遭到美員拒絕。史迪威為此向蔣致送《備忘錄》，一面同意此兩架飛機可由蔣介石支配應用，但同時聲稱自己是「出席中國任何軍事會議之美國代表」，「在任何上述會議中，本人所有其他地位皆不適用」。又聲稱自己是美國「總統代表」，「負責監督及管理租借器材，並決定移轉其所有權之地點與時間。俟所有權轉移之後，委座即具此項器材管理之權。」【四八】史迪威的這份《備忘錄》意在告訴蔣介石，自己雖是中國戰區的參謀長，但又是「美國總統代表」，可以不接受蔣的命令。美國租借物資只有在經過他同意之後蔣才能調用。蔣介石長期是中國的「最高領導」，令出必行，何曾受過這種對待！

接二連三的類似事件，特別是史迪威的《備忘錄》將蔣惹惱了。同日，蔣介石致電宋子文，表示「中國對租借物之受予形同乞憐求施」，指責史迪威「以總統代表資格脅制統帥」。蔣強烈表示：史既在中國戰區內擔任參謀長，「則所有其他地位皆不能適用」。【四九】七月三日，蔣介石日記指責史迪威「愚拙，其言行之虛妄，可謂無人格已極。」次日日記稱：「自覺慚愧，國勢貧弱，所以遭此侮辱。」【五〇】五日，蔣介石致電宋子文，要他促請美國政府注意。六日，宋子文電覆蔣介石，支持蔣對史迪威《備忘錄》的態度，首次提出撤換史迪威問題。電稱：「史迪威態度殊屬離奇。閱其原函，強詞奪理，謬解職權，非神經錯亂，不能狂妄至此。文日內即進謁當局，諒能加以糾正。但文亟欲知者，重新明確規定參謀長職權後，鈞座是否仍擬留其在華供職，抑或乘機更換，另選他員？」【五一】九日，蔣介石再電宋子文，要宋觀察美國政府態度，暫不表態：「先看美政府對史之來函如何處理，最好能由其自動召回也。」【五二】十八日，蔣介石與史迪威談話，產生不再要求美援的想法，日記云：「英美對亞洲有色人種觀念，根本不易改變，非我國獨立奮鬥至百年之後，決難平等。」又云：「美國對我冷淡接濟事，不如不再要求，亦一對策也。」【五三】

宋子文受蔣之命後，即與美方接洽，並親見羅斯福，陳述意見。七月二十三日，美國軍部向宋子文轉告羅斯福意見：史為中國戰區參謀長，當然聽命於蔣委員長，同時為美國駐渝租借法案代表，及國際軍事會議美國代表，當然聽命於美方。如蔣以為不便，可將史的參謀長職務和美國代表職務劃開，分由兩人擔任。美國軍部稱：總統因史迪威對中國及蔣公一向友好，而且熟悉中國情形，甚盼蔣公能繼續任用。宋子文認為美方「語氣仍不免袒護」，再次謁見羅斯福，解釋內中情形，說明史函的不當。羅斯福稱：史的職權中有代表美國出席在渝國際軍事會議一項，現在既無此類會議，事實上形同虛設。關於租借法案，此後一切由宋子文代表蔣、霍布金代表我，在華府共同解決。這樣史迪威即成為「專屬參謀長」。「如蔣公仍以史為未妥，余當更換之，但美國幹練適當之軍官甚少，另覓妥員，確有相當困難。」二十七日，美國陸軍部代擬羅斯福覆蔣介石函，仍取維持史迪威《備忘錄》態度，要求宋子文轉呈蔣介石，宋得悉其內容後，緊急謁見羅斯福，說明理由，告以「未便轉呈」。羅斯福對宋子文所言，「極以為然」，決定撤銷此電。【五四】

為了向蔣介石說明同盟國全盤戰略，調解蔣史糾紛，羅斯福於一九四二年七月派行政助理居里再次訪華。七月二十二日，蔣介石會見居里，批評同盟國戰略不當。居里問蔣，是否將史迪威調回美國？蔣答：「由美國政府自定，余不願參加意見也。」【五五】二十五日，蔣思考史迪威的《備忘錄》，認為應向美方聲明三點：「甲、史以聽命與不能聽命，由其自便之意，此為侮辱統帥。乙、租借法案〈物資〉之發與不發，由史自便，非由我求其不可，此為欺凌。丙、我認史過去之態度、行動，一人而利用其兩種職權，實以殖民地總督自居，以參謀長為名而實行太上統帥職權。此必於美國助華平等政策有礙。丁、認史此函太不認識中國，侮辱余革命人格，故不能忍受。」【五六】同日，蔣介石再次與居里談話，進一步確認西方世界歧視中國，美國與英國並無差別。日記云：「更覺西人皆視華為次等民族，無不心存欺侮，可以進一步壓迫，乃必壓迫不止。美國所謂道義與平等為號召，其實其心理與方法無異於英國之所謂。」他覺得，「對帝國主義，應爭則爭。」【五七】二十六日，蔣介石分兩次，與居里長談三個半小時，痛斥史迪威「來函不敬之過惡與美國軍部藐視與侮辱態度」。蔣自覺大義凜然，居里初時「矜持」，最後「乃亦不敢不折服」。蔣介石感到精神上的勝利，日記云：「對帝國主義者，無論其為何國，其對被壓迫之國家，皆無誠意可言，非利用即高壓，皆抱可欺則欺，可侵則侵之心，吾人若一以克己復禮、謙恭自持之道待之，則適中其計謀矣！」【五八】同時，蔣介石致電宋子文，聲稱如羅斯福來電肯定史迪威《備忘錄》，則宋可代表自己向羅表明：取消中國戰區，辭去中國戰區總司令職務。【五九】至此，蔣介石已向羅斯福擺出「攤牌」架勢。七月三十日，宋子文致電蔣介石，要求蔣乘居里在重慶期間，「凡不滿史梯威之種種事實，最好向其直言無隱。」【六〇】同日，蔣介石與居里第五次談話，居里提出「過渡辦法」，聲稱不可讓史迪威太失體面，以免他回美後反華，可令史先赴印度，美國另派一人來華暫代。蔣同意這一辦法。【六一】

五 史迪威受命在印度訓練中國軍隊，被指「擅權改制」，「毀辱國體」

上文已述，中國遠征軍第一次入緬援英戰爭失敗後，部分軍隊退入印度。一九四二年六月，史迪威向蔣介石提出在印度訓練中國軍隊的計劃，得到批准。同月二十四日，蔣指令史迪威擔任這支訓練部隊的司令。七月十六日，蔣進一步任命史迪威為中國駐印軍總指揮，羅卓英為副總指揮。八月上旬，史迪威赴印，以藍姆伽為營地訓練中國部隊。他提出，「要中國士兵，不要中國軍官，尤其不要中國將領」，從美國調來三百多名軍官，擬將駐印軍營長以上軍官均改由美國人擔任，受到中國將士的強烈反對。史遂將這部分美國軍官改為聯絡官，派往各部。【六二】但這部分聯絡官權力很大，可以直接調動營以下部隊，而無須通知中國部隊長官。同年九月，史迪威下令將第三十八師改為十個炮兵營，將原師長孫立人及廖耀湘等改任炮兵指揮或步兵指揮。十二日，杜聿明致電蔣介石，聲稱：「國家軍制係我政府法定之建制，史將軍擅權改制，實屬毀辱國體，損害主權。」【六三】同年十二月，美國政府決定向中國撥濟三十個師的軍械。十一日，蔣介石與來重慶參加會議的史迪威談話，史乘機竭力批評中國軍隊辦事延緩，羅卓英有「十大罪狀」。蔣介石雖然不高興，但尚能「忍耐」，決定撤換羅卓英，代之以邱清泉。【六四】不久，因擔心邱脾氣暴躁，不易與史迪威相處，又改為鄭洞國。【六五】至一九四四年一月，藍姆伽營地共訓練中國軍官二千六百二十六人，士兵二萬九千六百六十七人。這支部隊在後來的反攻緬甸戰鬥中發揮了巨大作用。

除退入印度者外，中國遠征軍的主力大部分退入雲南西部。一九四三年二月，軍事委員會決定重建遠征軍，以陳誠為司令長官。三月十日，陳誠與史迪威商量，決定在昆明設立訓練基地，調集幹部分批輪訓後空運至藍姆伽實習。

六　計劃攻緬，蔣、史矛盾再度激化。史認為蔣是「偉大的獨裁者」，蔣認為史「無常識，無人格」

日軍佔領緬甸全境後，史迪威多次提出反攻緬甸計劃。一九四二年七月十九日，史迪威向蔣介石提交《反攻緬甸計劃》，其要點為「南北緬水陸同時夾擊」：一、中、英、美三國聯合出兵，自印度攻入緬甸，同時，另一路中國軍隊則自雲南進攻。兩路會師曼德勒，會攻仰光。二、在盟軍從陸路進攻的同時，英國海軍確立在孟加拉灣的制海權，從仰光登陸。這一計劃後來被稱為「安納吉姆」計劃。八月一日，計劃得到蔣介石的批准。十一月三日，史迪威自印度到重慶，向蔣介石彙報和英軍統帥韋維爾商談結果，要求在一九四三年三月一日前後發動攻勢。蔣介石表示，中國可由雲南方面出動十五師，但勝利關鍵在於英方是否能調撥足夠的海空力量，掌握制海權和制空權。他說：「倘海空實力不充，中國實不願派一卒參加此役。反攻開始以前，余必須知英國用於緬甸海空軍之實力，方能下令前進。」「此次不反攻則已，一旦反攻，非勝不可，絕不能再受第二次之失敗。」【六六】

一九四三年一月，蔣介石致電羅斯福，要求羅敦促英方，調動陸、海空力量，共同克復緬甸。【六七】同月，羅斯福、邱吉爾在北非的卡薩布蘭卡（卡港）會議，決定實施「安納吉姆」計劃。二月四日，美國陸軍航空軍司令阿諾爾、空軍補給司令薩默維爾（Somervell，或譯薛莫維爾、索摩微爾）、英國聯合參謀代表團團長迪爾到重慶，向蔣介石通報卡港會議情況及一九四三年戰略。同月七日，雙方會談，蔣介石同意英美方案，但要求英美方面增加空運與空軍，切實支援中國。其標準為：空運物資每月一萬噸，飛機五百架。蔣強調，必須達到這一標準，並有確切日期。史迪威對蔣所提要求不滿，當即質問蔣：「是否不達到標準，即不對日抗戰？」史的質問含有明顯的輕蔑成分，蔣認為史迪威作為自己的參謀長，提出這一質問，「可惡不敬已極」，但是，他忍着沒有發作，只回答說：「中國抗戰已經六年，即使太平洋戰爭不起，英美不來援助時，中國亦可獨立抗戰。」史迪威再問：所謂標準是否為條件？蔣答稱：「此非條件，乃是余負責作戰者最低限度之要求也！」接着，蔣以溫和的語氣要求阿諾爾轉告羅斯福與邱吉爾：「余當盡其所能，不惜犧牲一切，以期不辜負友邦之期望也。」【六八】八日，蔣介石打電話給宋子文，指責史迪威會議上的「不敬」，要宋轉告史，令其以後「戒慎」，限史切實設法，達成蔣在會上所提條件，以贖過失。【六九】九日，中、英、美三方印度加爾各答會議，一致同意實施「安納吉姆」計劃，以一九四三年十一月至一九四五年五月為入緬作戰期。會議期間，宋子文向史迪威轉達了蔣的批評。據宋致蔣電稱：「彼極為懊喪，並謂當時談話有失體統，甚以為歉，但信鈞座必諒其忠實及一番熱忱。」【七〇】，不過，史自己的日記則是：「見他的鬼吧！」【七一】

五月初，史迪威與飛虎隊的陳納德之間在對日實施「空中攻擊」問題上發生分歧。陳納德主張，只要中美用五百架飛機對日軍進行空中攻擊，即可消滅日本大部分在華空中力量，阻遏其船運，破壞其交通線，使緬甸和中國本部的陸戰易於進行。史迪威則認為，中國軍隊缺少軍械給養補充，也缺乏訓練，不足以保護機場。如對日「空中打擊」實施過早，引敵來攻，則雲南、廣西、湖南各地的機場均將喪失，以中國本部為基地空襲日本的計劃也將落空。爭論雖發生於史、陳二人間，但不久即發生於史迪威與宋子文之間。五月五日，美國海陸空三方會議，邀請史迪威、陳納德、宋子文參加。宋支持陳，主張當前急務為增強空軍力量，史則認為，中國陸軍勇敢苦戰，損失巨大，「目前實不堪一戰」。宋即批評史「對中國陸軍未免過於悲觀」。【七二】同日晚，宋美齡謁見羅斯福，羅表示，擬將反攻緬甸計劃縮小為佔領緬北。【七三】

史迪威早就制訂過一份「有限度的進攻北緬的計劃」，但遭到蔣介石的否定。蔣的理由是：六年來，中國對日作戰得到的經驗是「迫使機械優越之敵人，運用惡劣之交通線，使其機械設備失其效用」。而在北緬，日軍可以利用伊落瓦底河及仰光鐵路，中國方面可利用的只有正在建造中的兩條公路。即使中國軍隊在北緬成功，日本人仍可利用交通便利，派軍增援。他向史迪威一再說明，「不可再蹈覆轍」。【七四】五月八日，蔣介石致電宋子文，要他在羅斯福、邱吉爾會談期間，力爭照卡港會議及其後的重慶會談決議實施，首先以英、美海空軍截斷日軍供應線，佔領仰光，然後收復整個緬甸。電稱：「如果僅僅佔領北緬甸至蠻德勒為止，非僅無益於中國戰場，而且費力多，犧牲大。結果必不能達成目的，徒然犧牲兵力。」【七五】五月十三日，宋子文專訪到華盛頓參加太平洋軍事會議（三叉戟會議）的邱吉爾，要求英方照卡港、重慶、加爾各答等會議決定，如期攻緬，但邱態度消極。宋問：是否準備放棄攻緬？邱答：英美軍事專家正在研究。【七六】邱吉爾的回答使宋子文倍感緊張，立即致電蔣介石彙報，蔣也跟着緊張起來。

一九四三年春，蔣介石為準備進攻緬甸，曾將原來部署在長江兩岸的第六戰區主力抽調赴雲南、貴州，司令長官陳誠也出任中國遠征軍司令長官隨部隊入滇，鄂西空虛。同年五月，日軍在湖北宜昌集結大軍，進攻三峽地區，威脅重慶。當蔣得知太平洋軍事會議有放棄攻緬計劃的可能後，大為惱怒，致電宋子文稱，如此，「則我軍民對聯合國從前所有各種宣言與決議之信約，不僅完全喪失信用而已」。他覺得，又上了史迪威的當。電稱：「史迪威始則強催我軍集中攻緬，今乃因抽調部隊，而使重慶門戶大受威脅，而結果則謂可以取消打通仰光與滇緬路計劃，則我軍上下對美國用意與作為，豈啻視為兒戲，直認為有意陷中國於滅亡之境，不啻協助日本完成其大東亞之新秩序，豈不令人惶栗不已！」【七七】他要宋子文將這一看法明告史迪威及羅斯福左右。

五月十七日，宋子文應邀出席聯合參謀長會議，轉述蔣的態度，堅決反對放棄攻緬，也反對史迪威僅攻緬北的計劃，闡述其理由說：「我如不佔領緬南，斷其後路，必歸失敗，徒作無為〔謂〕之犧牲。蔣委員長彼時之決心如此，今日對此之決心益強。」【七八】在此前的聯合參謀長會議上，史迪威公開批評蔣介石：「諸事猶豫，於戰略無一定見解」。針對史的批評，宋特別為蔣辯護，聲言蔣並非初次與外國軍事專家合作。他以蔣曾任用蘇聯的加倫、崔可夫、德國的塞克特及佛采耳為顧問為例，說明他們在任期內「無一不恪遵蔣委員長意旨」。【七九】十八日，蔣介石從宋子文來電中得知有關情況，日記云：「英人毫無進攻緬甸之意，史迪威之言詞對我軍污蔑輕侮，憂戚之至！」【八〇】二十一日，在太平洋軍事會議上，宋子文再次要求，堅決執行卡港會議及加爾各答會議的攻緬決議，邱吉爾辯稱，當時「只有計劃，並無決議」，「英軍事當局如有允諾，實屬越權」。他表示：「將來當極力設法使印度與中國軍隊得以連合，或須經緬甸北部。」【八一】宋子文擔心羅斯福會向英方妥協，於同日謁見羅斯福，重申史迪威的進攻北緬計劃，「徒耗軍力，蔣委員長絕不能接受」。羅斯福則稱：「攻復仰光，確有困難，但可先向西南岸進攻，以從後面襲擊仰光」，將來擬派新銳部隊赴緬。羅要宋子文轉告蔣介石：「攻緬計劃，余有決心進行。」【八二】

重慶危急加深了蔣介石對史迪威的惡感。五月二十二日，蔣介石日記云：「美國史迪威之陷弄乃其總因，此人誠誤事不淺矣！」【八三】二十七日，蔣介石致電正在美國訪問的宋美齡云：「近日戰況確甚緊急，本星期內關係最大，所以致此之故，實由史迪威催促我精兵抽調入滇，準備攻緬，以致前方空虛，為敵所乘。其實去年至今，自緬戰至此次戰爭，皆為史所陷害也。」【八四】六月二十一日，蔣介石再電宋美齡，要求她在向羅斯福告別時，相機提出史迪威問題：「甲、史對余不能合作，余為大局計，均能容忍，惟其對中國軍民成見太深，以廿年前之目光看我今日之革命軍民。乙、故自史來華，我軍隊精神因之消沉頹喪，蓋史視中國無一好軍人，無一好事，而根本不信我軍能作戰，更不信我勝利，故欲其指揮盟軍以求勝利，無異緣木求魚。而彼對自己所處理之事與計劃，以為無一不好，固執不變，毫無商洽餘地。丙、故現在我軍對史失望，以為如再聽其指揮，不惟無勝利，必大受犧牲，非至全敗不可。」電末，蔣介石稱：「彼之態度，是來脅制中國，而非協助抗日，其結果與美國之熱忱援助及友愛精神相反。余為史對於一般軍官嚴加勸戒，令與合作。惟長此以往，時時發生誤會，則不勝防制之苦。故為作戰及大局計，深望羅總統明瞭此事真相與現狀，蓋甚恐其對華盛情將來失望，故不敢知而不言也。」【八五】但是，蔣介石又叮囑宋美齡，不必太正式，也不必採取「不可不撤換」的強硬方式，只告以「實情」即可。

在羅斯福的堅持和說服下，原來堅決反對攻緬的邱吉爾同意一致進行，英美參謀團會議隨即制訂新的攻緬計劃。史迪威曾答應向蔣呈閱會議記錄，但史迪威第一次交給蔣的並非全文，而且缺乏重要部分。當時，蔣認為，海軍是這次行動中的重要組成部分。除非保住孟加拉灣，否則進攻緬甸也就沒有用處。因此，他關心英美「將提供多少海軍」。【八六】六月二十七日，蔣介石命外事局局長商震催史迪威來見，詢問會議關於海軍兵力數量等文件是否帶來。史稱，此件不能交任何人，繼而改稱，回去後交商震代呈。在商震去史處催索後，交來者仍非蔣所需要的文件。【八七】六月二十八日，史迪威致函蔣介石，說明聯合參謀團為取得孟加拉灣制海權所必須派遣的「適當之兵力」。據史自稱：「列了一長串戰艦、重型巡洋艦、航空母艦及驅逐艦等，而且第七次解釋了『適當』一詞」。【八八】史迪威非常不情願這樣做，日記云：「這超越了所有界限。這個小人令人厭惡，他十分傲慢地詢問我們將能做些什麼，誰在妨礙我們幫助他，以供應一切——軍隊、裝備、飛機、醫藥、通訊、汽車運輸、建立他該死的後勤供應部，訓練他的劣等軍隊，甩下他那後娘養的參謀總長和總參謀部，而他卻對我們的準備工作挑三揀四，對海軍問題支支吾吾。主啊，救救我們吧。這個偉大的獨裁者。他讓他的部隊忍飢挨餓，是世界上最大的傻瓜。」【八九】同日，蔣介石召見史迪威，當面加以批評。日記云：「此人之無常識、無人格，實難令人想像者。」又云：「史之愚拙、頑劣、卑陋，實世所罕有。美國有此軍官，而其長官馬歐爾且視為一等人才，豈不怪哉！」【九〇】這說明，彼此之間的惡感都發展到了極點。

美國是強國，史迪威是美國派到中國的將軍，因此，蔣介石將他和史迪威的關係看成弱國和強國之間的關係。六月三十日，蔣介石日記云：「凡弱國參戰，無論如何努力與犧牲，強國皆視為不能與彼相比。又以史迪威之指揮我軍在緬甸戰役，彼不以我軍犧牲為英勇，總以我軍怯弱，而一以北洋軍閥舊日之軍官〔隊〕視我也。」【九一】

不久，史迪威又有幾件事加劇了他和蔣介石的矛盾：

一是擅自撤委中國軍官。八月十四日，總指揮部副參謀長溫劍銘因事與國內軍政部通電，被史認為「有違軍紀」，下令調溫為高參，委美國人博金為副參謀長，引起全軍大嘩。新編第一軍軍長鄭洞國勸史收回成命，為史拒絕。史的助手參謀長波德諾甚至說：「駐印軍是由美國裝備訓練的，因此軍中事務，包括人事必須聽命於總指揮部，即使中國政府也不得干預過問。」【九二】鄭及參謀長舒適存、師長孫立人等憤而致電蔣介石。鄭電稱：「今竟有此不幸事件，則人無保障，勢必媚外圖存，軍隊紀綱如何維持，國家體制其何以堪！」【九三】舒電稱：「美方一貫政策，為打破中國高級指揮機構。」「美方微員僚佐，皆代表史將軍，須聽其命以馳驅，稍不遂意，責難侮辱隨之。」蔣介石批示：「為何史於人事，不先請准本委員長，而擅自撤委？」【九四】

二是給蔣介石寫報告、備忘錄時所署職銜和語氣。史通常均署「美國陸軍中將」，引起中國將領不滿。【九五】九月二十一日，史在給蔣介石的意見書末改署「中國戰區參謀長」。蔣介石閱後稱：「書中仍有不遜之言，此種恣睢態度，殊令人難受，隱痛已極！」【九六】

三是史迪威對中共的態度。史對蔣失望，自然對中國共產黨及其所領導的抗日部隊寄以希望。一九四二年六月至十月，史迪威的政治顧問戴維斯多次在重慶訪問周恩來。一九四三年三月，戴維斯再次訪問周恩來，周提議美國派代表常駐延安。六月二十四日，戴提出報告，主張接受周恩來建議，向延安派駐觀察員。九月六日，史迪威向蔣介石提出《備忘錄》，建議調動中共領導的第十八集團軍及胡宗南、傅作義、鄧寶珊等部向山西出擊，這些都觸犯了蔣的大忌。蔣日記云：「此其必受共匪所主使，而且其語義有威脅之意。且名為備忘錄，是將來制裁中共時，證明曲在於我之意。此史實一最卑劣、糊塗之小人！余不屑駁覆，乃置之不理，表示拒絕其干涉之意。」【九七】九月十日，蔣介石致電宋子文，指責史迪威「不知共黨十年來經過之歷史，更不明瞭最近共黨之內容及其陰謀之所在，徒聽共黨之煽惑，助長共黨之氣焰，殊為可歎！」【九八】

七　宋子文說動美方同意撤換史迪威，但蔣介石臨時改變主意，二人發生激烈衝突，蔣怒而命宋「滾蛋」

在羅斯福的推動下，邱吉爾勉強同意實施攻緬計劃。其內容為：於一九四三年雨季結束後自印度對緬甸西北部進行陸空有力攻勢作戰，同時以海、陸軍攻襲緬甸海岸，中國軍隊則由雲南進攻。【九九】五月二十六日，羅斯福將關於此項決定的通知書交給宋子文。二十九日，蔣介石致電宋子文，要他提醒羅斯福，陸軍對北緬進攻與海軍對仰光進攻，務須同時行動。八月十八日蔣介石致電羅斯福、邱吉爾，告以雨季將過，不能再事遷移。同月，羅、邱等在加拿大的魁北克開會，決定在未來的乾燥季節中，反攻緬甸，同時決定成立東南亞戰區統帥部，以英國海軍中將蒙巴頓為統帥（旋升大將），史迪威為副統帥。

一九四三年九月，宋子文鑒於英美聯軍對日攻勢漸趨積極，認為有調整與英美軍事關係的必要。他設計了兩項調整方案：（一）最高級的組織，如華府的聯合參謀團及支配軍械委員會，均應有中國代表參加。供給中國的軍械，由中國直接申請，毋須史迪威或其他駐中國的美國軍官過問。(二)史迪威即行撤調，同時改組中國戰區。以蔣介石為最高統帥，美國將領為副統帥；以中國將領為參謀長，以美國將領充副參謀長，統帥部各處長、副處長均以中美軍官分任。【一〇〇】宋計劃先與羅斯福總統作原則上的討論，在十月偕同美國陸軍次長麥克洛來渝時，再與蔣商量決定。

九月十六日，宋子文會見美國總統助理霍浦金斯，霍贊成宋所擬調整方案，並稱：在參加聯合參謀團及改組戰區大前提之下，更換史迪威輕而易舉，史汀生雖反對亦將無效，馬歇爾也不像以前那樣絕對維護史迪威。【一〇一】同月二十九日，宋、羅見面。事後，宋子文電蔣彙報：美方同意撤換史迪威，調整中國戰區，在華盛頓另組包括中國在內太平洋軍事參謀團。電稱：本人將陪同蒙巴頓到重慶，向蔣報告國際情形，並洽商蔣與羅斯福、邱吉爾會晤問題。【一〇二】十月，宋子文偕蒙巴頓及美國後勤部長薩默維爾中將來華。薩默維爾是美方預定的史迪威的接替人，還在途經印度德里時，宋子文就對薩透露說：「事情正在成功，他與大元帥（指蔣介石）一同進行了謀劃。」【一〇三】他完全沒有想到，蔣介石會改變主意。

十月二日，蒙巴頓等向蔣介石轉呈邱吉爾致蔣介石密函及魁北克會議決議。同月十一日，蔣介石與宋子文談話，談史迪威事。其後，蔣又和宋美齡談論，當日蔣日記云：「此史正卑劣之小人，無恥極矣！」十五日，蔣開始思考史迪威的去留問題，一是去史之後的代替人選，一是撤換史迪威的可能性。蔣認為：美國人員中無人適合出任東南亞戰區副統帥，也無人能出任駐華美軍主任。美國參謀總長馬歇爾非常袒護史迪威，美國政府未必決心將其撤換。【一〇四】這樣，蔣介石原來的決心就動搖了。

十月十六日，薩默維爾將蔣介石要求召回史迪威一事告知蒙巴頓，蒙巴頓強烈反對。他說：如果指揮中國軍隊兩年之久的官員（指史迪威——筆者）在軍事行動前夕被免職，他無意於使用中國軍隊。蒙巴頓委託薩默維爾將他的觀點轉達給蔣介石。【一〇五】同日，蔣介石與薩默維爾談話稱：一年半以來，自己雖然做了很多努力，但總不能使史迪威與我軍合作，殊為遺憾。【一〇六】十七日下午，蔣介石再次與薩默維爾談話。兩次談話，都是宋子文擔任翻譯。蔣雖有意改變對史迪威的態度，但經宋子文翻譯之後，仍然是「非去史不可」。薩默維爾辭去之後，蔣介石決定「力圖挽救，轉彎百八十度」。他囑咐宋美齡召史迪威來見，「警告其撤職回美，對於其個人之損失程度。如其此時能對余表示悔過，則余或有轉回庶宥之可能」。據蔣介石日記稱：史迪威「承認其錯誤」並且表示「徹底改過」，於是，蔣「允宥其過，再予以共事最後之機會」。【一〇七】當日，蔣介石在《反省錄》中寫道：「史迪威去留問題為本星期最重要之一事，子文力主去史，以快其私意。余之既定方針，幾為其所搖惑，最後卒能自動補救，允史悔改，重加任用。此乃中美國際關係與戰局影響一大轉機，乃知安危禍福全在最後五分鐘幾微之間也。」他覺得，宋子文簡直壞極了：「自私與卑劣至此，實不能再為赦宥。如不速去，則黨國之禍患將不堪設想矣。」【一〇八】

十月十八日一早，蔣介石召宋子文談話，告以對史迪威的去留政策，應加變更，並告以昨晚史迪威已經表示悔過。宋子文完全沒有思想準備，自悔對蔣「太忠」，憤而表示以後不能為蔣「赴美再充代表」。蔣最初沉默不語，及至宋表示今後不能再與蔣「共事」之際，蔣突然爆發，「憤怒難禁，嚴厲斥責，令其即速滾蛋」。【一〇九】據唐縱日記稱：「宋部長不知因何使委座見氣，委座摔破飯碗，大怒不已，近年來罕睹之事。」【一一〇】上午，薩默維爾再次來見，蔣告訴他，已取消昨日之議，允許史迪威悔過自新。同日下午，宋子文陪同蒙巴頓到黃山見蔣，蔣要宋美齡通知宋子文自動離開，否則寧可不與蒙巴頓相見。宋子文無奈，只能退出，蔣才走下樓梯，與蒙巴頓會談。【一一一】

一九三一年，蔣介石與胡漢民發生衝突，一怒之下，將胡漢民軟禁於南京湯山，汪精衛、孫科等因而在廣州另立政權，引起國民黨內長達五年的寧粵之爭。蔣擔心撤換史迪威會嚴重影響中美關係，帶來新的巨大災難。他想起宋子文自二十年代以來與自己作對的種種事情，在日記中憤憤地寫道：「余自十三年起，受其財政之控制與妨礙，甚至其願受鮑爾廷之驅策，共同打擊於余，不知凡幾。二十年後復以其財政問題各種要脅，以致不能不拘胡，而致黨國遭受空前之禍患。今復欲以其個人私見而欲黨國外交政策以為其個人作犧牲，惡乎可！此誠一惡劣小人，不能變化其氣質也。」【一一二】這時候，蔣介石覺得宋子文簡直壞透了，無論如何不能再用。

蔣宋關係中曾多次發生矛盾，蔣在日記中指責宋子文也屢見不鮮，但是，嚴厲至此卻並不多見。處於局外的唐縱記載說：「日來委座火氣甚大，宋子文不知因何碰壁？」【一一三】

八　史迪威和宋靄齡、宋美齡結成「聯盟」

蔣介石對史迪威態度的轉變既與他擔心影響中美關係，損害抗戰大局有關，也是宋靄齡、宋美齡姊妹共同斡旋的結果。據史迪威自述：他曾經向這一對姊妹談過當時中國軍隊的真相，使她們非常震驚；也曾經研究過改革的辦法——讓宋美齡代替何應欽，出任軍政部長。於是，史與這一對姊妹「訂了攻守同盟」。【一一四】十月十七日晨，宋美齡打電話給史迪威，聲稱宋靄齡認為「仍有個轉敗為勝的機會」。史表示「不想呆在不受歡迎的地方」。於是宋氏姊妹就向史「談起『中國』和職責來」，要史「大度一些，堅持一下」。宋靄齡對史稱：「你的星正在升起」，闖過這件事，你的地位就會比從前更為穩固。姊妹二人表示，將代史見蔣，對他說，史只有一個目標，即中國的利益，假如史犯了錯誤，那也是由於誤解而非有意，史準備好了要充分合作。在二人的堅持下，史點頭同意，宋美齡表示「那我們馬上就去做」。其後，史迪威見蔣，其情況，據史自述：蔣

「改變了立場，演起了戲，竭力顯得態度和解。他說了兩點：一、我應該明白總司令和參謀長的職責。二、我應該避免任何優越感。這全是廢話，但我有禮貌地聽着。蔣介石說，在此條件下我們可以和諧地再次繼續合作。」【二一五】二十日，宋靄齡向史解釋說：「她只能在『她的血肉』（子文）和中國的利益之間作出選擇。」「我們已經完全控制了『花生米』（指蔣介石），並讓他來了個一百八十度的大轉彎。」她認為這是一個大勝利。宋靄齡保證，史的地位「得到了很大的加強，將來不會再有進一步的攻擊」。

九　宋子文向蔣介石遞交「悔過書」，蔣介石答應與宋相見

蔣介石改變主意，史迪威留任使宋子文「挨了一下猛擊」。【二一六】但是，蔣自感對宋的態度也有不妥之處。十月二十四日，蔣介石日記云：「本周以宋子文橫暴、愚詐，觸余憤怒，實為近年來所未有之現象，亦乃修養毫無成效之徵象也，未免有慚！然子文奸詐卑鄙之情態不能不有此一舉。如果再事容忍，則養癰遺患，公私兩敗矣！」十一月六日，日記又云：「宋子文野〔夜〕郎自大，長惡不悛。二十年來，屢戒屢恕，終不能使之覺悟改過。野心難馴固矣，然余無感化之力，不能不自愧也。」這一段時期，蔣介石始終不見宋。十一月十六日，宋子安出面調解，要求蔣召見宋子文一次，遭到蔣的拒絕。日記云：「彼誠幼稚天真之人也。」【二一七】最後，宋子文不得不自己出面打破僵局。

十二月二十三日，宋子文致函蔣介石，自稱兩月以來，獨居深念，自感「咎戾誠多，痛悔何及」。接着，闡述與蔣的關係「在義雖為僚屬，而恩實逾骨肉，平日所以兢兢自勵者，惟知效忠鈞座，以求在革命大業中略盡涓埃之報」。信件着重說明抗戰以來，自己「無論在國內、國外，惟知埋頭苦幹，秉承鈞座指導，為爭取勝

利，竭其綿薄」，但因「個性愚憨，任事勇銳，對於環境配合之考慮，任事每欠周詳；甚或夙恃愛護過深，指事陳情，不免偏執而流於激切」。信件自承在蔣前無禮、「粗謬」、「頑鈍」，要求蔣「曲予寬容」。函稱：「此誠文之粗謬，必賴鈞座之督教振發，而後始足以化其頑鈍，亦即文於奉教之後，所以猛省痛悔、愈感鈞座琢磨之厚。今文以待罪之身，誠不敢妄有任何瀆請，一切進退行藏、均惟鈞命是聽。伏乞俯鑒愚誠、賜以明示，俾能擇善自處，稍解鈞座煩憂，則文此身雖蒙嚴譴，此心轉可略安而曲予寬容。文無論處何地位、所以圖報鈞座之志始終不渝，尤必與青天白日，同其貞恒。」【二一八】宋子文的這份「悔過書」打動了蔣介石。十二月二十四日，蔣介石自思：「自十月痛斥宋子文以後，始終未准其相見，昨日來函表示悔悟，求見迫切，余乃從親戚與內子之懇切要求，並為慰岳父母之靈，允於孔寓與之相見，當觀其以後事實如何，如果能真誠覺悟，則公私皆蒙其福矣。」【二一九】二十六日，蔣介石日記云：「對子文訓斥以後，拒而不理者已逾兩月。本周得其悔書，乃於聖誕前夕，為其西安共同患難之關係，准予相見，以示寬容。」【二二〇】三十一日，蔣介石年末反省，自記云：「本年修身之道進步較多，而暴戾傲慢之氣未能滅除，是為最大之羞污。對道藩、文白、哲生、辭修、子文、顯光各種行態，尤為粗暴失態。而子文與辭修之驕橫跋扈，自應斥責，但其他同志不過愚拙無能，實為無心之過，是余指導無方之所致。乃不責己而責人，是為本年最大之慚。」【二二一】

十　史迪威計劃暗殺蔣介石，掌握中國軍權

蔣介石留用史迪威，雙方和解，固然與史迪威模模糊糊地承認錯誤有關，但關鍵原因還在於緬北雨季即將結束，中國軍隊計劃反攻緬北，不能臨陣換將。

十月十九日，蔣介石在重慶黃山官邸召集會議，蒙巴頓、史迪威及何應欽等出席。史迪威對中國軍隊參與反攻緬甸的計劃作了介紹，給蔣介石留下了深刻的印象。史迪威日記云：「『花生米』現在又討人喜歡了。」【一二二】與之相應，蔣對史的印象也有改變。十一月二十四日，蔣日記云：「史迪威態度改變甚速，表現頗好，是亦感召之力乎？幸未為子文所脅制，否則，必得相反之惡果。」【一二三】不過，蔣介石看到的只是一時的現象。

美國軍部早就密令史迪威「應利用一切機會，統率中國軍隊」。【一二四】十一月二十二日，史迪威隨蔣介石參加開羅會議。期間，史迪威準備了一份與羅斯福的談話資料，中云：「無論蔣介石作何承諾，我們如不將掌握中國軍隊之權，早獲明文規定，所有努力均將成為廢紙。」【一二五】但當日史、羅見面時，史未獲提出機會。十二月六日，史迪威會見羅斯福，羅問史：「你以為蔣能維持多長時間？」史答：「局勢很嚴重，日本人再來一次五月份的那種進攻就會把他推翻。」羅斯福稱：「好吧。那我們就該找另外一個人或一群人繼續幹下去。」【一二六】十二月十二日，史迪威自開羅回重慶，途經昆明，與其助手多恩（Frank Dorn，或譯竇恩）上校談話。【一二七】其內容，據多恩回憶：史迪威聲稱，在開羅時奉口頭密令，準備一份暗殺蔣介石的計劃。事後，多恩擬具辦法三種：用毒、兵變、墮機。史迪威選擇最後一種，令其準備，候令實行。【一二八】此後，暗殺計劃始終沒有付諸實施。但是，史迪威愈來愈明確地認為：「中國問題的藥方是除掉蔣介石。」【一二九】「他們所應該做的是打死大元帥和何（應欽）以及這幫人中的其他人。」【一三〇】

十一 蔣介石終於同意史迪威的進攻計劃，史高興地哼起了歌曲：「叮叮噹，叮叮噹，鈴兒響叮噹。」

開羅會議中，蒙巴頓提出了一項在北緬作戰的計劃，蔣介石向羅斯福及邱吉爾陳述：攻緬勝利關鍵在於海軍與陸軍配合作戰，同時發動，掌握制海權，阻絕日本的海上補給線。【一三一】二十四日，邱吉爾向蔣表示，英國海軍須至明年五月，才能在南緬登陸，這使蔣大為失望。【一三二】次日，羅斯福向蔣介石保證，北緬作戰時，英海軍必提早在南緬登陸。【一三三】蔣介石對邱吉爾已完全失去信任，認為「開羅會議之經驗，無論軍事、經濟與政治，英國決不肯犧牲絲毫之利益以濟他人」，「英國之自私與害人，誠不愧為帝國主義之楷模矣」，但他為了不給英方今後提供推諉藉口，勉強表示同意蒙巴頓的北緬作戰計劃。【一三四】三十日，蔣介石歸途經過印度藍姆伽，視察史迪威指揮部與鄭洞國軍部。鄭早就感到，史迪威及其美國同事不願他過問軍事，不允許中國師級將領行使前線指揮權，事事要由美國人決定，因此向蔣訴苦，稱史迪威視之如傀儡，不給他絲毫指揮權。【一三五】同日，蔣與廖耀湘、孫立人談話，認為蒙巴頓、史迪威對中國軍隊的批評「皆非事實」，而且史迪威的指揮戰略也「甚不當」。蔣並立即召見史迪威的參謀長白克，「據實用地圖指正其誤，並囑轉告史氏改之」。【一三六】

開羅會議結束後，羅斯福、邱吉爾與斯大林於十一月二十八日又在德黑蘭集會。斯大林表示，在打敗德國後，將對日作戰。英國對在緬甸作戰本來就沒有多大興趣，便借此機會企圖取消原來在緬甸作戰的承諾。十二月七日，羅斯福致電蔣介石，說明德黑蘭會議希望在一九四四年末結束對德戰爭，需要大量巨型登陸艦艇，詢問可否將對緬甸的總反攻計劃推遲到一九四四年十一月。【一三七】蔣介石覺得此為羅斯福與斯大林的決定，已無法更改，只能表示同意，但提出中國經濟危機較軍事尤為緊急，要求美國貸款十億美元，用以支持中國繼續抗戰。

羅斯福雖然有將總攻緬甸延期的打算，但並未最後決定，因此，史迪威仍在作及早攻緬的努力。十二月十四日，史迪威到重慶，企圖說服蔣介石，談話很不愉快。蔣介石日記云：「以史迪威之神態與見解，引人不快。凡事靠己，必須我能加強本軍為第一義也。」【一三八】十五日、十六兩日，蔣、史二人反覆討論攻緬戰略。據史迪威日記，史向蔣反覆說明「放棄進攻緬甸的可能後果」，蔣則表示：「我們不能冒在緬甸失敗的危險，那對中國人所產生的後果將極為嚴重」，以致史在日記中怒罵：「這個小畜牲根本不想打。」【一三九】據史迪威稱，宋靄齡和宋美齡也同時出面勸說，宋美齡甚至向史宣稱：「昨天夜裡她祈求了他」，「做了一切努力」，「就差殺了他」。十六日，再次開會討論，蔣稱：「我們只有百分之一的獲勝希望。」「除非舉行一次大規模的兩棲行動，一切都是不可能的。」又稱：「如果我們採取守勢而讓日本人進攻的話，我們獲勝的機會就會多一點。」【一四〇】據蔣介石日記，史「竭力慫恿如期攻緬」，但蔣「決心展期至明秋為止」。日記稱：「此人既無軍事常識，更無政治淺見，余表示展期之決心，勿使其再為我害也。」【一四一】此際，一九四二年遠征軍初戰失敗仍像夢魘一樣壓在蔣的心頭。蔣日記云：「為攻緬展期問題，內外阻力甚大，如無堅定決心，則此舉必被動搖，將蹈去年失敗覆轍矣。」【一四二】他擔心如攻緬再敗，則昆明不保，空運根據地全失，國際通道斷絕，國內軍心，民心動搖，將更為美、英、蘇所輕侮。蔣估計，最多不過兩年，太平洋大戰必將爆發，「屆時，中國兵額未足，毫無精強部隊參加決戰，則我國地位絕無矣。故僅有之資本，決不願再作浪費，而被英國之欺弄，致我國於萬劫不復矣」。【一四三】十七日，蔣介石覆電羅斯福，聲稱如登陸部隊所需戰艦及運輸艦不能按原計劃集中，則陸海的全面攻勢延期至明年十一月，一舉殲滅在緬日敵，較為妥適。【一四四】不過，蔣介石並不反對局部攻緬。

十月十八日，蔣介石在重慶召見史迪威，佈置自印度東北的列多（力多、立多）向北緬進攻的作戰方針。十九日，蔣介石與蒙巴頓、史迪威開會，確定以十二月中旬為期，攻取緬北。蔣並且表示同意由蒙巴頓指揮全部在緬作戰的中國部隊，史迪威為副。【一四五】會議結果使史迪威欣喜若狂。他在日記中寫道：「有史以來頭一次。大元帥授予我指揮使用（中國駐印軍）部隊的全權，沒有繩索——他說沒有干預，那是『我的部隊』，給了我解除任何一名軍官職務的全權。」在給史迪威夫人的信中，他也表達了同樣的欣喜，甚至哼起了歌曲：「叮叮噹，叮叮噹，鈴兒響叮噹，聖誕節多快樂，我們坐在吉普上。」【一四六】第二天，史迪威即飛返緬甸，轉赴列多，與新編第三十八師師長孫立人研究作戰計劃。其後，駐印軍在胡岡河谷、孟拱河谷等地迭獲勝利。

十二　羅斯福要求蔣介石出動駐滇部隊進攻北緬，將指揮全部中國軍隊的權力交給史迪威

蔣介石同意動用的只是中國駐印軍，但是，在雲南，還有另一支待命進攻緬北的遠征軍。十二月二十一日，羅斯福又致電蔣介石，要求中國駐滇部隊向北緬作戰，以支援英、美部隊由印度向北緬的進攻。蔣介石仍然覺得沒有海軍從緬南配合，並登陸協助，乃是自取滅亡之道。十二月二十三日，蔣介石覆電羅斯福，重申開羅會議南北海陸軍同時發動的意見，批評「盟軍戰略置中國戰區於不顧」，聲稱中國駐印遠征軍已交給蒙巴頓、史迪威指揮，不能同意駐滇遠征軍再行出動。【一四七】一九四四年一月十五日，羅斯福再電蔣介石，要求出動滇西部隊，盡力進逼，配合蒙巴頓。三月二十日，羅斯福致電蔣介石，說明緬甸形勢已經發展到一個重要階段，要求滇西遠征軍前進至騰沖及龍陵地區，以配合駐印遠征軍奪取緬北重鎮密支那。【一四八】當時，蘇聯空軍

與外蒙軍隊入侵新疆，正在與中國軍隊對峙。二十七日，蔣介石覆電羅斯福，說明中國已抗戰七年，國力、兵力均極疲憊，在新疆未安定，中國正面戰場對日軍的防線未有把握之時，中國主力軍不可能由雲南發動攻勢。他重申在開羅時對羅的諾言，一旦英軍發動對緬甸的海陸兩棲作戰，中國主力軍必全力攻緬。但是，蔣仍然表示，將儘量抽調雲南部隊空運西線，增強列多方面的作戰力量。【一四九】當日，史迪威飛到重慶，蔣介石即批准由滇西空運第十四師、第五十師赴印作戰。四月四日，羅斯福再次要求滇西遠征軍佔領雲南邊陲要地騰沖與龍陵。在電報中，羅斯福不無牢騷地向蔣表示：「去年吾人裝備並訓練閣下之遠征軍，現正當利用此機會。如彼等不能用之於共同作戰，則吾人盡其最大之努力，空運武器與供給教官，為無意義矣。」【一五〇】此函語含譴責與批評，此前還不曾出現過。五日，蔣介石日記云：「其措辭甚傲慢，為其自直接通電以來之第一次。」他認為，現在尚非駁斥之時，應暫時忍耐，也不回答，以觀其後。【一五一】六日，宋美齡特約史迪威助手賀恩（Hearn）參謀來談，告以「此種壓迫的行動，實非中國所能忍受」。【一五二】七日，宋美齡致電史迪威，聲稱羅斯福致蔣電，「如此措辭，余恐其將使吾人共同企求之目的未克達成」，希望史設法向華府擬稿人說明，「當此緊要之際，應竭盡全力，以促使吾人共同勝利之早日來臨」。【一五三】十日，馬歇爾下令暫時停撥援華軍事物資，至滇西遠征軍出動時再予恢復。蔣介石認為此可忍，孰不可忍，囑何應欽答覆美方：「中國抗戰與出擊，自有一定計劃，決不為美國武器之接濟與否所轉移」。【一五四】

在美國的壓力下，蔣介石決定調整對緬作戰方針。四月十三日，軍事委員會電令滇西中國遠征軍於月底前完成作戰準備，相機攻佔騰沖，策應西線駐印軍攻擊緬北重鎮密支那。十七日，擬定怒江作戰計劃。五月十一日，反攻怒江作戰開始。

然而，就在中國遠征軍東西兩路同時出動之際，日軍的「一號作戰」卻在節節進展。一九四四年四月，日軍為打通大陸交通線，掃蕩美軍在中國的空軍基地，首先向河南進攻。五月二十五日，攻陷洛陽。五月底，日軍開始向粵漢路進攻，蔣介石致電中國駐美軍事代表團團長商震，要他提請美國軍事當局注意其嚴重性，將成都存油、配件及飛機全部交陳納德作為粵漢路空戰之用。同時，蔣介石兩電召史迪威回渝商量，史迪威均置而不答，蔣深感痛憤，在日記中批評史「誠非以情義所能感」。【一五五】六月初，蔣介石自我反省，深悔「去年既已決心解除其職務，而復留用」的「失計」，批評自己用人辦事尚為環境所轉移，有關重要問題皆不能主動自決。【一五六】史迪威早就認為，蔣介石過於重視陳納德的空中打擊力量，忽視陸軍的建設與改造，因此他對中國部隊在河南的失敗並不驚訝，日記稱：「中國的局勢相當糟糕。我相信『花生米』將要為他的愚蠢遲鈍付出重大代價。這個傻瓜蛋，救世軍主動來拯救他，而他卻不接受。現在一切都太晚了，他卻大叫了起來。」【一五七】六月五日，史迪威到重慶，如他所料，蔣的目的在於要求史迪威同意，為陳納德的第十四航空隊增加汽油供應。這使史迪威很不屑，在日記中批評蔣說：「他想要整個世界，但又什麼都不想吐出來」。【一五八】自然，史迪威拒不加撥。【一五九】六月十八日，日軍攻陷長沙，向粵漢、湘桂兩路交叉點和戰略基地衡陽逼近，情勢更為危急。史迪威於七月二日致夫人函云：「如果危機到了足以擺脫掉『花生米』而又不致毀了整艘船的程度，那就值了。」七月四日，史迪威致電馬歇爾，報告中國戰場危機，要求羅斯福致電蔣介石，「以劇變形勢應採劇烈手段」為理由，迫使蔣將對中國軍隊的指揮權交給自己。電中，史迪威並稱：「出兵晉豫以攻漢口，應是扭轉中國局勢之方法，此須使用中共部隊。兩年以前彼等願聽我指揮，今或仍能聽命。」【一六〇】其實，中共長於敵後游擊戰爭，不會輕易「聽命」於史迪威，匆促去進攻漢口這樣的大城市。

馬歇爾同意史迪威的意見。七月六日，馬備妥電稿，由李海簽呈羅斯福，聲稱「中國局勢近已頹落至可驚之程度」，「目下已到須將中國軍權交與一個人物指揮抗日，使生效果之時，環顧中國政府與其軍隊之中，尚無一人能夠綜持軍力以應日方之威脅，有之即是史迪威。」【一六一】七月七日，羅斯福按擬稿致電蔣介石，提出日軍進攻華中，局勢嚴重，「應責任一人，授以調節盟國在華資力之全權，並包括共產軍在內」，同時告以已升史迪威為上將，建議蔣將其從緬甸戰場召回，「置彼於閣下直屬之下，以統率全部華軍及美軍，並予以全部責任與權力，以調節與指揮作戰」。【一六二】這一電報雖宣稱將史迪威置於蔣介石「直屬之下」，但實質上是架空蔣介石，賦予史迪威以指揮全部中國軍隊的權力。七月八日，史迪威日記云：「羅斯福給蔣介石去電，喬治馬歇爾給我來電。他們在我的事情上一直在向他施加壓力。羅斯福要蔣介石給予我指揮的全權。」【一六三】

十三　羅斯福緊逼，暗示將停止援助，蔣在日記中大罵「美帝國主義」，準備與美絕交，獨立抗日

宋子文最先得知要蔣介石向史迪威交出全部軍權的消息，因而最先致電霍浦金斯反對，電稱：「今天華盛頓又作出了一項錯誤的決定，陸軍部要強迫蔣接受史迪威將軍」，「我個人可以無保留地向你擔保，蔣委員長在這個問題上決不會而且也不能屈服。」【一六四】蔣介石覺得難以硬抗，企圖拖延。七月八日，蔣介石致電在美代表孔祥熙，要他轉呈羅斯福，聲稱「原則」贊成關於史迪威的建議，但中國軍隊及政治情況複雜，「必須有一準備時期」，建議羅派私人代表來華，調整蔣與史迪威之間的關係，增進中美合作。【一六五】羅斯福看出了蔣意在拖延，於十五日覆電蔣介石催促，表示形勢「需要有一迅速之處置」，儘早向史迪威交權。【一六六】七月十六日，蔣介石甚至在日記中大罵「美帝國主義」，聲稱：「抗戰局勢，至今受美國如此之威脅，實為夢想所不及。而美帝國主義之兇橫，竟有如此之甚者，更為意料所不及。彼既不允我有一猶豫之時間，必欲強派史

迪威為中國戰區之統帥，以統制我國。此何等事，如余不從其意，則將斷絕我接濟，或撤退其空軍與駐華之總部，不惟使我孤立，而且誘敵深入，以圖中國之速亡，其計甚毒。」【一六七】八月六日，蔣日記再云：「最近內外形勢之壓力日甚一日。尤以美國在精神上無形之壓迫更甚。彼必欲強余無條件與共黨妥協，又欲余接受其以史迪威為總司令，此皆於情於理不能忍受之事。」【一六八】可見，蔣對羅雖表面順從，而內心卻充滿強烈的對抗情緒。但是，蔣介石一時還不敢得罪羅斯福，與戴季陶、陳布雷研究後，決定暫用妥協政策。七月二十三日，蔣介石兩電孔祥熙，要他當面向羅斯福陳述：蔣對羅的主張「原則上表示接受而毫不躊躇」，但實行上不可無「程序」，「須有一相當之準備時期」；羅所稱指揮全部華軍，應指在國民政府統轄下在前線的作戰部隊，其指揮範圍與辦法，應另行規定。要孔特別說明：「抗戰七年，而中國全國國民之所以百折不撓者」，「全為求得國家之獨立與自由，保障國家之尊嚴」，意在含蓄地指出羅斯福主張之不當。關於租借物資支配權，蔣提出：應完全歸於中國政府或最高統帥，但可授予史迪威「考核監督之權」。【一六九】

羅斯福不容蔣介石拖延，於八月十日致電蔣介石，聲稱中國戰場形勢危急，授予史迪威全部指揮權一事「必須立即行動」，同時提出，將派曾任陸軍部長、中東特使的赫爾利為私人代表來華，調整蔣、史關係。至此，蔣介石已不能閃躲。同月十四日，蔣擬任命史迪威為「中國戰區統帥部參謀長兼中美聯軍前敵總司令」，並擬在覆羅電中表示「余已積極準備，甚望其能於短期內可以順利實現」。【一七〇】蔣既鬆動，羅斯福也不想使中美關係弄得很僵。於八月二十三日致電蔣介石，繼續催蔣儘早採取必要的措置，讓史迪威指揮中國軍隊，電稱：「稽延之思考及審慎之部署，於此軍事嚴重之時，容有嚴重之後果。」同時，羅斯福也表示，正擬訂新程序，使史迪威不再負責撥發租借物資。【一七一】這通電報，意在進一步催逼，但也有所讓步。

九月六日，羅斯福特使赫爾利與納爾遜抵達重慶。九月九日至十一日，宋子文、何應欽與赫爾利、史迪威、納爾遜談話。其間，宋子文根據蔣介石指示，堅持美國租借物資到達中國後應交中國政府處理，聲稱「必須記住一個大國的尊嚴」，但史迪威、赫爾利均反對。【一七二】赫爾利指斥宋子文「胡說」，對宋稱：「記住，宋先生，那是我們的財產，我們生產的，我們擁有它們，我們願意給誰就給誰。」【一七三】史迪威在日記中寫道：「如果大元帥控制了分配權，我就完了。共產黨人將什麼也得不到，只有大元帥的親信才能得到物資，我的部隊（遠征軍）將只能去舔別人的屁股。」【一七四】十二日，宋子文向蔣介石報告，赫爾利、史迪威不願交出租借物資支配權，蔣稱：「此事非堅持不可。」【一七五】同日，赫爾利與納爾遜拜會蔣介石，給蔣的印象是「言辭雖婉而意甚嚴」。他認為，抗戰以來，舉凡軍事失敗、經濟疲弱、「共匪猖獗」、政治惡化等各種問題，都是美國的「粗疏盲昧、無端詆毀」的結果。對於談判再三而美國仍不願將援華物資交給自己支配，以及不願就史迪威指揮中國軍隊一事訂立協定，蔣介石尤感惱怒，再次萌生「獨立應戰」的想法，日記云：「對余污辱欺妄，竟至此也。決與之據理抗爭，不能再事謙讓，並須預作獨立作戰之準備，以防萬一也。」【一七六】九月十六日，美國大使高斯對蔣介石稱：「希望中國將來在和會中能代表中國與亞洲，不失為四強之一之資格。」蔣自稱聽了這段話以後，有如「利刃刺心」，在《上星期反省錄》寫道：「若不自力更生，何以立國？何以雪恥？而史迪威之刁難輕侮，更令人難堪無已。」【一七七】

史迪威所指揮的中國駐印軍迭獲勝利。八月五日，駐印軍攻克密支那。但是，日軍打通大陸交通線的作戰也進展迅速。九月十二日，日軍攻佔廣西全州，威脅桂林、柳州。滇西方面，遠征軍於九月十四日克服騰沖，與盤據龍陵的日軍則陷於苦戰狀態。九月十五日，蔣介石要求史迪威命令駐印軍乘勝進攻緬北的另一要地八莫，以此策應滇西遠征軍，否則，即擬將遠征軍撤回怒江以東，保衛昆明。史迪威聲稱，在密支那的中國遠征軍需要休息，建議蔣調在陝西監視陝北的胡宗南部來援，同時反對滇西遠征軍撤回怒江以東。他在日記中斥責蔣介石為「瘋狂的小雜種」，「一如既往的荒誕理由和愚蠢的戰略戰術觀念。他很難對付而又令人討厭。」【一七八】事後，史迪威緊急電告馬歇爾，聲稱「長江以南的災難主要是由於缺乏適當的指揮和照例的遠在重慶的遙控。麻煩仍然來自最高當局。」【一七九】十八日，羅斯福致電蔣介石，認為日軍進攻中國東部是「詭計」，要求蔣介石立即補充緬北部隊並且立即派遣生力軍，協助怒江方面的中國軍隊。該電同時嚴厲批評蔣延擱委任史迪威指揮中國所有之軍隊，以致損失中國東部的重要土地。羅斯福以威脅的口吻稱：「務希立採行動，方能保存閣下數年來英勇抗戰所得之果實，及吾人援助中國之計劃。」「不然，則在政治上及軍事上種種之計劃，將因軍事之崩潰而完全消失」。【一八〇】這通電報有如最後通牒。史稱讚說：「這一槍打中了這個小東西的太陽神經叢，然後穿透了他。這是徹底的一擊。」【一八一】十九日，史迪威向蔣面交此電，蔣只說了一句話：「我知道了」，但內心憤怒異常，日記云：「實余平生最大之污點，亦為最近之國恥。」「今年七七接美羅侮辱我國之電以後，余再三忍辱茹痛，至今已有三四次之多，然而尚可忍也。今日接其九一八來電，其態度與精神之惡劣及措辭之荒謬，可謂極矣。」【一八二】二十日，蔣介石對赫爾利、納爾遜說：「中國軍民恐不能長此忍受美史等侮辱，殊為合作之障礙也。」【一八三】

赫爾利來華後，曾與史迪威長談。史稱：自己與蔣之間，兩人個性均極強硬，工作上不免發生困難。今後願意接受蔣之命令。關於援華租借物資，赫批評史全面操控的做法，史同意今後全部交蔣支配。關於中共問題，史提出由彼提出調整方案，國共兩黨彼此諒解，將中共以及中央用以防共的部隊，均調出抗戰。赫稱此為中國內政，吾人雖盼中國統一，但只能以「純客觀之立場贊助中國政府解決中共問題」，使所有中國抗日部隊均聽命於蔣的指揮。二十四日，赫爾利會見蔣介石，彙報與史晤談情況。蔣稱：羅斯福關於將中國軍隊交史迪威指揮提議，出於好意，有利中國，但「軍隊乃國家命脈，而軍隊之指揮權，乃操國家生死存亡之大事」，自已不能不慎重處理。蔣要赫爾利轉告羅斯福：「有三點不能稍事遷就：一、三民主義不能有所動搖，故不能任共產主義之赤化中國。二、國家主權與尊嚴不能有所損失。三、國家與個人人格不能污辱，即不能接受強制式之合作也。」【一八四】蔣稱：已對史迪威「失去最後一分之希望與信心」，希望美國另派人員來華。宋子文當即配合，聲稱美國派任東南亞的盟軍總部某參謀長，即可勝任。【一八五】二十五日，蔣介石命宋起草致赫爾利備忘錄，表示同意美方遴選將領一員為中美聯軍前敵總司令，兼任中國戰區參謀長。備忘錄稱，自赫爾利來華後，本人曾不顧以前之感覺與判斷，考慮以史迪威為前敵總司令，但「史將軍非但無意與余合作，且以為受任新職後，余將反為彼所指揮，故此事因而中止」。【一八六】

蔣介石拒絕羅斯福的意見，自知事關重大，中美關係有破裂的危險，準備恢復「獨立抗戰」。九月二十六日，蔣介石致電在美國的孔祥熙與宋美齡，聲稱羅斯福來電「其措辭實不堪忍受，余對其來電決置之不覆。」「吾人如再恢復獨立抗戰之態勢，則對內政與軍事情勢，決不能比現在更壞。只要內容簡單，無外力牽制，則國內一切措施方能自如，決不如今日皆受人束縛之苦也。史決難再留，如有人來說情，應嚴正拒絕，並請其從速撤換，以免阻礙今後之合作也。」【一八七】二十七日 蔣介石日記云：「自史迪威由印回渝，半月來，即作有計劃、有系統的威脅宣傳：一曰，史已離渝回美，二曰，共黨要求其赴延安，三曰，彼擬即飛延安，四曰，第十四航空大隊將完全撤退，五曰，駐渝美軍總部人員全部撤退等荒謬言論，散佈於渝市，使吾恐怖，可將華軍指揮權無條件交彼也。另一方，美國之內對華軍之拙劣、紛亂等種種不堪之妄報，使其國人對華侮蔑，以為中國真絕望矣。……尤以羅於上周五在記者席上對華軍事不滿之表示，更見其險惡用心，非達其統制中國之目的不可也。若不與之決鬥，何以遏制其野心與暴露其陰謀也！」【一八八】二十八日，蔣介石致電在華盛頓的孔祥熙，囑咐他今後不可再向美國要求任何物品，以免為人輕視，並要求他迅速離美回國。這時候，蔣已經作了和美國斷絕外交關係的準備。三十日，他在《本月反省錄》中寫道：「美國態度之惡劣已至極點乎？過此惟有絕交之一途。」「萬不料聯盟戰爭，得此逆報與窘境。」【一八九】

十四　羅斯福不願失去中國這一戰略夥伴，向蔣讓步，同意撤回史迪威

在反法西斯戰爭中，中國雖是弱國，但是，中國畢竟是大國，是抗擊日本帝國主義者的主要力量。蔣介石既然寸步不讓，美國不願丟掉中國這個戰略夥伴，就只有向蔣讓步了。十月六日，羅斯福致電蔣介石，表示接受蔣的建議，解除史迪威的參謀長職務，命他不再負責租借物資，但羅堅持，為保證中印空運，仍須史負責指揮在緬甸及雲南的中國軍隊。【一九〇】十月七日，蔣介石接見赫爾利，拒絕羅斯福建議，聲稱史迪威既不能服從命令，又缺乏與中國合作精神，故不能再委以指揮中國戰區任何軍隊之名義與職務，要求美方另派人員。蔣並擬就致赫爾利的說明文稿和答覆羅斯福電稿，當場由宋子文口譯。【一九一】八日，蔣介石約陳布雷談話。陳認為應適可而止。蔣不贊成，表示：「應以要求撤回為唯一目的。」同日，孔祥熙也致電蔣介石，說明羅斯福召集美國陸海軍首腦商談，軍方對撤換史迪威頗多顧慮，馬歇爾又對史極為支持，史現升四星上將，與麥克阿瑟、艾森豪威爾權位相等，如另派他人，至為難得等為理由，要求蔣令史辭去中國戰區參謀長職務，專心負責滇緬路聯軍軍事。【一九二】但是，蔣也不為所動。九日，蔣介石致電羅斯福，要求調回史迪威，另換他人。【一九三】

此際，蔣介石認為對美交涉已至最後關頭，做了最壞準備。他在日記中表示，如羅斯福不改變其現在態度，則不能不準備決裂。在歷史上，蔣在碰到困境時，曾經有過兩次下野的記錄。這次，蔣自稱：「非至萬不得已時，決不可為內外形勢惡劣之故而灰心下野，以放棄我革命之責任也。」【一九四】十月十三日，美國駐華大

使高斯會見宋子文，希望留住史迪威，聲稱撤換史將損害羅斯福的威信。宋向蔣彙報，蔣雖感到形勢的「危險與惡劣」，但是，也還是不準備收回決定。【一九五】

赫爾利來華，本負有勸說蔣介石接受羅斯福決定的任務，但是，他在與蔣的接觸中，卻逐漸被蔣說服。十月十三日，他致電羅斯福，聲稱「中國以劣勢裝備之弱國對其強大敵寇，抗戰至七年以上，尚不能使之屈服，則美國對華交涉，決非用壓力與威脅所能奏效」。他力勸羅斯福改變決定，另派能與蔣合作的年輕將領來華。電稱：「如我總統支持史迪威將軍，則將失去蔣委員長，甚至還可能失了中國」。【一九六】自然，羅斯福不願失去中國，只能向蔣妥協。十月十五日，赫爾利向蔣介石出示羅斯福來電，要求蔣從美國將領中圈選三人，交羅選定。【一九七】十月十九日，羅斯福致電蔣介石，聲稱現正頒發命令，即將命史迪威回國。在一場智慧、意志的較量中，羅斯福敗在蔣介石手下了。蔣介石志得意滿，十月二十二日，蔣介石日記云：「如果此次撤史不成，則美在東方必演成其帝國主義侵略之禍首。」「此舉不僅救國，抑且救美矣。」【一九八】二十八日，美國正式發佈調史迪威回國命令。十月三十一日，蔣在日記中自誇云：「此實我中國解放之始也。」【一九九】

宋子文最早提出撤換史迪威，在蔣改變主意後又因堅持己見而受到蔣的斥責，這時，自然很高興。十月三十日，宋子文致宋子安電云：「此次史迪威撤調回國，兄助回合（暗指蔣介石——筆者），出力不少。蓋為糾正一年前歷史上之錯誤也。」【二〇〇】

一九四五年一月五日，美國政府自動撤回史迪威的助手多恩，蔣介石日記云：「此人為史迪威手下第一驕橫侮華之人，美竟撤去，則其援華之誠意又進一步矣。」【二〇一】蔣介石當然不可能得知，就是這個多恩，曾經受命制訂過一份暗殺計劃，要讓他從高空的飛機上摔下來。同年七月七日，蔣介石想起一年前羅斯福強制自己交出軍權的情況，認為「幾乎宣判中國之死刑，為抗戰以來所未有之恥辱」。【二〇二】六月二十三日，史迪威出任美國第十集團軍司令，與日軍在沖繩島作戰。八月二日，蔣介石得知，馬歇爾決定由史率領第十軍由琉球來華登陸，史則倡言「必先倒蔣以報去年之恨」。【二〇三】當晚，赫爾利拜會蔣介石，蔣將《史迪威事備忘錄》交赫，囑其轉交杜魯門總統，拒絕史迪威再次來華。【二〇四】史迪威和中國的關係自此結束。

十五　史迪威的優缺點都很突出。既對中國抗戰作出重大貢獻，又是美國大國主義的體現者

史迪威是個優缺點都很突出的人物。他是中國通，真心誠意地幫助中國抗日，對中國社會、中國軍隊與蔣介石其人有許多敏銳的認識。遠征軍第一次緬北作戰失敗後，他在印度訓練中國軍隊，增強了中國軍隊的作戰力。遠征軍第二次緬北作戰勝利，顯然與他的訓練、指揮有關。鄭洞國曾回憶說：史迪威「是一位正直的、很有才華的軍事將領。在對日作戰問題上，他的態度不僅始終是認真、積極的，而且頗具戰略眼光，在指揮上很有一套辦法。最難得的是他身為異國高級將領，卻毫無官架子，對待士兵們十分友善，喜歡同他們交朋友，慢慢贏得了不少中國將士對他的欽敬。」【二〇五】應該承認，史迪威是對中國抗日戰爭作出重大貢獻的國際友人之一。但是，史迪威的性格中也有一些突出的缺點，例如傲慢、主觀、急躁、偏激，特別是，作為美國將領，他身上不可避免地存在某些大國主義的思想和作風。

蔣史矛盾，開始於戰略分歧。史迪威就任中國戰區參謀長之際，中國遠征軍剛剛入緬，人地生疏，英國在緬軍隊則根本沒有鬥志，在這種情況下，就急於要求中國軍隊對日軍發起強力進攻，是其不妥之一。蔣介石和中國將領與日軍作戰多年，熟悉日軍的優勢和特點，反對貿然進攻，後來又反對在缺乏盟國有力的支援和協同

下由中國軍隊孤立作戰，求穩防敗，有其合理性，但史迪威卻視之為「卑怯」，由此對蔣介石和中國將領的抗日積極性作了過低的估計，是其不妥之二。中國入緬軍初戰失利，史迪威擅作主張，未經請示就決定向印度退卻，途中環境惡劣，給養困難，造成部隊非戰鬥減員過大，史迪威完全缺乏自責，是其不妥之三。

中國與美國、英國等共同抗擊日本侵略，是同盟國之間的相互配合、相互支援的關係。蔣介石、宋子文等人期望盡可能多地得到美國的援助，但是，同時又不能容忍對中國的任何歧視，要求待遇平等，能和英國、蘇聯等受援國一樣，自己掌握租借物資分配權，也有其合理性。當時，中國有些機構腐敗嚴重，蔣介石又歧視和排斥中共所領導的抗日部隊，因此，史迪威等應該也完全可以堅持擁有對援華物資分配的建議權和監督權，但是，史迪威等卻堅持援華物資是美國人生產的，必須由美國人分配，中國人無權過問，這就是大國主義的作風了。史迪威批評蔣介石是「一條貪婪、偏執、忘恩負義的小響尾蛇」。其中所說「偏執」姑且不論；說蔣「貪婪」，無非是指蔣對美援的不斷爭取；說他「忘恩負義」，則是典型的「施主」的「恩賜」心態。

抗戰時期國民黨領導的軍隊確實存在着較多問題，需要訓練和改造，蔣介石對軍隊的指揮也確實有不少問題，需要改進、改革，但是，史迪威作為外國人，不應越俎代庖，大量任用美國軍官來控制和操縱中國軍隊，更不應圖謀全面掌握中國軍隊的指揮權，甚至制訂暗殺計劃，企圖除去當時還是中國政府和抗日領導人的蔣介石。一九四三年十月之後，中國軍隊兩面作戰，既需要迎擊日軍旨在打通大陸交通線的一號作戰，又需要開闢緬北、滇西戰場，應付為難。在這一情況下，羅斯福聽信史迪威、馬歇爾等人的意見，利用中國軍隊在河南、湖南等地的失敗，要求蔣介石將中國軍隊、中國戰場的全部指揮權交給史迪威，自然是侵犯中國主權的行為。軍權是國家權力的核心部分，也是蔣介石集團賴以維持其統治的命根子。蔣介石堅決抵制羅斯福的要求，甚至不惜為此與美國決裂，獨立抗日，既反映出蔣介石思想中的民族主義成分和他性格中的倔強一面，也反映出他充分懂得，維護軍權對維護其統治的重要性。

在抗日戰爭中，中國共產黨所領導的敵後戰場愈來愈顯示其重要性。史迪威於對蔣介石集團失望之餘，寄希望於中共，主張國共兩黨聯合抗日，援華物資中應有中共抗日部隊的份額，並且建議將胡宗南的部隊調往抗戰前線。這些主張都是正確的。蔣介石對此採取疑忌和反對態度，是其反共思想和立場的必然表現。

宋子文是史迪威來華的促成者，但又是撤回史迪威的最早提議者，為此，他在美國斡旋疏通，一旦撤回有望，而蔣介石卻臨事而懼，改變主意，由此引起兩人間的巨大衝突。在相當長的時間內，蔣介石有意冷落宋子文，甚至連開羅會議也不讓身為外交部長的宋子文參加。但是，蔣宋之間畢竟基本觀點一致、利害一致，在宋子文上書「悔過」之後，蔣介石就原諒了他。此後，蔣宋合作，共同促使羅斯福作出了召回史迪威的決定。

二〇〇六年十月一日完稿，原載拙著《抗戰與戰後中國》，中國人民大學出版社二〇〇七年七月出版

註釋：

【一】《困勉記》卷七〇，一九四二年一月三十日，台北：國史館藏。

【二】杜聿明：《中國遠征軍入緬對日作戰述略》，《中華文史資料文庫》，北京：文史資料出版社，一九九六，第四卷，第八七一頁。

【三】黃加林等譯：《史迪威日記》，北京：世界知識出版社，一九九二，第五〇頁。

【四】《蔣介石日記》，手稿本，一九四二年三月九日。

【五】秦孝儀主編：《中華民國重要史料初編——對日作戰時期》第二編《作戰經過》（三），台北：中國國民黨中央黨史委員會，一九八一。以下簡稱《作戰經過》（三），第二三八頁。史迪威當日日記稱：「蔣大談中國人的氣質和他們所受到的局限，他們不能去進攻的理由……在緬甸失敗對於士氣將是災難性的一擊。第五軍和第六軍（是）『軍隊中的精華』必須慎重。」見《史迪威日記》，第五四頁。

【六】《史迪威日記》，一九四二年三月十八日，第六〇頁。

【七】《蔣介石日記》，手稿本，一九四二年三月十八日。

【八】《作戰經過》（三），第二五七頁。

【九】《史迪威日記》，第六一頁。

【一〇】原文為Stubborn bugger，瞿同祖譯作「頑固的畜牲」，見《史迪威資料》，北京：中華書局，一九七八，第一九頁；黃加林等：《史迪威日記》譯作「頑固的傢伙」，見第六一頁，此從黃譯。

【一一】《蔣介石日記》，手稿本，一九四二年三月二十日。

【一二】杜聿明：《中國遠征軍入緬對日作戰述略》，第八七五頁。

【一三】《蔣介石日記》，手稿本，一九四二年三月三十一日。

【一四】《史迪威日記》，一九四二年三月三十日，第七一頁。

【一五】《作戰經過》（三），第二七一頁。

【一六】《蔣介石日記》，手稿本，一九四二年四月一日。

【一七】《史迪威日記》，一九四二年四月一日，第七二——七三頁。

【一八】《史迪威日記》，一九四二年四月一日，第七三頁。

【一九】《作戰經過》（三），第二七四頁。

【二〇】《蔣介石日記》，手稿本，一九四二年四月四日。

【二一】《史迪威日記》，一九四二年四月七日，第七七頁；參見《作戰經過》第二九〇頁。

【二二】《蔣介石日記》，手稿本，一九四二年四月八日。

【二三】《作戰經過》（三），第二九九頁；參見羅卓英：《報告》，一九四二年六月二十五日。宋子文文件，第六四盒，美國斯坦福大學胡佛研究院藏。

【二四】《上星期反省錄》，《蔣介石日記》，手稿本，一九四二年五月九日。

【二五】秦孝儀主編：《中華民國重要史料初編——對日作戰時期》第三編《戰時外交》（三），台北：中國國民黨中央黨史委員會，一九八一，以下簡稱《戰時外交》（三），第一四六頁。

【二六】杜聿明：《中國遠征軍入緬對日作戰述略》，第八八二頁。

【二七】《史迪威日記》，一九四二年六月四日、七日，第一〇三、一〇四頁。

【二八】《上星期反省錄》，《蔣介石日記》，手稿本，一九四二年六月六日。

【二九】《困勉記》卷七二，一九四二年六月五日。

【三〇】《上星期反省錄》，《蔣介石日記》，手稿本，一九四二年六月六日。

【三一】《蔣介石日記》，手稿本，一九四二年六月十六日。

【三二】《史迪威日記》，一九四二年六月十九日，第一〇五頁。

【三三】熊式輝文件，美國哥倫比亞大學珍本和手稿圖書館藏。

【三四】《戰時外交》（三），第一四五頁。

【三五】《宋子文致蔣介石急電》（一九四二年五月九日）：「軍部密告，接史梯威電，羅卓英離軍隊遁寶〔保〕山。」見林孝庭等編：《胡佛研究所所藏蔣介石、宋子文往來電稿》，初稿，未刊。

【三六】熊式輝文件，美國哥倫比亞大學珍本和手稿圖書館藏。《戰時外交》（三）第六〇三—六〇四頁，所載文字有小異，此據熊式輝文件引。

【三七】宋子文文件，美國：胡佛研究院藏，第六〇盒。

【三八】宋子文文件，美國：胡佛研究院藏，第六〇盒。

【三九】宋子文：《加碼呈委員長電》，一九四二年五月十九日，林孝庭等編：《胡佛研究所所藏蔣介石、宋子文往來電稿》，初稿，未刊。

【四〇】《宋子文致蔣介石電》，一九四二年六月，《胡佛研究所所藏蔣介石、宋子文往來電稿》，初稿，未刊。
【四一】《宋子文致蔣介石電》，一九四二年六月十二日。
【四二】《作戰經過》（三），第五一四—五一五頁。
【四三】《作戰經過》（三）。
【四四】《戰時外交》（三），第一六八頁；參見《史迪威日記》，一九四二年六月二十六日，第一〇九頁。
【四五】《戰時外交》（三），第六一三頁。
【四六】《戰時外交》（三），第一七一—一七五頁。
【四七】《史迪威日記》，一九四二年七月一日，第一一〇—一一一頁。
【四八】《戰時外交》（三），第六〇八—六〇九頁。
【四九】《戰時外交》（三），第六〇九—六一〇頁。
【五〇】《蔣介石日記》，手稿本，一九四二年七月三日、四日。
【五一】《戰時外交》（三），第六一一頁。
【五二】《戰時外交》（三），第六一一頁。
【五三】《蔣介石日記》，手稿本，一九四二年七月十八日，參見同日《困勉記》。
【五四】《戰時外交》（三），第六一五頁。
【五五】《蔣介石日記》，手稿本，一九四二年七月二十二日。
【五六】《蔣介石日記》，手稿本，一九四二年七月二十五日。
【五七】《上星期反省錄》，《蔣介石日記》，手稿本，一九四二年七月二十五日。
【五八】《蔣介石日記》，手稿本，一九四二年七月二十七日。
【五九】《戰時外交》（三），第六一四頁。
【六〇】《宋子文致蔣介石電》，一九四二年七月三十日。
【六一】《蔣介石日記》，手稿本，一九四二年七月三十日。

【六二】鄭洞國：《我的戎馬生涯》，北京：團結出版社，一九九二，第二九五—二九六頁。
【六三】《作戰經過》（三），第五一五頁。
【六四】《蔣介石日記》，手稿本，一九四二年十二月十一日。
【六五】鄭洞國：《我的戎馬生涯》，第二七二—二七三頁。
【六六】《作戰經過》（三），第三五五、三五七頁。
【六七】《作戰經過》（三），第二一一頁。
【六八】《蔣介石日記》，手稿本，一九四三年二月七日。
【六九】《蔣介石日記》，手稿本，一九四三年二月八日。
【七〇】《宋子文致蔣介石電》，一九四三年二月。
【七一】《史迪威日記》，未註明日期，第一七五頁。
【七二】《戰時外交》（三），第二二四—二二六頁。
【七三】《戰時外交》（三），第二二六頁。
【七四】《戰時外交》（三），第二三六頁。
【七五】《戰時外交》（三），第二二七頁。
【七六】《戰時外交》（三），第二二八頁。
【七七】《戰時外交》（三），第二二九—二三〇頁。
【七八】《戰時外交》（三），第二三一頁。
【七九】《戰時外交》（三），第二三二頁。
【八〇】《蔣介石日記》，手稿本，一九四三年五月十八日。
【八一】《戰時外交》（三），第二三四頁。
【八二】《戰時外交》（三），第二三六頁。
【八三】《蔣介石日記》，手稿本，一九四三年五月二十二日。

【八四】轉引自《古達程渝來電》，一九四三年五月二十七日，宋子文文件，第五十八盒，美國：胡佛研究院藏。

【八五】《古達程渝來電》，一九四三年六月二十一日，美國：胡佛研究院藏。

【八六】《史迪威日記》，一九四三年六月二十八日，第一八七頁。

【八七】《蔣介石日記》，手稿本，一九四三年六月二十八日。

【八八】《史迪威日記》，一九四三年六月二十八日，第一八七頁；《戰時外交》（三），第六二八頁。

【八九】《史迪威日記》，一九四三年六月二十八日，第一八七頁；《戰時外交》（三），第六二八頁。

【九〇】《蔣介石日記》，手稿本，一九四三年六月二十八日。

【九一】《本月反省錄》，《蔣介石日記》，手稿本，一九四三年六月三十日。

【九二】鄭洞國：《我的戎馬生涯》，第三〇一頁。

【九三】《作戰經過》（三），第五一六—五一七頁。

【九四】《戰時外交》（三），第六三〇—六三一頁。

【九五】《史迪威日記》，一九四三年九月十八日，第二〇〇頁。

【九六】《蔣介石日記》，手稿本，一九四三年九月二十一日。

【九七】《上星期反省錄》，《蔣介石日記》，手稿本，一九四三年九月十二日。

【九八】《戰時外交》（三），第六三二頁。

【九九】《戰時外交》（三），第二四三—二四四頁。

【一〇〇】《戰時外交》（三），第二六二—二六三頁。

【一〇一】《戰時外交》（三），第二六五頁。

【一〇二】《戰時外交》（三），第二六七頁。

【一〇三】《史迪威日記》，一九四三年十月二十一日。

【一〇四】《蔣介石日記》，手稿本，一九四三年十月十五日。

【一〇五】*Stilwell's Mission to China*, Washington, D. C.: Office of the Chief of Military History, of the Army, 1953, pp.376-377.

【一〇六】《蔣介石日記》，手稿本，一九四三年十月十六日。
【一〇七】《蔣介石日記》，手稿本，一九四三年十月十七日。
【一〇八】《上星期反省錄》，《蔣介石日記》，手稿本，一九四三年十月十七日。
【一〇九】《蔣介石日記》，手稿本，一九四三年十月十八日。
【一一〇】唐縱：《在蔣介石身邊八年》，北京：群眾出版社，一九九一，第三八六頁。
【一一一】《蔣介石日記》，手稿本，一九四三年十月十八日。
【一一二】《蔣介石日記》，手稿本，一九四三年十月十八日。
【一一三】唐縱：《在蔣介石身邊八年》，一九四三年十月二十一日，第三八七頁。直到十一月五日，唐縱才弄明白所以，見該書第三八九頁。
【一一四】《史迪威日記》，一九四三年九月十三日，第一九九頁。
【一一五】《史迪威日記》，第二〇五—二〇六頁。
【一一六】《史迪威日記》，一九四三年十月二十一日，第二〇七頁。
【一一七】《蔣介石日記》，手稿本，一九四三年十一月十六日。
【一一八】宋子文文件，美國：胡佛研究院藏，第六十四盒。
【一一九】《蔣介石日記》，手稿本，一九四三年十二月二十四日。
【一二〇】《上星期反省錄》，《蔣介石日記》，手稿本，一九四三年十二月二十六日。
【一二一】《三十二年感想反省錄》，《蔣介石日記》，手稿本，一九四三年十二月三十一日。
【一二二】《史迪威日記》，一九四三年十月二十一日，第二〇七頁。
【一二三】《愛記》，一九四三年十一月二十四日，台北：國史館藏。
【一二四】史迪威政治顧問（美國國務院所派）戴維斯告友人語，見《宋子文致蔣介石電》，一九四三年六月八日。
【一二五】轉引自梁敬錞：《史迪威事件》，台灣：商務印書館，一九七二，第一九四頁。
【一二六】《史迪威日記》，第二二〇頁。

【一二七】《史迪威日記》，第二二八頁。

【一二八】Frank Dorn: *Walkout with Stilwell in Burma* , New York, Y. Crowell, 1971, pp.75-79.

【一二九】《史迪威日記》，時間不明，第二七九頁。

【一三〇】《史迪威日記》，一九四四年九月九日，第二八四頁。

【一三一】《戰時外交》（三），第五三七頁。

【一三二】《蔣介石日記》，手稿本，一九四三年十一月二十五日。

【一三三】《蔣介石日記》，手稿本，一九四三年十一月二十六日。

【一三四】《本月反省錄》，《蔣介石日記》，手稿本，一九四三年十一月三十日。

【一三五】《蔣介石日記》，手稿本，一九四三年十一月三十日；參見鄭洞國：《我的戎馬生涯》，第二九六—二九七頁。

【一三六】《困勉記》，一九四三年十一月三十日。

【一三七】《戰時外交》（三），第二八六頁。

【一三八】《蔣介石日記》，手稿本，一九四三年十二月十四日。

【一三九】《史迪威日記》，一九四三年十二月十五日，第二三〇頁。

【一四〇】《史迪威日記》，一九四三年十二月十六日，第二三一—二三二頁。

【一四一】《蔣介石日記》，手稿本，一九四三年十二月十五日。

【一四二】同上，一九四三年十二月十六日。

【一四三】同上，一九四三年十二月十七日。

【一四四】《戰時外交》（三），第二八九頁。

【一四五】《作戰經過》（三），第三八五—三九四頁。

【一四六】《史迪威日記》，一九四三年十二月十九日，第二三三頁。

【一四七】《戰時外交》（三），第二九一頁。

【一四八】《戰時外交》（三），第二九六頁。

【一四九】《戰時外交》（三），第二九七—二九八頁。

【一五〇】《戰時外交》（三），第二九九頁。

【一五一】《蔣介石日記》，手稿本，一九四四年四月五日。

【一五二】《蔣介石日記》，手稿本，一九四四年四月六日。

【一五三】《事略稿本》，一九四四年四月七日，台北：國史館藏。

【一五四】《蔣介石日記》，手稿本，一九四四年四月十三日，參見同日《事略稿本》。

【一五五】《蔣介石日記》，手稿本，一九四四年六月一日。

【一五六】《蔣介石日記》，手稿本，一九四四年六月三日。

【一五七】《史迪威日記》，一九四四年六月二日，第二六二頁。

【一五八】《史迪威日記》，一九四四年六月五日，第二六二頁。

【一五九】史迪威的助手賀恩稱：「史迪威正想令華東機場失去，以證明其在華府會議中預測之證實。」見Way of a fighter, p.294. 轉引自《史迪威事件》，第三〇七頁。

【一六〇】*Stilwell's Command Problems*, Washington, D.C.: Office of the Chief of Military History, of the Army, pp.380-381.

【一六一】《史迪威事件》，第二六五—二六六頁。

【一六二】《戰時外交》（三），第六三四—六三五頁。

【一六三】《史迪威日記》，一九四四年七月八日，第二六七頁。

【一六四】巴巴拉：《史迪威與美國在華經驗》，重慶出版社，一九九四，第六二二頁。

【一六五】《戰時外交》（三），第六三七頁。

【一六六】《戰時外交》（三），第六四二頁。

【一六七】《蔣介石日記》，手稿本，一九四四年七月十六日。

【一六八】《蔣介石日記》，手稿本，一九四四年八月六日。

【一六九】《戰時外交》（三），第六四五—六四八頁。

【一七〇】《戰時外交》（三），第六五一頁。
【一七一】《戰時外交》（三），第六五五頁。
【一七二】《史迪威事件》，第二七八頁。
【一七三】《史迪威日記》，一九四四年九月十六日，第二八七頁。
【一七四】《史迪威日記》，一九四四年九月十六日，第二八七頁。
【一七五】《事略稿本》，一九四四年九月十二日。
【一七六】《蔣介石日記》，手稿本，一九四四年 九月十五日。
【一七七】《蔣介石日記》，手稿本，一九四四年九月十六日。
【一七八】《史迪威日記》，一九四四年九月十五日，第二八七頁。引文參考了瞿同祖所譯《史迪威資料》，北京：中華書局，一九七八，第一二一頁。
【一七九】*Stilwell's Command Problems*, Washington, D.C.: Office of the Chief of Military History, of the Army, pp.435-436.
【一八〇】《戰時外交》（三），第六五八—六五九頁。
【一八一】《史迪威日記》，一九四四年九月十八日，第二八九頁。
【一八二】《蔣介石日記》，手稿本，一九四四年九月十九日。
【一八三】《蔣介石日記》，手稿本，一九四四年九月二十日。
【一八四】《戰時外交》（三），第六七五頁。
【一八五】《戰時外交》（三），第六六七—六七一頁。
【一八六】《戰時外交》（三），第六七三—六七四頁。
【一八七】《戰時外交》（三），第六七五頁。
【一八八】《蔣介石日記》，手稿本，一九四四年九月二十七日。
【一八九】《蔣介石日記》，手稿本，一九四四年九月三十日。
【一九〇】《戰時外交》（三），第六七七—六七八頁。

【一九一】《戰時外交》（三），第六七八—六七九頁。
【一九二】《戰時外交》（三），第六八三頁。
【一九三】《戰時外交》（三），第六八四頁。
【一九四】《蔣介石日記》，手稿本，一九四四年十月十一日，參見同日《事略稿本》。
【一九五】《蔣介石日記》，手稿本，一九四四年十月十三日，參見同日《事略稿本》。
【一九六】Foreign Relations of the United State, 1944, Vol.6, p.726. 參見《事略稿本》，一九四四年十月二十一日。
【一九七】《蔣介石日記》，手稿本，一九四四年十月十五日。
【一九八】《蔣介石日記》，手稿本，一九四四年十月二十二日。
【一九九】《本月反省錄》，《蔣介石日記》，手稿本，一九四四年十月三十一日。
【二〇〇】宋子文文件，胡佛研究所藏，第四十七盒。
【二〇一】《蔣介石日記》，手稿本，一九四五年一月五日。
【二〇二】《蔣介石日記》，手稿本，一九四五年七月七日。
【二〇三】《蔣介石日記》，手稿本，一九四五年八月二日。
【二〇四】《蔣介石日記》，手稿本，一九四五年八月三日。
【二〇五】鄭洞國：《我的戎馬生涯》，第三〇二頁。

如何對待毛澤東：扣留「審治」，還是「授勳」禮送？

——重慶談判期間蔣介石的心態考察

一 抗戰勝利，蔣介石電邀毛澤東「共商大計」

一九四五年八月十日。

下午八時多，蔣介石做完默禱，忽然聽到設於附近求精中學的美軍總部傳來一陣歡呼聲，緊接着，是劈里啪啦的炮竹聲。蔣介石問身邊的蔣孝鎮，怎麼回事，為何如此嘈雜？蔣孝鎮回答：聽說敵人投降了。蔣介石心頭一陣驚喜：日本投降了?!他讓蔣孝鎮再去打聽。不久，各方傳來正式報告，日本政府宣佈，除保持天皇尊嚴外，其餘均按照中、美、英波茨坦公告所列條件投降。消息證實，日本確實投降了。苦熬八年，日盼夜想的這一天終於來到了。

當時，蔣介石正在宴請墨西哥駐華大使。抗戰勝利，蔣介石有許多事急待決定、處理。偏偏這位大使不識相，不斷提出各種問題，糾纏不休。外交部次長吳國楨兩次提醒，這位大使才很不情願地離去。蔣介石立即召開軍事幹部會議，按照早就擬定的令稿向前方各戰區發電，並令吳鐵城、陳布雷提出宣傳與各黨部應辦之事，當時已經深夜十二點了。

八月十一日清晨，蔣介石約見美國大使赫爾利（Hurley, Patrick Jay，蔣介石日記作哈雷），對杜魯門總統提出的諮詢意見作出答覆。蔣稱：自己一貫主張，日本國體由日本人民自選。至於要求天皇出面簽訂降書以及將日本置於聯軍統帥之下各條，完全同意總統的意見。九時，再次約見赫爾利和魏德邁，就淪陷區軍事緊急處置等問題表示看法。十一時，到國民黨中央臨時常會，提出今後大政方針與各種處置。

蔣介石最焦慮的是接受日軍投降問題。早在八月十日深夜十二時，朱德就以延安總部總司令的名義發佈第一號命令，要求敵軍「於一定時間內向我作戰部隊繳出全部武裝」，如「拒絕投降繳械，即應予以堅決消滅」。第二天，又連發第二至第七號令，命令中共所掌握的抗日部隊「積極舉行進攻，迫使敵偽無條件投降」。【一】當時，在華日軍有百萬之眾，不僅佔有中國許多城市和交通線，而且擁有大量戰略武器和物資。誰最早、最多接受日軍投降，誰就將取得最多、最大的勝利果實。因此，十一日這一天，蔣介石給各方發了許多電報，其中一份最緊急的就是給第十八集團軍總司令朱德和副總司令彭德懷的。該電聲稱：「政府對於敵軍之繳械、敵俘之收容、偽軍之處理及收復地區秩序之恢復、政權之行使等事項，均已統籌決定，分令實施」，要求該集團軍「就原地駐防待命」，不得「擅自行動」。【二】這份電報實際上剝奪了共產黨人接受日軍投降的權利。八月十四日，蔣介石作出了又一個重大決定，邀請毛澤東到重慶來「共商大計」，電云：

倭寇投降，世界永久和平局面可期實現。舉凡國際、國內各種重要問題亟待解決，特請先生克日惠臨陪都，共

同商討，事關國家大計，幸勿吝駕。【三】

抗戰八年中，蔣介石和共產黨維持着一種複雜而微妙的關係。他的日記中時而稱「共黨」，時而稱「共匪」，飄忽不定。現在，他要邀請毛澤東到重慶來，葫蘆裡賣的是什麼藥？

二 毛澤東在斯大林的「執意要求」下應邀赴渝

對於蔣介石的邀請，毛澤東頗感意外。一九三七、一九三八兩年，蔣介石實行和共產黨的第二次合作，努力抗戰，毛澤東比較滿意。在延安作報告的時候，給過蔣很高的評價。但是，一九三九年，特別是一九四〇年皖南事變之後，毛澤東對蔣的印象就愈來愈壞。接到蔣介石的邀請電後，毛澤東的第一個反應是不想去。八月十六日，毛澤東為朱德起草致蔣介石的電文，提出六項要求，其主要內容為：解放區一切抗日人民武裝力量，有權接受所包圍的日偽軍投降，收繳其武器資財；解放區軍隊所包圍的敵偽，由解放區軍隊接受投降，國民黨軍隊所包圍的敵偽，由國民黨軍隊接受投降。抗戰八年中，國民黨的部隊退守西南，而中共所領導的抗日部隊則深入敵後，因此這當然是一個有利於共產黨人的方案。緊接着，毛澤東覆電蔣介石：

> 朱德總司令本日午有一電給你，陳述敝方意見，待你表示意見後，我將考慮和你會見的問題。【四】

毛澤東的這通電報，沒有說不去重慶，而是要蔣表態，待表態以後再看。當時，美國正在調派飛機、軍艦，向原為日軍佔領的地區運送國民黨軍，毛澤東也正雄心勃勃地計劃在上海、南京、北平、天津、唐山、保定、石家莊等地發動武裝起義，奪取這些大城市。十八日，蔣介石在日記中寫道：「朱之抗命，毛之覆電，只有以妄人視之，但不可不防其突變叛亂也。」【五】當晚，他夜半醒來，反覆思考，推敲詞句，於二十日再致毛澤東一電，聲稱受降辦法由盟軍總部規定，不能破壞盟軍的「共同信守」。朱總司令對於執行盟軍規定，亦持異議，「則對我國家與軍人之資格將置於何地？」批評、責問之後，再給朱德戴高帽子，聲稱「朱總司令果為一愛國愛民之領袖，只有嚴守紀律，恪遵軍令」。電報最後重申邀請：

抗戰八年，全國同胞日在水深火熱之中，一旦解放，必須有以安輯鼓舞之，未可蹉跎延誤。大戰方告終結，內爭不容再有，深望足下體念國家之艱危，憫懷人民之疾苦，共同戮力，從事建設。如何以建國之功收抗戰之果，甚有賴於先生之惠然一行，共定大計。特再電奉邀，務請惠諾。【六】

電報的這一段話寫得情詞懇切，似乎不容拒絕。不過，毛澤東仍然不想遽爾應邀。二十二日，毛澤東再次覆電蔣介石：

茲為團結大計，特先派周恩來同志前來晉謁，到後希予接洽為懇！【七】

抗戰中，周恩來長駐重慶，多次和蔣介石折衝周旋，由周作前驅，作「偵察戰」，自然再合適不過。【八】蔣介石看到毛澤東仍然不想來，於二十三日再次發電邀請：

承派周恩來先生來渝洽商，至為欣慰。惟目前各種重要問題，均待與先生面商，時機迫切，仍盼先生能與周恩來先生惠然偕臨，則重要問題方能迅速解決。茲已準備飛機迎迓，特再馳電速駕。【九】

古有劉備「三顧茅廬」的美談，現在蔣介石是三電邀請，毛澤東似乎不能再次推拒。其間，斯大林曾兩次致電毛澤東，聲稱「中國不能再打內戰，要再打內戰，就可能把民族引向滅亡的危險地步」。又稱：「蔣介石已再三邀請你去重慶協商國事，在此情況下，如果一味拒絕，國際、國內各方面就不能理解了。如果打起內戰，戰爭的責任由誰承擔？你到重慶去同蔣會談，你的安全由美、蘇兩家負責。」【一〇】毛澤東收到電報後很不高興，「甚至是很生氣」，但是，斯大林是當時國際共產主義運動的最高指導者，毛澤東不能不尊重他的意見。二十三日，毛澤東主持中共中央政治局擴大會議，在會上說：「我們要準備所有讓步取得合法地位，利用國會講壇去進攻。」「先派恩來同志出去，我出去，決定少奇同志代理我的職務。」二十四日，毛澤東覆電蔣介石：

鄙人極願與先生會見，商討和平建國大計。俟飛機到，恩來同志立即赴渝晉謁，弟亦準備隨即赴渝。晤教有期，特此奉覆。【一一】

對毛澤東的這份回電，蔣介石的感覺是「溫馴已極」，「橫逆與馴順，一週三變」。【一二】在蔣介石三電毛澤東期間，赫爾利大使也曾兩電表示，願意到延安迎接。二十五日，毛澤東覆電中國戰區參謀長魏德邁，對赫爾利來延表示歡迎，聲稱願與周恩來將軍偕赫爾利大使同機飛渝。同日，他和即將回太行根據地的劉伯承、鄧小平談話，要他們回到前方以後，放手打，不要擔心我在重慶的安全。你們打得越好，我越安全，談得越好。【一三】二十八日，毛澤東由赫爾利與蔣介石的代表張治中陪同，與周恩來、王若飛同機抵渝。抵達時，毛澤東身穿藍灰色中山裝，腳穿黑色布鞋。一手揮着巴拿馬式帽子，微笑着走下飛機。舉世矚目的重慶談判開始了。

三 初談不順

早在八月二十六日，蔣介石就在日記中寫下了「與毛商談要目與方針」，包括「共部之處理」、「國民大會辦法」、「參加政府辦法」、「釋放共犯辦法」等內容。【一四】二十七日日記云：「對共方針，決予其寬大待遇，如其果長惡不悛，則再加懲治，猶未為晚也。」【一五】二十八日，蔣介石召集幹部會議，討論對毛澤東來渝後的方針，確定「以誠摯待之」，「政治與軍事應整個解決，但對政治之要求予以極度之寬容，而對軍事則嚴格之統一，不稍遷就。」【一六】二十八日下午三時許，毛澤東等人到達重慶機場，毛對中外記者發表書面談話：

> 現在抗日戰爭已經勝利結束，中國即將進入和平建設時期，當前時機極為重要。目前最迫切者，為保證國內和平，實施民主政治，鞏固國內團結。國內政治上軍事上所存在的各項迫切問題，應在和平、民主、團結的基礎上加以合理解決，以期實現全國之統一，建設獨立、自由、民主、團結與富強的新中國。【一七】

當晚，蔣介石在林園設宴招待毛澤東一行，特意將毛安排在自己的對座，以示「誠懇」。宴會後，又邀請毛澤東下榻林園。

毛澤東等來渝前，中共中央曾發表《對時局宣言》，要求國民黨立即實施六項措施：承認解放區的民選政府和抗日軍隊；嚴懲漢奸；解散偽軍；公平合理地整編軍隊；承認各黨派的合法地位；立即召開各黨派和無黨派人物會議，成立舉國一致的民主聯合政府。對於這六條，蔣介石在日記中表示：「皆應留有餘地，而不加以正面拒絕，但須有確定前提。」【一八】八月二十九日，蔣介石與毛澤東舉行第一次會談。蔣稱願意聽取中共方面的意見，並稱中國無內戰。毛澤東則稱，說中國沒有內戰是欺騙。蔣提出談判三原則：一、所有問題整個解決。二、一切問題之解決，均須不違背政令、軍令之統一。三、政府之改組，不得超越現有法統之外。這個「三原則」，就是他在日記中所說的「確定前提」。當晚七時，蔣介石親赴毛澤東所住蓮屋訪問，約談一小時，蔣自稱屬於「普通應酬」。【一九】三十一日，蔣在日記中寫道：「毛澤東果應召來渝，此雖為德威所致，而實上帝所賜也。」【二〇】

九月三日，毛澤東通過周恩來、王若飛向國民黨代表張群、張治中、邵力子提出十一條談判要點，其主要內容為：

一、確定和平建國方針，以和平、團結、民主為統一的基礎，實現三民主義。

二、擁護蔣主席之領導地位。

三、承認各黨各派合法平等地位並長期合作，和平建國。

四、承認解放區政權及抗日部隊。

五、嚴懲漢奸，解散偽軍。

六、重劃受降地區，（解放區抗日軍隊）參加受降工作。

七、停止一切武裝衝突，令各部暫留原地待命。

八、實行政治民主化，軍隊國家化，黨派平等合作。

九、政治民主化之必要辦法：由國民政府召集各黨派及無黨派代表人物的政治會議，各黨派參加政府，重選國民大會；由中共推薦山西、山東、河北、熱河、察哈爾五省主席、委員，及綏遠、河南、安徽、江蘇、湖北、廣東六省副主席，北平、天津、青島、上海四特別市副市長。

十、軍隊國家化之必要辦法：公平合理的整編全國軍隊，分期實施；解放區部隊編成十六個軍四十八個師，駐地集中於淮河流域及隴海路以北地區；中共參加軍委會及其所屬各部工作；設北平行營及北方政治委員會，任中共人員為主任。

十一、黨派平等合作之必要辦法：釋放政治犯；保障各項自由，取消一切不合理禁令，取消特務機關。【二一】

毛澤東所提十一條中的「實現三民主義」、「擁護蔣主席之領導地位」等內容，蔣介石自然滿意，他反感的是其中的九、十等條，批評其為「要求無饜」。九月三日，蔣介石日記云：

余以極誠對彼，而彼竟利用余精誠之言，反要求華北五省主席與北平行營主任皆要委任其人，並要編組其共軍四十八萬人，此為余所提之十二師之三倍，最後將欲廿四師為其基準數乎？共匪誠不可以理喻也。此事唯有賴帝力之成全矣！【二二】

四日晨五時，蔣起身禱告，「願共毛之能悔悟，使國家能和平統一也」。上午，他約張群、張治中、邵力子談話，聽取昨晚與周恩來談話經過。蔣自感「腦筋深受刺激」，歎息「何天生此等惡劣根性，徒苦人類乃爾」！【二三】他將自擬的《對中共談判要點》交給張群等，其主要內容為：

一、中共軍隊之編組，以十二個師為最高限度。

二、承認解放區，為事實絕對行不通。

三、擬改組原國防最高委員會為政治會議，由各黨各派人士參加。在國民大會產生新政府後，各黨派與無黨派人士均可依法參加中央政府。

四、原當選之國民大會代表，仍然有效，可酌量增加名額。【二四】

國民黨一九二七年執政後，長期實行以「一黨專政」為核心的「黨治」，因此受到國內外各階層的嚴厲批評。一九三六年，國民黨提出召開「國民大會」，制訂憲法，成立政府，宣稱將通過此途徑「還政於民」。除選舉代表一千二百人之外，國民黨的中央及候補執、監委為當然代表，國民政府並直接指定代表二百四十人。中共並不反對召開國民大會，但主張代表重選，蔣介石則堅決反對重選。

按蔣的想法，要將毛澤東的提議從速公佈示眾，但張治中等認為為時過早。同日下午五時，毛澤東應蔣介石邀請，參加軍事委員會召開的抗戰勝利茶會。會後，蔣、毛再次直接商談。從九時起，張群、邵力子、張治中與周恩來、王若飛開始第一次會談。至十月八日止，雙方共會談十三次。

從九月四日起，蔣介石即將和中共談判的任務交給張群等三人，而他自己，則退居幕後。但是，他仍然牢牢地掌控談判，日記中有許多對談判情況的記載。

九月八日，蔣介石《上星期反省錄》云：「共毛各種無理要求與不法行動，自受俄之主使，余亦惟有一意忍耐處之。」

九月十一日日記云：「余今日對俄、對共，惟有以誠與敬對之，未知果能收效否？」

九月十二日正午，蔣介石約毛澤東、周恩來到林園共進午餐。日記云：「余示以至誠與大公，允其所有困難無不為之解決，而彼尚要求編其二十八師之兵數耳！」【二五】

九月十三日日記云：「囑毛澤東訪魏德邁。」

九月十五日《上星期反省錄》：「共毛近來從容不迫，交涉拖延之故，其必等待美國政策之轉變，期望國際共同干涉內政也。」

九月十七日日記云：「正午，約毛澤東、哈雷照相談話。據岳軍言，恩來向其表示者，前次毛對余所言，可減少其提軍額之半數者，其實為指四十八師之數，已照其共匪總數減少一半之數也。果爾，則共匪誠不可與言也。以當時彼明言減少半數為二十八師之數字也，其無信不誠有如此也。」

九月二十日日記云：「目前最重大問題為共毛問題。國家存亡，革命成功，皆在於此。」「不能不為國相忍，導之以德，望能感格也。」

九月二十一日日記云：「考慮共黨問題對國家禍福利害甚久，此時主動尚在於我，不患其作惡賣國，吾仍以理導之。」「晚與哈雷談共黨問題，示以軍額最大限為廿師，如其仍要求華北各省主席，則不再談矣。」

九月二十二日《上星期反省錄》云：「中共陰謀與野心雖被阻制，但險象仍在，不可稍忽，事已到了最大限度，彼仍不接受，則惟置之不理，任其變化，以此時主動全在於我也。」

談判中，張群等根據蔣介石的指示，曾於九月八日寫了一份書面文件，逐條回答中共所提談判要點。其第一項稱：「和平建國自為共同不易之方針，實行三民主義亦為共同必遵之目的。」第二項稱：「擁護蔣主席之領導地位，承明白表示，甚佩。」第三項稱：「各黨派在法律面前平等，本為憲政常規，今可即行承認」。其他如嚴懲漢奸、解散偽軍，參加受降工作，停止武裝衝突，釋放政治犯，嚴禁特務逮捕、拘禁以及政治民主化、軍隊國家化的原則，國民黨代表都表示「自可考慮」，或「自無問題」，蔣介石和國民黨代表所不能接受的是「重選國民大會代表」、「解決解放區辦法」以及「軍隊國家化之必要辦法」等問題。【二六】當時，毛澤東要求將中共部隊改編為四十八師，而蔣介石只允許以二十師為最高限額。至於五省主席，六省副主席、四市副市長、北平行營主任等職，蔣介石覺得中共是「獅子大開口」，根本不想考慮。

就在兩黨談判僵持不下之際，蔣介石卻於九月二十七日偕宋美齡飛往西昌，休息去了。

四　蔣介石的心態發生一百八十度大變化，企圖扣留並「審治」毛澤東

在去西昌的飛機上，蔣介石讀到了毛澤東回答路透社記者的提問。提問中，毛澤東談到，解放區已經擁有一百二十萬人以上的軍隊和二百二十萬人以上的民兵，除分佈於華北各省與西北的陝甘寧邊區外，還分佈於江蘇、安徽、浙江、福建、河南、湖北、湖南、廣東各省。【二七】毛澤東的這段談話勾起了蔣對中共所提十一條的回憶，也勾起了蔣鬱結在胸中對中共和毛澤東長期的仇視。其實，在蔣介石的心目中，中共早已不是和國民黨並肩抗敵的戰友，而是「漢奸」、「叛逆」；毛澤東也不是他盛情相邀的貴賓，而是「罪魁禍首」。他在日記中憤憤地寫道：

如欲不懲治漢奸，處理叛逆則已，否則非從懲治此害國殃民，勾敵搆亂第一人之罪魁禍首，實無以折服軍民，澄清國本也。如此罪大惡極之禍首，猶不自後悔，而反要求編組一百二十萬軍隊，割據隴海路以北七省市之地區，皆為其勢力範圍所有，政府一再勸導退讓，總不能饜其無窮之慾壑，如不加審治，何以對我為抗戰而死軍民在天之靈耶！【二八】

蔣介石表現在這裡的情緒已經不是他在日記中一再表達的「誠」與「敬」，而是一股強烈的剛暴之氣。他明確表示，要對毛澤東加以「審治」。

西昌，為當時西康省的重要城市，位於今四川涼山彝族自治州中部，始建於漢。蔣介石夫婦到達西昌後，下榻當地名勝西湖。從霧霾層層的重慶轉移到風清鳥囀、花笑山明之地，蔣介石心情為之一暢。但是，他仍然繫念在重慶談判桌上和中共代表的鬥爭，反覆考慮「共毛對國家前途之利害與存亡關係」。二十九日，他在日記中寫下了「中共之罪惡」六條：

甲、資抗戰之名義而行破壞抗戰之實。

乙、借民主之美名而施階級獨裁之陰謀。

丙、違反四項諾言之事實與經過，欺民欺世，忘信背義，莫此為甚。

丁、藉民選之名義以行其擁兵自衛，割據地盤，奴辱民眾，破壞統一之實。

戊、破壞外交政策，捕殺盟軍官兵，阻礙聯軍行動，破壞國軍反攻計劃，詆毀英美參戰為帝國主義之戰爭。不僅反對政府聯合英美作戰，而且始終破壞中蘇國交之增進。

己、勾結敵軍，通同漢奸，傾害國本，顛覆政府，以組織聯合政府為過渡手段，而達到其多數控制，成立第四國際專政之目的。

在抗戰中，國共兩黨雖然結成了統一戰線，但國民黨時刻想限制共產黨的發展，將中共的活動納入自己的政令、軍令之下，而中共則堅持獨立自主，力圖突破國民黨的限制，發展和壯大自己的力量。因此，雙方雖共同對敵，但彼此之間又充滿限制和反限制，摩擦和反摩擦的鬥爭。從上述蔣介石列舉的「罪狀」裡，人們不難看到，抗戰雖然勝利了，但蔣介石積累的對中共的誤解有多深，扭曲有多嚴重，仇視有多強烈。

宋美齡看到蔣介石如此忙碌，笑着說：你到西昌來哪裡是為休息呀！蔣介石沒有解釋，但他心想：「孰知余此來，比之平時之思考與工作更為迫切而急要也。他日統一如能告成，或得之於西昌遊程中也。」蔣接着寫其所謂中共「罪狀」：

庚、企圖割據華北各省，盤踞熱察，隔絕中蘇聯絡，破壞中蘇聯盟，以期擾亂世界和平之建立。

辛、擅設軍事委員會名義，劫持第十八集團軍，促使新四軍之叛變，反抗軍令，毅然以共產紅軍自稱。

壬、擅設延安所謂陝甘寧邊區政府，割據地盤，反對中央政令，私發鈔票，擅征租稅，強種亞片，私設關卡，與敵偽公開貿易，交換貨物，以接濟敵軍，助長侵略，此即中共所謂對敵抗戰也。

癸、跡其宣傳，直接以攻訐政府，誣衊盟軍，間接以協助敵偽，毀滅國本，必欲中華民國變成為第四共產國際而後已。

子、共軍所到之地，所謂民選政府之實情：（甲）信仰言論行動皆為絕對統制而無自由，否則即以反動漢奸與叛徒之罪而加以逮捕。傳教師絕對不能傳教，且不准其進入其民選區。（乙）人民之納租、出捐、抽丁、派糧不惟因戰後而不奉令停止，且變本加厲，各種苛捐雜稅層出不窮，民不聊生，而抗戰期間到處煽動人民，對政府抗糧抗役，以不出糧、不徵兵，且借各種神道邪教以愚惑民眾。

寫到這裡，蔣介石特別補充了一句：「以危害國家、破壞國家之事實，應略舉要點述之。」可見，蔣介石興有未盡，還要寫下去。

蔣介石寫這些「罪狀」，當然不是「無所為而為」，顯然，他是在為扣留並懲辦毛澤東作準備。然而，毛澤東應邀，為兩黨談判而來，要扣留並懲辦毛澤東不是一件簡單的事。蔣介石首先想到的是美國大使赫爾利的保證和美國政府的態度，也想到蘇聯政府可能的反應。所以，他在日記裡為提醒自己而特設的「注意」欄下寫下了兩條：一、哈雷（即赫爾利）保證共毛之安全函電，美國政府之地位及其預想之態度，應加研究；二、俄國之表示如何，亦應切實研究。【二九】

當時，蔣介石既要依靠美國，也不敢得罪蘇聯，甚至還想討好。例如，在倫敦的中美英蘇法五國外長會上，英美法為一方，蘇聯為一方，而重慶國民政府則「中立」，「對俄表示同情」。自然，蔣介石在採取行動之前，不能不將美、蘇這兩個大國的可能反應想清楚。

十月一日，蔣介石見到了中共提出的一份「公告稿」，其中提到毛澤東來渝的安全以及赫爾利的保證問題。蔣介石看到這篇「公告稿」以後，十分反感。日記中寫道：

此與會談全無關係，僅為其賊膽心虛之表示。彼全不思本國商談要由外人保證之恥。不思哈雷即使為其保證，亦已失效也。蓋哈雷保證共黨統一團結提議者之安全，並未保證其通敵賣國反動派之生命。次此為內政問題，無論任何外人，不能干涉我政府對內亂犯之處治，而且哈雷回國之前已對共黨聲明，今後國共問題全為中國之內政，不能如往日敵軍未投降時，可由其盟國共同作戰之關係參加調解，今後應由中國雙方自動直接解決也。【三〇】

蔣介石要扣留並「審治」毛澤東，赫爾利事前的保證是一道不能迴避的門檻。可以看出，蔣介石的這篇日記實際上是在為自己找解脫，力圖證明，他的舉動和赫爾利的保證沒有衝突。

一九三六年國民大會的代表選出後，由於第二年抗戰爆發，代表大會一直未能召開。抗戰後期，蔣介石為了對抗中共提出的召開黨派會議，建立民主聯合政府的主張，便於一九四五年元旦宣佈，可以不待抗戰結束，提前召集國民大會，制訂憲法，選舉政府，以使其統治合法化。同年三月一日，蔣介石又向憲政實施協進會宣佈，定於當年十一月十二日召集國民大會。毛澤東到重慶後，中共在談判中除主張國民大會代表須重選外，當年制訂的國民大會組織法、選舉法、《五五憲法草案》等也都須修改，召集大會的日期須延緩。對此，蔣介石都強烈反對。十月二日，蔣介石日記云：

共黨反盜為主，其到重慶，在軍事政治上作各種無理要求猶在其次，而且要將國民政府一切法令與組織根本推翻，不加承認，甚至實施憲政之日期與依法所選舉之國民大會亦欲徹底推翻重選，而代之以共黨之法令與組織，必使中國非依照其主張，受其完全控制而成為純一共黨之中國，終不甘心。【三一】

想來想去，蔣介石「審治」毛澤東，徹底解決中共問題的衝動越來越強烈，幾乎難以遏制了。

龍雲長期統治雲南，形成半獨立狀態。蔣介石早就想解決龍雲，其辦法是任命龍雲為軍事參議院院長，將他從昆明老窩中調到重慶。但蔣介石又擔心龍雲不肯入彀，作了武力強迫的準備。十月三日，杜聿明的軍隊武裝包圍雲南省政府，完全控制昆明，龍雲的滇軍僅有小反抗。蔣介石很高興，認為龍雲「經此一擊，彼當不能不俯首遵命乎！」【三二】幾天之後，龍雲被迫到重慶接任新職。

龍雲問題解決了，蔣介石的思緒再次回到中共問題上。當時，倫敦的五國外長會議因美蘇對立，無果休會。蔣介石認為「俄國實力已耗，外強而中已乾」，是他解決中共問題的好時機。十月五日日記云：

故於此時應不必為俄多所瞻顧，積極肅清內奸，根絕共匪，整頓內政，鞏固統一為第一。如其以此藉口，強佔我東北，擾亂我新疆，則彼干涉我內政，侵害我主權，否則仍使共匪餘孽搗亂邊疆，此乃彼一貫政策。不有此事，亦必不免也。余以為最多新疆暫失，東北未復而已，而本部之內，只〔至〕少可以統一矣，此乃天予之時也。

讀者應該特別注意這一段日記中的「不有此事」一句中的「此事」二字，顯然，其內容就是扣留毛澤東，「審治」毛澤東，和共產黨決裂，掀起剿共戰爭，「根絕共匪」。蔣介石估計，一旦他做了「此事」，蘇聯不會善罷甘休，有可能佔領新疆，拒絕從東北撤兵。但是，蔣介石覺得還是合算，他還是要做。

毛澤東在重慶，如魚游釜內，有點「懸」了。

五 蔣介石再次一百八十度大轉變，決定授予毛澤東等「勝利勳章」，並且禮送回延

然而，就在蔣介石破釜沉舟，準備豁出去做「此事」的時候，他卻又猶豫起來了。十月六日，蔣介石反省上周作為，覺得龍雲問題解決，西南鞏固，「建國已有南方統一之基礎」，「心神乃得自慰」。但是，對於解決中共問題，他覺得國內、國外反對者很多，困難很大。日記寫道：

> 對共問題，鄭重考慮，不敢稍有孟浪。總不使內外有所藉口，或因此再起紛擾，最後惟有天命是從也。

蔣介石的「鄭重考慮」是必要的。如果他悍然扣留並「審治」毛澤東，不僅美國、蘇聯通不過，在抗戰八年中發展起來的百萬中共武裝通不過，那時已經站在中共一邊的民主黨派自然也通不過。其結果，必將出現「再起紛擾」的嚴重局面。這麼一想，蔣介石又把他那顆強烈想扣留並懲辦毛澤東的心摁住了。當天正午，蔣介石與左右討論中共方面所起草的《會談紀要》以及毛澤東的離渝時期，蔣介石「立允其速行，以免其疑慮」。【三三】

十月八日正午，蔣介石宴請國民黨中央常委，討論兩黨談判情況。當時已經有了一份《會談紀要》的初稿，準備公佈。吳稚暉反對發表這份《紀要》。關於國民大會召開日期，會上意見分歧，莫衷一是，蔣介石只能宣佈休會，另加研究。會後，蔣介石審閱《紀要》，採納中常委們的意見，作了部分修改。又派葉楚傖去做吳稚暉的工作，說明這是將中央對共產黨的「政治解決」的方針明示中外，可以體現中央「仁至義盡」的態度

云云，吳才同意公佈。

十月九日，毛澤東向蔣介石告別。蔣問毛：對國共合作辦法有無意見？據蔣日記記載：「毛呑吐其辭，不作正面回答。」蔣對毛稱：「國共非徹底合作不可。否則不僅於國家不利，而且於共黨有害。」蔣繼稱：

余為共黨今日計，對國內政策應改變方針，即放棄軍隊與地盤觀念，而在政治上、經濟上競爭，此為共黨今後惟一之出路。第一期建設計劃如不能全國一致，努力完成，則國家必不能生存於今日之世界，而世界第三次戰爭亦必由此而起。如此吾人不僅對國家為罪人，而且對今後人類之禍福亦應負其責也。【三四】

這段話，蔣介石覺得他是向毛掏了心窩子，毛的反應，據蔣日記記載：「彼口以為然」，但是，蔣不大相信，所以接着寫道：「未知果能動其心於萬一，但余之誠意或為彼所知乎？」當日正午，蔣介石繼續與毛澤東談話，並且設宴招待。

十月十日下午，周恩來、王若飛與王世杰、張群、邵力子、張治中在桂園客廳共同簽署《國民政府與中共代表會談紀要》（簡稱雙十協定）。這個《紀要》由周恩來起草，是毛澤東、周恩來到重慶後和國民黨代表多次商談的結果，也是雙方求同存異、互諒互讓的結果。共十二條，其中《關於和平建國的基本方針》屬於總綱性質，雙方一致確認：「中國抗日戰爭業已勝利結束，和平建國的新階段即將開始，必須共同努力，以和平、民主、團結、統一為基礎，並將在蔣主席的領導之下，長期合作，堅決避免內戰，建設獨立、自由和富強的新中國，徹底實現三民主義。雙方又認同蔣主席所倡導之政治民主化、軍隊國家化及黨派平等合法，為達到和平建國必由之途徑。」

關於政治民主化問題，《紀要》宣佈，雙方「一致認為應迅速結束訓政，實施憲政，並應先採必要步驟，由國民政府召開政治協商會議，邀集各黨派代表及社會賢達協商國是，討論和平建國方案及召開國民大會各項問題。」【三五】《紀要》並稱：「現雙方正與各方洽商政治協商會議名額、組織及其職權等項問題，雙方同意議一俟洽商完畢，政治協商會議即應迅速召開。」

其他雙方一致同意或基本一致的條文有人民自由問題、黨派合法問題、特務機關問題、釋放政治犯問題、地方自治問題等。毛澤東後來曾說：「有成議的六條，都是有益於中國人民的。」【三六】有些問題，難度較大，如軍隊國家化問題，中共表示願縮編至二十四個師，至少二十個師的數目，國民黨則表示二十個師的數目可以考慮，雙方意見趨近。有些問題，雙方爭持不下，如「國民大會問題」，中共堅持代表重選，延緩召開等主張，國民黨則堅持原選出之代表有效，名額可以增加。中共表示：「不願見因此項問題之爭論而破壞團結」，雙方同意將此問題提交政治協商會議解決。關於解放區地方政府問題，中共先後提出四種方案，國民黨均「以政令統一必須提前實現」為理由加以拒絕，中共方面只能提出，繼續商談。

《紀要》的簽字是大喜事。飽經戰爭之苦的中國人終於向避免內戰、化干戈為玉帛前進了一大步。這一天還發生了另一件喜事。這就是，國民政府發佈授勳令，對大批抗戰文武有功人員授予「勝利勳章」。蔣介石考慮再三，在受勳人員名單中加進了朱德、彭德懷、葉劍英三人，又加進了毛澤東和董必武，還加進了鄧穎超。事後，蔣介石在日記中寫下了他這麼做的原因：

> 雙十節授勳，特將共朱毛等姓名加入，使之安心，以彼等自知破壞抗戰，危害國家為有罪，惟恐政府發其罪狀，故亟欲抗戰有功表白於世，以掩蓋其滔天罪惡。余乃將順其意以慰之，使其能有所感悟而為之悔改乎？然而難矣哉！

世界授勳史上大概還不曾有過這樣的前例：內心深處認為其人有「滔天罪惡」，但是，還要為其授勳，表揚其功績。

同日下午四時，蔣介石到桂園訪問毛澤東，為其送行。毛澤東提出，今晚住到蔣介石的林園官邸去。蔣介石覺得毛澤東可能「另生問題」，但仍然表示歡迎。蔣介石的這次拜訪，前後只有十分鐘。會談後，毛、周同蔣一起乘車到國民政府禮堂參加國慶祝酒會。酒會後，蔣、毛再次談了半小時。毛澤東住到林園後，向蔣介石提出：一、政治協商會議「以緩開為宜」，待自己回延安，召開解放區民選代表會議後再定辦法；二、國民大會提早至明年召開亦可。由於蔣早就宣佈，要在當年十一月十二日召集國民大會，聽了毛澤東的意見後，覺得國民大會召開無期，氣得在心裡狠罵毛澤東。【三七】不過表面上，蔣介石仍故作平靜，努力「和婉」地對毛說：「如此態度，則國民大會無期延誤，我政府不能如此失信於民也。」又說：「如政治協商會議能在本月底開會協商，則國大會議政府可遷就其意，改期召開，但至十一月十二日，不能不下召集明令，確定會期，示民以信也。」【三八】蔣還向毛表示，即使政協會不能如期召開，政府也不能不於十一月十二日下令召集國民大會。談至此，蔣向毛告辭，約定明晨再談。

十月十一日晨八時，蔣介石約毛澤東共進早餐。餐後，二人再次對談。除重複前幾次談話要旨外，蔣介石用非常堅決的口吻向毛澤東強調，「所謂解放區問題，政府決不能再有所遷就，否則不能成為國家。」【三九】毛澤東則答以此事留待周恩來與王若飛在重慶繼續商談。通過抗日戰爭，中共已經在全國建立了十九個解放區，擁有一億多人口。蔣介石無論如何不能容忍這麼大一塊土地、這麼多人口處於中共統治之下。

九時半，毛澤東由張治中陪同，乘車到九龍坡機場。陳誠代表蔣介石到機場送行，重慶各界和八路軍辦事處以及《新華日報》工作人員到機場送行的共約五百餘人。毛澤東發表了簡短談話：「中國問題是可以樂觀的，困難是有的，但是可以克服的。」

毛澤東離開延安前，對到重慶後可能的危險作了最充分的估計。他在中共中央政治局會議上說：「準備坐班房」，「如果是軟禁，那倒不怕，正是要在那裡辦點事。」但是，他估計，「國際壓力是不利於蔣的獨裁的，所以重慶可以去，必須去」，「由於有我們的力量，全國的人心，蔣介石自己的困難，外國的干預四個條件，這次去是可以解決一些問題的。」【四〇】歷史證明，毛澤東的分析是正確的。

毛澤東告辭離去後，蔣介石獨自在林園中逛了一周，心裡想的是：「共黨不可與同群也。」他似乎已經忘記，十月九日，他還和毛澤東談過：「國共非徹底合作不可。」十二日，蔣介石回想他和毛澤東在重慶的多次接觸，覺得共產黨的這位領袖不好對付。日記云：「共毛態度鬼怪，陰陽叵測，硬軟不定，綿裡藏針。」對於中國的未來，他有「荊棘叢生」的感覺，不過，他仍然充滿自信，相信在今後的較量中，他可以戰勝毛澤東。其《反省錄》云：「斷定其人決無成事之可能，而亦不足妨礙我統一之事業，任其變動，終不能跳出此掌一握之中。仍以政治方法制之，使之不得不就範也。政治致曲，不能專恃簡直耳！」【四一】蔣介石一生作過許多錯誤判斷，但是，其中最大的誤判可能就是上述判斷。歷史證明，蔣介石的「一握」並沒有能控制毛澤東，相反，倒是毛澤東跳身出來，讓中國在三四年的時間內就發生天翻地覆的變化，並且將他趕到了海峽彼岸。

註釋：

【一】中共中央文獻研究室編：《朱德年譜》，北京：人民出版社，一九八五，第二七三——二七四頁。

【二】秦孝儀：《總統蔣公大事長編初稿》，台北：中國國民黨中央黨史委員會，一九七八，第二六二六——二六二七頁。

【三】秦孝儀：《總統蔣公大事長編初稿》，第二六三九頁。

【四】中共中央文獻研究室編：《毛澤東年譜》下卷，北京：中共中央文獻出版社，一九九三，第七頁。

【五】《上星期反省錄》，《蔣介石日記》，手稿本，一九四五年八月十八日。

【六】《總統蔣公大事長編初稿》，第二六四七—二六四八頁。

【七】《毛澤東年譜》，下卷，第九頁；《中華民國重要史料初編》第七編《戰後中國》（二），台北：中國國民黨中央黨史委員會，一九七八，第二八頁。

【八】中共中央文獻研究室編：《周恩來年譜》，北京：中共中央文獻出版社，一九九八，第六三〇頁。

【九】《總統蔣公大事長編初稿》，第二六五一頁。

【一〇】師哲：《在歷史巨人身邊》，北京：中共中央文獻出版社，一九九一，第三〇八頁。

【一一】《毛澤東年譜》（下卷），第十二頁；《戰後中國》（二），第二九頁。

【一二】《上周反省錄》，《蔣介石日記》，手稿本，一九四五年八月二十五日。

【一三】《毛澤東年譜》（下卷），第一三頁。

【一四】《蔣介石日記》，手稿本，一九四五年八月二十六日。

【一五】《蔣介石日記》，手稿本，一九四五年八月二十七日。

【一六】《蔣介石日記》，手稿本，一九四五年八月二十八日。

【一七】《為和平而奮鬥》，新華日報，一九四五年十一月初版。

【一八】《蔣介石日記》，手稿本，一九四五年八月二十九日。

【一九】《蔣介石日記》，一九四五年八月二十九日。

【二〇】《上月反省錄》，《蔣介石日記》，手稿本，一九四五年八月三十一日。

【二一】關於「十一條」，文本各有不同，分別見《毛澤東年譜》（下卷），第一八—一九頁；《周恩來年譜》，第六三二頁；《戰後中國》（二），第三九—四一頁。其中第十條關於北平行營主任的文字，採用毛年譜。

【二二】《蔣介石日記》，手稿本，一九四五年九月三日。

【二三】《蔣介石日記》，手稿本，一九四五年九月四日。
【二四】《戰後中國》（二），第四四—四五頁。
【二五】《蔣介石日記》(手稿本），一九四五年九月十二日。
【二六】《戰後中國》（二），第四一—四四頁。
【二七】《重慶談判資料》，四川人民出版社，一九八〇，第一四頁。
【二八】《蔣介石日記》，手稿本，一九四五年九月二十七日。
【二九】《蔣介石日記》，手稿本，一九四五年九月三十日。
【三〇】《蔣介石日記》，手稿本，一九四五年十月一日。
【三一】《蔣介石日記》，手稿本，一九四五年十月二日。
【三二】《蔣介石日記》，手稿本，一九四五年十月三日。
【三三】《蔣介石日記》，手稿本，一九四五年十月六日。
【三四】《蔣介石日記》，手稿本，一九四五年十月九日。
【三五】《重慶談判資料》，第一九—二〇頁。
【三六】《毛澤東年譜》下卷，第三三頁。
【三七】《蔣介石日記》，手稿本，一九四五年十月十一日云：「乃覺共黨不僅無信義，而且無人格，誠禽獸之不若矣！」
【三八】《蔣介石日記》，手稿本，一九四五年十月十一日。
【三九】《蔣介石日記》，手稿本，一九四五年十月十一日。
【四〇】《毛澤東年譜》下卷，第一四頁。
【四一】《蔣介石日記》，手稿本，一九四五年十月十三日。

蔣緯國的身世之謎與蔣介石、宋美齡的「感情危機」

多年前，我在台北閱讀根據蔣介石日記編輯的《困勉記》稿本時，曾經發現其一九四一年二月四日條云：

接妻不返渝之函，乃以夫妻各盡其道覆之。淡泊靜寧，毫無所動也。【一】

當時，宋美齡在香港養病，拒絕返回重慶，蔣介石對此頗為煩惱，但努力克制，回信僅稱「夫妻各盡其道」，要宋美齡自便，看着辦。「淡泊寧靜，毫無所動」云云，說明蔣介石儘管遇到了妻子不肯回家這樣嚴重的事態，但仍處之泰然。

蔣介石自一九二七年與宋美齡結婚後，雖偶有矛盾，但這種情況，還從來不曾有過。蔣宋之間到底發生了什麼？這一謎團，直到今年我在胡佛研究院閱讀蔣介石日記手稿本時，經過反覆參詳，才最終解開。

一 宋美齡留港不歸，蔣、宋之間發生衝突

事情要追溯到一九四〇年九月二十一日，當日蔣介石日記云：

妻工作太猛，以致心神不安，腦痛目眩，繼以背疼、牙病，數症併發，渝無良醫，亦不願遠離重慶。以被敵機狂炸之中，如離渝他往，不能對人民，尤不願余獨居云。此三年來戰爭被炸之情形，其心身能持久不懈，實非其金枝玉葉之身所能受，不能不使余銘感更切也。【二】

這段話說的是，宋美齡身患數疾，重慶沒有好醫生，但宋仍不願離渝治病。一是出於對戰亂狀況下重慶人民的感情，日本飛機不斷狂炸，宋不能獨自避難，二是不願離開蔣介石，使其獨居。

同年十月十五日，蔣介石日記云：「晚餐與布雷共食，以妻赴港養病未回也。」從這段日記看，為了養病，宋美齡最終還是去了香港。蔣介石很想念，也很寂寞，只能找陳布雷一起吃飯。

十二天之後，蔣介石派蔣經國赴港，探望宋美齡的病況，同時迎接蔣緯國自國外留學歸來。【三】蔣介石本意要宋美齡和經國、緯國一起回渝，但宋美齡表示，待蔣介石的陽曆生日時即歸。然而，屆時宋美齡仍杳如黃鶴。十月三十一日，蔣介石日記云：

令緯兒來見，以今日為余陽曆生辰，陪余晚餐，妻本約今日回來，尚未見到，亦無函電，不知其所以也。

不僅人不回來，連一封函電都沒有。蔣介石着急了，「不知其所以」一句，充分表現出蔣的焦躁與不安！蔣緯國歸來，兩個兒子都在身邊，蔣介石很高興，但宋美齡留港未歸，蔣介石覺得不足。十一月九日日記云：

經、緯兩兒在港得皆見其母，回渝父子團聚，此最足欣慰之一事。如西安事變殉國，則兩兒皆未得今日重見矣，實感謝上帝恩惠不盡也。惟愛妻抱病在港，不能如期同回，是乃美中不足耳。

十一月三十日，蔣介石日記再云：

兩兒親愛，兄弟既翕，此為本月最大之樂事，亦為十五年來最苦之一事。今能完滿團圓，此非天父賜予至恩，決不能至此，能不感激上蒼乎？

愛妻不能如期回渝，是乃美中不足耳！

一九二五年，蔣經國赴俄留學，和緯國分離。一九三六年，蔣緯國赴德留學。同年，蔣經國自俄歸來，蔣緯國已不在國內。緯國此次歸來，蔣介石得以與經國、緯國兄弟同時相聚，享受天倫之樂。至此，恰為十五年。不過，宋美齡留港，蔣介石總覺得遺憾，一言之不足而再言之，可見，蔣介石思念宋美齡之殷。

「聖誕」是西方人的團圓之日，但是，宋美齡仍無歸訊，蔣介石開始感到「苦痛」了。十二月二十四日，蔣介石日記云：

三年來聖誕前夜，以今日最為煩悶，家事不能團圓，是乃人生唯一之苦痛。幸緯兒得以回來陪伴，足慰孤寂，得聞家鄉情形，聊以解愁。

蔣緯國從國外回到重慶後，曾回浙江溪口一行。蔣介石於百無聊賴之中，只能以聽緯國談「家鄉情形」略解愁悶。此後，蔣介石的這種「孤寂」感日漸強烈。十二月二十八日日記云：「惟妻留香港未回，以致家庭缺乏欣興之感。」一九四一年一月十二日、十三日、十四日，蔣介石連續三天在日記中寫道：「為家事心多抑鬱，應以澹定處之。」「昨夜為中共與家事，憂不成寐。」「下午與緯兒遊汪園，各種梅花盛放，綠萼尤為可愛，惜妻今年未得同遊也！」值得注意的是十四日這一天的日記，受蔣家委託的審讀者在開放前塗去一行，顯然認為不宜公開。這以後，蔣的「孤寂」感有增無減：

一月二十六日日記云：「本夕為舊曆除夕，孤單過年，世界如此孤居之大元帥，恐只此一人耳。」

同月三十日日記云：「近日寂寞異甚，時感孤苦自憐。惟祈上帝佑我，與我同在，使我不至久寂為禱也。」

同月三十一日日記云：「妻滯港未歸，子入團就學，故時以寂寞孤苦為憾耳！」

蔣介石為何有如此強烈的「孤寂」感？顯然，和宋美齡滯港不歸有關。宋為何滯港不歸？則顯然與蔣宋之間發生了某種衝突有關。從上引「心多憂鬱」、「憂不成寐」等語推測，蔣與宋美齡之間的「衝突」不小。二月四日，蔣介石接到宋美齡「不返渝」的函件。蔣、宋「感情危機」終於爆發。

蔣一再要求宋美齡返渝而宋一直不理，至此正式發函通知。宋的函件今不可見，但無疑可以感知，蔣宋之間發生了重大矛盾。二月九日，蔣緯國回「黨政訓練班」學習，蔣介石手寫《寂寞悽愴歌》相贈。

怎麼辦？蔣介石的態度是向宋美齡闡述「夫妻各盡其道」，不卑不亢，既不生氣，也不告饒，將皮球踢給宋美齡。

二 蔣介石堅決保守家中「秘密」，採取「權變」之計，化解矛盾

蔣的冷靜、沉穩態度起了作用，宋美齡於一九四一年二月十二日自港返渝，但是，蔣介石的家裡並沒有平靜。同月二十三日，蔣介石日記云：

> 家事不宜過於勉強。只有勿助勿忘，以待其自然着落耳！

「勿助勿忘」，語見《孟子·公孫丑》：「心勿忘，勿助長也。」意為（修養時）心裡不要忘記，也不要人為地去助它增長。二月二十四日，蔣介石日記再云：

> 家事致曲，不宜太直、太急與太認真，應以澹然處之，導之以德，齊之以禮耳。

「致曲」，語見《禮記·中庸》，舊解較多，其中一種解釋為：將真誠推致到細微之處。二月二十五日，蔣介石日記又云：

家中之事，不能與家中之人直道，同家親人不得晤面，是為余一生最大之遺憾，然亦惟有勿忘勿助，以待其自覺。家事切不可強勉而行，自信修身無虧，上帝必加眷顧，終能使我家母子親愛，家庭團圓耳。令緯兒離重慶赴贛。【四】

家事以委曲求全為主，不能與普通交道並論，只求母子親愛無阻，雖權變尚無損也。

「家中之事，不能與家中之人直道」，說的是：蔣介石有些事情不願告訴宋美齡。「同家親人不能晤面」，說的是蔣氏父子與宋美齡之間不能同時相處。但是，蔣介石「自信修身無虧」，所以開始時採取聽其自然的方針，但是，思考再三，為了使母子之間「親愛無阻」，還是決定「委曲求全」，採取某種「權變」的辦法。顯然，這一時期，宋美齡與蔣緯國「母子」之間「親愛有阻」了。

蔣介石自述的「權變尚無損」的內容，他沒有說，其內容之一大概就是「命緯兒離渝赴贛」，避免和宋美齡見面。蔣要緯國到江西去看看哥哥、嫂嫂，「還有，你母親也在那裡。」【五】蔣緯國聽命，到贛州會見蔣經國夫婦，也拜見將自己一手帶大、從蘇州逃難到此的蔣介石的第二任夫人姚冶誠。就在蔣緯國「離渝赴贛」期間，蔣、宋之間的「感情危機」有了顯著緩和。三月六日，蔣介石日記云：

本日在參政會講演，自覺過於滯鈍，詞不達義，而妻則以為甚得體也。

顯然，宋美齡不僅與蔣介石和解，而且政治上支持蔣介石。蔣在國民參政會的演講，自己不甚滿意，但宋美齡卻認為「甚得體」。三月九日為夏曆二月十二日，係宋美齡誕辰，蔣介石邀集親友十人為之祝壽。當日氣氛融洽。蔣介石為夫妻關係好轉欣慰，日記云：「夫妻諧和為人生唯一之樂事也。」但是，他同時也為經國、緯國不在身邊遺憾。日記云：「兩兒未能參加耳！」

三月二十七日，蔣緯國自江西歸渝。大概此前蔣介石已經做好了宋美齡的工作，因此，蔣緯國「認母」順利。當日，蔣介石命其向宋美齡行隆重的「叩拜」大禮。日記云：

> 緯兒已到，令叩拜其母，親愛如古，不勝欣慰。使我家庭之得有今日之團圓，以償我一生最大之宿願，惟有感謝上帝大恩於無涯矣。

> 十四年來之家事，一朝團圓，完滿解決，寸衷之快慰，殊有甚於當年之結婚時也。【六】

蔣介石與宋美齡結婚，至此約為十四年，多年沒有能解決的問題一朝解決，蔣介石有一種前所未有的「快樂感」。三月二十九日，蔣介石在《上星期反省錄》中說：「心神愉快之時較多，尤以母子親愛、夫妻和睦為最！家有賢婦與孝子，人生之樂，無過於此。」三十一日，在《本月反省錄》中又說：「家庭間夫婦母子之和愛團團，此為一生幸福之開始，是亦修身、正心與祈禱之致也。」至此，蔣宋之間的「感情危機」結束。不過，問題似乎並未完全解決。

對家中的風波以及宋美齡和自己的隔閡，蔣緯國似乎有所覺察，但又不明究竟。一九四三年四月十二日，蔣介石自記云：

> 近日緯兒心神頗覺不安，彼不願訴衷，但其衷心自有無限感慨。昨晚乘車外行，彼稱前夜夢寐大哭，及醒，枕

褥已為淚浸，甚濕，不知其所以然云。彼復言哥哥待我如此親愛，是我平生之大幸，亦為我蔣門之大福云。言下甚有所感。

第二天，蔣介石在晨禱時，想起家事，不禁泫然飲泣。他寫道：「余如何能使彼母子之親愛亦如其兄弟哉？」「惟禱上帝，能保佑我家庭，使彼母子能日加親愛以補我平生之缺憾也。」【七】此後，蔣介石見到宋美齡和蔣緯國之間關係良好時，就特別高興。當年十二月開羅會議之後，蔣介石、宋美齡與蔣緯國在藍溪相會，同機返國。十二月一日，蔣介石日記云：

登機視緯兒猶熟睡，頗安。以彼於下午忽發瘧疾，熱度竟至百零二度以上，見母子談話與母詢問兒病，親愛之情，引為余平生第一之樂事。

由此可見，擔心宋美齡與蔣緯國關係不好是蔣介石長期的心病。

三　蔣緯國的身世之謎是蔣、宋矛盾的原因

研究蔣介石上引日記可知，蔣宋在一九四〇年末至一九四一年初的「感情危機」，既和宋美齡懷疑蔣介石的「私德」，又和懷疑蔣緯國的來歷有關。

蔣緯國並不是蔣介石的親生兒子，而是戴季陶和日本護士重松金子所生，時間為一九一六年十月六日。戴

季陶因懼內，事先和蔣介石說好，由蔣出面認子。蔣緯國出生後，由日人山田純三郎帶到上海，交給蔣介石，蔣交給當時的夫人姚冶誠撫養，取名緯國。後來甚至有過一種說法：蔣介石也同時和重松金子相好，蔣緯國為蔣介石與重松金子所生。抗戰期間，戴季陶在重慶的一次演講中就曾公開這樣宣佈過。【八】

一九二〇年，蔣緯國隨姚冶誠到溪口。一九二二年隨姚遷居奉化。不久，再遷寧波。十歲時到上海，入萬竹小學就讀。一九二七年，蔣介石和宋美齡結婚，姚冶誠攜蔣緯國遷居蘇州。一九二八年，蔣緯國考入東吳大學附屬中學。一九三四年畢業，進入東吳大學理學院物理系，兩年即修完相關課程。又奉蔣介石命，進入文學院，學習政治、經濟、社會等課程。在此期間，蔣緯國從未和宋美齡見過面。【九】一九三六年十月，緯國奉父命遠赴德國研習軍事。這時候，宋美齡本應和緯國見面了，然而，仍然沒有見，可能還因此鬧了矛盾。蔣介石日記云：「緯兒如期出國，不稍留戀，其壯志堪嘉，而私心實不忍也。」又云：「家事難言，因愛生怨，因樂生悲，痛苦多而快樂少也。」【一〇】

蔣緯國到德後，先後加入德國山地兵團及慕尼黑軍校，被授予陸軍少尉銜。歐戰前夕，奉命赴美，先後進入陸軍航空隊空戰訓練班和裝甲兵訓練中心受訓。一九四〇年十月，蔣緯國自美返國，途徑香港。宋美齡當時正在香港養病，蔣緯國自然要前往拜見。但是，這是宋美齡和蔣緯國的第一次見面，所以，蔣介石很重視，特派蔣經國到香港。一是為了迎接緯國，也是為了讓經國充當緯國和宋美齡之間的「中介」。關於蔣緯國和宋美齡的第一次見面，據蔣緯國回憶：

> 當時見面非常自然而且親切。我喊她「Mother」，並且在她頰上吻了下，因為出國四年，一些禮節就很歐化了；她親熱地問我在國外好不好等等。我們談話的氣氛可以說一點都沒有第一次見面的尷尬。她給我的印象，就好像是

長輩看見自己的孩子回來一樣。【一一】

蔣介石很關心宋美齡與蔣緯國的這次見面，事後得知「母子相見，甚為親愛」。蔣介石非常高興，日記云：「快慰無量，甚感上帝施恩之厚重也。」【一二】但是，蔣介石沒有想到，宋美齡和蔣緯國第一次見面時的「親愛」只是當時的「表面文章」，事後宋感到不妥，於是就發生拒不返渝等情況。

蔣緯國的曖昧身世，今天人們已經很清楚，但是，當時的蔣緯國本人並不清楚。據他本人回憶，回到重慶後不久，在宋美齡的書房中發現約翰·根瑟所寫 *Inside Asia* 一書，其中影射蔣緯國為戴季陶所生，為了某種原因過繼給蔣介石了。蔣緯國為此詢問戴季陶，戴拿出蔣介石送給他的十二寸帶框相片以及一面鏡子，對着蔣緯國坐下來，把鏡子放中間，自己的頭擱在一邊，蔣介石的相片擱在另一邊。他要蔣緯國照鏡子，然後問蔣緯國：「你是像這邊的，還是像那邊的？」當蔣緯國回答還是像蔣介石「多了些」時，戴季陶笑着說：「那不就結了嗎！」【一三】可見，蔣緯國身世之謎當時還是「機密」，宋美齡顯然並不清楚。蔣、宋結婚之後，蔣介石也沒有向宋美齡談過有關情況。宋美齡自然會想：緯國到底是哪個女人所生？為何蔣會相認？蔣介石是否「私德有虧」等等。過去，蔣緯國和宋美齡從未見過面，宋可以不想這些問題，但蔣緯國自海外回渝，宋美齡就面臨是否承認並接納這個「兒子」的嚴肅問題；上述問題不清楚，宋美齡如何坦然承認並接納？在這一情況下，宋美齡必然對蔣有所質問，蔣又不願坦率說明（「家事不能直道」），矛盾因此而生；及至蔣「委曲求全」，採取「權變」後，二人之間的矛盾也就化解了。

蔣介石在世的時候，始終不曾將身世之謎告訴過蔣緯國，很可能，也不曾告訴過宋美齡。

註釋：

【一】未刊稿，台北：國史館藏，《蔣介石日記》手稿本與此相同。

【二】《蔣介石日記》，手稿本，一九四〇年八月二十一日。

【三】《蔣介石日記》，手稿本，一九四〇年十月二十七日。

【四】以上文字，開放前被塗去。此據蔣介石《二十九年、三十年要事雜記》（手稿本）補，胡佛研究所藏。又《困勉記》稿本亦有此段記載。

【五】汪士淳：《千山獨行——蔣緯國的人生之旅》，台北：天下文化出版股份有限公司，一九九六，第八七頁。

【六】以上兩段引文，第一段見於《蔣介石日記》，手稿本；第二段見於《困勉記》。

【七】《困勉記》，一九四三年四月十二日，台北：國史館藏。

【八】紀雲：《戴季陶解蔣緯國身世之謎》，原載《鍾山風雨》，此據skb.hebeidaily.com.cn/2005516/ca484340.htm

【九】《千山獨行》，第四八頁。

【一〇】《本周反省錄》，《蔣介石日記》，手稿本，一九三六年十月三十一日。

【一一】《千山獨行》，第八三頁。

【一二】《蔣介石日記》，手稿本，一九四一年十一月三日。

【一三】《千山獨行》，第八六頁。

關於宋美齡與美國總統特使威爾基的「緋聞」

一九八五年，美國人邁可·考爾斯（Gardner Milk Cowles）出版了一本回憶錄——《邁可回顧》（*Milk Looks Back*），其中寫到，一九四二年十月，美國總統羅斯福的特使溫德爾·威爾基（Wendell Lewis Willkie）訪問重慶時，宋美齡曾與之有過「風流韻事」，蔣介石發覺後，氣憤地率領手持自動步槍的士兵前往捉姦。由於考爾斯是威爾基當年訪華時的隨員，因此，上述情節很容易取信於人。一九八六年，香港《九十年代》雜誌十月號譯載了考爾斯的有關回憶。一九九五年，李敖等在其合著的《蔣介石評傳》中加以引用，並作了詳細的論證和分析。

如果是里巷兒女之間的偷情，並不值得重視，但是，事情發生在中美兩國的三個重要歷史人物之間，又經過上述出版物的渲染，就不得不認真加以考察了。

一　考爾斯細緻、生動的回憶

為了考察方便，並利於讀者思考、判斷，筆者不得不首先引述考爾斯的有關回憶。《邁可回顧》一書寫道：

我們旅程的下一站是中國。宋子文——蔣介石夫人的哥哥的那棟現代化的豪華巨宅，是我們在重慶六天的總部。六天的活動相當緊湊，有威爾基和蔣介石委員長——國民政府領導人之間的數次長談；有政府官員的的拜會活動；還有委員長和夫人每晚的酒宴。其中，夫人的儀態和風度，令我和溫德爾兩人都感到心神蕩漾。

有一晚在重慶，委員長為我們設了一個盛大的招待會。在一些歡迎的致詞之後，委員長、夫人和威爾基形成了一個接待組。大約一小時後，正當我與賓客打成一片時，一位中國副官告訴我，溫德爾找我。

我找到威爾基，他小聲告訴我，他和夫人將在幾分鐘後消失，我將代替他的地位，盡最大的努力為他們做掩護。當然，十分鐘之後，他們離開了。

我像站崗似地釘在委員長旁邊。每當我感到他的注意力開始遊蕩時，就立刻慌亂地提出一連串有關中國的問題。如此這般一小時後，他突然拍掌傳喚副手，準備離開。我隨後也由我的副手送返宋家。

我不知道溫德爾和夫人去了哪裡，我開始擔心。晚餐過後不久，中庭傳來一陣巨大的嘈雜聲，委員長盛怒狂奔而入。伴隨他的三名隨身侍衛，每人都帶了把自動步槍。委員長壓制住他的憤怒，冷漠地朝我一鞠躬，我回了禮。

「威爾基在哪？」禮儀結束後他問。

「我不知道，他不在家。」

「威爾基在哪？」他再次詢問。

「我向你保證，委員長。他不在這裡，我也不知道他可能在哪裡。」

我和侍衛們尾隨其後，委員長穿遍了整棟房子。他檢查每個房間，探頭床底，遍開櫥櫃。最後，他對兩個人的確不在屋裡感到滿意後，一個道別的字都沒扔下就走了。

我真的害怕了，我見到溫德爾站在一排射擊手前的幻影。由於無法入眠，我起身獨飲，預想着可能發生的最壞的事。清晨四點，出現了一個快活的威爾基，自傲如剛與女友共度一夜美好之後的大學生。一幕幕地敘述完發生在他和夫人之間的事後，他愉快地表示已邀請夫人同返華盛頓。我怒不可遏地說：「溫德爾，你是個該死的大笨蛋。」

我列舉一切的理由來反對他這個瘋狂的念頭。我完全同意蔣夫人是我們所見過的最美麗、聰明和性感的女人之一。我也瞭解他們彼此之間巨大的吸引力，但是在重慶的報業圈已經有足夠多關於他們的流言蜚語了。我說：「你在這裡代表了美國總統；你還希望競選下屆總統。」我還表示屆時他的太太和兒子可能會到機場接他，夫人的出現將造成相當尷尬的場面。威爾基聽了氣得跺腳離去。當時我已經非常疲倦，於是倒頭便睡。

我八點醒來時，威爾基已在用早餐，我們各吃各的，半句話沒說。九點鐘他有一個演講。正當他起身準備離開時，他轉身對我說：「邁可，我要你去見夫人，告訴她她不能和我們一起回華盛頓。」

「哪裡可以找到她？」我問。他靦覥地說：「在市中心婦幼醫院的頂層，她有一個公寓。那是她引以為傲的慈善機構。」

大約十一點。我到醫院要求見夫人。當我被引進她的客廳後，我愚鈍地告訴她，她不能和威爾基先生一起回華盛頓。

「誰說不能？」她問。

「是我，」我說，「我告訴溫德爾不能隨你同行，因為從政治上來說，這是非常不智的。」

在我還沒有搞清楚怎麼回事之前，她的長指甲已經朝我的面頰使勁地抓了下去。她是這麼的用力，以致在我臉上整整留下了一個星期的疤痕。

考爾斯曾任美國明尼蘇達州《明尼亞波里斯論壇報》（*Minneapolis Tribune*）和愛荷華州《狄盟市註冊報》（*Des Moines Register*）記者，後來創辦《展望》（*Look*）周刊，應該說，他的這段故事寫得很細緻、很生動，但是，這實在是一個破綻百出，編造得非常荒唐，非常拙劣的故事。

二　威爾基在重慶的日程足證考爾斯「回憶」之謬

威爾基於十月二日由成都到達重慶，七日下午離開重慶，飛赴西安，其間行程斑斑可考。為了以確鑿的證據揭露考爾斯所編「緋聞」的荒唐，筆者現依據當時重慶《大公報》的報道及相關檔案，將威爾基與考爾斯在重慶的活動排列於下：

十月二日　威爾基等一行於下午三時四十六分，由成都抵達重慶。旋即驅車入城參觀市容。六時許至旅邸休息。

十月三日　上午九時起，在美國大使高斯陪同下，威爾基偕其隨員考爾斯（當時翻譯為高而思）、白納斯、鮑培，陸續拜會中國外交部副部長傅秉常、行政院副院長孔祥熙，軍委會總參謀長何應欽。

十時四十分，拜會時任軍事委員會委員長的蔣介石及其夫人宋美齡，談至十一時十五分。

十一時四十五分　威爾基、考爾斯、白納斯、鮑培赴國民政府，拜會國民政府主席林森。十二時，林森設宴招待威爾基。出席者有居正、于右任、孔祥熙、美國大使高斯、考爾斯、白納斯、梅森少校、皮耳少校等。

下午三時半，威爾基參觀中央訓練團，發表演說，長達一小時餘。

五時至六時，美國大使高斯假座重慶嘉陵賓館舉行茶會，招待威爾基，到孫科、于右任等中外來賓三百餘人。六時許散會。

晚八時，蔣介石及宋美齡假軍委會禮堂設宴歡迎威爾基。參加者有威爾基及其隨員考爾斯、白納斯、梅森少校、皮耳少校、美國大使高斯、史迪威將軍、陳納德司令、蘇聯大使潘友新、英國大使薛穆及澳、荷、捷克等國外交使節與夫人。中國方面參加者有宋慶齡、孔祥熙夫婦、孫科夫婦、居正、于右任、王寵惠、吳鐵城、馮玉祥、何應欽等多人。

十月四日 晨，威爾基由翁文灝陪同，參觀重慶工廠。中午，翁在中央造紙廠設宴招待。下午，威爾基返城。同日下午四時，宋美齡以美國聯合援華委員會名譽會長名義假外交部舉行茶會，歡迎美國總統代表、美國援華會名譽會長威爾基。出席宋慶齡、孔祥熙、孫科、史迪威及威爾基隨員考爾斯、白納斯、皮耳海軍少校、梅森陸軍少校及中外記者百餘人。威爾基首先參觀兒童保育院及抗屬工廠作品展覽，宋美齡為之「一一加以說明」。參觀後，茶會開始，由兒童保育院兒童表演歌舞及合唱。進茶點後，宋美齡致歡迎詞，威爾基作答。六時散會。

晚，蔣介石與威爾基長談三小時半，宋美齡任翻譯。

十月五日 上午九時，威爾基由顧毓琇陪同，參觀中央大學、重慶大學、中央工業專科學校及南開中學。十二時返城，參加教育部長陳立夫舉行的宴會。下午至晚間，蔣介石、宋美齡繼續與威爾基晤談。同日，受到威爾基接見的還有史迪威、胡霖、張伯苓、周恩來等人。

十月六日 上午九時，威爾基由俞大維陪同，參觀兵工廠。

中午，何應欽在軍委會設宴招待威爾基。午後四時，中美、中英、中蘇、中法文化協會等十八個團體在嘉陵賓館舉行聯合茶會，歡迎威爾基一行。到美國大使高斯、蘇聯大使潘友新及王世杰、馮玉祥等三百餘人，由吳鐵城致歡迎詞。

五時五十分，國防最高委員會秘書長王寵惠訪問威爾基。

午後七時，孔祥熙以行政院副院長及中美文化協會主席的身份在重慶范莊私邸設宴招待威爾基，宋美齡、宋慶齡、孫科、周恩來、鄧穎超、馮玉祥等及美國大使高斯、史迪威、陳納德，威爾基的隨員白納斯、皮爾、梅森等一百餘人參加。席設范莊草坪，所用為「新生活自助餐」。

十月七日 晨，蔣介石、宋美齡共同接見威爾基，同進早餐。

九時，威爾基舉行記者招待會，向新聞界發表談話，並回答提問。

十時，威爾基由董顯光陪同，參觀婦女指導委員會，宋美齡出面招待，導往各辦公室參觀。至十一時結束。

下午四時半，由重慶飛抵西安。

綜觀上述日程，可見整個威爾基訪渝期間，由蔣介石主持，宋美齡參加的歡迎宴會只有十月三日晚一次。這次，威爾基和考爾斯都參加了，但是，值得注意的是，這是一次宴會，而不是考爾斯回憶中所說的會後還需要回到宋宅補進「晚餐」的「招待會」。會後也不如考爾斯所述，客人們分散談話，以致威爾基可以乘機和宋美齡相約，溜出去偷情。關於宴後情況，重慶《大公報》報道說：「宴畢，由中央廣播電台表演國樂。」「音樂節目進行時，威氏傾耳細聽，極為注意。每一節目奏畢時，威氏即向蔣夫人詢問甚久，蔣夫人則詳加解釋。」「全部音樂節目完畢，威氏即登台參觀樂器。各大使亦繼其後。威氏對每一種樂器均詳加研究，蔣夫人以極愉快之情逐予解說。蔣夫人並親撫古琴以示威氏，威氏歎為觀止。」「十時半許，一夕盛會盡歡而散。」這其間，有威爾基與宋美齡調情、相約、出溜的機會嗎？

重要的是，威爾基來華前和宋美齡從未謀面，到重慶後，三日中午，和蔣氏夫婦僅有三十五分鐘的談話。晚宴時，威爾基和宋美齡之間的感情怎麼可能迅速升溫，達到非常默契，外出偷情的高熱度呢？

人的記憶常常不很準確。是不是事情發生在其他日子，考爾斯的回憶發生部分誤差了呢？也不是。

四日。這一天，宋美齡為威爾基舉行歡迎茶會，考爾斯是到會者之一。有無可能，偷情發生在這一天晚上呢？然而，檔案記載，當晚，蔣介石與威爾基談話，宋美齡任翻譯。雙方長談三小時半，不可能發生威爾基要考爾斯掩護，自己和宋美齡開溜的事。

五日。根據檔案記載，蔣介石、宋美齡與威爾基之間的談話自下午五時十五分起至八時十五分止，地點在重慶九龍坡蔣介石官邸。談話後，同至曾家岩進晚餐，飯後繼續談話，宋美齡始終在場，也不可能發生和威爾基共同開溜之事。

六日。孔祥熙在私邸草坪設宴歡迎威爾基。此次宴會取「自助餐」形式，有點兒像考爾斯回憶所述的「招待會」了，然而，這次宴會，蔣介石並未參加，考爾斯也未出席，自然，不可能產生威爾基要考爾斯打掩護，糾纏蔣介石以分散其注意力一類情節。據《大公報》報道，當日的情況是：孔祥熙致歡迎詞。八時十五分，威爾基致答詞，其後即在范莊向中國全國發表演講詞。詞畢，繼續進餐。餐畢，放映電影。八時許，宴會結束。又據威爾基自述：晚飯吃過之後，他即受宋美齡之邀，一起入室，與宋靄齡「大聊特聊」，一起談到晚上十一點，然後是孔祥熙進來，加入「龍門陣」。這是威爾基等在重慶度過的最後一個晚上。第二天下午，威爾基等就離開了。

可見，在威爾基停留在重慶的六天中，不可能發生考爾斯「回憶」所述的一類情節。

此外，現存的蔣介石和威爾基之間的談話記錄表明，他們之間的關係一直都很融洽。根據蔣介石本人的統計，他和威爾基的談話時間長達十幾個小時之多，分別之前，蔣並友好地向威爾基表示，將來旅順、大連可由中美共同使用。這種情況也表明，他們之間不存在任何隔閡。

三　考爾斯「回憶」的其他明顯破綻

考爾斯的「回憶」還有其他不少明顯的破綻。

第一，蔣介石舉行的「盛大招待會」，來賓眾多，蔣介石要一一會見、寒暄的高貴來賓也很多。考爾斯只是威爾基的一介隨員，怎麼可能用「一連串有關中國的問題」纏住蔣介石達「一小時」之久？

第二，蔣介石僅僅在「招待會」上一時不見了威爾基與宋美齡，何以就輕率地斷定二人出外偷情，以致於「盛怒狂奔」，率領持槍衛兵衝進威爾基住地，親自搜查？蔣介石手下特務無數，要瞭解威、宋何在，何須親自操勞？此類事情，越秘密越好，蔣介石帶着衛兵，當着考爾斯的面搜查，一旦果有其事，當場捉出，一個是羅斯福的特使，一個是自己的夫人，蔣介石將何以善其後？

第三，蔣介石身為軍事委員會委員長，是中國方面的最高軍事統帥，又在盛怒中，怎麼可能先向考爾斯「一鞠躬」？

第四，威爾基是美國共和黨的領袖，羅斯福的特使，考爾斯怎麼可能謾罵他：「你是個該死的大笨蛋」？

第五，宋美齡作為蔣介石夫人，出訪美國是件大事，中美雙方都需要做很多準備，簽證也需要時間，威爾基預定十月九日離華，怎麼可能邀請宋美齡「同返華盛頓」；宋美齡作為蔣介石夫人，自然懂得她的出訪並非小事，數日之內不可能倉促啟程，怎麼可能在聽說不能與威爾基同行之後，就用「長指甲」朝考爾斯的面頰

「使勁地抓下去」？

第六，考爾斯對威爾基說：「在重慶的報業圈已經有夠多的關於他們的流言蜚語了。」威爾基在重慶停留的時日不過六天，即使威、宋之間有什麼「風流韻事」，報業何從知曉？傳播何能如此之快？如此之「足夠多」？

以上六條，條條足以證明，考爾斯的「回憶」是編造的，而且編造得極為拙劣、低下。

四　宋美齡訪美並非肇因於威爾基

威爾基於一九四二年十月十四日回到美國。同年十一月二十六日，宋美齡相繼抵達，開始了對美國的長達七個多月的訪問。此事是否肇因於威爾基呢？答案是否定的。

根據檔案記載，邀請宋美齡訪美的是羅斯福總統夫婦，一九四二年八月二十二日，羅斯福致電蔣介石，表示他本人及夫人都非常盼望「蔣夫人能即來敝國」。九月十六日，羅斯福夫婦再次致電蔣介石，重申這一邀請。這兩次邀請都在威爾基訪華之前，可見，宋美齡訪美，既非肇因於威爾基，也不需要依賴威爾基的力量。

威爾基確曾積極推動宋美齡訪美。根據威爾基的回憶《天下一家》（*One World*）等資料，可知十月五日，威爾基在和宋美齡的談話中，曾建議宋美齡去美作親善訪問。十月六日晚，威爾基在和孔祥熙談話時，又說明其理由是：美國人亟需瞭解亞洲與中國，中國方面有頭腦以及有道德力量的人，應該幫助教育美國人。蔣夫人將是最完美的大使，她有極大的能力，會在美國產生極為有效的影響力。他說：憑藉蔣夫人的「機智、魔力、一顆大度而體貼的心，高雅美麗的舉止與外表，以及熾烈的信念，她正是我們需要的訪客。」威爾基回美後，還曾向羅斯福轉達過宋美齡希望訪美的口信。但是，威爾基的這些舉動，都是在執行羅斯福總統的政策和指示。在很長時期內，美國採取孤立主義政策，漠視中國正在進行的艱苦卓絕的抗戰。威爾基反對日本侵華，對中國友好，積極主張援助中國抗日。一九四〇年，他在競選美國總統時，就主張「應予中國以經濟上之援助」。一九四二年，他多次發表演說，指責日本「以野蠻手段肆意侵略較弱之國家」，認為「日本為吾人之敵」，而「中國為吾人之友」。他高度評價中國抗戰，認為「過去五年來，美國人民甚少能認識中國抗戰對於吾人全部文明之重要意義者」。在這些方面，他和羅斯福是完全一致的。

至於宋美齡訪美，則一是為了向美國人宣傳中國抗戰，爭取美援，二是為了治病。

抗戰爆發後，宋美齡即積極投身對外宣傳，特別是對美宣傳。她積極利用報紙、雜誌、廣播、接見外國記者等多種形式，宣傳中國抗戰。她的宣傳受到美國輿論的重視和高度評價。一九四二年秋，中國抗戰還處於艱難時期，自然有進一步爭取美國支持的必要。

同時，這一時期，宋美齡的健康狀況惡化也迫使她下決心赴美治療，抗戰初期，宋美齡到淞滬前線勞軍，突遇日機空襲，宋美齡的座車在匆忙躲閃中傾覆，宋美齡不幸受傷。自此，宋美齡長期多病。一九四二年十月下旬，宋美齡的身體狀況日差，蔣介石擔心宋患有癌症，決定命宋赴美治療。同月二十七日，蔣介石日記云：「妻體弱時病，未能發現病因，甚憂。」二十九日日記云：「妻體弱神衰，其胃恐有癌，甚可慮也。」三十一日日記云：「晚決定妻飛美醫病，恐其有癌，不如早割也。」

可見，宋美齡訪美也與她和威爾基之間的所謂「私情」完全無關。

五 這一階段，蔣介石、宋美齡之間並無感情危機

如果宋美齡和威爾基之間確有「風流韻事」，蔣介石又曾「發怒狂奔」，率兵搜查，那末，他們二人之間一定會發生感情危機，但是，現存蔣介石日記（未刊）卻看不出任何蛛絲馬跡。

宋美齡訪美啟程前，蔣介石依依不捨，愁腸百結。如：

十一月二日日記云：「為妻將赴美，此心甚抑鬱，不知此生尚能有幾年同住耶？惟默禱上帝保佑而已。」

十一月十七日日記云：「下午與妻到聽江亭廊前談對美總統談話要領十項，後回寓夫妻依依，甚以明日將別為憂也。」

十一月十八日日記云：「五時醒後不能安眠，默禱妻行平安成功……九時，送妻至九龍坡機場，同上機，送至新津大機場換大機……十二時，送妻登機，見其機大……別時妻不忍正目仰視，別後黯然銷魂，更感悲戚，並願上帝賜予生育子女，默禱以補吾妻平生之不足也。」

宋美齡啟程後，蔣介石倍感惆悵，十一月十九日日記云：「『平時不覺夫妻樂，相別方知愛情長。』別後更覺吾妻愛夫之篤，世無其比也。」

宋美齡抵美後，蔣介石仍然思念不已。如：

十一月二十八日日記云：「妻於二十六日平安飛到美國，並據醫者檢查，決無癌症，此心更安。」

十一月二十九日日記云：「妻於十八日赴美，臨別悽愴，兒女情長，今又獲一次經驗也。」

十二月一日日記云：「本日為余夫婦結婚十五週年紀念日，晨起，先謝上帝保佑與扶掖成全之恩德，接妻祝電。晚，往孔宅大姊處舉葡萄酒恭祝余妻康健。」

十二月三十一日日記云：「惟以妻在美不能共同團圓為念。」一九四三年二月四日日記云：「今日為舊曆除夕，孤身獨影，蕭條寂寞極矣。」類似的記載還很多。如果宋美齡與威爾基有私情，蔣介石又確有所覺，他能寫得出上述日記嗎？

在蔣介石和宋美齡漫長的婚姻生活中，有過兩三次感情危機。例如，一九四〇年十月，宋美齡赴香港養病，曾長期拒絕回渝。次年二月四日，蔣介石日記云：「接妻不返渝之函，乃以夫妻各盡其道覆之。淡泊靜寧，毫無所動也。」這段日記表明，蔣宋之間發生了某種矛盾（關於此，筆者有另文分析）。而蔣在宋美齡赴美前後的日記表明，二人之間當時不存在任何隔閡。

六　考爾斯「回憶」的由來與宋美齡在美國所打「誹謗官司」

考爾斯並非威、宋「緋聞」的始作俑者。早在一九七四年，美國人艾貝爾（Tyler Abell）整理、出版的其父皮爾遜日記（*Drew Pearson Diaries*）的上冊中就有記載。該書談到，威爾基以羅斯福總統特使名義訪問重慶時，與蔣夫人有染，蔣委員長盛怒之下，帶憲兵到南岸官邸去捉姦，並無所獲。威爾基臨行去向蔣夫人辭行，閉門二十分鐘才出來，等等。考爾斯所述正是皮爾遜日記有關說法的細緻化。

皮爾遜是美國著名的專欄作家。其人文品不佳，專門挖人隱私，曾被羅斯福斥為「習慣造謠的人」。威爾基訪華期間他並不在重慶，更與威爾基沒有密切關係。其日記始於一九四九年，止於一九五九年，所述宋、威之間的風流韻事完全是事隔多年的道聽途說，本無多大價值。然而，由於其事具有「商業價值」，所以日記出版後，迅速受到注意，被美國的每月書會列為重點推薦書目。該會當月的書訊在介紹該日記時不僅刊出威爾基與宋美齡的並列照片，而且下題「匆匆的結合」（A hasty liaison）數字。事為台灣駐紐約新聞處主任陸以正發現，上報台灣新聞局，新聞局不敢再繼續上報，但宋美齡已讀到了一位好事的美國老太太寄來的書訊，大為震怒，指令陸以正在美國《紐約時報》等十大報紙刊登全頁廣告闢謠。陸以正經過反覆考慮，並經宋美齡同意，先向該書的出版公司交涉，要求更正，遭到拒絕。其後，陸以正即收集證據、證詞，代表宋美齡向紐約州最高法院提出民事訴訟，要求出版公司與艾貝爾賠償宋美齡的名譽損失三百萬美元。經過一年多的談判磋商，出版商最終接受三項條件：一、公開道歉；二、承諾在本書重版時，將誹謗的文字刪除。三、律師費由雙方各自負擔，被告方賠償起訴方訴狀費、送達費、存證信函費等共七百多美元。此三項條件經宋美齡批准。

後來，《皮爾遜日記》上冊再未重印，中、下兩冊則胎死腹中，永未出版。

以上情況，俱見陸以正所著《微臣無力可回天》一書，台北天下文化書坊二〇〇二年出版，茲不贅述。

七 考爾斯反覆無常

據說，按英美制度，提出誹謗訴訟，原告如為公眾人物，有責任提出對方誹謗不能成立的證據。陸以正代表宋美齡控告皮爾遜日記的出版者及編者，就必須設法證明該書所述純屬子虛。

在找尋證據的過程中，陸以正找到了考爾斯（陸書譯作柯爾斯）。其情況，陸書寫道：

我去見柯爾斯，他沒想到事隔三十年。還有人記得他曾在戰時到過重慶，相談甚歡。我問他《皮爾遜日記》所提的故事是否正確，他大笑說：「這是不可能的事，絕對沒有！」我說可否請他給我一封信，以當年陪伴威爾基訪華記者的身份，說明絕無此事。他馬上喚女秘書進來，口授了一封信，簽名交給了我。這樣豪爽的個性，至今令我難忘。

陸以正無論如何沒有想到，大概也一直沒有發現，當年這位保證「絕對沒有」此事的「證人」十一年後又在「回憶」中，以當事人的身份，活靈活現地描述了本文一開始引錄的那段「風流韻事」。

怎樣理解考爾斯的反覆無常呢？看來，只能用「商業價值」來解釋了。為了吸引讀者，考爾斯在寫作自己的回憶錄時，終於覺得那段「八卦新聞」還是很有用；而且，即使再為台灣方面發現，也沒有什麼了不起，《皮爾遜日記》的官司不是七百多美元就了結了嗎？

原載台北《傳記文學》二〇〇三年五月號

宋美齡的巴西之行與蔣介石的「婚外情」傳說

——兼析其事與美國人要蔣交出軍權之間的關係

一九四四年七月九日，中國抗日戰爭最艱難的時候，宋美齡突然離開重慶，去巴西休養，自此長期不歸。直到一年後抗戰勝利，宋美齡才翩然回國。關於此事，許多宋美齡的傳記和相關著作都認為其原因是：蔣介石在重慶有了「婚外情」，宋美齡因此一怒而去。

事實是否如此呢？

一 可疑的送別茶會

蔣介石的《事略稿本》（未刊）一九四四年七月五日條云：

約集各院院長及各部會高級幹部與歐美友好，計共六十人，舉行茶會，為夫人餞行並坦白說明外間之流言蜚語與敵黨陰謀之所在。繼夫人亦起而說明對公人格之信仰，措辭均極有力也。而居正、戴季陶等各院長亦各先後發

言，僉謂公之為人，厚重嚴謹，久為眾所敬服也。【一】

這段記載很含糊。考察有關史籍可知，當年七月，宋美齡即將離開重慶去巴西養病。「為夫人餞行」云云，說明會議主題是為宋美齡送行。會上，蔣介石坦白說明了「外間之流言蜚語與敵黨陰謀之所在」。接着，宋美齡起而發言，表示相信蔣的「人格」。又接着，居正、戴季陶以及國民政府各院院長紛紛幫腔，對蔣的「品格」大唱讚美歌。這就奇怪了，餞行會為何變成為蔣介石辨誣的「闢謠會」呢？所闢之「謠」為何？

查蔣介石日記當年七月四日條云：

> 下午，回林園，與妻商談，約幹部與友好聚會，說明共產黨謠詠，對余個人人格之毀譽無足惜，其如國家與軍民心理之動搖何！乃決約會，公開說明，以免多加猜測。【二】

這則日記說明，會議是在七月四日與宋美齡商談之後決定的，目的在於闢謠，謠言內容有關蔣的「人格」。至於謠詠來源，《事略稿本》僅模糊地說明出於「敵黨陰謀」，而這則日記則點明是「共產黨」。蔣介石長期敵視中共，所以並未調查，也未加論證，就武斷地確定是「共產黨謠詠」。

再查當年七月六日蔣介石的日記，中云：

> 妻近接匿名信甚多，其中皆言對余個人謠詠、誹謗之事，而惟有一函，察其語句文字，乃為英國（美）人之筆。此函不僅詆毀余個人，而乃涉及經、緯兩兒之品格，尤以對經兒之謠詠為甚，亦以其在渝有外遇，且已生育孽

生，已為其外遇之母留養為言。可知此次蜚語，不僅發動於共黨，而且有英美人為之幫同，其用意非只毀滅我個人之信譽，且欲根本毀滅我全家。幸余妻自信甚篤，不為其陰謀所動，對余信仰益堅，使敵奸無所施其挑撥離間之技倆。可知身修而後家齊之道乃為不變之至理，安可不自勉乎哉！

從這則日記看，謠言出於寫給宋美齡的「匿名信」，內容不僅「詆毀」蔣個人，還涉及蔣的兩個兒子，特別是蔣經國。「似為英〔美〕國人之筆」，據此，蔣介石認為，「不僅發動於共產黨，而且有英、美人為之幫同」。蔣稱，宋美齡充分相信自己，不受煽動。

再查蔣介石七月八日日記：

據妻近日所言，其所接中外人士之匿名信，各種揑造是非，無中生有之誣詞，甚於其往日之已言者。反動者此次造謠作用，其第一目的在挑撥我夫妻情感，先使我家庭分裂，然後毀滅我人格，則其他目的皆可迎刃而達矣。惟妻對余篤信不疑，已在餞別時發表其篤信之演詞，以粉碎反動共匪一切之陰謀。是此次茶會之功效在此，其他外人對之信與不信，皆所不顧也。

從這天的日記可知，「匿名信」的內容是挑撥蔣介石與宋美齡的「夫妻情感」，其目的在於使蔣「家庭分裂」，進而毀滅蔣的「人格」。

蔣介石到底蒙受了什麼樣的誹謗，要在宋美齡出國前隆重召開有「高級幹部和歐美人士」參加的會議，鄭重「闢謠」？

查王世杰一九四四年七月五日日記云：

蔣先生今日約黨部、團部、幹部同志三四十人暨中外基督徒若干人在山洞官邸茶會。在會中，蔣先生宣佈兩事：一、蔣夫人將赴巴西養痾，休養畢將訪若干友邦；二、外間近有人散佈謠言，誣衊蔣先生私德，謂其有外遇等等情事者，有人欲藉此類造謠以搖動同志與軍隊對彼之信心。蔣夫人亦有演說，指述此類誣衊之用意，與彼對蔣先生之敬信。【三】

二 蔣、宋同場表態

蔣介石的日記吞吞吐吐，欲言又止，而王世杰的日記則寫得比較坦率，「謂其有外遇」，原來，是一則有關蔣介石私德的「緋聞」。王世杰當時擔任三民主義青年團中央監察會監察，第三屆國民參政會主席團主席，顯然，他是參加了「闢謠會」的。

至此，問題算是解決了，然而又沒有完全解決。美國斯坦福大學胡佛研究院收藏的《史迪威文件》中藏有一份「闢謠會」的會議記錄，可以解決我們的大部分疑問。

記錄為英文打字稿。其一為《委員長在七十五位客人參加的會議上的講話》，現譯為中文：

在我的妻子因神經衰弱出發去巴西之際，我決定為她舉行送別會。你們都是我的朋友。我想坦率地說明某些事情的時刻已經到了。我覺得這樣做很重要，它將成為維護革命的手段。可能在座的中國朋友會認為我不應該說得如此坦率，但是，這是必需的。

最近，在重慶社交圈裡有不少謠言，有些牽涉我。你們已經聽到，但是，除了我的妻子之外，只有一位朋友告訴我這件事。他是真正的朋友。所有我的朋友都在此，當他們聽到此事時應該告訴我。這個謠言說我的個人行為不光明，說我和一個女人有不正當關係，說我和一位護士有非法關係並且生了一個兒子。

當我的朋友告訴我此事時，他建議我不要費心去說明任何事。我知道這些謠言已經一個月。它們已經傳播開來，不僅在社交圈，而且也在黨內同志中成為閒談的話題。我想這是很大的恥辱。如果這些謠言在人群中得到限制，這是一回事；當這些謠言在同志中流傳時，就是另一回事。這是一件很嚴重的事。有些同志已經嘲諷地談論此事。在高級訓練班裡，說我不能樹立一個好的榜樣，說我已經請別人做我的工作，說我不到辦公室。

記錄稿稱：「說到這裡，委員長詳陳他每週所做的固定工作，以及投入大量時間接聽電話，閱讀文件。」

蔣接着說：

沒有一個地方我既能工作，並且適合於大家。我沒有一小時能輕鬆。我不能休息。除了橫膈膜附近有傷，我只能坐在沙發裡。當我坐在椅子上，我感到非常累、疲乏，這就是我為什麼不去辦公室並且不能在會議上長時間停留的原因。

顯然，我的品格還沒有足夠偉大，使每個追隨者都絕對相信我。

民國二十三年，我的妻子和我提倡新生活運動。由於這種道德力量，我們得以成功地反對共產主義並抵抗外國侵略。如果我像傳說所稱那樣，我的真誠何在？我的將來和中國的將來相聯繫。作為領導者，任何對我的污辱就是對國家的污辱。我們必須詢問自己，我們的道德標準是否足夠高。如果我的道德標準被玷污了，我如何面對國家？我怎能成為中華民國國民政府的主席？

我為什麼說這些事情？我懇請諸位瞭解我的人格。敵人找不到摧毀我們的辦法，所以他要讓我們丟臉。他不能摧毀我們，只能使我們丟臉。這些謠言並非指向我，而是指向國家。所有我的朋友長期和我患難與共，艱危相濟。我必須讓他們知道這些情況。我很慚愧。我自覺個人品格還沒有高尚到使你們絕對相信我。在這樣的時刻，我很遺憾，諸位不能培植對我的信任。

我國是弱國。如果我們企圖引導戰爭走向最後勝利，就必須通過鍛煉，使道德完善，臻於正直。我們不應該逃避這些事。我們必須做每一件事情，才可能掌握真理。這是擊敗邪惡企圖的唯一辦法。

在上一個十年中，如果我曾經有過一些貢獻，這就是道德上的貢獻。我是一個基督徒。相信它的戒律並且絕對服從。假如我不遵從這些戒律，我就是異教徒。朋友們，你們的生活和命運完全和我相連。為了你們的緣故，我不敢做任何錯事。我過去五年的記錄是一本公開的書。假如你們不相信我，可以詢問我的服務人員，並且調查我的舉止。我做的每一件事都有記錄。我和妻子的感情絕對純潔。我們的關係中沒有任何污點。我的生活裡沒有任何事情不能公開。如果謠言所傳是事實，那就稱呼我為偽君子就是了。我召開此次會議，是為了挫敗敵人的有害目的。只有當所有人都已經達到道德的高標準，我們才能面對公眾；只有我們能引導戰爭走向勝利的時候，我們才能面對孫逸仙的在天之靈。

蔣介石的這份講演稿說得很清楚：謠言的內容是他和一位護士有不正當的關係，並且生了一個兒子。蔣介石力辯絕無此事。他是基督徒，以教義自律；又是新生活運動的提倡者，對自己有很高的道德要求。他和妻子的感情絕對純潔，沒有任何污點。

蔣講話後，宋美齡接着表態。她說：

委員長提到的謠言已經遍傳重慶。我已經聽到這些謠言，收到許多就這一問題寫給我的信。不是作為妻子，而是作為真誠的愛國者，我覺得使委員長知道這些謠言是我的職責。

但是，我希望說明，永遠不可能讓我為這些謠言低首彎腰；我也不會向他詢問，這些謠言是否真實。如果我懷疑委員長，將是對他的侮辱。我相信他是如此正直，相信他的品格和他的領導。我不能為任何事情侮辱他。我和他結婚已經十七年。我和他共同經歷了所有危險，嚴重者如西安，所以我瞭解委員長性格的每一面，他在世界上獨一無二。瞭解他的性格，我完全相信他的正直。我希望，沒有一個人會相信這些惡意的誹謗。

昨天，當委員長告訴我，他正在召集朋友們到一起，我的第一個反應是：「不要麻煩，謠言會自行消亡。」他回答說，這不是對個人的誹謗，通過誹謗他，他們正在誹謗作為一種道德力量的中國。這些惡意的誹謗應該立即消除。中國對世界的貢獻不是經濟，不是軍事，不是工業。中國的貢獻是道德力量。

委員長的領導正在朝向更高的目標。不斷追隨主的腳步，那時，他是中國的力量。

宋美齡的講話強烈表達了她對蔣介石道德上的信任，並且將是否相信這些提升到是否愛國的高度。

國民參政會參政員、婦女月刊（《婦女爭鳴》）編者陳逸雲說：她第一次聽到這些謠言在三個月以前，深受打擾。她覺得，任何相信這些謠言的人都是叛國者。

戴季陶說：應該信任委員長。多年以前，當我在東京和日本戰爭部長共餐時，我因認為中國有能力堅持，而被反覆嘲笑，視為笑柄。但是現在，在委員長的領導下，中國已經戰鬥了七年。（戴先生的評論被隨意弄亂，這裡不是正確的引用。）

委員長最後說，本項活動不公佈。【四】

據記錄，本次茶會參加者包括政府高級官員、教士、婦女指導委員會委員等等，共七十五人。地點在歌樂山主席官邸。

以蔣、宋二人談話為主體的這份會議記錄不僅有英文本，而且有中文本。吳稚暉就曾收到過國民政府軍事委員會蕭自誠的一份來函，內稱：「茲奉上委員長、蔣夫人七月五日林園茶會講演辭各一份，敬懇察收存閱，並懇勿向外發表為禱！」可見，有些沒有到會的人也接到了記錄稿。【五】

三　蔣介石「闢謠」之言可信嗎？

蔣介石為個人生活「緋聞」召開如此隆重的「闢謠」會，這是罕見的。其原因，當然在於這一謠言在重慶，特別在國民黨黨內流傳甚廣，嚴重影響蔣介石的個人威信。其次，適逢宋美齡即將赴巴西休養，也容易給人「謠言」屬實的印象。當年，日本軍隊在河南發動一號作戰，中國軍隊節節敗退，正處於中國抗戰的關鍵時期，作為抗戰統帥的蔣介石的私人道德自然與抗戰相關。蔣介石召開「闢謠」會的目的很容易理解。

那末，蔣介石的「闢謠」可信嗎？這須要從多方面嚴謹地加以分析。

一、蔣介石不僅在公開會議上「闢謠」，而且在其日記上多次否認此事。早在一九四四年五月八日，蔣介石就在日記中寫道：「共匪倒〔搗〕亂，造謠中傷誣衊，甚至以敗德亂行之污穢謠諑，想入非非之匪〔誹〕語加諸吾身，以圖毀滅吾身家。此種誣衊與橫逆之來，自民國十五年以來，雖非一次，然至今更烈，所謂道高一尺，魔高一丈者，乃由今日經歷所得，更覺其真切也。然余自信此種謠言，一經證明其誣妄，則增益余品性之時，故毀言之來，賢者實以為福也。」這是蔣介石日記中關於此項「緋聞」的第一次記載。一直到一九四五年末，蔣介石仍念念不忘去年他所經歷的「私德」風波。其年終《雜錄》云：「共黨破壞我個人之信譽，毀滅我個人革命之人格，造作我私生活不道德、各種各樣不同之方式謠諑，使全國民眾對我絕望而為之遺棄不齒，以達其傾陷領袖奪取抗戰領導權的目的。」又云：「離間我夫妻，污蔑我父子，傷害我家庭，夫婦、父子、骨肉之愛情，以期滅絕我血統，非使我國亡種滅而不止。」【六】蔣介石的日記身前並未發表，也無發表打算。在公開的場合，蔣介石有意說謊，欺騙公眾，可以理解；在自己不打算發表的私人日記裡說謊，自我欺騙，似無必要。

二、蔣介石「緋聞」的最大衝擊者是宋美齡。作為蔣的妻子，宋美齡不會容忍蔣在個人感情上對她的背叛與欺騙。即使她為了維護蔣作為抗戰統帥的形象而委曲求全，但也決不會輕易出席茶會，和蔣介石同步發表上述鮮明而堅決的聲明。這一時期如果她相信謠言，她對於蔣介石必然怨憤有加，衝突勢所難免。然而，宋美齡不僅出席茶會，而且堅決「闢謠」。可見宋美齡不相信所傳屬實。

三、蔣介石早年的生活確實荒唐，但是，他努力以儒家的道德休養規範自己，致力於「存天理，去人慾」。在經過漫長的自我反省和鬥爭後，漸見成績。在他加入基督教和提倡新生活運動後，特別是他承擔國民黨和國民政府的要職之後，仍然繼續履行儒學的修養工夫。這一方面，他的日記多有記載。如：

一九三九年二月四日日記云：「妄念惡意與邪心時起，如何能掃除淨盡，如何能為全民表率？應嚴制而立克之。」

同年二月二十三日日記云：「污穢妄念，不能掃除淨盡，何以入聖？何以治人？豈非自欺欺人之濁狗乎？」

同年五月二十八日日記云：「妄想惡念，滋生不絕，何能作聖，應痛改之。」

一九四〇年一月三日日記云：「克念作聖，至今邪念妄想，尚不能克洗。何以對聖靈？何以成大業？戒之。」

同年二月十一日日記云：「邪念不除，何以為人？」又曰：「年逾五十，尚不能不動心，其能有成乎？」

同年三月十六日日記云：「妄念、慾心雖漸減，而未能絕也，究不可以作聖。」

同年四月十三日日記云：「不能節慾，焉能救國，戒之。」

從這些日記中可見，蔣要求自己成為「全民表率」，以「入聖」自期。因此，他在思想中不斷進行「天人交戰」，狠鬥自己的「妄念」、「邪心」和「慾心」，其自我修養有很嚴格的方面。例如，他要求自己早起，一旦過時，就一再反省，自我譴責。又如，他生活淡泊，不抽煙，不飲酒，基本不喝茶，一旦違反，也會反省、自譴。他不僅要求自己的行為符合儒學標準，而且，狠鬥私字一閃念，「察毫微於一念之間」。上引一九三九年二月二十三日日記表明，蔣當日僅僅因為「污穢妄念，不能掃除淨盡」，竟狠罵自己是「自欺欺人之濁狗」！

蔣的上述日記「邪念」、「妄念」，其具體內容是是什麼，我們不能任意猜測，但顯然包括他青年時代的痼疾「好色」在內。在另外一些日記內，蔣把這一內容表達得很清楚，如一九四〇年四月十日日記云：「人慾、性慾，應節制自愛。」這些日記表明，抗戰以來，蔣介石對自己的「私德」有相當嚴格的要求。在這種狀態下，他與某一護士發生不正當的關係，並且育有私生子的謠言當然不可信。

四、宋美齡患病是事實，醫生要她遷地休養也是事實。宋美齡長期多病。一九四二年十月二十九日，蔣介石日記云：「妻體弱神衰，其胃恐有癌，甚可慮也。」三十一日日記云：「決定妻飛美醫病，恐其有癌，不如早割也。」這是宋美齡抗戰期間第一次赴美的主要原因。到美國後，經檢查，發現並無癌症，但是，身體仍然不好。蔣介石日記中關於宋美齡疾患的記載很多，如一九四三年：

八月十三日日記云：「妻病未痊，甚念也。」

十二月五日日記云：「妻近日心神不安，故目疾、痢疾交發，痛苦甚劇。」

十二月七日日記云：「妻病痢與目疾，恐難速癒，彼實為國為家集中心力於此一點，以期完成革命也。惟其心急憂甚，故為劇增，奈何。」

十二月十四日日記云：「妻痢疾已癒，而目疾未見進步，無任憂慮，此總由妻子幽憤之故，應使之心神寬裕為第一也。」

當月，蔣介石、偕宋美齡飛赴埃及參加開羅會議，宋美齡一直在病中，特別是宋氏家族許多成員共有的皮膚病，嚴重地困擾着宋美齡。對此，早在一九三六年八月二十二日，蔣介石就記載：「妻病皮膚，甚苦癢，可憐也。」【七】進入一九四三年末，記載日漸增多。如：

十二月十八日日記云：「夫人皮膚病復發，其狀甚苦，至深夜二時方熟睡。」

十二月十九日日記云：「本日夫人目疾略減，而皮膚病、濕氣，為患更劇，以氣候轉熱關係故也。」

十二月二十日日記云：「在機上，晚餐時，見夫人目疾與精神較昨為佳，不料夜間在機上，其皮膚病復發，且甚劇，面目浮腫，其狀甚危，幾乎終夜未能安眠。以左醫生新來，不知其體質，誤用其藥乎？心甚憂慮。」

十二月二十六日日記云：「今日吾妻自上午十一時往訪羅斯福商談經濟回來，直至晚間霍浦金辭去，在此十小時之間，幾乎無一息暇隙，所談皆全精會神，未有一語鬆弛，故至晚十時，見其疲乏不堪，彼目疾未癒，皮膚病又癢痛，而能如此，誠非常人所能勝任也。」

開羅會議後，蔣氏夫婦回到重慶，但重慶氣候潮濕，多霧多雨，進入一九四四年，宋美齡的病情日益加重，蔣介石不得不強制她去昆明休養。其情況，蔣介石當年二月二十九日日記云：

昨日妻濕氣更重，手股發腫，痛癢難熬，終夜不得安息，乃決催其赴昆明休養，彼終依依不肯捨家，情篤不可言喻。余不忍其再受如此痛苦，乃準備飛機，強其赴昆，以重慶氣候與水分只有增加其病症也。下午三時十五分，送至九龍坡機場起飛。六時前聞妻安全到昆，病亦稍癒為慰。

又，《本月反省錄》云：「妻病濕氣更劇，痛苦異甚。」

宋美齡到昆明休養後，病情不僅毫無好轉，反而更重了。一九四四年三月十日，蔣介石日記云：「妻到昆明養病，已逾十日，其病益劇，聞終夜不能安眠，恐成神經衰弱不能久支之象。近日憂慮以此為甚，奈何！」同月十五日，宋自昆明回到重慶，病情一度略好【八】，但沒過幾天，又進一步加劇。三月三十一日，蔣介石日記云：「近日妻病時劇，其痛癢之勢，不可形狀。夜間又不能安眠，乃至悲泣。」這裡，蔣介石用「不可形狀」來記述宋美齡的「痛癢」，可見其嚴重程度。「乃至悲泣」，說明宋本人已無法忍受。

又，同年五月三日蔣介石日記云：「妻病『風疹瘰』已半年餘，近更嚴重，每夜幾乎不能睡眠，其能安睡二、三小時之夜，已為難能可貴之事。此種痛癢，誠非身歷者不能想像其萬一。若上帝不速加憐憫，使之早痊。如此失眠痛苦，神經決難忍受，其病必深入神經矣。今日彼之心神萎頓沉悶，更為可慮也。天乎！」

此後，蔣介石日記常見他對於宋美齡的病況的憂慮。如一九四四年三月二十五日日記云：「妻病亦未痊可，更覺沉悶。」三月二十七日日記云：「妻病沉滯，甚覺可慮。」五月中旬，宋美齡的病曾略有好轉。【九】但因日軍發動「一號攻勢」，河南戰局緊張，宋美齡的病很快又變壞。五月二十一日，蔣介石日記云：「近時余妻及庸之皆因憂成疾矣。」蔣介石六月九日日記云：「惟妻病甚憂。」六月十三日日記云：「晚回林園，妻病日弱，誠家國兩憂集於一身矣。」可見，宋美齡皮膚病確實很嚴重，易地治療確有必要，並非無病呻吟。

至於為什麼遠赴巴西，筆者二〇〇七年在美訪問期間曾詢問宋氏家族的曹琍璇女士，琍璇女士向其夫、宋子安之子宋仲虎先生及宋靄齡之女孔令儀作了調查。據稱，當時聽說巴西有個醫生善治皮膚病，又因得到巴西總統邀請，所以就去了巴西。琍璇女士的這一說法在蔣介石的日記中可以得到部分佐證。當年六月二十九日，蔣介石日記云：「預定：一、寫巴西總統信。」七月一日，蔣介石在《本星期工作課目》中列入「妻往巴西養病」。由此可以得知，宋美齡的巴西之行是蔣介石通過巴西總統安排的。

五、蔣宋之間這時不存在嚴重衝突，甚至可以說二人之間的關係相當不錯。

一九四四年二月二十九日，蔣介石日記云：「上午，批閱軍事公文，以妻病懸念不置。」

三月四日日記云：「下午，寫妻信及手抄《真美歌》，祝妻四十六歲誕辰。」

三月六日日記云：「晚以夫人誕辰，獨自飲食，感慨不置。」

三月十一日《上星期反省錄》云：「本月六日，即二月二十二日（舊曆），為妻四十六歲誕辰，其濕氣與失眠症甚重，在滇休養，心甚不安，獨居寡歡，寂寞蕭條極矣。」

宋美齡自昆明回重慶後，蔣介石經常陪宋美齡散步、遊覽、散心。

三月十六日日記云：「晚傍，與妻往聽江亭遊覽。」
三月十九日日記云：「下午，與妻遊覽林園後回寓。」
三月二十七日日記云：「四時與妻遊覽林園，精神略舒。」
五月二十二日日記云：「傍晚回林園，與妻遊覽白市驛。」
六月三日日記云：「下午，與妻乘車郊遊後回園。」

這一時期，蔣介石為宋美齡的疾病擔憂，宋美齡則為蔣介石的勞累操心。當時，由於戰況緊急，蔣介石從凌晨三時起就以電話指揮河南軍事，宋美齡很為蔣憂慮。五月五日，蔣介石日記云：「妻甚以余上午三時起而通電話為慮，然此無其他方法可代也。」七月二日，宋美齡決定去巴西養病，當日深夜，二人話別，頗有前途難測，依依不捨之概，據蔣介石日記云：

今日子刻與寅刻，余妻以即欲飛往巴西養病為念，發生悲戚心情。彼甚以最近國家形勢甚危殆，而其精神與夢寐之間，皆多各種不利之徵兆，甚以此去恐不能復見為慮。彼云：須君牢記世界上有如我愛汝時刻不忘之一人乃可自慰。又云：君上有天父之依託，而下有汝妻為汝竭誠之愛護，惟此乃可自慰也。余心神悲戚更重，不能發一言以慰之。惟祝禱上帝保佑我夫妻能完成上帝所賦予吾人之使命，使余妻早日痊癒，榮歸與團聚而已。【一〇】

宋美齡去巴西之後，蔣介石不斷給宋美齡打電報。根據現有資料，自當年八月四日起，至同年九月十一日宋美齡轉往美國，入紐約長老會就醫前夕止，蔣約致宋電九通。這些電報尚未全部公佈，但已有部分可以見到，舉例如下：

一九四四年八月十日，第四〇三號。巴西中國大使館蔣夫人：「國內戰事與物價較前已佳。」八月二十日，四〇五號。「共黨所提條件另報。」

一九四四年八月二十六日，第四一〇號。「羅（總統）私人代表哈雷等本月內可以到重慶，甚望吾愛能早日痊癒，回國襄助也。」

一九四四年九月二日，第四一一號。「現在美國召開和平組織會議。中美英會議未閉幕以前，似暫緩赴美為宜。」

一九四四年九月，第四一二號。「何日飛美？甚念。加拿大仍應如約訪問，不宜令其失望。如何盼覆。今日已見哈雷與史迪威，情形較預想者為佳。」【一二】

從上述電報看，蔣介石如常向宋美齡通報國內情況，甚至向她提供有關中共的機密情報，並且關心宋美齡的身體狀況，對她的外交活動提出建議，並無任何芥蒂。

綜合以上五點，筆者認為，蔣介石的「闢謠」之言可信。

四 無風不起浪

謠言有多種形式。一種是毫無根據，一種是有某些影子，在流傳中逐漸變形、扭曲，在不同程度上背離事實，甚至面目全非，所謂「無風不起浪」是也。

上引蔣介石所記，當時重慶流傳的關於蔣經國的「緋聞」：「在渝有外遇，且已生育孳生，已為其外遇之母留養」云云，顯指其與章亞若的戀情及生育孝嚴、孝慈一事，只不過將發生在贛州的事移到重慶了。同樣，蔣介石在重慶時期的「婚外情」也有某些「影子」。

一是戴季陶在重慶時曾公開聲言，他和蔣介石在日本時共同喜愛一位日本女子，蔣緯國即為蔣介石與該日女所生。據紀雲所寫《戴季陶解蔣緯國身世之謎》一文，一九四三年十一月十二日，戴在重慶中央政治學校的孫中山誕辰紀念會上曾痛自懺悔稱：

到了東京離開中山先生的監護，我和校長（指蔣介石——筆者）共居一室，僱一日本下女服侍生活。那日本下女供奉得我們非常體貼，於是我們兩個青年人竟然遏制不住自己，就和她同居了。我因為過去在滬長期縱慾，已經染上惡疾，喪失了生育能力，所以翌年下女生一男孩，就是校長的二公子緯國。我看到校長連得經國、緯國，而我猶是伯道無兒，常自恨自悲。幾十年來每想到「不孝有三，無後為大」，就痛恨自身青年時期的荒唐。【一二】

紀雲當時擔任會議記錄，會後曾將記錄稿發表於該校的內部刊物《南泉新聞》上。事隔多年，紀雲的回憶有若干混亂、謬誤之處，例如，戴季陶並非沒有生育能力，另有一子名安國，不會有「無後」之歎，等等，但是，蔣緯國的身世長期不明，戴季陶關於緯國為蔣介石早年與日本下女所生的說法自然會在重慶流傳開來，並逐漸演變為蔣介石在重慶時與某護士生子的「緋聞」。

蔣介石「婚外情」另一「影子」是陳潔如自上海來到重慶，蔣介石與之重修舊好的傳言。對此，陳潔如的女婿陸久之曾函告著者的同事嚴如平教授說：「當年轟動山城傳說紛紜的『陳小姐』，原來就是陳潔如。」據事後嚴所撰文章稱：

一九三七年七七事變後，抗日戰爭全面爆發。經過激烈的淞滬會戰，上海於十一月十三日淪於日本之手，租界成為孤島。隱居於法租界巴黎新村（今重慶南路一六九弄八號）的陳潔如，是一個民族意識相當強烈的愛國女性，她居安思危，猶如臨淵履薄，更是深居簡出。一九四一年十二月中旬的一天，她與弟婦龐定貞同去南京路惠羅公司購物，不料竟與陳壁君、褚民誼在電梯中邂逅。陳潔如一九二四——一九二五年與蔣介石在廣州居住時，與這位「國府主席」夫人是相識的，但如今的陳壁君，已是賣國投敵的大漢奸了，在日偽統治下的上海炙手可熱；褚民誼也是汪偽政府行政院副院長兼外交部長。陳潔如惴惴不安之餘強作鎮靜，虛與委蛇；陳壁君則猶如捕獲到一個獵物，當即邀陳潔如同去對面的匯中飯店敘舊共餐，飯後並以車送其歸寓。陳壁君從此得悉了陳潔如的地址，常來巴黎新村串門，最後還提出了要陳潔如也跟着她一道「曲線救國」，出任汪偽政府的僑務委員會副主任。以民族大義為重的陳潔如婉言相拒，她為逃脫魔掌，當即毅然隻身秘密離開上海，潛去抗戰的大後方。

陳潔如抵達重慶後，被秘密安置在山洞（地名）離陸軍大學蔣介石官邸不遠的吳忠信公館裡。吳忠信是蔣介石二十多年前的拜把兄弟，互相知根知底，如今受此重託，遂將陳藏於密室而重禮厚待。蔣舊情復熾，經常去吳忠信公館與陳幽會。雖然行蹤秘密，但終究逃不過宋美齡的耳目，一時醋海興波，鬧得不可開交。傳說蔣被宋打了一個耳光，又一說蔣的臉都被宋抓破了，致使宋無法接見外國來賓。素來對宋美齡依順有餘的蔣介石，這次居然我行我素。宋美齡十分氣惱，竟於一九四二年十一月出走美國云云。這一來蔣介石和陳潔如之間的活動也就方便自在多了。據傳有一段日子陸軍大學的游泳池常有陳潔如的身影，而蔣則坐在池邊觀看。當時蔣演出的這樁風流故事不脛而走，人言嘖嘖，盛傳「委員長另有新歡」，人皆稱之為「陳小姐」，在山城成了人們茶餘飯後的熱門話題。然而人言言殊，以訛傳訛。有的又說是蔣寵愛的這位「陳小姐」是陳布雷的女兒，有的又說是陳立夫的侄女，多少年來神秘莫測，殊不知乃是當年的校長夫人鴛夢重溫而已。【一三】

陸久之在抗戰勝利後與陳潔如的養女陳瑤光結婚，與陳潔如關係密切，所言當出於陳潔如口述，自有相當的可靠性。【一四】不過正像所有回憶都不可避免地存在年代模糊等局限一樣，陸久之將宋美齡負氣離開重慶的時間定為一九四二年十一月是錯誤的，因為那年宋美齡訪美，緣於懷疑自身患有「癌症」，需要檢查和治療，當時，蔣、宋關係良好。【一五】

這樣，有了蔣介石與「下女」生子的情節，有了在游泳池邊常常出現的蔣介石與「陳小姐」的身影，有關傳說在重慶不脛而走就不難理解了。

宋美齡對蔣陳關係很敏感。一九三二年六月十九日，蔣介石收到陳潔如自美國的一封來信，為宋美齡所見，蔣於慌亂中將陳函撕毀，宋美齡一氣之下，於第二天晚上回滬。【一六】六月二十一日，蔣介石趕忙給宋美齡與宋靄齡寫信解釋，事情才得以緩解。抗戰期間，蔣介石與陳潔如再度相晤，宋美齡有較強烈的反應是必然的。

陳潔如到達重慶的時間說法不一。王舜祁《蔣氏故里述聞》稱：陳潔如第一次到重慶時，曾參加軍需署署長周駿彥的悼念活動。當時在侍從室為蔣收發電報的周坤和回憶，他在貴賓室發現蔣的身邊有一位「中年婦女」，不是宋美齡，而是陳潔如。周駿彥逝世於一九四〇年七月三十日，故陳此前必已到達重慶。陳的到來激起了蔣的感情波瀾：

一九四〇年十月五日日記云：「最近每夜失眠，回憶青年時代往事，更自慚愧悔恨，而今於性慾舊情，亦時發現不忘，可知此心惡根未盡，何能望其與聖靈交感相通耶！戒之。」【一七】

同年十月《反省錄》云：「心神較安，對於交感上帝之修養，似有進步，但雜念與性慾時有發現，以舊日孽緣太多，不易滌蕩盡淨耳！」【一八】

同年十一月十四日日記云：「性慾漸起，舊念重生，應以靈性制之，不可使其放縱。」上述日記中，「性慾舊情」、「舊日孽緣」、「舊念重生」云云，應該指的就是他和陳潔如的一段老關係。陳潔如在重慶住到什麼時候，已不可考。但是，根據周坤和的回憶，一九四三年，陳潔如第二次到渝，周曾目睹她出席「中美之友社」的成立大會。陳先來，蔣後到。

沒有可靠的資料能夠說明蔣、陳的「老」關係發展到了什麼樣的「新」程度，但是，卻有蛛絲馬跡可以說明，蔣、宋關係因之發生裂痕。

宋美齡一九四二年十一月開始的訪美之行獲得巨大成功。一九四三年七月，宋美齡回到重慶。初時，蔣、宋感情不錯。七月五日蔣介石日記云：「昨日下午四時回寓，見妻已到寓，病臥榻上，頸頭疼痛，不能搖動矣。孫、孔二夫人與經、緯兩兒皆聚集一堂，甚覺難得。親戚辭去後，夫妻二人晤談別後經過。妻又報告留美經過要務，殊感欣慰。晚餐後再談，睡前靜坐、禱告如常也。」七月十一日《上周反省錄》云：「本周夫人平安回國，結果勝利，其病體歸來第三日幾乎痊癒無恙。夫妻精神療治，非任何藥石所能比較也。」可見二人久別重逢後的親密狀況。但是，到了八月十二日，蔣介石日記中就出現了蔣獨住重慶黃山官邸，而宋住到新開寺孔祥熙宅「留醫」的記載。八月十六日，宋美齡病癒，夫妻二人同住黃山，但是，不知什麼時候，宋美齡又單獨住回孔宅。九月十四日，蔣日記自稱：「心緒鬱結。」十五日，蔣的日記起首部分被蔣本人罕見地塗去了五行。這被塗去的部分，應是蔣有不願告人的秘密。【一九】日記末段云：

禱告畢，默然就寢。自覺今日之忍痛、抑悲、制憤、茹苦，可謂極矣。

這一則日記顯示出，蔣當日精神上受到很大衝擊而又不能發作。有誰能擁有如此巨大的本領呢？除了宋美齡，恐怕沒有第二人。次日，蔣日記又云：「觀月獨坐，意興蕭然。」九月十九日，蔣又將日記起首部分塗去三行。這以後，蔣的日記中連續可見「獨到黃山休息」、「獨自靜觀自然」的記載，足證蔣、宋之間發生矛盾，處於分居狀態。聯繫上文陸久之所述相關情節考察，這應是宋察覺蔣、陳之間「新」關係的結果。九月二十七日，蔣介石日記云：「正午到新開寺孔寓，與妻談話後即回。」這一段記載頗可玩味。夫妻之間的一般談話，沒有記載的必要；特別記載而又不記述內容，說明其中有秘密。至十月三日，蔣介石日記又云：「本晚靜坐後，與妻同往新開寺孔宅敘談，即宿於此。」這則日記說明，蔣宋之間達成和解，蔣介石的獨居生活結束了。

陳潔如畢竟是蔣介石的前任夫人，因不願當漢奸而投奔大後方，蔣介石自然要加以接待並妥善安置。蔣介石此舉，名正言順，理由正當。至於是否「鴛夢重溫」，這是無從確證之事。所以宋美齡對蔣、陳的重會雖然不高興，但也不能過加指責。「醋意」不能沒有，但畢竟不能成「海」。經蔣「談話」解釋之後，也就煙消雲散了。不久以後，蔣介石成為國民政府主席，宋美齡榮膺主席夫人，自然更不能揪住蔣、陳舊情不放了。

一九四四年五月至七月流傳於重慶的蔣介石的「緋聞」，所謂與某護士的「不正當關係」，所謂「私生子」云云，對於局外人也許新鮮，對於宋美齡來說，自然不屑一聽。她之所以能在「闢謠會」上慷慨陳詞，為蔣介石的「私德」背書，其原因在此。

五 對蔣介石「婚外情」最感興趣的是美國人和當時要蔣交出軍權的圖謀緊相配合

七月九日，蔣介石送宋美齡上飛機。七月十三日，中央社自巴西里約熱內盧發電報道：宋美齡於十三日到達當地，同行者有孔夫人宋靄齡等。宋等一行受到美國駐巴西大使及巴西高級官員的歡迎。宋將下榻關納巴拉灣內的波羅柯伊奧島的旅館，預計將在此休息數周。十四日，中國駐美大使館在華盛頓正式宣佈：

蔣夫人已抵里約熱內盧。夫人自美國返國後，即感違和。若干時日以前，即擬離渝，但因華萊士副總統訪華之行而暫緩啟程。其離渝前數日，曾在私邸宣佈決赴巴西休養。蔣主席曾親自機場送行。

十六日，《中央日報》發佈消息：「屏除工作，易地養病，蔣夫人抵巴西」。該社稱：「蔣夫人於本月九日離渝赴國外養病，業於十三日下午到達巴西首都里約熱內盧。本社有關方面探悉：蔣夫人從自去年訪美加歸來以後，以工作關係，迄無休息機會，致健康未能全復。據診治之醫生言，渝地氣候不宜，必須易地療養，且屏除工作完全休息，則最近期內即可全癒云。」

儘管中央社和駐美使館陸續發佈上述新聞，但是，傳言並未止息。八月十九日，蔣介石披閱有關情報，日記云：

最可憂者，美國朝野對我個人生活之謠諑層出不窮，尤關於我夫婦家庭間之猜測亦未已。此次吾妻出國養病，為於公於私，皆有損失，然虛實是非，終有水落石出之時。無稽荒謬之談，必不能盡掩天下耳目，而且美國內亦有主持公道者，故余並不以此自餒也。【二〇】

可見，「謠諑」的最大市場在美國。不僅美國民間社會（野），連美國政府（朝）都關注此事。

文獻證明，首先向美國傳播「謠諑」的就是美國駐重慶大使館的工作人員。當年五月十日，使館秘書謝偉思(Jack Service)曾以《蔣家庭內的糾葛》為題向美國國務院報告，中稱：「關於蔣家庭發生內部糾葛的消息在重慶真是傳說紛紛。幾乎每個人都能為已普遍為人接受的消息提供一些新的細節和說法，即委員長找到一個情婦。」報告繪聲繪色地描寫宋美齡對蔣介石的怨恨：

夫人現在談到蔣委員長時只是用「那個人」指代。

有一天，夫人走進委員長的房臥室間，發現床下有一雙高跟皮鞋，就從窗口丟了出去，並打中衛士的頭。委員長一度有四天沒有會客，因為在同夫人的一次爭吵中，他的頭的一側被一隻花瓶擊傷了。【二二】

自此，美國的媒體、輿論就大炒特炒蔣委員長的「緋聞」，使蔣覺得臉面無光。一九四五年初，英美社會甚至流傳蔣氏夫婦已經離婚的說法，使得蔣多次慨歎「對余夫妻之謠諑如故也」。【二三】

美國人為何要這樣做？這和當時美國方面企圖讓蔣介石將軍權交給史迪威的圖謀緊密相關。

美國軍政兩方早就對蔣介石及其政府不滿。一九四四年日軍發動「一號作戰」以後，國民黨軍兵敗如山倒。當年七月，馬歇爾向羅斯福提出，中國局勢頹落，必須讓蔣介石將其對中國軍隊的指揮權交給美國將軍史迪威。同月，羅斯福晉升史迪威為上將，並於七日致電蔣介石，提出這一要求。十五日，再次電蔣催促。中國的抗日戰爭有賴於美國的援助，蔣介石不敢得罪羅斯福，企圖以拖延時日的方式軟磨。羅斯福於八月十日、二十三日，兩電蔣介石，要他立即採取必要措施，讓史迪威及早指揮中國軍隊，並且威脅他：稽延拖拉，「容有嚴重之後果」。隨後，美國特使赫爾利、納爾遜及美國駐華大使高斯先後出面，對蔣介石施加壓力。羅斯福再次警告蔣介石，「務希立採行動，方能保存閣下數年來英勇抗戰所得之果實，及吾人援助中國之計劃」【二三】話說得很清楚，你要是不聽話，就別想再得到美援了。然而，蔣介石就是不為所動。在這種情況下，美國人自然樂於傳播並擴展蔣介石的「緋聞」，把他搞臭，促其下台。謝偉思的報告寫得很清楚：「批評委員長的人認為，這一切都證明他的基督徒信仰和新生活運動不過是口頭上的道德，而另一方面的跡象表明，不要太久，他終會成為一個舊式的『軍閥』。」報告還有一段話值得注意：「如果性格傲慢而又拘守宗教戒律的夫人與她的丈夫公開決裂，蔣氏王朝就會崩潰。」【二四】瞭解此點，就可以理解為什麼宋美齡會收到「許多」人，包括一些美國人的來信。

進入一九四五年，蔣介石終於恍然悟到美國人在其中的作用。他在《民國三十四年大事表》中寫道：「去年一年間，中共與美國駐華大使館協以謀我之陰狠，實有非人想像所能及者，今春美國大使館之失火，其內容乃為滅絕其對我各種陰謀文書，故而故意縱火也。思之寒心。」同年末，他感慨地寫道：

以如此毒辣、卑狠、陰險之行動，以常理論之，決無倖免之理，而且已見其大效。美國且已斷絕我接濟，各地國民亦已信謠諑以為真，幾乎街談巷語皆以為資料，尤以五、六月間美副總統華萊士來華時為極點，而美國自其大使高斯拜辭（十月間）回去後，直至十二月方派哈雷接任，但其政府仍不令其提國書，竟至卅四年一月方提國書，中美國交至此方得初步恢復。言念及此，誠不寒而慄矣。【二五】

蔣介石以上兩段話，有許多不正確的部分。一是毫無根據地將中共牽扯在內，一是過於誇大了此事對於中美關係的影響。不過，美國人確實不能完全脫開干係。其證據：一是如上述給美國國務院寫報告的美國使館秘書謝偉思，一是那些積極給宋美齡寫信的美國人，一是熱衷於炒作「緋聞」的美國部分輿論界。這些人為何如此？很簡單。其中固然有對「婚外情」的道德義憤和對那時國民黨政權已經充分表現出來的腐朽的憎惡，也和美國方面企圖逼迫蔣介石交出軍權的圖謀有關。當然，他們當時沒有可能準確地調查出事情的真偽，而是以訛傳訛。在政治鬥爭中，要打擊對手，常常並不需要準確的事實。這種情況，歷史上實在太多了。

註釋：

【一】《事略稿本》，台北：國史館藏。
【二】《蔣介石日記》，手稿本，一九四四年七月五日。
【三】《王世杰日記》，台灣：中央研究院近代史所影印本。
【四】Stilwell，53-9，美國：胡佛研究院藏。
【五】吳稚暉檔案微卷，Roll 28，美國：胡佛研究院藏。
【六】《一九四五年雜錄》，《蔣介石日記》，手稿本，一九四五年。
【七】《蔣介石日記》，手稿本，一九三六年八月二十二日。
【八】《蔣介石日記》，手稿本，一九四四年三月十五日、十八日。
【九】蔣介石一九四四年五月二十六日日記云：「本日心神略安，妻病亦較前減輕。」
【一〇】《蔣介石日記》，手稿本，一九四四年七月二日。
【一一】台北：國史館藏。
【一二】原載《鍾山風雲》，此處引自 http://ckb.hebnews.cn/2000516/ca484340.htm
【一三】原載南京《民國春秋》雜誌，後收入《陳潔如回憶錄》附錄，北京：團結出版社，二〇〇二。
【一四】有關蔣介石與陳潔如在抗戰期間在重慶重修舊好的說法也見於奉化王舜祈先生的《蔣氏故里述聞》一書，該書稱：

「一九四三年的一天，周坤和接到第四戰區司令長官張發奎發到侍從室的一份電報，內云夫人陳潔如已與太虛法師一起從南洋經香港到達廣東。電報用密碼拍發，陳潔如、太虛之名都用了代號，有關文字也用了暗語。侍從室的回電是『令四戰區派人護送』。太虛回到了重慶（當時太虛在重慶北浯縉雲山主持佛事，外出講經仍回原處），陳潔如則去了上海。那時，宋美齡正在美國治病，同時向美國各界宣傳中國抗戰形勢，要求增加援助。不久，蔣介石趁此良機，決定與陳潔如重敘舊情。」見上海書店一九九八年版。不過，王書也沒有將有關史事的年月考證清楚。這是傳說類著作的通病。

【一五】參見本書《關於宋美齡與美國總統特使威爾基的「緋聞」》。

【一六】蔣介石一九三一年六月二十日日記云：「美妻今晚回滬。昨日之函，不應撕碎，應交其閱，則不致疑，而我之心地亦大白，但見信即恨，故一時心忙，不問是非，立即撕碎，是出於真心，並無他意。」見胡佛研究院藏手稿本。

【一七】《蔣介石日記》，手稿本，一九四〇年十月五日。

【一八】蔣介石：《二十九年、三十年要事雜記》，手稿本，胡佛研究所藏。

【一九】蔣日記被塗的情況有兩種，一種是胡佛研究院開放前審讀者所塗，蓋有二〇〇六或二〇〇七印記，三十年後將開放；一種是蔣本人所塗，無印記。

【二〇】《蔣介石日記》，手稿本，一九四四年八月十九日。

【二一】約瑟夫．W．埃謝里克：《在中國失掉的機會》，北京：國際文化出版公司，一九八九，第九四頁；參見 Sterling Seagrave: *The Soong Dynasty*, Happer & Row Publishing, New york,1985, p.379.

【二二】蔣介石一九四五年一月五日日記云：「畢範宇來談，英、美謠傳余夫妻離婚之說，余一笑置之。此為英人所造也 。」又，一月三十一日日記云：「共匪對吾妻又發動謠諑，以期喪失吾夫妻之信譽，並期離間吾家庭至感情。」二月三日《上星期反省錄》云：「俄國對我態度漸有好轉之象，故中共交涉亦已接近，然而對余夫妻之謠諑如故也。」

【二三】《戰時外交》（三），台北：中國國民黨中央黨史委員會，一九八一，第六五八—六五九頁。

【二四】《在中國失掉的機會》，北京：國際文化出版公司，一九八九，第九三—九四頁。

【二五】《雜錄》，《蔣介石日記》，手稿本，一九四五年。

附錄：蔣介石與中國抗戰

——在中國現代文學館的演講

各位女士，各位先生，各位同志：很高興今天我能到這裡來做一個關於蔣介石和抗日戰爭的報告。我想這是歷史的進步。

蔣是一九七五年去世的，到今年已經三十年了。中國有句古話叫「蓋棺定論」。蔣的棺早就蓋上了，但直到現在，對蔣並沒有論定，分歧很大。蔣在抗戰時期有幾個身份。一個身份是國民政府的軍事委員會的委員長，是領導軍事的。一個身份是國民黨的總裁，是領導整個國民黨的。在抗戰後期，他是國民政府主席，是領導當時的中國政府的。他還有個身份，中國戰區最高統帥，是指揮國際反法西斯戰爭的東方戰場的。對此人如何評價？特別是他在抗戰過程中的作用應該如何評價？這是認識中國近代史，認識抗日戰爭史一個必須解決的問題。今年以來，連戰、宋楚瑜、郁慕明相繼訪問大陸，兩岸關係，國民黨和共產黨的關係進入了一個新的歷史階段。在這個時候，我們來重新認識，重新討論蔣介石的評價問題，是應該的，必須的。

大家都知道，對一個問題的正確認識，不可能一次完成，也不可能由一個人或少數幾個人完成。對蔣介石這樣複雜的歷史人物的認識，應該是一個長期的百家爭鳴的過程。所以我今天的報告只能算是一家之言，是提供一家看法，請諸位思考、討論、研究，如有講錯的地方，歡迎大家批評。

我想講四個問題。第一個問題，講蔣介石在抗戰時期正確地執行了「聯共抗日」的對內政策。第二個問題，講蔣介石領導國民黨和國民政府抗戰，堅持到底，直到最後勝利。第三個問題，講蔣介石實行聯蘇、聯美、聯英的正確的外交方針，參加國際反法西斯戰線。第四個問題，講蔣介石在抗戰過程中的功與過。

一

先說第一個問題。大家知道，在中國近代史上國共兩黨有過兩次合作。第一次合作是從一九二四——一九二七年。蔣是第一次國共合作的參加者，在一九二六——一九二七年之間，蔣領導了北伐戰爭，推翻了北洋軍閥的統治。一九二七年，蔣介石在上海發動「清黨反共」，從此開始了中國近代史上所謂的「十年剿共」時期，或者說「十年內戰」時期。從一九二七——一九三七年，國共兩黨生死搏鬥。同時，也正是日本帝國主義不斷侵略中國的時期，在這十年裡，蔣介石提出了一個方針，就是「攘外必先安內」。我曾經寫過一篇文章，對這個政策提出了新看法。要攘外，要反對日本侵略，當然內部要團結、要統一，要穩定。如果內部不團結、不統一，怎麼可能攘外？從這個意義上說，這六個字有它合理的因素。蔣的錯誤在什麼地方呢？錯就錯在他安內的辦法。怎樣造成一個國內穩定，團結、統一的局面？是用武力消滅異己，消滅共產黨？還是採取談判的辦法、雙方讓步的辦法來求得統一呢？我覺得，蔣的錯誤就在於，他是採用武力鎮壓的辦法，採取剿共的辦法，來取得國內的統一。蔣在貫徹「攘外必先安內」政策的時候，他不是沒有矛盾，其內心也不是始終平靜的，例如一九三三年一月二十日，蔣有段日記說：最近我想了一下，一個是倭寇，這是日本強盜；一個是赤匪。必須要丟下一個，專門對付一個。「二者必捨其一而對其一」。蔣說，如果我專門對付「倭寇」，那麼國民黨、國民政府將來就有被推翻的危險；但是，「以天理與人情推之，今日之事應先倭寇而後赤匪也。」這就是說，從「天理」和「人情」兩個角度衡量，蔣認為還是應該首先對付日本侵略者。正因為他有了這樣的認識，所以從一九三五年底，他準備解決兩個問題，一個是對蘇，一個是對共，特別是對付共產黨的問題。正好此時，一九三五年八月一日，中共和蘇維埃政府發表了一個宣言，這個宣言簡稱「八一宣言」。「八一宣言」是在莫斯科起草的，是受了共產國際第七次全會的影響。「八一宣言」主要內容是號召停止內戰，集中國力，召集一切願意參加抗戰的黨派、團體、政治家來談判，成立國防政府。一九三五年的「八一宣言」，是中國共產黨提出抗日統一戰線最初的一個文件。蔣介石當時有位駐莫斯科使館的武官叫做鄧文儀。他看到了「八一宣言」，看到了當時中共駐莫斯科代表團團長王明的講話，迅速把這些信息通知了在國內的蔣介石。蔣介石認為這是一個可以抓住的時機，馬上召集高級幹部會議，決定要統一全國的力量來抗日。

此後，蔣介石通過幾個渠道找尋和中共的關係，其中一條渠道，也是最重要的渠道，是通過宋慶齡。宋慶齡當時在上海找到了一個牧師叫董健吾。他的公開身份是宗教人員，實際上是共產黨員。宋慶齡派董健吾直接到陝北，會見了當時在陝北的周恩來，周又迅速把這個信息轉達給毛澤東和張聞天。張聞天和毛澤東決定抓住這個機會，和國民黨進行談判，所以在一九三六年三月，毛澤東和張聞天給董健吾回了一個電報，表示願意和國民黨談判。這是一九三六年國共兩黨聯繫的一個開端。有了這個開端，就有了一九三六年十一月陳立夫作為國民黨代表，潘漢年作為共產黨代表之間的談判。陳、潘談判期間，一九三六年十二月十二日，發生「西安事變」。在此之前，蔣介石正集中大軍進攻陝甘寧蘇區。這是蔣當時採取的兩手政策。一面企圖用談判的辦法來解決中共和中共領導的武裝，但同時又圍攻陝北蘇區。他認為，只要再堅持五分鐘，就可以消滅蘇區。那時，也確實是中共歷史上比較困難的時期。但就在此時，發生了「西安事變」，在「西安事變」中，蔣通過宋子文、宋美齡向周恩來提出，只要中共同意三個條件，國共就可以再次聯合。一個條件是取消中華蘇維埃政府，一個是取消紅軍的名義，一個是放棄階級鬥爭。只要中共接受這三條，同時服從委員長的領導，蔣認為就可以停止內戰，共同抗日。

「西安事變」和平解決，蔣介石被放出來了，他背棄了自己的一些諾言，但他表示停止剿共，實行抗日，這點他做到了。「西安事變」後，一九三七年，談判就從原來的陳立夫和潘漢年之間轉移到了蔣介石和周恩來之間。一九三七年全年，他們先在杭州談判，又在廬山進行了兩次談判。在這些談判裡，共產黨所要求的是一種雙方平等的談判，而蔣是採取一種收編、收容和給出路的不平等辦法。例如，一九三七年一月五日，蔣介石在日記中表示：「應與共黨以出路，而以相當條件收容之，但須令其嚴守範圍。」二月十六日日記稱：「對內則編共而不容共。」所謂「編共」，其內容主要有以下幾條：第一，蔣介石要求把中共的武裝納入國民黨掌握下的軍隊系統，不讓共產黨成立軍部或總部；第二，對毛澤東這樣的共產黨高級幹部資送出洋；第三，蔣介石要求中共承認國民黨的領導地位和其本人的領袖地位；第四，要求共產黨取消黨名，絕對服從，絕對一致，不能任意組織與活動。在一九三七年談判中，焦點是軍隊問題。一九三七年六月八日，蔣介石和周恩來談話之後，在日記中說：「共黨必欲將收編部隊設一總機關，自為統率，此決不能允許，應嚴拒之。」七月十六日日記云：「為收編共軍事，憤怒甚盛，惟能忍而未發耳。戒之。」

一九三七年「盧溝橋事變」之前的談判，蔣要收編中共的軍隊，要共產黨服從國民黨的領導，這自然是談不成的。「盧溝橋事變」爆發以後，八月一號，蔣介石採取了一項具有重大意義的行動，他邀請毛澤東、朱德、葉劍英來南京討論國防問題。應該說，這是蔣介石跨出的非常重要的一步。中共中央收到邀請以後，毛澤東沒有離開陝北，而是派了三人去南京，即周恩來、朱德、葉劍英。他們到了南京後，主要討論兩個問題。一個是紅軍的改編，一個是陝甘寧蘇維埃政府的問題。應該說在這兩個問題上，中共做了讓步，蔣介石也做了讓步。這個讓步表現在，中共所領導的紅軍決定接受改編，稱為八路軍，後來稱為第十八集團軍。中共把自己領導的紅軍歸到了國民政府軍事委員會領導底下，稱為第八路軍，這是中共作出的巨大讓步。

第二個讓步，中共決定把陝甘寧蘇區改稱為陝甘寧邊區，作為國民政府行政院領導下的一個特殊地區。在決定改稱過程中，蔣介石也做了讓步。最初，他準備派一個國民黨員去做這個邊區的政府主席，但中共堅決拒絕。最後蔣介石做出讓步，同意中共的林伯渠擔任邊區政府主席。九月二十二日，國民黨中央社播發中共的一個文件，即《中共中央為公佈國共合作宣言》。宣言裡，中共表示了四條：第一條，孫中山先生的三民主義為中國今日之所必需，本黨願為其徹底實現而奮鬥。第二條，取消一切推翻國民黨政權的暴動政策、赤化運動，停止以暴力沒收地主的政策。第三條。取消現在的蘇維埃政府，實行民權政治。第四條，取消紅軍的名義和番號，改編為國民革命軍，受國民政府軍事委員會之統轄，並且待命而動，擔任抗日前線之職責。

九月二十三日，蔣介石發表談話，肯定了中共的這個宣言。由於中共的這個合作宣言的發表和蔣介石的談話，標誌着抗日統一戰線的形成。由於兩黨合作，因此就形成了我們大家所知道的抗日戰爭的兩個戰場：一個是國民黨所領導的正面戰場，一個是共產黨所領導的敵後戰場。這兩個戰場在抗戰過程中起到了互相照應、互相支持、缺一不可的作用。

在抗日統一戰線形成以後，蔣介石就開始調整國內政策。第一個表現是，蔣介石接受周恩來的建議，成立國共兩黨關係委員會。第二個是，國民黨中央監察委員會宣佈恢復毛澤東、周恩來等二十六位同志的國民黨黨籍。眾所周知，在第一次國共合作時，共產黨員是以個人身份加入國民黨的。所以毛澤東、周恩來在上一世紀二十年代都是國民黨人，而且毛澤東還擔任過國民黨中央的代理宣傳部長。在一九二七年「清共」的時候，國民黨把毛澤東、周恩來都開除了。現在，國民黨宣佈恢復他們二十六人的國民黨黨籍。第三是，蔣於一九三八年在武漢召開了國民黨的臨時全國代表大會，制定了一個抗戰建國綱領。第四，蔣在武漢成立了國民參政會，在一定的意義上，開放了政權。第五，蔣想找尋一個新的國共合作形式。當時，他想把國共兩黨合併成一個大黨，名為「國民革命同盟會」。中共對此提出，合併不好，希望採取新的辦法，即共產黨可以參加國民黨，而且可以參加國民黨當時剛剛組織的三民主義青年團。

蔣介石要求兩黨合併，一方面表現了他想取消共產黨這一意圖，但至少此時，他也希望兩黨有一個更密切的合作關係。所以說，從一九三七年「盧溝橋事變」開始，到一九三八年的十月中共中央召開六屆六中全會，這個時期，是國共兩黨在抗戰中關係最密切的時期。因此國外有人說，這是兩黨的「蜜月期」。此時兩黨比較一致，矛盾較少，糾紛較少。這一點，我們可以從毛澤東一九三八年在延安召開的六屆六中全會的講話看出來。毛澤東在這篇名為《論新階段》的文章中說：「假如沒有國民黨政策的轉變，要建立抗日民族統一戰線，是不可能的。」他在講話中給了國民黨和蔣介石以前所未有的高度評價。例如毛稱蔣是民族領袖，是最高統帥。他說，在國共兩黨裡面，國民黨是第一大黨，是居於領導和基幹的地位。而且還說，國民黨有三民主義的歷史傳統，有孫中山和蔣介石前後這兩位偉大的領袖。這個評價應該說是空前絕後的。這篇文章，大家在《毛澤東選集》裡找不到，但可以在中央檔案館出版的《中共中央文件選集》裡找到。毛澤東之所以會講這段話，是因為這個時候，兩黨合作比較好，國民黨、蔣介石比較努力地抗戰，中共中央，包括毛澤東是比較滿意的，所以才給了這麼高的評價。這是我講的第一個問題，就是蔣介石執行了一條正確的對內政策——聯共抗日。後來，國共兩黨之間雖然也有限制和反限制的鬥爭，摩擦和反摩擦的鬥爭，但是，一直到抗戰勝利，兩黨之間的統一戰線關係始終維繫着。

二

下面講第二個問題，蔣介石領導國民黨和國民政府抗戰，堅持到底，直至最後勝利。

大家知道，從一九三一年「九一八事變」以後，蔣介石對日本長期採取妥協、退讓政策。蔣之所以採取妥協退讓政策，一個是因為他要剿共，貫徹「攘外必先安內」的政策。另外一個更大的原因，是因為蔣害怕日本的武力。他認為中國的國力和軍事力量都比不上日本。他有個思想，後來我們概括其為「三天亡國論」。他說，中國軍隊要和日本打起來，只能是有敗無勝。日軍在三天內就可以佔領中國沿江、沿海的要害地區。可以截斷軍事、交通、金融等命脈，從而滅亡中國。這就是蔣介石的「恐日症」。國民黨內部患有「恐日症」的人不少。「盧溝橋事變」爆發以後，國民黨的內部一片主和聲。例如，當時軍事委員會有一個常委叫徐永昌，還有國民政府軍政部長叫何應欽，他們都認為，儘管「盧溝橋事變」爆發了，但中國要抗戰至少還要有六個月的準備。當時的一部分學者，比如北京大學的校長蔣夢麟，著名教授胡適，他們也認為不能打。他們說，中國一和日本打，中國的精華、元氣就全毀了。胡適表示他要再做最後一次努力，他要給中國和中日之間再爭取五十年的和平。此時，胡適做了個非常大的舉動，他找到蔣介石的秘書陳布雷，通過陳布雷給蔣介石寫了一封信。這封信的內容，大家是絕對想像不到的。我曾經跟我們研究所的一位專家耿雲志教授開過一個玩笑。我說這封信，幸虧是最近兩三年才發現的。如果它在上一世紀五十年代全國批胡適的時候被發現，那胡適肯定要被戴上一頂帽子——「賣國賊」。為什麼？胡適給蔣介石的信裡提了一個意見，說我們現在打不過日本，怎麼辦？胡適說，我建議放棄東三省，承認「滿洲國」，用這個辦法和日本一刀兩斷，保持彼此之間的和平。可以肯定地說，這是個餿主意！在國民黨的國防會議上，有人就罵，就是程潛——一九四五年起義的那位國民黨將領，他罵胡適是漢奸。另外一個國民黨元老居正說，應該逮捕胡適。

「盧溝橋事變」爆發的時候，中共很快發表聲明，表示紅軍可以開赴前線作戰。但是，像我們上面談到的，當時國民黨內部許多人士都認為抗戰條件還不成熟，部分學者和社會名流也認為還不是時候。在這個形勢下，蔣介石認為已經到了「最後關頭」，在盧山發表談話，發出抗戰的號召，其中有些話大家都很熟悉。他說：「現在衝突地點已經到了北平門口的盧溝橋。如果盧溝橋可以受人壓迫強佔，那末我們百年古都，北方政治文化的中心與軍事重鎮的北平，就要變成瀋陽第二（瀋陽是在「九一八事變」被敵人佔領的）！今日的北平，若果變成昔日的瀋陽，今日的冀察，亦將變成昔日的東四省（東三省加上熱河）。北平若果變成瀋陽，南京又何嘗不可變成北平！所以盧溝橋事變的推演，是關係中國整個國家的問題。此事能否結束，就是最後關頭的境界。」蔣提出：「如果戰端一開，那就是地無分南北，年無分老幼，無論何人，皆有守土抗戰之責任，皆應抱定犧牲一切之決心。」因此，「盧山談話」是蔣介石改變妥協政策，號召抗戰的一個談話。蔣發表「盧山談話」的時候，國民黨內部不是沒有人反對。參加「盧山會議」的國民黨中有很多人士反對這個談話。最初，它不叫「盧山談話」，叫「盧山宣言」。為何改成「盧山談話」？就是因為有不少人反對在這個時候和日本人打。所以蔣做了個妥協，就是既要表明中國政府的態度，但又要減弱它的衝擊力量。所以改「盧山宣言」為「盧山談話」。

是不是抗戰的國策就此決定了呢？沒有！蔣發表「盧山談話」，作出抗戰號召以後，他對於和平解決中日矛盾還存有一線希望。將抗戰作為國策的標誌是淞滬之戰。「盧溝橋事變」是日本挑釁，淞滬抗戰的特點是中國政府、中國軍隊首先向日本軍隊進攻。當時蔣介石和國民政府的目標是，把日本在上海的海軍陸戰隊統統趕下海去。淞滬之戰是蔣介石在華北戰場之外開闢的第二戰場。淞滬抗戰，在真正意義上表明了國民政府已經把抗戰定為國策，標誌着中國人民全面抗戰的爆發。

淞滬抗戰失敗以後，蔣介石遷都重慶，做了長期抗戰的準備。淞滬之戰中，蔣介石調集了全國七十多萬精銳部隊，打了三個月，應該說這場戰鬥打得很激烈。中國軍隊表現得很英勇，犧牲很巨大，七十多萬軍隊傷亡三十萬。但淞滬之戰給了國內外一個良好的印象，讓國際上看到中國軍隊是能打的。由於淞滬抗戰，胡適也轉變了觀點。淞滬抗戰結束，胡適就對汪精衛等人說，中國軍隊還是能打的，我們還是把和平主張暫時放一邊。正是由於胡適這個轉變，蔣介石後來很快就派胡適去美國作駐美大使，讓他對美國人做宣傳，幫助中國抗戰。所以，淞滬抗戰儘管傷亡慘重，但是對國內外的影響是巨大的。淞滬抗戰失敗後，接着就是南京淪陷，南京淪陷後，國民黨內部更是一片主和之聲。汪精衛的叛變出逃在一九三八年年底，但實際上在南京淪陷後，他就已經產生了叛國的想法，產生了要另外組織一個政府的想法。此時，汪精衛找到蔣介石說，形勢很緊張，乾脆我來組織第三政府，挽救這個局面。另外，原來主張要逮捕胡適的居正此時也說，仗不能再打下去了。他說，如果沒有人敢出來同日本人談判，敢和日本人簽字的話，我居正可以出來。大家知道，國民黨裡還有個左派，叫做于右任，他也表示不能打，要和。而且在會議上批評蔣介石，說蔣太優柔寡斷。

南京淪陷助長了國民政府內部主張妥協的氣氛。在這個時候，德國駐華大使陶德曼出來調停。此時，中國的抗戰已經到了最艱難的時候。大家知道，南京的失陷就是國都的失陷，國都的失陷在中國歷史上都是代表着一個國家，一個政權的滅亡。在這個情況下，蔣介石表示：與其屈服而亡，不如戰敗而亡。應該說，此時蔣表現了一種不屈不撓的戰鬥意志。蔣還講了一句話，如果我們和日本人談和的話，外戰可止，但內亂必起，國家內部一定會產生矛盾。所以蔣介石批評了包括孔祥熙、汪精衛在內的主和派。另外，他拒絕了德國大使陶德曼的調停。此後，中日的秘密談判並沒有停止。從一九三七年年底，南京淪陷開始，到一九四〇年十二月期間，中日的秘密談判一直在進行着。

過去有些歷史學家，把中日的這些秘密談判看成是蔣介石準備妥協，準備投降的政策。但根據現在我們所能看到的資料，這些談判有兩種類型。一種類型是孔祥熙所主持的談判，確實有對日妥協的傾向，但蔣介石對孔祥熙主持的談判都是批評和制止的。蔣甚至對孔講了重話：說不能再談了，再談就是漢奸。蔣本人也指揮過幾次談判，這些談判具有策略上的意義，其目的或在於阻撓日本扶植汪精衛在南京成立偽政府，或具有試探、掌握情報的目的，最後都是蔣本人踩了剎車。蔣介石有個顧問叫端納，他在一九四五年有個講話，說蔣在一九三八年——一九四〇年間，至少曾經憤然拒絕過日本方面的「和平」要求達十二次之多，這是事實。過去我們都以為，中日秘密談判都是蔣介石主動找日本人談的，現在史料證明，所有談判都是日本人提出來的。因為日本人佔領武漢、廣州以後，就陷入戰爭的泥潭當中，其財政、軍事力量嚴重不足，故日本人採取政治上誘降的策略。這方面我就不詳細闡述了。

蔣介石指揮的正面戰場的對日作戰大致分為三個階段：第一階段是從一九三七年七月七日「盧溝橋事變」到一九三八年十月武漢撤退。此階段著名戰役有平津作戰、華北作戰、淞滬抗戰、南京保衛戰、徐州會戰，包括台兒莊大捷、武漢會戰。第二階段是從一九三八年十月武漢撤退到一九四一年十二月太平洋戰爭爆發。此階段重要戰役有：南昌會戰、第一和第二次長沙會戰、南寧會戰、中條山會戰等。第三階段從一九四一年十二月太平洋戰爭爆發，到一九四五年日本投降，其中的重要戰役有：長沙會戰、緬北滇西之戰等等。

這裡，我要着重闡述一九四二年一月的第三次長沙會戰。這次會戰是由國民黨將軍薛岳指揮，殲滅日寇五萬六千餘人。這是日本侵華以來最大的慘敗，被美國稱為自美國捲入太平洋戰爭以來，同盟國在遠東戰場之大勝。當時中國共產黨領導下的《新華日報》也肯定這是一次輝煌的勝利。另外一次重要的戰鬥是緬北、滇西之戰，這次戰爭從一九四三年十月一直打到一九四五年三月。前後十七個月，中國軍隊挺進二千四百公里，收復了緬北大小城鎮五十餘座，解放了緬甸領土八萬平方公里，收復了雲南西部失去的土地八萬平方公里，殲滅日寇四萬八千餘人，中國軍隊傷亡六萬七千餘人。中國軍人在這場戰爭中的表現，讓美國記者非常感歎，稱之為世界上最優秀的軍隊，是世界上其他國家軍隊所望塵莫及的。我講這兩次戰役的目的，是希望大家不要只知道一個台兒莊大捷，在台兒莊之外，中國軍隊的勝利還有好多。

在整個抗戰中，有幾組數字向大家介紹一下。中國政府動員的正規軍和游擊隊是五百五十萬人，一般的戰鬥有三萬八千九百三十一次，主要的戰役是一百一十一次，大的會戰有二十二次，中國軍隊傷亡三百三十八萬。正面戰場上國民黨犧牲上將八人，中將四十一人，少將七十一人。在正面戰場上，中國軍隊消滅的日軍是一百三十三萬，佔日軍在二戰中傷亡總數一百九十五萬的百分之七十，這是日方的統計。正面戰場上，共殲滅日軍少將以上官員四十四人。

三

下面，我講第三個問題，即蔣介石實行聯蘇、聯美、聯英的正確的外交方針，參加國際反法西斯戰線。

首先講聯蘇，在蔣介石實行反共清黨以後，中蘇兩國在一九二九年斷絕了外交關係。日本對中國的侵略迫使蔣介石思考，要恢復中蘇邦交。當時，日本人也在拉攏蔣介石，企圖讓中國和日本聯合起來，共同反對蘇聯。蔣面臨着兩種選擇，他的決定是聯蘇制日。一九三二年，即九一八事變後的第二年，蔣介石就派人和蘇聯談判，要恢復邦交。他認為，中蘇恢復邦交可以讓日本人膽怯，可以奠定中國雪恥復國的基礎。他把和蘇聯恢復邦交視為對日本的第一打擊。一九三五年，蔣介石在着手解決和中共的關係的同時，着手解決和蘇聯的關係。當時蔣介石提出，在中蘇兩國間訂立中蘇互助條約。他的這一建議，蘇聯不感興趣。蘇聯認為，如果訂立中蘇互助條約，就會得罪日本人，因此不贊成蔣的建議，但是，蘇聯又希望中國軍隊能在中國戰場上拖住日本。長期以來，日本一直有侵略蘇聯的計劃，就是所謂北進派。蘇聯提出的建議是，訂立中蘇互不侵犯條約。雙方長期爭執，互不相讓，最後蔣做了妥協。「盧溝橋事變」以後不久，即一九三七年八月二十一日，中國政府和蘇聯簽訂了《中蘇互不侵犯條約》。此後，蘇聯給了中國軍事上有力的支援。例如，給中國提供飛機、大炮、彈藥，而且提供了空軍志願人員。大家知道，中國曾經和日本在武漢上空進行過多次激烈的空戰，其中有若干空戰，中國是勝利的。當時在武漢上空與日本作戰的中國空軍裡，就有蘇聯的志願參戰人員。除了空軍，蘇聯從兩個渠道向中國提供武器、彈藥。一條是通過外蒙古、內蒙古、山西大同、太原到華中地區；另一條是從新疆、陝西、河南到中國的中部，當時蘇聯的運輸線就是這兩條。

（中場休息）

剛才休息時，有聽眾問我，淞滬戰場開始的主戰場是在華北，後來蔣介石在上海發動淞滬會戰，主戰場從華北轉移到了華東，什麼原因？其中一個原因就是蔣介石要吸引日軍主力，保衛中蘇的這條運輸線。在華北作戰過程中，第一條運輸線由於大同的失守而廢棄，所以蘇聯的運輸線只有一條隴海鐵路。大同的失陷令蔣介石非常惱火，曾在日記中大罵閻錫山。

戰爭初期，蘇聯除支援中國大量武器、彈藥外，還派出了軍事顧問。因此，蔣介石聯蘇制日的選擇是正確的。除了聯蘇，蔣介石還聯美、聯英。在我們今天看來，聯美、聯英好像是個必然的選擇。其實，並非如此。當時國民政府的內部有兩派，一派主張聯德，另外一派主張聯合英美。主張聯德的以白崇禧和孫科為代表。聯德派為何能夠存在而且一度曾佔優勢？懂得世界史的人都知道，上一世紀三十年代，在抗戰之前，中德關係是相當密切的：蔣介石的軍事顧問就是德國的軍事顧問；當時中國取得軍火的重要來源是德國。孔祥熙在一九三六年到歐洲轉了一圈，最大的成果是德國答應給中國提供軍火，在蘇聯給中國提供軍火之前，當時世界上唯一給中國提供軍火的是德國。所以國民黨內有一部分人主張聯德。

二戰中，英美主要有兩個戰場，一個是歐洲戰場，一個是亞洲戰場。英美是先歐後亞，打算在消滅德國後，再解決亞洲問題。蔣介石要爭取英美的支持，就必須反對他們先歐後亞的政策。經過長期的努力，特別是一九四一年十二月日本人偷襲美國珍珠港，太平洋戰爭爆發之後，英美對日宣戰，中國政府很快宣佈對日宣戰，這樣，世界上二十六個國家，中、美、英、蘇等發表二十六國宣言，表示要用最大的財力、物力來和法西斯戰鬥，世界反法西斯陣營成立。此後，一九四二年六月，中美簽訂抵抗侵略的互助協定。一九四三年十月，中、英、蘇簽訂了一個關於普遍安全的宣言。此後，英美對中國的抗戰進行了經濟和軍事的支援。「飛虎隊」就是這時產生的。所以說，蔣介石聯蘇、聯合英美是正確的。

此外，還有一些不為人知的事。抗戰中，蔣介石還支持亞洲國家的獨立運動。亞洲有幾個國家長期處於帝國主義的殖民統治下。第一個大國就是印度，它是英國的殖民地，印度有個政黨叫國大黨，領袖叫尼赫魯。國大黨要求擺脫英國殖民統治，實現印度獨立。印度還有一個提倡不合作主義的人物，叫作甘地。蔣介石支持國大黨，支持尼赫魯，他為了支持印度自治和獨立的要求，曾經在一九四二年和宋美齡一起訪問過印度。這在我們今天看來也很簡單，當時卻會激怒英國。蔣介石不顧英國反對，訪問印度，會見了尼赫魯和甘地。另外，蔣還支持韓國的獨立。眾所周知，中韓一直有着長期的友誼關係。一九一〇年後，日本吞併韓國，大量的韓國流亡者、愛國者來到中國，將中國作為其反日的基地，蔣介石和國民政府幫助了他們。韓國人在中國組織了光復軍和義勇隊，他們的領袖金九，是中國政府在抗戰勝利後用飛機送回漢城的。而且，蔣介石把韓國獨立看作是中國抗戰的一個目標。越南，很長時期是法國的殖民地，蔣介石支持越南獨立，通過人向羅斯福表示，中國不想獨佔安南，對此，邱吉爾不相信，斯大林也覺得很奇怪。東南亞國家中的泰國，當時和日本結成泰日同盟，參加法西斯陣營，但蔣介石支持泰國的愛國者，同意他們在重慶設立自由委員會，主張「無條件協助其獨立」。

由於時間關係，第三個問題，我簡單講這幾點。

四

現在講最後一個問題，蔣介石在抗日戰爭期間的功與過。

今天我們應當承認，蔣介石在抗戰中有功也有過。首先講他的功，在說這個問題前，我要首先介紹《中國共產黨的七十年》這本書中的一段話，該書是前些年出版的，主編是胡繩。胡繩有三個頭銜，一個是中國科學院的院長，是我的上司。一個是全國政協副主席，另一個最重要的頭銜是中共中央黨史領導小組的副組長。這本書其中有段話是這樣的：「國民黨最高領導人（蔣介石）承認第二次國共合作，實行抗日戰爭，是對國家民族立了一個大功。國民黨當時是執政黨，擁有二百萬軍隊，國民黨當時政策的轉變，對抗日戰爭的全面展開有着重要意義。」本書除了由胡繩主編外，還經由胡喬木從頭至尾，每一個字的審查，最後胡喬木給它寫了個前言，高度評價了此書。我很坦率地說，我今天敢於在此做這個報告，有這段話作為支持（掌聲）。我前面說過，二〇〇二年，我出過一本寫蔣介石的書，就有幾位「極左派」給中央領導寫信，控告我，要求嚴肅處理我，開除我的黨籍。後來我在網上發表了一個聲明，說鄙人還不是中共黨員。這些人是糊塗蛋，他們不知道我是否是黨員，也不知道我的書是在海外出版的，還是在國內出版的。他們甚至要求治我以叛國罪。所以說，胡喬木審查過的這段話，給了我很大力量。前幾天我在成都開會，碰到了這段話的執筆者金沖及，我說，我同意你的觀點，但你的這段話直到現在都還是超前的，有些人也許現在還不會同意。

所以，我們應該承認，蔣介石對抗戰勝利是有功的，對世界反法西斯戰爭的勝利也有功。抗戰勝利的結果：第一，是促進了不平等條約的廢除。太平洋戰爭爆發以後，蔣介石就認為，廢除帝國主義給中國的不平等條約的時機到了，他首先跟羅斯福派來中國的代表談話，要求美國首先、單獨、自動廢除對華條約中的不平等條款，而且指示宋子文，進一步要求美國政府取消諸如租界、內河航行、關稅等方面的不平等條約。正是在蔣介石的要求下，一九四三年一月，中美、中英簽訂《中美新約》、《中英新約》。第二，是促進了中國國際地位的提高。在抗戰後期，中國成為國際上的四強之一。蔣在日記中說到：國家的聲譽和地位實在是有史以來空前未有的提高。第三，是收復失地，洗雪國恥。經過抗戰，鴉片戰爭以來的國恥洗雪了，東北、台灣、澎湖列島收回了，丟掉的這些土地，隨着抗戰的勝利，通通收回了。所以說，抗日戰爭是中國近代歷史上第一次取得的完全勝利的戰爭。第四，促進了國際反法西斯戰爭的勝利。在一九四一年太平洋戰爭爆發之前，中國是抗擊日本法西斯的唯一戰場，而且中國戰場是世界反法西斯戰爭的東方主戰場。從一九三七年冬到一九四〇年冬，日本在中國的陸軍佔其陸軍總數的百分之七十八，最高是百分之九十四。二戰的戰區是二千二百萬平方公里，中國戰區是六百萬平方公里。德、日、意的法西斯軍隊是一千一百萬人，中國抗擊了其中的二百四十萬人。從抗戰時間上看，美國是三年九個月，英國是六個月，但中國的抗戰長達十四年。由於中國戰場的存在，拖住了日本北進的腳步，使得蘇聯避免兩面作戰，從而能夠集中力量對付德國。從一九四一年春到一九四四年秋，蘇聯先後從遠東地區調集了五十四萬人，五千門大炮，三萬三千多輛坦克到歐洲戰場。而且，中國戰場延遲了日本向東南亞前進的計劃，牽制了日本南進的兵力，為英美——特別是美國贏得了時間，也為美國空軍轟炸日本提供了後方基地。由於中國戰場的存在，粉碎了德、意、日在中東會師的計劃。美國總統羅斯福曾經說過，假如沒有中國，假如中國被打垮了，你想一想，有多少師團的日本兵可以調到其他戰場作戰，他們可以馬上打下澳洲，打下印度，並且一直衝向中東，日本可以和德國配合起來，舉行一次大規模的反攻，在近東會師，把俄國完全隔離開，吞併埃及，斬斷通向地中海的一切交通線。所以說，中國戰場的存在，有力地保證了世界反法西斯戰爭的勝利。因此說，蔣介石對世界反法西斯戰爭的勝利也做出了貢獻。當然，上述成績，自然不是蔣介石一人之功，但是，他順應「天理」和「人情」，領導國民黨和國民政府抗戰，堅持到底，這些成績，自然也和他個人密不可分。

下面，我要講蔣介石的過錯。第一，片面抗戰與戰略上的失誤。淞滬會戰、南京會戰——特別是淞滬會戰——在幾十平方公里的地區聚集了七十萬軍隊，和日軍打消耗戰。蔣介石錯誤地把希望寄託在《九國公約》簽字國在比利時開的會。後來，在南京保衛戰期間，又幻想蘇聯可以出兵，致使中國軍隊遭到沉重的損失。蔣當時的戰略思想是持久消耗戰。但在實際上，他強調的是敵攻我守，要求固守陣地，這樣就消耗了自己。他提出要發動游擊戰，發動民眾，但始終發動不起來，所以他的抗戰被稱為是片面抗戰。他只懂得用國民黨的正規軍隊去抗日，不懂得像毛澤東在《論持久戰》中說的：戰爭的最深厚的偉力存在於民眾之中。也不懂得陣地戰之外還有運動戰、麻雀戰、游擊戰等戰術。第二，抗戰中期與後期的反共活動。蔣跟美國人說，他有兩個任務，一是要驅逐日寇出中國，二是阻止共產主義在國境內的蔓延。因此在抗戰過程中，蔣介石雖然和中共組成了抗日統一戰線，但他始終有反共活動，主要表現在：一、制定了一個「限制異黨」活動的辦法，對中共的活動進行許多限制。二、他對陝甘寧邊區進行軍事和經濟封鎖，在整個的八年抗戰期間，他始終把胡宗南的軍隊佈置在陝甘寧邊區周圍，不管抗戰形勢如何艱難險惡，胡宗南的軍隊始終用來對付中共。三、發動皖南事變。在抗戰中，蔣介石一方面要限共、反共。但另一方面，他又不能全面反共，因為抗日的大局在前。第三錯，蔣在抗戰期間，始終堅持一黨專政，拒絕改革，頑固腐敗。當時，中國有幾種力量，都要求國民黨結束一黨專政的局面。民主黨派人士，如張瀾、黃炎培，都提出要結束國民黨的黨治局面，但遭到蔣介石拒絕。中國共產黨除要求堅持抗戰外，還要求實行民主政治，實行憲政，提出要成立聯合政府，各黨派平等，但蔣介石也都拒絕了。此外，當時的美國為了爭取反法西斯戰爭的勝利，出面調解國共矛盾，也要求蔣介石改變一黨專政的局面。抗戰後期，美國非常看好中共，對中共的抗戰活動，特別是游擊戰爭給了很高評價，對中共在陝甘寧建立的民主政府也給了很高評價。美國要求國民黨開放政權，成立國共聯合政府。一九四四年十一月，美國人赫爾利訪問延安，從延安帶回了毛澤東親筆簽字的「五項協定」，其中的第二條就是改組現在的國民政府為聯合國民政府，改組國民政府的軍事委員會為聯合的國民軍事委員會。但蔣介石都拒絕了。正是由於蔣介石在抗戰過程中，堅持反共，堅持一黨專政，這就埋下了他在抗戰勝利以後，又一次發動內戰的伏筆。正是由於他在抗戰中，拒絕改革，並且包庇孔祥熙等大官僚，抗戰勝利後，他的名聲達到了極點，但很快，不過三、四年，他就在大陸失敗，退到台灣去了。

演講時間：二〇〇五年八月二十一日。

錄音整理：程麗仙